Stockmeier · Glaube und Kultur

Beiträge zur Theologie und Religionswissenschaft

Peter Stockmeier

Glaube und Kultur

Studien zur Begegnung
von Christentum und Antike

Patmos Verlag Düsseldorf

CIP-Kurztitelaufnahme der Deutschen Bibliothek
Stockmeier, Peter:
Glaube und Kultur : Studien zur Begegnung von
Christentum u. Antike / Peter Stockmeier. –
1. Aufl. – Düsseldorf : Patmos Verlag, 1983.
  ISBN 3-491-71055-3

© 1983 Patmos Verlag Düsseldorf
Alle Rechte vorbehalten
1. Auflage 1983
Umschlaggestaltung: Ralf Rudolph
Satz: Computersatz Bonn GmbH, Bonn
Druck und Bindung: Bercker GmbH, Kevelaer
ISBN 3-491-71055-3

Inhalt

Vorwort

Der Übergang des Evangeliums vom Judentum in die hellenistische Umwelt erfolgte aus einem universalen Sendungsbewußtsein der Christen, wobei der geographischen Erweiterung des Missionsfeldes unmittelbar die Übersetzung der Botschaft in die Vorstellungswelt der jeweiligen Hörer folgte. Soweit sich die Wege der ur- und frühchristlichen Mission nachzeichnen lassen, liefen sie weitgehend über die Stationen des Diaspora-Judentums in die antike Welt hinein, deren Kennzeichnung als »Heidentum« weder ihrer religiösen noch kulturellen Situation gerecht wird. Ohne in den Fehler zu verfallen, die Antike kurzschlüssig zu verklären, wird man ihr ein hohes Maß an Kultur zubilligen, die sich in vielerlei Formen manifestierte, nicht zuletzt im Bereich des Religiösen; über seine chronologische Bedeutung hinaus gewann so der Begriff Antike geradezu eine anthropologische Sinnfülle. Schon der gemeinsame etymologische Wurzelgrund der Begriffe Kult und Kultur bezeugt die Nähe der von ihnen erfaßten Wirklichkeiten, mit denen sich die Vertreter der christlichen Botschaft auseinanderzusetzen hatten.

Ausgehend vom palästinensischen Raum mit seinem alttestamentlichen, wenn auch schon hellenistisch versetzten Hintergrund, trat das Evangelium Jesu in die antike Welt ein, die seit Alexander dem Großen eine zunehmende Vereinheitlichung erfahren hatte, andererseits durch die römische Expansionspolitik herrschaftlich auf Rom hin zentriert worden war. Gerade aus der Apostelgeschichte wird deutlich, wie ihr Verfasser den Weg des Evangeliums von Jerusalem nach Rom als Fügung Gottes beschreibt, ein Weg, der unweigerlich zur Berührung mit den jeweiligen Kulturen führte. Griechische Geistigkeit und römisches Ordnungsdenken erwiesen sich dabei nicht nur als formale Größen; in ihnen kulminierte das anspruchsvolle Selbstbewußtsein des antiken Menschen, dem die Botschaft vom Kreuz geradezu als Widersinn erschien. Das Paradox des christlichen Glaubens verschärfte also vom Ursprung her die Begegnung mit dem Hellenismus, und dieser Entscheidung fordernde Gegensatz verlieh dem für die Geschichte des Christentums so bedeutsamen Vorgang sein eigentümliches Schwergewicht. Die kritische Auseinandersetzung, geführt um der eigenen Identität willen, verschloß sich nicht der Rezeption griechisch-hellenistischer und römischer Elemente, so wenig wie später der Vorstellungswelt germanischer Stämme; sie war aber immer getragen von dem Ringen um den universalen Bestand der biblischen Offenbarung. Bis in die Gegenwart bestimmt diese Inkulturation das Erscheinungsbild des abendländischen Christentums, das sich heute angesichts neuer Herausforderungen plötzlich vor alte Aufgaben gestellt sieht.

Von der Spätantike bis heute schwankt freilich das Urteil über diese Begegnung von Evangelium und griechisch-römischer Antike, die etwas unscharf als »Hellenisierung des Christentums« die Diskussion bis in die Gegenwart beherrscht. Im Sichtwinkel des Entwicklungs-Motivs erscheint Hellenisierung als legitimer Vorgang, nicht selten sogar als Fortschritt gerühmt; als Abfall vom reinen Ursprung betrachtet, gilt sie hingegen als Stachel der Erneuerung. Vorbei an solchen Positionen relativierte Johann Wolfgang Goethe grundsätzlich die Rede von der Neuheit des Christentums, als er den antiken Rahmen des bischöflichen Trier beschwor:

> Trierische Hügel beherrschte Dionysos, aber der Bischof
>   Dionysius trieb ihn und die Seinen hinab;
> christlich lagerten sich Bacchantenscharen im Tale,
>   hinter den Mauern versteckt üben sie alten Gebrauch.

Die Frage nach der Hellenisierung des Christentums überschreitet also den Bereich historischer Fragestellung, kann aber letztlich nur auf dem Weg historischer Analyse einer angemessenen Antwort zugeführt werden. Abgesehen von der Lösung einzelner Detailprobleme steht dabei immer das grundsätzliche Verständnis von Hellenisierung zur Diskussion, das zwischen der Übernahme griechischen Vokabulars und regelrechter Verfremdung der biblischen Offenbarung pendelt. Im letzteren Fall beschränkt sich Hellenisierung dann auf die Häresie, eine Auffassung, die dem vielschichtigen Vorgang kaum gerecht wird, da über die Rezeption hellenischer Begrifflichkeit hinaus Denkform und Verstehenshorizont der nichtchristlichen Welt auch im großkirchlichen Raum die Aussage der Offenbarung beeinflußten.

In den Beiträgen der vorliegenden Aufsatzsammlung »Glaube und Kultur« wurden einzelne Segmente dieses vielschichtigen Komplexes beleuchtet, wobei der Wille zur Bewahrung der Identität im Glauben ebenso zur Sprache kommt wie die missionarische Absicht der Christen, sich dem Hörer der antiken Welt verständlich zu machen. Von ihrer ursprünglichen Anlage her greifen die Themen einen breiten Fächer der Problemlage auf, so daß sich in ihnen die Situation des gläubigen Christen in der antiken Umwelt spiegelt, die unter Kaiser Konstantin dem Großen einen weitreichenden Wandel erfuhr.

Als Originalbeiträge erscheinen in dem Sammelband: »Glauben. Die Herausforderung des Christentums gegenüber antikem Selbstverständnis«, sodann die Titel: »Das Skandalon des Kreuzes und seine Bewältigung im frühen Christentum« und: »Das Glaubensbekenntnis. Aspekte zur Ortsbestimmung der frühen Kirche«. Die übrigen Studien sind Wiederabdrucke, deren Erstveröffentlichung am jeweiligen Ort vermerkt ist. Ihre redaktionelle Überarbeitung beschränkte sich auf formale Angleichung, so daß der ursprüngliche Charakter, gegebenenfalls auch die Vortragsform gewahrt blieb. Ausdrücklich sei den Verlagen Dank gesagt für die Erlaubnis zur Aufnahme in den vorliegenden Band. Für die Gestaltung des Manuskripts und die Mitarbeit bei der Drucklegung danke ich vor allem Frau Irmgard Hofgärtner sowie meinen Mitarbeitern Herrn Rudolf Kiendl und Fräulein Gertrud Michl. Herr Karl Pichler vom Patmos Verlag, Düsseldorf, hat das Zustandekommen der Aufsatzsammlung mit aller Tatkraft vorangetrieben.

München, Ostern 1983   *Peter Stockmeier*

Glauben

Die Herausforderung des Christentums gegenüber antikem Selbstverständnis

Der Eintritt des Christentums in die antike Welt erfolgte zu einer Zeit, als die äußeren Bedingungen für eine Mission relativ günstig waren. Ein tiefgreifender Austausch, angefangen bei der Zerstreuung von Volksgruppen und einmündend in wechselseitige Übernahme geistig-religiöser Strömungen, hatte den ganzen Mittelmeerraum bereits erfaßt, ehe Kaiser Augustus (27 v.–14 n.Chr.) die Alleinherrschaft antrat. Der Aufbau der neuen politischen Ordnung ging bezeichnenderweise einher mit einer Restauration der alten Kulte und der überkommenen Vätersitte,[1] ein Vorgang, der fraglos das Selbstverständnis des antiken Menschen schärfte und die Reserve gegenüber fremden Kulten steigerte. Der Vermischung von Kulturen und Religionen im Zeitalter des Hellenismus korrespondiert also gerade zu Beginn der christlichen Ära ein gesteigertes Bewußtsein antiker Lebensform, für die das Evangelium mit seiner Glaubensbotschaft eine Provokation darstellte.

In der kirchengeschichtlichen Forschung haben die Bedingungen für die christliche Mission, insbesondere auch hinsichtlich des Glaubens, ein unterschiedliches Urteil erfahren. Einschlägige Handbücher berühren die Problematik des Glaubens meist nur am Rande, obwohl es sich nach Mk 1,15 um den grundlegenden Akt der Bekehrung handelt.[2] Religionsgeschichtliche Untersuchungen greifen das Thema eher auf, obwohl die Zeugnisse für die Behauptung dürftig sind, wonach »πίστις zum Schlagwort der Propaganda treibenden Religionen, nicht allein des Christen-

---

[1] Zur Restaurationspolitik des Augustus siehe *F. Muller – K. Gross*, Art. Augustus, in: RAC I 993–1004; *H. E. Stier*, Augustusfriede und römische Klassik, in: ANRW II 2, 3–54. Ein positives Urteil über die politischen Rahmenbedingungen der urchristlichen Mission äußert erstmals Meliton von Sardes (Eusebios, hist. eccl. IV 26,7).

[2] Die an sich instruktiven Beiträge in dem Handbuch: Kirchengeschichte als Missionsgeschichte I. Die Alte Kirche, hrsg. v. *H. Frohnes* und *U. Knorr*, München 1974, behandeln die Thematik nur am Rande. Nach wie vor ist aufschlußreich *A. v. Harnack*, Die Mission und Ausbreitung des Christentums in den ersten drei Jahrhunderten, Leipzig ⁴1924, Neudr. Wiesbaden o. J.

tums, geworden ist«.[3] Diese harmonisierende Tendenz wirkt sich jedoch in den Untersuchungen zum biblischen Glaubensverständnis kaum aus; sie verliert sich auch weitgehend in den entsprechenden Darstellungen aus dem Bereich des frühen Christentums. Allerdings ist über Einzelstudien hinaus das Glaubensthema in seiner Entwicklung nur selten behandelt worden, z. B. von *W. H. Paine Hatch*, *Roland Rößler* und *Dieter Lührmann*, der auch einen materialreichen Gesamtüberblick bei den Kirchenvätern bot.[4] Wertvolle Hinweise finden sich darüber hinaus in den Darstellungen der Dogmengeschichte oder des Konfliktes zwischen Christentum und Heidentum.[5] Insgesamt überrascht jedoch die Tatsache, daß der Glaubensproblematik im frühen Christentum relativ wenig Aufmerksamkeit geschenkt wurde.

Angesichts der aufbrechenden Kluft zwischen christlicher Glaubenshaltung und antikem Selbstbewußtsein, das sich in Paideia und Humanitas manifestierte,[6] ist daran zu erinnern, daß »Glauben« im Rahmen der philosophischen Erkenntnislehre durchaus begegnet.[7] Allein »die substantivische Skala der Glaubensausdrücke reicht von der Pistis bis zur Hypolepsis oder Prolepsis, der

3 *R. Bultmann*, Art. πιστεύω κτλ., in: ThWNT VI 174–230, 180 f. Ausgehend von einem solchen weit gefaßten Glaubensverständnis erklärt auch *U. v. Wilamowitz-Moellendorf*: »Selbstverständlich müssen spezifisch christliche Nebentöne weder im Glauben noch in der Religion gehört werden« (Der Glaube der Hellenen I, Darmstadt ⁵1976, 12).

4 *W. H. P. Hatch*, The idea of faith in Christian literature from the death of St. Paul to the close of the second century, Straßburg 1925; *R. Rößler*, Studien zum Glaubensbegriff im zweiten und beginnenden dritten Jahrhundert, Diss. Hamburg 1968; *D. Lührmann*, Glaube im frühen Christentum, Gütersloh 1976; *Ders.*, Art. Glaube, in: RAC XI 48–122 (mit weiterer Literatur).

5 Vgl. *J. Escribano-Alberca*, Glaube und Gotteserkenntnis in der Schrift und Patristik (HDG I 2a), Freiburg-Basel-Wien 1974; *A. D. Nock*, Conversion. The Old and the New in Religion from Alexander the Great to Augustin of Hippo, Oxford 1933; *P. de Labriolle*, La réaction païenne. Étude sur la polémique antichrétienne du Iᵉʳ au VIᵉ siècle, Paris 1934; *A. Momigliano*, The Conflict between Paganism and Christianity in the fourth Century, Oxford 1963.

6 Zum Zusammenhang von humanitas Romana und griechischer Bildungstradition bemerkt *W. Schadewaldt*: »So wie auch in manchen anderen Fällen, hat der realistische römische Geist die vielfach leider nur zu spekulative griechische Idee zur wirkungskräftigen Zivilisationsnorm umgeschmiedet. Erst in der Form der humanitas Romana ist auch die anthropologische griechische Kulturidee zu einer die Zeiten überdauernden Tradition und wichtigen Stütze unserer westlichen Zivilisation geworden« (Humanitas Romana, in: ANRW I 4, 43–62,62).

7 Vgl. *F. Pfister*, Die Autorität der göttlichen Offenbarung, Glauben und Wissen bei Platon, in: Würzburger Jahrb. f. d. Altertumswissenschaft 2 (1947) 176–188; *E. Seidl*, Πίστις in der griechischen Literatur bis zur Zeit des Peripatos, Diss. Innsbruck 1952; *E. Tielsch*, Die Wende vom antiken zum christlichen Glaubensbegriff. Eine Untersuchung über die Entstehung, Entwicklung und Ablösung der antiken Glaubensvorstellung und -definition in der Zeit von Anaxagoras bis zu Augustin (500 vor bis 400 nach Chr.), in: Kant-Studien 64 (1973) 159–199; *G. Barth*, Pistis in hellenistischer Religiosität, in: ZNW 73 (1982) 110–126.

einfachen Oiesis bis zur Doxa oder Peitho und Eikasia. Sie ist verbal und adjektivisch aber sogar noch weiter ausgedehnt«.[8] Erstmals wendet Parmenides den Begriff πίστις in der Erkenntnislehre an, indem er »wahren Glauben« im Sinne von Seinserkenntnis der δόξα gegenüberstellt.[9] Für Platon stellt πίστις, und zwar in einer gewissen Abkehr vom geläufigen Verständnis von »Treue« oder »Vertrauen«, die höchste Erkenntnisstufe in der sinnlichen Welt dar;[10] auch bei Aristoteles begegnet der Begriff nicht nur als Tugend oder Treue oder im Sinne von »Beweismittel«, sondern ebenso als Durchgangsstufe der Erkenntnis.[11] Im übrigen ermöglichte der antike Grundsatz, eine »Sicht der (des) Unsichtbaren aus den Phänomenen« zu gewinnen,[12] durchaus eine Art Theorie des Glaubens zu entwickeln, wobei freilich mehr die Erkenntnisproblematik zur Sprache kam und weniger die religiöse Dimension des Glaubens. Wie in diesem Zusammenhang der Begriff πίστις mehr im Umfeld von δόξα (Meinung) steht, so eignet »Glauben« nur selten eine konzise Bedeutung, ein Befund, der durch den rechtlich orientierten Aussagegehalt des lateinischen Terminus »fides« im Sinne von Treue, Gewähr, bestätigt wird.[13] Dieses Wort wurde auch in die christliche Latinität übernommen, allerdings nicht zur Verbalform weitergebildet, an deren Stelle »credere« trat, ein Verbum, das »toutes les nuances diverses de l'acte de foi chrétien« auszudrücken vermochte.[14] Gerade die zentrale Bedeutung des Glaubensaktes für die christliche Existenz demonstriert trotz aller Analogien und Parallelen den Abstand zur Umwelt und begründet samt Glaubensgehalt jene Herausforderung, die den bis in den religiösen Bereich so selbstbewußten Menschen der Antike zum Widerspruch reizte.

[8] E. Tielsch, Glaubensvorstellung 160.
[9] FVS 28 B 1,29. Vgl. E. Seidl, Πίστις 42 ff.
[10] Platon, rep. VII 534a; Tim. 27d–28a. Zum Ganzen siehe E. Seidl, Πίστις 99 ff.
[11] Aristoteles, de an. 3,3,428a28; vgl. E. Seidl, Πίστις 133 ff.
[12] Das Axiom: »Ὄψις ἀδήλων τὰ φαινόμενα« begegnet seit dem 5. vorchristlichen Jahrhundert. Vgl. E. Tielsch, Glaubensvorstellung 163 f.
[13] Vgl. C. Becker, Art. Fides, in: RAC VII 801–839; G. Piccaluga, Fides nelle religione romana di età imperiale, in: ANRW II 17,2,703–735.
[14] Chr. Mohrmann, Le problème du vocabulaire chrétien. Expériences d'évangélisation paléochrétiennes et modernes, in: Études sur le latin des Chrétiens I, Roma ²1961, 113–122, 119. Siehe ferner H. Schmeck, Infidelis. Ein Beitrag zur Wortgeschichte, in: VC 5 (1951) 129–147.

1. Die Verabsolutierung des biblischen Glaubensbegriffs

Nach Auskunft des Evangelisten Markus konzentriert sich die Verkündigung Jesu auf den Appell: »Kehret um und glaubt an das Evangelium« (Mk 1,15). Dieses Wort stellt den Glauben als entscheidende Antwort auf die anstehende Herrschaft Gottes dar. Zur Kennzeichnung einer solchen Wende dient der vieldeutige Terminus πιστεύειν, der mit seiner Orientierung an Jesus von Nazaret den alttestamentlichen Jahwe-Glauben ebenso überschreitet, wie er die Abkehr von den heidnischen Götzen verlangt. In der sprachlichen Verbindung πιστεύειν εἰς kommt das charakteristische Element neutestamentlichen Glaubens zum Ausdruck, sei es nun das Kerygma oder die Person des Christus selbst, der Heil verbürgt.[15]

Die Bindung dieses Heilsglaubens an die Gestalt Jesu stellte für die Menschen der Umwelt eine unerhörte Provokation dar, die durch die Tatsache des Kreuzestodes noch verschärft wurde (1 Kor 1,18–27). Eine geschichtliche Gestalt und ein konkretes Ereignis bilden den Angelpunkt neutestamentlichen Glaubens und nicht eine künftige Heilstat Gottes wie in alttestamentlicher Perspektive, ein Umstand, der mit dem Anspruch der Ausschließlichkeit nicht nur das religiöse System der Antike sprengte, sondern zugleich den Widerspruch der philosophisch orientierten Hellenen herausforderte. So uneinheitlich im einzelnen der neutestamentliche Sprachgebrauch auch ist, es zeichnet sich eine Entwicklung ab, wonach Glaube in einer akthaften und inhaltlichen Dimension auf die in Jesus von Nazaret ergangene Heilstat Gottes zielt.

Eine religionsphänomenologische Betrachtung vermag darum auch nur unzureichend den eigentümlichen Charakter der biblischen πίστις zu umschreiben, die für das christliche Dasein von grundlegender Bedeutung ist. Die Rede vom Glauben engt sich geradezu auf die Annahme der Botschaft Jesu ein, so daß seine Anhänger als die Gläubigen schlechthin gelten. Bei der Schilderung der Urgemeinde von Jerusalem spricht Lukas von »denen, die gläubig geworden waren« (Apg 2,44), und im folgenden heißt es, daß »die Gesamtheit der Gläubigen ein Herz und eine Seele

---

[15] Vgl. *R. Bultmann*, Art. πιστεύω 209 ff. Für die innerkirchliche Entwicklung der Glaubensproblematik spielt die Paulusrezeption eine wichtige Rolle; siehe hierzu die abgewogene Studie von *E. Dassmann*, Der Stachel im Fleisch. Paulus in der frühchristlichen Literatur bis Irenäus, Münster 1979.

war« (Apg 4,32). Die Gemeinde Jesu versteht sich aufgrund des Bekehrungsgeschehens als eine Gemeinschaft von Gläubigen, und sie erhebt diesen zentralen Begriff zur Selbstbezeichnung. Dabei fällt auf, daß neben anderen Benennungen wie Brüder (1 Kor 15,6 u.ö.), Jünger (Apg 11,26) oder Heilige (Apg 9,13) die Rede von den »Gläubigen« eine wichtige Rolle spielt, wobei die partizipiale Ausdrucksweise besonders den Akt des Glaubens ins Bewußtsein hebt.[16] Ehe man die Anhänger Jesu in Antiochien als »Christen« kennzeichnete (Apg 11,26), sei es von Amts wegen oder als volkssprachliche Schöpfung,[17] hatte sich diese Wortbildung offensichtlich schon durchgesetzt, wobei die ursprüngliche Selbstbezeichnung wohl bald auch den Außenstehenden als charakteristisches Merkmal erscheint. Ohne Zweifel betont die Rede von den »Glaubenden« scharf den Unterschied zu anderen Formen von Religion und etwaigen Elementen des Glaubens, auch gegenüber der jüdischen Umwelt. Unglaube, ἀπιστία, wirft Paulus den Juden vor, die sich der Heilsbotschaft von Jesus als dem Messias verweigern (Röm 11,20.23); dementsprechend betrachtet er auch sein Leben vor der Bekehrung als Zeit des Unglaubens (1 Tim 1,13). Als Glaubende heben sich die Anhänger Jesu bewußt von den Nichtgläubigen ab (vgl. 1 Kor 6,6; 2 Kor 6,15), und sie ziehen so eine Scheidelinie durch die Menschheit, freilich ohne den universalen Heilswillen Gottes zu verkürzen (1 Tim 4,10). Gewiß hat sich der differenzierende Wortgebrauch alsbald abgeschliffen, so daß »οἱ πιστεύοντες« einfach »die Christen« meint;[18] aber die scharfe Antithese zwischen Glaube und Unglaube bleibt nach wie vor bestehen,[19] und gerade sie verdeutlicht die Tragweite dieses Schlüsselwortes. Wie schon in der Bezeichnung »Glaubende« der Entscheidungscharakter der Bekehrung im Bewußtsein erhalten bleibt, so zeichnet ihn die Rede vom »Unglauben« bis zum Kontrast aus.[20] Hier liegen die Ansätze zu einer Geschichtsschau vor, die den Glaubenden eine tragende Rolle

---

[16] Die substantivierte Form lautet: πάντες δὲ οἱ πιστεύσαντες.

[17] Vgl. E. *Peterson*, Christianus, in: Ders., Frühkirche, Judentum und Gnosis, Freiburg 1959, 64–87.

[18] R. *Bultmann*, Art. πιστεύω 215.

[19] R. *Bultmann* (ebd. 213, Anm. 280) erblickt in dem Begriffspaar einfach den Gegensatz von Christentum und Heidentum, und zwar im Hinblick auf Ignatios, Eph. 8,2. Als Heidenbezeichnung erscheint ἄπιστοι häufiger als *I. Opelt* annimmt: Griechische und lateinische Bezeichnungen der Nichtchristen. Ein terminologischer Versuch, in: VC 19 (1965) 1–22, bes. 10.

[20] Man vgl. das apokalyptische Bild von den schwarzgekleideten Frauen im Pastor Hermae, deren erste als »Unglaube« interpretiert wird (sim. IX 14,3).

gegenüber der heidnischen Welt zuweist, während diese eine solche Anmaßung angesichts der eigenen Tradition rundweg bekämpft, wenn nicht ignoriert. Der Anspruch des Glaubens und das hieraus resultierende Selbstverständnis der »Glaubenden« bekommt so ein Profil, dem andere Formen des Glaubens nicht genügen; der Begriff verabsolutiert sich und er wird so zur Norm: die Glaubenden sind die Christen.

In der nachapostolischen Zeit gewinnt diese Sprachregelung noch an Bedeutung, wobei die jeweilige Situation der Gemeinden und die missionarische Aktivität eine erhebliche Rolle spielen. Im Anschluß an Paulus orientiert Ignatios von Antiochien den Glauben am Christusmysterium,[21] das dezidiert als Zielpunkt einer Bekehrung aus dem Judentum erscheint.[22] Das Christentum verwirklicht sich eigentlich erst als Glaube, und in diesem liegt nach dem Verfasser des Barnabasbriefes das Neue, auch gegenüber dem Alten Testament.[23] Unter ausdrücklicher Berufung auf Dtn 32,20 spricht Justin den Juden Glauben ab,[24] und er beansprucht so den Begriff für die Christen als »die Gläubigen« schlechthin.[25] Glauben und Christ-Sein meinen die gleiche Lebenshaltung, und es überrascht nicht, wenn in der Auseinandersetzung mit Juden und Heiden diese Identifikation noch an Gewicht gewinnt, so wie sie innerkirchlich im Taufbekenntnis ihren Ausdruck findet.[26]

Wie also Christentum durch Glaube umschrieben wird, so gelten die Christen als die Gläubigen. Diese Selbstbezeichnung steht zunächst auch nicht in Gegensatz zu dem sich ausbildenden Klerus,[27] sie setzt vielmehr eine Differenz zu den Ungläubigen, die durchaus auch von den Außenstehenden wahrgenommen wurde, wie uns die Übernahme der Unterscheidung durch Kelsos bestätigt.[28] Der heidnische Polemiker bei Makarios Magnes

---

21 Ignatios, Philad. 8,2; Trall. 2,1; 9,2.

22 Ignatios, Magn. 10,3: »ὁ γὰρ Χριστιανισμὸς οὐκ εἰς Ἰουδαϊσμὸν ἐπίστευσεν, ἀλλ' Ἰουδαϊσμὸς εἰς Χριστιανισμόν« (Bihlmeyer-Schneemelcher 91).

23 Barn. 3,6; 9,3; 16,7.

24 Justin, dial. 27,4; 123,4.

25 Justin, apol. I 53,5: »οἱ ἀπὸ τῶν ἐθνῶν πιστεύοντες« (Goodspeed 64).

26 Gemäß can. 51 der Synode von Elvira gilt auch der Häretiker als »fidelis«, während als »Christianus« schon der Katechumene bezeichnet wurde. Siehe C. J. v. Hefele, Conciliengeschichte I, Freiburg ²1873, 178.

27 Insofern können in der Bezeichnung »Gläubige von Asia«, die nach Eusebios, hist. eccl. V 16,10 zur Beratung in Sachen des Montanismus zusammenkamen, durchaus auch Bischöfe eingeschlossen sein. Vgl. J. A. Fischer, Die antimontanistischen Synoden des 2./3. Jahrhunderts, in: AHC 6 (1974) 241–273, bes. 249 f.

28 Origenes, c. Cels. IV 6: »καὶ τοὺς πιστεύοντάς τε καὶ ἀπιστοῦντας διαπειράσαι« (GCS 2,278); ebd. II 28 begegnet die Steigerungsform: »πιστότατοι« (GCS 2,163).

18

spricht regelrecht von einem »Geschlecht der Gläubigen«.[29] Mit Recht machte *Adolf von Harnack* schon darauf aufmerksam, daß »Pistus« sogar als beliebter Eigenname bei den Christen Verwendung fand, ein Befund, der durch epigraphische Zeugnisse bestätigt wird.[30] Trotz abweichender Interpretationen im einzelnen festigt sich der absolute Sprachgebrauch, wonach die Christen als die Gläubigen schlechthin gelten und sich selbst als solche betrachten. Geradezu personifiziert erscheint Glaube analog heidnischem Vorbild beim Prozeß gegen Justin und seine Gefährten, von denen einer auf die Frage nach der Herkunft seiner Eltern antwortet: »Unser wahrer Vater ist Christus und unsere Mutter ist der Glaube an ihn.«[31] In Erwartung des Martyriums offenbart diese Aussage jenes Grundverständnis, das christliches Dasein prägt und allen Einwürfen aus der geistigen und religiösen Umwelt vorausliegt. Durch die inhaltliche Orientierung des Glaubens am Christusereignis ist zudem einer Auslegung nach Art des Mythos eine Grenze gesetzt, deren Tragweite im Blutzeugnis ihre schärfste Zuspitzung erfährt.

2. Wandlungen des Glaubensbegriffs

Trotz einer unverkennbaren Konzentration stößt man schon auf unterschiedliche Akzente im Glaubensverständnis, ein Sachverhalt, der in nachapostolischer Zeit gewisse Wandlungen des Glaubensbegriffs begünstigte. Ohne Zweifel haben hierzu die veränderten Verhältnisse beigetragen, wobei die Verzögerung der Parusie den eschatologischen Grundzug der Glaubenshaltung ebenso ausdünnte, wie das Wachstum der Gemeinden im Gefolge der Mission die Sicherung des Glaubensgehaltes erzwang. Die Erfahrungen der Geschichte nötigten offensichtlich zu neuen Formen der Auslegung, die in Rücksicht auf die Glaubensgemein-

---

[29] Quaest. III 17: »πιστῶν ... φατρίας« (*A. v. Harnack*, Kritik des Neuen Testaments von einem griechischen Philosophen des 3. Jahrhunderts [Die im Apocriticus des Macarius Magnes enthaltene Streitschrift] [TU 37,4], Leipzig 1911, 50). Die Bemerkung Tertullians, apol. 46,14: »Christianus et extra fidelis vocatur« (Becker 206), meint neben »gläubig« doch wohl auch »verlässig«.

[30] *A. v. Harnack*, Mission 415.

[31] Mart. Justini 4: »Ὁ ἀληθινὸς ἡμῶν πατήρ ἐστιν ὁ Χριστός, καὶ μήτηρ ἡ εἰς αὐτὸν πίστις« (Rauschen 101). Man vgl. dazu die parallele, aber ekklesiologisch ausgezeichnete Formulierung Cyprians, ep. 74,7: »ut habere quis possit Deum patrem, habeat ante ecclesiam matrem« (CSEL 3,2,804).

schaft selbst erfolgte, jedoch die möglichen Adressaten in der Umwelt einbezog.

Ein charakteristischer Wandel im Glaubensverständnis zeichnet sich beispielsweise im Hebräer-Brief ab, insofern das ethische Element in den Vordergrund rückt und Glaube geradezu als Tugend erscheint.[32] Solche Rede vom Glauben begegnet uns bereits in der jüdisch-hellenistischen Umwelt, etwa bei Philon von Alexandrien, der in der πίστις geradezu die Königin der Tugenden erblickt, insofern sie auf dem Weg der Lehre zur Anerkenntnis des einen Gottes führt.[33] Es liegt auf der Hand, daß solche Deutungen auch die Literatur der nachapostolischen Zeit beeinflußten. So ist schon öfters festgestellt worden, daß sich der Glaube des Christen im sogenannten Klemensbrief an Gott wendet, und nicht eigentlich an Christus.[34] Die formelhafte Rede vom »Glauben in Christus« zielt freilich auf eine Neubegründung und setzt so einen deutlichen christologischen Akzent.[35] Die Angleichung an das alttestamentliche Gottesbild, dessen Monotheismus gerade in Kreisen der Gottesfürchtigen Anklang gefunden hatte, erfuhr so ohne weitere Reflexion jene inhaltliche Ergänzung, die von der neutestamentlichen Botschaft her gefordert war. Im übrigen begegnen uns in der jüdisch-hellenistischen Synagoge die gleichen Gottesprädikationen, die hier auftauchen. »Daher ist auch der Glaube seinem Wesen nach keine eschatologische Haltung, denn er ist nicht die Grundhaltung der neu gewonnenen eschatologischen Existenz des durch Christus Erlösten und aus dessen Wirklichkeit Lebenden. Es ist vielmehr die Gott pflichtgemäß geschuldete Haltung des Gehorsams des Geschöpfes gegenüber seinem Schöpfer, Herrn und Richter und darum auch den Frommen der Zeit vor Christus wie Noe, Abraham und Rahab (9,4; 10,1; 12,1), ja überhaupt allen Glaubens- und Tugendbeispielen (12,7; 19,1) bereits eigen.«[36] Eine gewisse Nähe zum Glaubensverständnis des He-

---

[32] Siehe E. Grässer, Der Glaube im Hebräerbrief, Marburg 1965; R. Rößler, Studien zum Glaubensbegriff 3 ff.

[33] Vgl. Philon, Abr. 270.

[34] So schon A. Ritschl, Die Entstehung der altkatholischen Kirche, Bonn ²1875, 282. Vgl. K. Beyschlag, Clemens Romanus und der Frühkatholizismus. Untersuchungen zu I Clem. 1–7 (BHTh 35), Tübingen 1966, 28. Nach A. v. Harnack gehört »allein der Vater« in das Evangelium (Das Wesen des Christentums, Leipzig 1900, 91).

[35] 1 Klem 22,1: »ἡ ἐν Χριστῷ πίστις« (Bihlmeyer-Schneemelcher 48). Entsprechend der Formel »ἡ ἐν Χριστῷ παιδεία« (1 Klem 21,8 [Bihlmeyer-Schneemelcher 48]) besagt die Wendung vom »Glauben in Christus« nicht nur »den von Christus erschlossenen Bereich« (D. Lührmann, Art. Glaube 80), sondern zugleich eine in ihm gründende Haltung.

[36] O. Knoch, Eigenart und Bedeutung der Eschatologie im theologischen Aufriß des ersten

bräer-Briefes[37] läßt nicht darüber hinwegsehen, daß hier eine alttestamentliche Linie aufgenommen und mit der Haltung hellenistischer Frömmigkeit verwoben wurde, die offensichtlich der Aussageabsicht des Schreibens entsprach. Im Hinblick auf den entstandenen Aufruhr in Korinth erweist sich dann der Hinweis auf »den vortrefflichen und festen Glauben«, der diese Gemeinde auszeichnete,[38] geradezu wie ein Ordnungselement, das den alsbald lautwerdenden Vorwurf, wonach der christliche Glaube das religiöse System der antiken Gesellschaft störe, von vornherein eingrenzt.[39] Eine Übersetzung des Glaubensverständnisses in die Vorstellungswelt der Zeitgenossen begegnet uns in dem Schreiben mehrmals. Erwähnt sei nur das Bild vom festen Laufziel des Glaubens, das offensichtlich die Sprache der Agonistik aufnimmt.[40] Gegenüber 1 Kor 9,24–27, wo Paulus den Vergleich ganz allgemein einführt, um seine Tätigkeit zu illustrieren, ist hier von einem »Glaubenslauf« die Rede; auch 2 Tim 4,7 ergänzt den Topos im Sinne des Glauben-Bewahrens und zeigt so bei aller Ähnlichkeit die eigentümliche Akzentuierung im Klemensbrief. Glaube erscheint vor dem Hintergrund des hellenistisch-jüdischen Tugendkanons als eine Haltung, die sich um die Verwirklichung der gottgesetzten Ordnung in Gemeinde, Polis und Kosmos müht.

In gleiche Richtung zielt auch der Hinweis auf die Missionstätigkeit des Apostels Paulus, der »die ganze Welt Gerechtigkeit lehrte«.[41] Eine solche summarische Umschreibung der Verkündigung des Paulus verlagert die Rolle des Glaubens für die Rechtfertigung des Menschen (Röm 4,1–3; Gal 3,6–9.14), obwohl sie am Beispiel Abrahams durchaus gesehen wird.[42] Sofern nämlich der

Clemensbriefes (Theophaneia 17), Bonn 1964, 236. G. Brunner urteilt: »Pistis ist traditionell geworden und braucht nicht mehr zu bedeuten als die ›Christgläubigkeit‹ in der mehr weltanschaulichen Bedeutung dieses Wortes« (Die theologische Mitte des Ersten Klemensbriefes. Ein Beitrag zur Hermeneutik frühchristlicher Texte [Frankfurter theol. Stud. 11], Frankfurt 1972, 125).

37 Vgl. D. Lührmann, Glaube im frühen Christentum 87.

38 1 Klem 1,2: »τὴν πανάρετον καὶ βεβαίαν ὑμῶν πίστιν« (Bihlmeyer-Schneemelcher 35). K. Beyschlag macht auf die Parallele zu 1 Petr 1,6 f aufmerksam (Clemens Romanus 202, Anm. 4).

39 Siehe P. Mikat, Die Bedeutung der Begriffe Stasis und Aponoia für das Verständnis des 1. Clemensbriefes (Arb.-Gem. f. Forsch. d. Landes Nordrhein-Westfalen, Geisteswiss. 155), Köln-Opladen 1969.

40 1 Klem 6,2: »τὸν τῆς πίστεως βέβαιον δρόμον« (Bihlmeyer-Schneemelcher 38). Vgl. A. W. Ziegler, Neue Studien zum ersten Klemensbrief, München 1958, 24 ff.

41 1 Klem 5,7: »δικαιοσύνην διδάξας ὅλον τὸν κόσμον« (Bihlmeyer-Schneemelcher 38).

42 1 Klem 31,2. Vgl. P. Stockmeier, Christlicher Glaube und antikes Ethos, in: Begegnung.

Akzent auf das Lehren von Gerechtigkeit gelegt wird, tritt die Bedeutung des Glaubens für die Rechtfertigung in den Hintergrund und Gerechtigkeit als Inhalt des paulinischen Evangeliums ins Zentrum. Unschwer ließen sich damit alttestamentliche Traditionsströme mit philosophischem Vorstellungsgut verknüpfen und so der paulinische Rekurs auf Glauben als ethischer Impuls für die ganze Welt vorstellen. Tatsächlich ist auch die Formulierung von 1 Klem 32,4, wonach wir nicht durch Werke gerechtfertigt werden, »sondern durch den Glauben, durch den der allmächtige Gott alle von Anbeginn an gerechtfertigt hat«,[43] eingebettet in die brüderliche Ermahnung, so daß von diesem Kontext her die Frage nach dem hier zutagetretenden Paulinismus zu beantworten ist.[44] Ohne Zweifel eignet dieser Aussage eine paulinische Spitze; aber in ihrer liturgischen Form wirkt sie wie ein Traditionsstück, das im Zusammenhang zwar das Bewußtsein von einer Rechtfertigung aus Glauben widerspiegelt, aber ebenso die Einordnung in die nachapostolische Situation, zumal es mit einem Heilsuniversalismus gekoppelt bleibt. Die Verhältnisse in den frühen Gemeinden und deren Erscheinungsbild förderten offensichtlich eine Interpretation, deren Sog sich gerade das Glaubensverständnis nicht zu entziehen vermochte.

3. Glaube und Erkenntnis

Eine unabweisbare Anfrage und daraus resultierend ein nachhaltiger Einfluß auf das Glaubensverständnis ging vom Erkenntnisstreben des antiken Menschen aus. Schon innerhalb des neutestamentlichen Schrifttums begegnet uns die Verknüpfung von πίστις und γνῶσις. In der Haltung des Glaubens, die den Vorgang der Bekehrung kennzeichnet, äußert sich bereits eine Erkenntnis Gottes, die nicht nur eine Distanzierung vom heidnischen Polytheismus einschließt, sondern vor allem im Anschluß an alttestamentliche Forderungen Anerkenntnis Gottes. »Der charakteristischen, stark durch das AT bestimmten christlichen Auffassung von der christlichen Erkenntnis, in der ein gehorsames und dank-

---

Beiträge zu einer Hermeneutik des theologischen Gesprächs, hrsg. v. M. Seckler, O. H. Pesch, J. Brosseder, W. Pannenberg, Graz-Wien-Köln 1972, 433–446 [in diesem Band S. 106–119].

[43] 1 Klem 32,4: »ἀλλὰ διὰ τῆς πίστεως, δι' ἧς πάντας τοὺς ἀπ' αἰῶνος ὁ παντοκράτωρ θεὸς ἐδικαίωσεν« (Bihlmeyer-Schneemelcher 52).

[44] Zur Diskussion des Textes siehe zuletzt E. *Dassmann*, Der Stachel im Fleisch 85 ff.

bares Anerkennen des Tuns und Forderns Gottes verbunden ist mit dem Wissen um Gott und um das, was er getan hat und fordert, entspricht es, daß diese christliche Erkenntnis kein ruhender Besitz ist, sondern sich im Leben des Christen als dauerndes Gehorchen wie als dauerndes Nachdenken entfaltet; eben deshalb gilt die γνῶσις als eine Gnadengabe, die das Leben des Christen charakterisiert, indem sie seine Äußerungen bestimmt.«[45] Zwar fordert Paulus einerseits die Annahme der evangelischen Botschaft gegen die eigene Weisheit (z. B. 1 Kor 2,1-16), deutet andererseits solches Glauben aber als Wissen (Röm 6,8 f; 2 Kor 4,13 f). Wie er den Juden die rechte Erkenntnis Gottes abspricht (Röm 10,2), so charakterisiert er den bedrohten Glauben der Galater als ein wechselseitiges Erkennen gegenüber Gott (Gal 4,9). Das johanneische Schrifttum bedient sich der Erkenntnis-Terminologie insbesondere, um das Verhältnis Gottes zu Jesus bzw. auch zu den Gläubigen zu umschreiben, teilweise in Anknüpfung an hellenistische Traditionen. Unverkennbar wird aus den Texten ersichtlich, daß ein Vokabular gnostischer Provenienz die Aussagen prägt, ohne daß darob deren Vorstellungswelt für das Verständnis schon durchgehend bestimmt ist. Es liegt nicht in unserer Absicht, in diesem Zusammenhang die vielschichtigen Verbindungen von christlicher Heilsbotschaft und Gnostizismus zu erörtern, auch wenn sich in diesen Systemen durchaus antikes Selbstbewußtsein artikulierte. Allein das Aufkommen gnostischer Strömungen in einer dem Christentum parallelen Zeitstellung zeigt die Begrenztheit dieses Phänomens, das dann auch trotz seiner Wirkkraft rasch isoliert wurde und mit Ausnahme von Transformationen untergegangen ist.[46]

Von nachhaltiger, ja grundsätzlicher Bedeutung erwies sich für das Christentum jedoch die Verknüpfung von Glaube und theoretischer Erkenntnis. Das Sich-Einlassen der »Gläubigen« auf die Fragestellungen und Entwürfe der antiken Philosophie und damit die Bereitschaft, Begründungen für den Glauben zu erheben, gehört fraglos zu den grundlegenden Weichenstellungen in der Geschichte des Christentums. Schon innerhalb des Neuen Testaments beobachtet man die Tendenz, den Glauben zu begründen, so wenn beispielsweise Paulus von den Erscheinungen des Auf-

[45] So R. Bultmann, Art. γιγνώσκω κτλ., in: ThWNT I 688–719,707, und zwar unter Verweis auf 1 Kor 1,5; 12,8; 2 Kor 8,7; 1 Klem 1,2.
[46] Zur Problemlage vgl. R. Mortley – C. Colpe, Art. Gnosis I (Erkenntnislehre), in: RAC XI 446–537; C. Colpe, Art. Gnosis II (Gnostizismus), in: RAC XI 537–659.

erstandenen spricht (1 Kor 15,1–11) oder Johannes die Wunder Jesu als Bestätigung seiner Sendung deutet (Joh 2,11; 4,53; 5,36 u. ö.).[47] Eine solche Rechtfertigung des Glaubens auf das Zeugnis anderer hin entbehrt des rationalen Arguments, und Paulus verzichtet bewußt auf die überredenden Worte der Weisheit, damit der »Glaube sich nicht gründe auf Weisheit von Menschen, sondern auf die Kraft Gottes« (1 Kor 2,5). Trotz dieser Abkehr von der rationalen Begründung erwächst aus dem Glauben auch Erkenntnis (vgl. Phil 3,8; 2 Kor 5,16; Mt 13,11). Vor allem seit dem Tode Jesu gewann neben dem auf die Person des Auferstandenen bezogenen Glauben der Aspekt des Wissens an Gewicht, insofern die Verkündigung der Jünger sich christologisch entfaltete. Wie Tod und Auferstehung beispielsweise schon bei Paulus (1 Kor 15,1ff; 1 Thess 1,9f; Röm 10,6 u. ö.) als Explikation des Christusglaubens erscheinen, so gelten diese Heilstatsachen Ignatios von Antiochien geradezu als Urkunden des Glaubens,[48] dessen Leugnung durch Doketen als »schlimme Lehre« verurteilt wird.[49] Neben dem Akt des Glaubens gewann zusehends der Glaubensgehalt an Bedeutung, wobei über die Gottesbeziehung hinaus vor allem die christologischen Daten das Verständnis prägen. Im Gefolge dieser Entwicklung nahm die christliche Verkündigung immer mehr den Charakter einer Lehre an, ein Wandel, den das Auftreten von »Lehrern« in den Gemeinden noch unterstrich.[50] Mit Recht sagt *Karl H. Rengstorf*: »διδασκαλία wird nun zur *Zusammenfassung des Lehrinhalts*, gerade auch zur Zusammenfassung dessen, was aus dem Munde der Apostel auf die Nachwelt gekommen ist«;[51] zugleich äußert sich in diesem Verständnis ein intellektualistisches Element, das in der Kennzeichnung des Christentums als Philosophie noch deutlicher zum Tragen kommt.[52]

---

[47] Die summarische Feststellung von *R. Mortley*, wonach der Glaube rational sei (RAC XI 490), wirkt allerdings überzogen, nicht zuletzt im Hinblick auf seine personale Orientierung; tatsächlich verlagert sich Glaube auf das Zeugnis der Jünger, deren Glaube zum Motiv der nachfolgenden »Gläubigen« wird.

[48] Ignatios, Philad. 8,2.

[49] Ignatios, Eph. 16,2.

[50] Siehe *K. H. Rengstorf*, Art. διδάσκω κτλ., in: ThWNT II 138–168 f, bes. 160 ff; *F. Normann*, Christos Didaskalos. Die Vorstellung von Christus als Lehrer in der christlichen Literatur des ersten und zweiten Jahrhunderts (MBTh 32), Münster 1967.

[51] *K. H. Rengstorf*, Art. διδάσκω 165. Die Folgerung freilich, hier äußere sich »die beginnende Erstarrung des urchristlichen Kerygma im altkirchlichen Dogma« (ebd.), verrät einen ungeschichtlichen Standpunkt.

[52] Vgl. z. B. Justin, dial. 8,1: »φιλοσοφίαν ἀσφαλῆ τε καὶ σύμφορον« (Goodspeed 99). Vgl. *A.-M. Malingrey*, »Philosophia«. Études d'un groupe de mots dans la littérature grecque,

Diese Tendenz verstärkt sich im Schrifttum der sogenannten Apologeten, die über die Widerlegung heidnischer Polemik hinaus bewußt den Dialog mit den Gebildeten der Umwelt suchten. Leider ist das Werk des Bischofs Meliton von Sardes († um 185) »Der Glaube des Menschen« verlorengegangen,[53] in dem offensichtlich die Frage erstmals thematisiert wurde. Doch allein schon die Tatsache, daß für Justin die Christen als »die Glaubenden« schlechthin gelten,[54] zeigt die Tragweite dieser Selbstbezeichnung; sie wird vollends deutlich, wenn er im Dialog mit dem Juden Tryphon, in dem πίστις gewiß »eins der Schlüsselworte der Auseinandersetzung« bildet,[55] den Juden grundsätzlich Glaube abspricht, insofern sie Jesus von Nazaret nicht als Christus anerkennen.[56] Dabei erzwingt die geschichtliche Erfahrung geradezu eine Zustimmung zu den Propheten als »glaubwürdige Zeugen der Wahrheit, mehr als ein philosophisches Beweisverfahren«.[57] Mit der Inanspruchnahme der alttestamentlichen Prophetie durch das Christentum bekommt die Geschichte für den Glauben einen Stellenwert, der nicht nur die Distanz zu Israel markiert, sondern der Geschichte überhaupt Zeugnischarakter zumißt. Das Glaubensverständnis Justins bleibt freilich nicht dem Beweis aus der Geschichte unterworfen. Am Beispiel der Auferstehung von den Toten demonstriert er, daß Glaube die geschichtliche Erfahrung überschreitet; denn »es ist besser, auch an das zu glauben, was unserer eigenen Natur und überhaupt Menschen unmöglich ist, als wie die anderen ungläubig zu sein, zumal wir auch wissen, daß unser Lehrer Jesus Christus gesagt hat: Was bei den Menschen unmöglich ist, das ist bei Gott möglich (Lk 18,27).«[58] Der vorausgehende Vergleich von der Entstehung des Menschen und der Welt soll zeigen, daß die Erkenntnis des sinnlich Wahrnehmbaren keine Schranke für Glaube an Unsichtbares darstellt, viel-

---

des Présocratiques au IVe siécle après J.-Chr., Paris 1961; *P. Courcelle*, Verissima philosophia, in: Epektasis. Mélanges patristiques offerts au Cardinal Jean Daniélou, publ. J. Fontaine et Ch. Kannengießer, Paris 1972, 653–659.

[53] Eusebios, hist. eccl. IV 26.

[54] Justin, apol. I 53,5, vgl. Anm. 25.

[55] *D. Lührmann*, Glaube im frühen Christentum 91.

[56] Justin, dial. 44,1–4.

[57] Justin, dial. 7,2. »Die Geschichte der Vergangenheit und Gegenwart ist es, welche zwingt (ἐξαναγκάζει), ihren Worten zuzustimmen« (Goodspeed 99).

[58] Justin, apol. I 19,6: »κρεῖττον δὲ πιστεύειν καὶ τὰ τῇ ἑαυτῶν φύσει καὶ ἀνθρώποις ἀδύνατα, ἢ ὁμοίως τοῖς ἄλλοις ἀπιστεῖν παρειλήφαμεν, ἐπειδὴ καὶ τὸν ἡμέτερον διδάσκαλον Ἰησοῦν Χριστὸν ἔγνωμεν εἰπόντα. Τὰ ἀδύνατα παρὰ ἀνθρώποις δυνατὰ παρὰ θεῷ« (Goodspeed 39).

mehr ihre Voraussetzung bildet entsprechend dem antiken Axiom, wonach die Phänomene eine Schau des Nichtoffenbaren ermöglichen. Aus der Betrachtung der sichtbaren Welt resultiert die Erkenntnis der unsichtbaren Wirklichkeiten, ein Grundsatz, der bereits in der bekannten »Definition« von Glauben in Hebr 11,1 zum Tragen kommt und offensichtlich die Argumentation Justins beeinflußt.[59] Im Zuge der Verlagerung des Glaubensinhalts von der Gestalt Jesu auf die künftigen Heilsgüter bot das bekannte philosophische Axiom den Apologeten eine brauchbare Argumentationshilfe, um im Verständnishorizont der Umwelt christlichen Glauben zu erläutern.

Die Apologeten versuchten also, den Akt des Glaubens im Erkenntnishorizont der hellenistischen Umwelt zu erläutern und seine Vernunftmäßigkeit zu erweisen. Diese Konvergenz demonstrierten sie zugleich an Glaubensinhalten wie Monotheismus, Schöpfung und in bemerkenswerter Häufigkeit an der Auferstehung von den Toten; darüber hinaus leiteten sie aber auch jene Bemühungen ein, die den Glaubensakt als Erkenntnisvorgang interpretieren und seine Rationalität hervorkehren. Die Wortverbindung »τὸν λογισμὸν ἡμῶν τῆς πίστεως«[60] bei Athenagoras illustriert in aller Deutlichkeit dieses Bestreben. Bekanntlich bildete λογισμός neben διάνοια einen Schlüsselbegriff platonischer Erkenntnislehre,[61] und seine Verknüpfung mit πίστις bedeutete für die frühchristlichen Theologen die Öffnung auf jene Intellektualität hin, die in der zeitgenössischen Philosophie als Norm galt. Eine solche Verschränkung mag nicht zuletzt durch den Umstand erleichtert worden sein, daß – im Gegensatz zur neuzeitlichen Aufklärung – ein Denkakt als Ausdruck der Frömmigkeit galt.

Eignet der Zuordnung von Glaube und Erkenntnis bei den Apologeten mehr oder weniger ein grundsätzlicher Charakter, so führte Klemens von Alexandrien die Antwort entscheidend weiter, indem er das Verhältnis von Pistis zur Gnosis näher bestimmte. Auch für ihn stellt Glaube einen zentralen Begriff dar,[62] den es

---

59 Zur Deutung und Auslegungsgeschichte dieser Glaubensbeschreibung siehe den Exkurs von *H. Dörrie*, Die Interpretation von Hebr 11,1 und ihre Geschichte, in: Platonica Minora (Studia et Testimonia antiqua VIII), München 1976, 61–69. In erhellender Weise bringt *E. Tielsch* die Hebräer-Stelle in Zusammenhang mit dem Anm. 12 zitierten Axiom (Glaubensbegriff 185 ff).

60 Athenagoras, suppl. 8,1 (Goodspeed 322).

61 Vgl. *H. Dörrie*, Der Platonismus in der Kultur- und Geistesgeschichte der frühen Kaiserzeit, in: Platonica Minora 191, Anm. 78.

62 Vgl. die Umschreibung strom. II 8,4, wonach Glaube »eine Annahme aus freiem Entschluß

gegenüber gnostischen Strömungen in seiner Bedeutung für das Heil des Menschen zu wahren, zugleich aber auch auf den Anspruch der Rationalität hin zu legitimieren galt. Anlaß zu diesem Unternehmen bot ihm nicht zuletzt die Tatsache, daß die Griechen vom Glauben schlecht reden, da sie ihn für unbegründet und barbarisch halten.[63]

Um das Verhältnis von Glaube und Wissen zu bestimmen, verweist der Alexandriner über das stimulierende Wort aus Jes 7,9: »Wenn ihr nicht glaubt, werdet ihr auch nicht verstehen« hinaus auf Definitionen von πίστις in der zeitgenössischen Philosophie, um zu folgern: »Wenn nun der Glaube ein Vorsatz ist, der in dem Streben nach irgend etwas besteht, so handelt es sich hier um ein Streben, das in Gedanken vor sich geht; da aber der Vorsatz den Anfang vom Handeln bildet, so erweist sich der Glaube als Anfang zum Handeln, als Grundlage für einen verständigen Vorsatz, indem man sich durch den Glauben schon im voraus den Beweis verschafft.«[64] Dem Glauben kommt also in der Perspektive von Erkenntnis eine proleptische Funktion zu, die so begründet wird: »Wenn man sich aus freien Stücken auf die Seite des Zweckmäßigen stellt, so ist das der Anfang der Einsicht.«[65] Es handelt sich hier im Grunde um einen hermeneutischen Ansatz, der im Glauben eine sachgemäße Zuwendung zum Objekt, hier der Offenbarung, erblickt, aus der Einsicht und Erkenntnis erwächst. Der Glaube ist »für den Träger der Erkenntnis ebenso notwendig wie dem auf dieser Welt Lebenden das Atmen zum Leben«.[66] Ohne Zweifel gelingt es Klemens mit diesem hermeneutischen Ansatz, das Problem des Verhältnisses von Glaube und Wissen in einer Weise zu beschreiben, die dem logosorientierten Griechen vermittelbar war. Im Zusammenhang seiner Ausführungen hebt er schließlich auf die Konsequenzen des Glaubens als der »erhabensten Mutter der Tugenden« ab,[67] nicht

---

ist, eine zustimmende Anerkennung der Gottesfurcht, ein zuversichtliches Vertrauen auf das, was man erhofft, ein festes Überzeugtsein von Dingen, die man nicht sieht (Hebr 11,1)« (GCS 52,117). Unter den einschlägigen Analysen sind zu erwähnen K. *Prümm*, Glaube und Erkenntnis im zweiten Buch der Stromata des Klemens von Alexandrien, in: Scholastik 22 (1937) 17–57; W. *Völker*, Der wahre Gnostiker nach Clemens Alexandrinus (TU 57), Berlin-Leipzig 1952.

[63] Klemens Al., strom. II 8,4. Nach strom. II 27,4 fehlt dem Glauben die ἀπόδειξις, der schlüssige Beweis (GCS 52,127).
[64] Ebd. II 9,2 (GCS 52,117).
[65] Ebd. II 9,3 (GCS 52,117).
[66] Ebd. II 31,3 (GCS 52,129).
[67] Ebd. II 23,5: »μεγίστη δὲ ἀρετῶν μήτηρ ἡ πίστις« (GCS 52,125).

zuletzt dadurch der klassischen Forderung des ethischen Intellektualismus entsprechend.[68]

Ohne die grundlegende Bedeutung des Glaubens für den Christen zu verschleiern, legt Klemens mit allem Nachdruck πίστις auf Gnosis hin aus, und zwar nicht nur auf die Zielvorstellung eines vollkommenen Christen,[69] sondern ebenso in Betracht des Verhältnisses von Glaube und Wissen. *Karl Prümm* meint sogar, »daß diese Darlegung des Klemens die mittelalterliche Auffassung der Theologie als einer *Wissenschaft der Konklusionen*, wie sie ja bekanntlich der heilige Thomas in der Einleitung in die theologische Summe und in den Fragen über die Wahrheit maßgebend vorgelegt hat, vorwegnimmt«.[70] Gewiß schreibt Klemens dem Glauben die Fähigkeit zu, an »den Uranfang aller Dinge zu gelangen«,[71] und zwar analog dem Zugang zu den Prinzipien; dennoch bestimmt er sein Verhältnis zum Wissen nicht einlinig, sondern in wechselseitiger Auseinandersetzung mit Elementen der platonischen, aristotelischen, stoischen Erkenntnislehre. Dabei ist die gesamte Argumentation davon getragen, vom Makel des Einfältigen zu befreien und seine Legitimität vor der Instanz des erkenntnisorientierten Griechen zu erweisen.

Bekanntlich fand dieser Entscheid zugunsten der Vernunft und der Philosophie nicht allseits Anerkennung. Aber selbst ein Tertullian, der mit Nachdruck die Anstößigkeit des Glaubens angesichts der bildungsorientierten Umwelt vertrat, konnte sich nicht der Notwendigkeit eines rationalen Arguments entziehen.[72] Dezidiert rechtfertigt Origenes den Einsatz der Vernunft mit dem Hinweis, »daß die heiligen Apostel, als sie den Christusglauben verkündeten, über einige Dinge, nämlich alle, die sie für notwendig hielten, ganz klare Aussagen überliefert haben für alle Gläubigen, auch für die, die sich zur Erforschung des göttlichen Wissens trä-

---

[68] Vgl. *A. Dihle*, Art. Ethik, in: RAC VI 646–796, bes. 647 ff.

[69] Siehe Klemens Al., strom. II 31,1: »Göttliche Wirkung ist demnach der gewaltige Umschwung, wenn man aus dem Unglauben zum Glauben kommt und der Hoffnung und der Furcht (der Verheißung und der Drohung) glaubt. Und in der Tat zeigt sich uns der Glaube als die erste Hinneigung zum Heil, und nach ihm bringen Furcht und Hoffnung und Buße zusammen mit Enthaltsamkeit und Geduld den Fortschritt und führen uns zu Liebe und Erkenntnis« (GCS 52,129). Vgl. ferner strom. VII 55,1–7; dazu die Charakteristik bei W. *Völker*, Der wahre Gnostiker 507 ff.

[70] *K. Prümm*, Glaube und Erkenntnis 38.

[71] Klemens Al., strom. II 14,1: »πίστει οὖν ἐφικέσθαι μόνῃ οἷόν τε τῆς τῶν ὅλων ἀρχῆς« (GCS 52,119).

[72] Vgl. *U. Wickert*, Glauben und Denken bei Tertullian und Origenes, in: ZThK 62 (1965) 153–177.

28

ger zeigten. Die Gründe für ihre Sätze zu erforschen, überließen sie freilich denen, die hervorragender Geistigkeit gewürdigt sind und vor allem die Gabe der Rede, der Weisheit und der Erkenntnis durch den heiligen Geist selbst empfangen haben«.[73] Mit seinen vier Büchern »Von den Prinzipien« suchte er diese Aufgabe zu lösen und das Verhältnis von Glaube und Wissen auch inhaltlich zu systematisieren. Ohne Zweifel verselbständigte sich dadurch die Rolle der Erkenntnis gegenüber dem Glauben.[74] Der innerkirchliche Vorbehalt gegen eine solche Entwicklung schuf gewiß Probleme; nach außen machte sie jedoch unübersehbar die Absicht deutlich, dem Anspruch von »λογισμὸς καὶ διάνοια« gerecht zu werden.

Die Zuordnung von Glaube und Erkenntnis beschäftigte das Christentum auch weiterhin, wobei zunehmend die theologische Diskussion das Feld beherrschte. In der Auseinandersetzung um die Möglichkeit der Gotteserkenntnis, die im Gefolge der arianischen Wirren hochgekommen war, bestimmte Basileios das Verhältnis dahin, daß beim Gottesglauben das Wissen um die Existenz Gottes vorausgehe.[75] Gewonnen wird diese Erkenntnis aus der Schöpfung, die in seinem Denken einen hohen Stellenwert einnimmt, und ihr folgt der Glaube, welcher in Anbetung einmündet.

Einen unverkennbaren Anstoß erfuhr die Verhältnisbestimmung von Glaube und Erkenntnis immer wieder durch analoge Tendenzen aus der antiken Umwelt, nicht zuletzt durch das Motiv einer religiös gearteten Selbsterkenntnis, und man hat zu Recht darauf verwiesen, daß von den Vertretern des Christentums solche Imperative integriert wurden. Der junge Augustin, herkommend von einer manichäistischen Rationalität, nahm die alte Forderung nach Selbsterkenntnis auf und fand zunächst im neuplatonischen Gedanken der Reinigung einen starken Antrieb, um schließlich die Unveräußerlichkeit des Glaubens zu betonen.[76] In Aufnahme

---

[73] Origenes, princ. I praef. 3 (Görgemanns-Karpp 87). Zur unterschiedlichen Beurteilung dieses Werkes siehe *U. Berner*, Origenes (Ertr. d. Forsch. 147), Darmstadt 1981, 63 ff.

[74] Trotz des Bewußtseins einer vielfältigen Stufung von Erkenntnis dient der Gnostiker aber auch dem einfachen Gläubigen. Vgl. *N. Brox*, Der einfache Glaube und die Theologie, in: Kairos 14 (1972) 161–187.

[75] Basileios, ep.235,1: »Ἐν δὲ τῇ περὶ Θεοῦ πίστει ἡγεῖται μὲν ἡ ἔννοια ἡ περὶ τοῦ ὅτι ἐστὶ Θεός, ταύτην δὲ ἐκ τῶν δημιουργημάτων συνάγομεν« (Courtonne III 44). Vgl. *Th. Spidlik*, La sophiologie de S. Basile (Orient. Christ. Anal. 162), Roma 1961.

[76] Zu diesem Phänomen siehe *G. Widengren* (Hrsg.), Der Manichäismus (Wege d. Forsch. 168), Darmstadt 1977; ferner *M. Löhrer*, Der Glaubensbegriff des hl. Augustinus in seinen

des antiken auctoritas-Motivs, das auf Schrift und Kirche übertragen wird, erscheint Glaube als Ausgangspunkt heilender Erkenntnis; denn »solch ein Glaube ist nur möglich, wenn sich der Mensch dem gewichtigen Befehl der Autorität unterwirft«.[77] Augustins Wende zum kirchlichen Denken hinderte ihn freilich nicht, auch weiterhin die Denkstruktur des christlichen Glaubens zu unterstreichen.[78] »Ergo intellege ut credas, crede ut intellegas«,[79] eine Forderung, mit der er dem mittelalterlichen Programm von der *fides quaerens intellectum* den Weg bereitete.

Der Anspruch des antiken Erkenntnisstrebens nötigte die Vertreter des Christentums unweigerlich zur Auseinandersetzung, wobei sie an den antiken Formen des »Glaubens« anknüpften, aber diese je auch hinter sich ließen. Bei aller Betonung des Paradoxen im Glauben stellte man sich der Forderung nach Erkenntnis und bestimmte so einerseits immer deutlicher die Eigenart der πίστις, andererseits ihr Verhältnis zur γνῶσις, ein Vorgang, der zur Ausbildung der Theologie führte. Diesen folgenreichen Prozeß erleichterte gewiß eine Grundströmung der Frömmigkeit, als deren Repräsentanten man vielfach die Schulhäupter der philosophischen Traditionen betrachtete, gleichwohl verstummte der Einspruch gegen den unlogischen Glauben (ἄλογος πίστις) nicht.

4. Der hellenistische Einspruch

Zwar hatte »Glauben« auch in den Erkenntnisstufen der griechischen Philosophie seinen Platz, aber gegenüber einem von Beweisen getragenen Wissen galt diese Haltung als vorläufig und minderwertig. Dieses Urteil verschärfte sich, da die christliche Ver-

---

ersten Schriften bis zu den Confessiones, Einsiedeln-Zürich-Köln 1955; *K. Löwith*, Wissen und Glauben, in: Augustinus Magister I, Paris 1954, 403–410; *J. Ratzinger*, Der Weg der religiösen Erkenntnis nach dem heiligen Augustinus, in: Kyriakon. Festschr. Johannes Quasten II, Münster 1970, 553–564; *K. Flasch*, Augustin. Einführung in sein Denken, Stuttgart 1980.

[77] Augustinus, util. cred. IX 21 (CSEL 25,26).

[78] Augustinus, praed. sanct. 2,5: »nihil aliud est, quam cum assensione cogitare« (PL 44,963).

[79] Augustinus, sermo 43,9 (CCL 41,512). Unter den Bedingungen dieser Wechselbeziehung kommt dem Glauben als Zugang zu den geschichtlichen Heilstaten ebenso Bedeutung zu wie in seiner heilspädagogischen Funktion für die Erkenntnis. Vgl. *M. Löhrer*, Glaubensbegriff 117 ff. Zur Wirkungsgeschichte der augustinischen Lösung siehe *M. Grabmann*, Augustins Lehre von Glaube und Wissen und ihr Einfluß auf das mittelalterliche Denken, in: Aurelius Augustinus. Festschr. d. Görres-Gesellschaft, Köln 1930, 87–110.

kündigung den Glaubensentscheid schlechthin verlangte als Bedingung für das Heil des Menschen, noch dazu unter Voraussetzungen wie dem Kreuz, das dem Lebensgefühl des antiken Menschen rundweg entgegenstand. Glaube als ein »Heilswort« mit einem umfassenden Anspruch an den Menschen provozierte den Widerspruch, der umgekehrt von den Vertretern des Christentums eine Antwort verlangte.

Die Geringschätzung des von den Christen geforderten Glaubens belebte über Jahrhunderte hinweg die antichristliche Propaganda.[80] Neben beiläufigen Glossen und Karikaturen hat eine Reihe heidnischer Polemiker diesen Vorwurf ausdrücklich formuliert, und so bekam die Auseinandersetzung darüber erst ihre eigentümliche Schärfe; offensichtlich erblickten sie in der Haltung des Glaubens ein spezifisches Merkmal des Christentums, das mehr zum Widerspruch aus antikem Selbstbewußtsein reizte als etwa das Angebot der Mysterienreligionen.

Unter den Wortführern der Polemik ist zunächst der Arzt und Philosoph *Galenos* († um 199) zu nennen, der mehrmals auf die Glaubenshaltung und Lehren der Juden wie Christen zu sprechen kommt.[81] Schon die Kritik an der Gestalt des Mose konzentriert sich auf die Unwissenschaftlichkeit seiner Aussagen, eben auf den Umstand, daß er in seinen Büchern schreibt, »ohne Beweise zu erbringen«.[82] Den entscheidenden Einwand bildet das Fehlen von Beweisen, ein stereotypes Argument der antichristlichen Polemik, die Glauben der ἀλογία zuordnete.[83] Mose und Christus gelten Galenos geradezu als Beispiele für eine Schule, die von unbewiesenen Gesetzen ausgeht.[84] Ein arabisch erhaltener Auszug aus seinem Werk über den »Unbewegten Beweger« des Ari-

---

[80] Vom Topos der »leichtgläubigen Weiber« (Minucius Felix, Oct. 8,4) über den Mangel eigener Entscheidung (Marc Aurel, med. XI 3) bis zum Fehlen von Beweisen (ἄνευ τινὸς ἀκριβοῦς πίστεως, Lukian, Peregr. 13) lauten die einschlägigen Vorwürfe, von denen auch christliche Schriftsteller berichten wie Klemens Al., strom. II 30,1; Eusebios, praep. ev. I 1 u. a. Vgl. zur heidnischen Polemik ganz allgemein W. *Nestle*, Die Haupteinwände des antiken Denkens gegen das Christentum, in: ARW 37 (1941) 51–100; St. *Benko*, Pagan Criticism of Christianity during the First Two Centuries A.D., in: ANRW II 23,2,1055–1118 (mit weiterer Literatur).

[81] Zu seiner Person siehe R. *Walzer*, Galen on Jews and Christians, London 1949; *Ders.*, Art. Galenos, in: RAC VII 777–786.

[82] R. *Walzer*, Galen 11.

[83] Mit Recht erinnert R. *Walzer* daran, daß dieses Argument auf Poseidonios zurückzuführen sei, allerdings nicht allseits übernommen wurde. Vgl. F. *Kudlien*, Art. Galenos, in: Kl. Pauly 2, 674 f.

[84] R. *Walzer*, Galen 14.

stoteles hebt auf das gleiche negative Meinungsbild ab, wenn es heißt: »Falls ich an Leute dächte, die ihre Schüler auf dieselbe Weise lehren, wie die Anhänger von Moses und Christus die ihrigen – denn sie befehlen ihnen, alles auf guten Glauben anzunehmen –, dann hätte ich euch keine Definition geliefert.«[85] Die Tatsache, daß Juden und Christen ihre Überzeugung auf Glauben gründen, kompromittiert sie in den Augen von erkenntnisorientierten Griechen; sie repräsentieren beispielhaft jene Kritiklosigkeit, die Galenos nicht nur ungebildeten Leuten, sondern auch blindlings folgenden Anhängern gewisser philosophischer oder medizinischer Schulen vorwirft. Seine Reserve gegenüber dem Glauben von Juden und Christen ist also getragen von dem grundsätzlichen Bemühen um Wissenschaftlichkeit.

Es ist nun höchst bezeichnend, daß Galenos, der im übrigen das ethische Niveau der Christen vollauf anerkennt, nach dem Zeugnis Hippolyts mit seiner Kritik eine Reaktion des Rationalismus in christlichen Gruppen ausgelöst hat. In einem bei Eusebios überlieferten Auszug heißt es von den sogenannten Adoptianern: »Unter Verachtung der heiligen Schriften Gottes beschäftigen sie sich mit Geometrie; denn sie sind Erdenmenschen, sie reden irdisch und kennen den nicht, der von oben kommt. Eifrig studieren sie die Geometrie Euklids. Sie bewundern Aristoteles und Theophrast. Galen gar wird von einigen billig angebetet. Soll ich es noch eigens vermerken, daß die, welche die Wissenschaften der Ungläubigen brauchen, um ihre Häresie zu beweisen, und den einfachen Glauben der göttlichen Schriften mit der Schlauheit der Gottlosen fälschen, mit dem Glauben nichts zu tun haben?«[86] Danach stand bei dieser Gruppe der Monarchianer neben Aristoteles und Theophrast ausdrücklich auch Galenos, der bekanntlich einen Großteil seines Lebens in Rom verbrachte, in hohem Ansehen. Offensichtlich war diese Sekte der Autorität des zeitgenössischen Philosophen erlegen und zog das logische Schlußverfahren dem einfachen Glauben vor.[87] Die Polemik von seiten der Philosophie gegen die Haltung des Glaubens förderte offensichtlich auf seiten der Christen das Bestreben zu rationaler Erklärung des

---

[85] Ebd. 15.
[86] Eusebios, hist. eccl. V 28,14 f (GCS 9,1,505).
[87] Vgl. H. *Schöne*, Ein Einbruch der antiken Logik und Textkritik in die altchristliche Theologie, in: Pisciculi. Studien zu Religion und Kultur des Altertums. Festschr. F. J. Dölger, Münster 1939, 252–265; zu Tertullians Urteil in der Frage des Monarchianismus siehe *N. Brox*, Der einfache Glaube 170 f.

Gottesbildes, ein Versuch, der alsbald durch die theologische Entwicklung überwunden wurde, wobei freilich die Polarisierung von einfachem Glauben und Denken weniger hilfreich war als ihre Verknüpfung.

Zu den Vorwürfen, die *Kelsos* in seinem um 178 n. Chr. verfaßten Ἀληθὴς λόγος gegen das Christentum erhebt, zählt ebenfalls sein Pistis-Charakter.[88] Ausgehend von der Überzeugung einer ursprünglichen Verwandtschaft des Menschen mit dem Göttlichen und einer daraus resultierenden Erinnerung, mahnt Kelsos, »wir sollten der Vernunft und einem vernünftigen Führer bei der Annahme von Lehren folgen; denn wer ohne diese Vorsicht manchem zustimme, fiele durchaus dem Betrug anheim«.[89] Nur im Anschluß an den Logos vermag der Mensch falschen Lehren zu entgehen, und bezeichnenderweise bezieht Kelsos in dieses Urteil auch die Vertreter von Mysterienkulten ein, um dann fortzufahren: »Wie bei jenen Dingen oft schlechte Menschen die Unkenntnis der Leichtgläubigen benutzen und sie dahin führen, wohin sie wollen, so . . . gehe es auch bei den Christen zu . . . Einige von ihnen hätten gar nicht die Absicht, von dem, was sie glaubten, Rechenschaft zu geben oder zu nehmen; sie folgten vielmehr dem Grundsatz: ›Prüfe nicht, sondern glaube!‹, und: ›Dein Glaube wird dich retten‹ « (vgl. Mt 9,22; Mk 5,36; 9,23).[90] In aller Schärfe lehnt der Kritiker Kelsos die biblische Aufforderung zum Glauben als Betrug ab, wobei er die paulinische Stelle 1 Kor 1,18–29 dahin umdeutet: Ein Übel ist die Weisheit in der Welt, ein Gut aber die Torheit[91] – der Verzicht auf eine rationale Überprüfung mündet demgemäß in ἀλογία und widerspricht dem erkenntnisorientierten Selbstbewußtsein des antiken Menschen.

Der Vorwurf des Kelsos, die Christen »verlangten sofortigen Glauben«,[92] führt zwangsläufig weiter zur sozialen Diffamierung, wenn er ihnen als missionarisches Leitmotiv unterstellt: »Kein

---

[88] Ausdrücklich betont Origenes, daß die Gegner so viel »über den Glauben« reden (c. Cels. I 10 [GCS 2,62]). Zum Forschungsstand über diese Schrift siehe *C. Andresen*, Logos und Nomos. Die Polemik des Kelsos wider das Christentum (Arb. z. Kirchengesch. 30), Berlin 1955, sowie zuletzt *K. Pichler*, Streit um das Christentum. Der Angriff des Kelsos und die Antwort des Origenes (Regensburger Studien z. Theologie 23), Frankfurt-Bern 1980.

[89] Origenes, c. Cels. I 9 (GCS 2,61). *H. Dörrie* hebt für das Logos-Verständnis die Bedeutung des Poseidonios hervor (Platonica Minora 271).

[90] Origenes, c. Cels. I 9 (GCS 2,61).

[91] Ebd. Nach c. Cels. VI 12 gilt das Wort jedoch als Abklatsch aus der philosophischen Tradition.

[92] Origenes, c. Cels. VI 7 (GCS 3,77).

Gebildeter komme heran, kein Weiser, kein Verständiger; denn solche Eigenschaften würden bei uns für Übel angesehen. Sondern wenn einer ungelehrt, wenn einer unvernünftig, wenn einer ungebildet, wenn einer töricht ist, der soll ruhig kommen. Indem sie solche Leute von vornherein als würdig ihres Gottes bezeichnen, wollen sie offensichtlich nur die einfältigen, gemeinen und stumpfsinnigen Menschen, und nur Sklaven, Weiber und Kinder überreden, und vermögen dies auch.«[93] Der bekannte Topos antichristlicher Polemik von der gesellschaftlichen Inferiorität erfährt hier eine Stütze durch den Verweis auf die ἀλογία der biblischen Botschaft; sie ist für Kelsos eine »einfältige (ἰδιωτικήν) Lehre, die aufgrund ihres simplen Charakters und der Tatsache, daß man in keiner Weise der Lehren mächtig ist, nur einfältige Leute mit Erfolg beeindruckt hat«.[94] Die soziologische Zusammensetzung der Christengemeinden bestätigt nach Auffassung des Kelsos auch deren geistige Unterlegenheit; als »Gläubige« disqualifizieren sie sich geradezu gegenüber den »Ungläubigen«.[95] Es scheint allerdings, daß Kelsos sogar Kenntnis von der innerchristlichen Diskussion über das Verhältnis von Pistis und Gnosis hatte, da Origenes auf die Einwürfe von der Vorgängigkeit des Glaubens mehrmals antwortet, so beispielsweise mit dem Hinweis, daß auch die Wahl einer bestimmten philosophischen Schule aus Glauben erfolge.[96] Diese Argumentation geht von »verschiedenen Orten des Glaubens der Menschen«[97] aus, und sie schließt von hier aus auf die einzigartige Vertrauenswürdigkeit Gottes; denn »läßt sich der Glaube bei allen menschlichen Dingen einmal nicht umgehen, dann ist es doch wohl vernünftiger, Gott mehr zu glauben als jenen Philosophen«.[98] Insofern unterscheiden sich die Arten von Glauben nicht nur im Sinne der besseren πίστις, sondern gemäß dem Unterschied zwischen Geschöpf und Gott.[99]

Aus den philosophischen Schulen des 3. Jahrhunderts formuliert

[93] Ebd. III 44 (GCS 2,23 f).
[94] Ebd. I 27 (GCS 1,79); vgl. C. Andresen, Logos und Nomos 167 ff.
[95] Origenes, c. Cels. IV 6 (GCS 2,277); vgl. oben Anm. 28.
[96] Origenes, c. Cels. I 10; vgl. ebd. III 38.39. Nach Lukian, Hermotimos 29, kommt Glaube ins Spiel bei der Wahl zwischen Zeno oder Chrysipp. Zur Interpretation allgemein siehe J. C. M. van Winden, Notes on Origen, Contra Celsum, in: VC 20 (1966) 201–213.
[97] Origenes, c. Cels. III 38: »διαφορὰς τῶν ἐν ἀνθρώποις πίστεων« (GCS 2,235).
[98] Ebd. I 11 (GCS 2,63).
[99] D. Lührmann meint, es sei hier der »exklusiv christliche Charakter der πίστις preisgegeben« (Art. Glaube 93); doch scheint eher die einzigartige Qualität des Glaubens an Gott herausgearbeitet.

vor allem *Porphyrios* († um 304) die antichristliche Polemik, wobei seine Kenntnis biblischer Aussagen überrascht. Zwar ist sein Werk »Gegen die Christen« schon dem Verdikt Konstantins zum Opfer gefallen; doch einen Auszug daraus enthält wohl der »Apokritikos« des Makarios Magnes († nach 403), so daß einschließlich der übrigen Fragmente die Einwürfe durchaus faßbar sind.[100]

Unter den Invektiven des Neuplatonikers begegnet wiederum die Kritik an der biblischen Glaubensforderung. Im Hinblick auf das Wort des Auferstandenen, wonach den Gläubigen als Zeichen Wunderheilungen folgen und sich die Unschädlichkeit von Gift erweisen werde (Mk 16,16–18), verlangt er geradezu als Nagelprobe bei der Bestellung von Bischöfen und Priestern den Genuß eines Giftbechers, um dann zu schließen: »Haben sie aber nicht den Mut, sich diesem Modus zu unterziehen, so müssen sie bekennen, daß sie an die Worte Jesu nicht glauben. Denn wenn es die Eigentümlichkeit des Glaubens ist, die Schädlichkeit des Gifts zu überwinden und den Schmerz der Kranken zu vertreiben, so ermangelt der, welcher glaubt und doch solches nicht vollbringen kann, entweder des echten Glaubens oder er besitzt ihn zwar, aber er hält den Glauben nicht für etwas Mächtiges, sondern für etwas Schwaches.«[101] An der biblischen Entsprechung von Glaube und Wunderzeichen setzt Porphyrios mit seiner beißenden Kritik an, bezeichnenderweise nicht den Zusammenhang leugnend, sondern mit der Absicht, die Christen als Nichtgläubige zu entlarven, wobei er zwischen Haltung und Inhalt durchaus unterscheidet.[102] Diese Argumentation, welche auf die Diskrepanz zwischen dem Anspruch des Glaubens und seiner Verwirklichung abhebt, stützt er anschließend durch Verweis auf Mt 17,20, wo vom Berge versetzenden Glauben die Rede ist. »Hierdurch ist deutlich, daß der, welcher nicht imstande ist, nach diesem Befehl einen Berg zu bewegen, nicht würdig ist, zur Genossenschaft der Gläubigen gezählt zu werden (τῆς τῶν πιστῶν νομίζεσθαι φατρίας). Das Wort überführt euch also, daß die Menge der Christen schlechterdings nicht zu den Gläubigen gerechnet werden kann, ja nicht einmal von den Bischöfen oder Presbytern einer dieses

---

[100] Vgl. A. *Meredith*, Porphyry and Julian against the Christians, in: ANRW II 23,2,1119–1149.

[101] Quaestio III 16; siehe A. v. *Harnack*, Kritik 49.

[102] Quaestio III 16: πιστεύων γνησίως οὐ δυνατὸν ἀλλ' ἀσθενὲς ἔχει τὸ πιστευόμενον« (*Harnack*, Kritik 50).

Namens würdig ist.«[103] Mithilfe eines mechanistischen Glaubensverständnisses sucht Porphyrios die Christen von ihrer Grundlage zu trennen, ein Unternehmen, das dialektisches Können ebenso wie eine gute Kenntnis der Voraussetzungen persönlichen
Christseins verrät. Die Redeweise von einer Genossenschaft
(φατρία) der Gläubigen erinnert an die entsprechende Selbstbezeichnung der Christen; sie macht jedenfalls deutlich, daß im Bewußtsein der Öffentlichkeit Glaube als ihr charakteristisches und
geradezu unterscheidendes Merkmal galt.

Im übrigen disqualifiziert auch der neuplatonische Philosoph
Glauben als irrationales Verhalten, unwürdig eines gebildeten
Menschen.[104] Eusebios greift in seiner Einführung zur Praeparatio
evangelica diesen Vorwurf auf, der dem Christentum »einen unvernünftigen Glauben und ungeprüften Beifall« unterstellt.[105] Der
Grund, weshalb man die Christen als »Gläubige« (πιστοί) be-
zeichne, liegt danach in ihrer Eigenschaft, unkritisch und unreflektiert zu glauben.[106] Neben die spöttische Kritik vom unzurei-
chenden Glauben tritt das alte Argument vom fehlenden Logos,
das die Christen als Gläubige isoliert in einer bildungsorientierten
Gesellschaft. Aus den anhaltenden Bemühungen christlicher
Schriftsteller, diese Einwürfe zu entkräften, wird deutlich, wie
schwerwiegend diese Polemik war.

Noch *Kaiser Julian* (361–363) griff die Argumente des Porphyrios
auf und beanspruchte Vernünftigkeit für die Griechen: »Uns ge-
hörten Wissenschaft und Bildung, denn wir verehren die Götter.
Für euch passen Dummheit und Rohheit, euer oberster Grundsatz und eure Weisheit ist: Glaube!«[107] Ganz im Stile der überlieferten Polemik hebt der Kaiser auf den Mangel der Christen an
Bildung ab und erklärt ihn mit ihrer Haltung des Glaubens, die
einer Argumentation λογισμῷ καὶ διανοίᾳ entbehrt. Der Anspruch auf Wissenschaft und Bildung, für ihn unabdingbar verbunden mit dem traditionellen Götterkult, macht deutlich, wie
sehr das Selbstbewußtsein des antiken Menschen noch im vierten
Jahrhundert vom christlichen Glaubensappell herausgefordert
war.

---

103 Quaestio III 17 (*Harnack*, Kritik 50 f).
104 Quaestio IV 8 (*Harnack*, Kritik 81); vgl. *Ders.*, Porphyrios, »Gegen die Christen«, 15 Bücher.
  Zeugnisse, Fragmente und Referate (APAW.PH 1916,1), Berlin 1916.
105 Eusebios, praep. ev. I 1,11: »ἀλόγῳ δὲ πίστει καὶ ἀνεξετάστῳ συγκαταθέσει« (GCS 43,1,7).
  Vgl. ebd. I 2,4 (GCS 43,1,9).
106 Ebd. I 1,11: »τῆς ἀκρίτου χάριν καὶ ἀβασανίστου πίστεως« (GCS 43,1,8).
107 Gregor Naz., or. IV 102 (PG 35,636 f).

Die Antwort Gregors von Nazianz auf die kaiserliche Invektive verzichtet auf eine ausholende Argumentation, wohl deshalb, weil die Zeit über die Polemik Julians hinweggegangen und nach wie vor in heidnischen Kreisen die rückhaltlose Anerkenntnis von Schulhäuptern oder Orakelsprüchen üblich war.[108] Dementsprechend entgegnet Gregor auf die Verunglimpfung des Glaubens nur mit dem Hinweis: »Die, welche unter euch der pythagoreischen Philosophie anhängen, würden wohl über die Glaubenspflicht nicht lachen; denn ihr erster und wichtigster Beweis ist: ›Pythagoras hat es gesagt!‹«[109] Die Achtung vor einer philosophischen Autorität wird ausdrücklich mit der christlichen Glaubenshaltung gleichgesetzt, um die Unzulänglichkeit des julianischen Einspruchs gegenüber dem Forum antiken Wissenschaftsverständnisses zu mindern.

Mit zunehmender Christianisierung der antiken Welt verlagerte sich das Skandalon des Glaubens vom bildungsbewußten Heiden auf den »gläubig« gewordenen Getauften selbst, also auf die innerkirchliche Ebene. Der Ruf nach Vernunftgründen ließ sich freilich nicht durch den Verweis auf die Gefahr von Spaltungen unterdrücken,[110] er verlangte Lösungen, die dem denkenden Menschen gerecht wurden, ohne das Eigentümliche biblischen Glaubens preiszugeben. Gleichwohl führte die zunehmende Angleichung von Gesellschaft und Christentum, parallel zum Rückgang des Heidentums, neue Spannungen herauf, markiert durch das Gegenüber von Orthodoxie und Häresie; die Rede vom Glauben mündet in die Darstellung der Rechtgläubigkeit ein.

Die Verkündigung der christlichen Heilsbotschaft mit ihrem eindringlichen Appell zum Glauben stellte für den logosorientierten Menschen der Antike eine scharfe Herausforderung dar. Zwar haben religiöse und geistige Strömungen eine gewisse Bereitschaft für die Annahme überrationaler Aussagen geschaffen, trotzdem setzte sich dem christlichen Anspruch auf Glauben in besonderer Weise Widerstand entgegen, wobei fraglos auch die Inhalte der Verkündigung eine erhebliche Rolle spielten. Als »Gläubige« distanzierten sich die Anhänger Jesu zunächst von der religiösen Tradition Israels, um als solche dann beim Übergang des Evangeliums in Gegensatz zu den Leitideen der helleni-

---

[108] Vgl. W. J. W. *Koster*, Art. Chaldäer, in: RAC II 1006–1021, bes. 1015.

[109] Gregor Naz., or. IV 102 (PG 35,637 A).

[110] Vgl. Johannes Chrys., hom. 5,2 in Col.; Petrus Chrysologus, sermo 58: »Wer den Glauben sucht, sucht nicht die Vernunft« (PL 52,360 C).

stischen Welt zu geraten. Vor allem ihr Einspruch markierte Eigenart und Bedeutung christlichen Glaubens, der nicht zuletzt durch diesen Anstoß seine differenzierte Auslegung erfahren hat. Mehr als solche Interpretationen trug zur Bewältigung des heidnischen Vorbehalts jedoch das Zeugnis des Lebens bei, an das Ambrosius erinnert; nach ihm überwand nämlich der Glaube der Väter die Verfolgung, und das Heidentum gab nach.[111] In einer selbstbewußten, pragmatischen Geschichtsschau gilt der Erfolg der christlichen Sache als Zeichen für die Stärke des Glaubens, dessen Paradox zwar während der anbrechenden christiana tempora noch erfaßt wird, aber als Angelpunkt des heidnischen Widerspruchs zunehmend seine Wirkkraft einbüßte. Die Zeugnis-Geschichte der Gläubigen entkräftete so den Einspruch, der aus antikem Selbstverständnis gegen das christliche Glauben herausgefordert war.

---

[111] Ambrosius, ep. 57,9: »tamen fidei patrum ipsa cessit persecutio et gentilitas detulit« (Klein 166).

Das Skandalon des Kreuzes und seine Bewältigung im frühen Christentum

Der Zugang zum Kreuz Christi als Ausdruck der Heilsoffenbarung Gottes in seinem Sohn war für den Menschen vom Ursprung her mit vielen Hindernissen verstellt. Von der vordergründigen Enttäuschung der Anhänger Jesu über das antike Selbstbewußtsein quoll der Widerspruch bis in das religiöse Umfeld, und schon innerhalb des Neuen Testamentes wird die Gegnerschaft zur Botschaft vom Kreuz faßbar. Unverhüllt hat Paulus diese Tatsache ins Bewußtsein gehoben, als er programmatisch den Korinthern erklärte: »Wir aber predigen Christus, den Gekreuzigten, den Juden ein Ärgernis (σκάνδαλον) und den Heiden eine Torheit (μωρίαν)« (1 Kor 1,23; vgl. 1 Kor 1,18). Mit dieser provozierenden Aussage, die den Tod Jesu auf Golgota als Angelpunkt des menschlichen Heils kündet, markierte der Apostel geradezu absichtlich den Gegensatz des christlichen Kerygmas zu allen Heils- und Erlösungshoffnungen der Umwelt und demonstrierte so das Paradox des Glaubens. »Der Kern der christlichen Botschaft, den Paulus als λόγος τοῦ σταυροῦ charakterisiert, widersprach nicht nur der römischen Staatsräson, sondern überhaupt gemeinantiker Religiosität und hier wieder besonders dem Gottesbild der Gebildeten.«[1] Das metonymische Verkündigungswort »Kreuz« impliziert die Absage an die zeichenfordernden Ju-

---

[1] *M. Hengel*, MORS TURPISSIMA CRUCIS. Die Kreuzigung in der antiken Welt und die »Torheit« des »Wortes vom Kreuz«, in: Rechtfertigung. Festschr. f. E. Käsemann, hrsg. v. J. Friedrich, W. Pöhlmann, P. Stuhlmacher, Tübingen 1976, 125–184, 127. Zur Problematik siehe *G. Stählin*, Skandalon. Untersuchungen zur Geschichte eines biblischen Begriffs (Beitr. z. Förderung christl. Theol. II 24), Gütersloh 1930, bes. 201 ff; *K. H. Schelkle*, Die Passion Jesu in der Verkündigung des Neuen Testaments, Heidelberg 1949; *U. Wilckens*, Weisheit und Torheit. Eine exegetisch-religionsgeschichtliche Untersuchung zu 1 Kor 1 und 2 (BHTh 26), Tübingen 1959; *P. Stockmeier*, Theologie und Kult des Kreuzes bei Johannes Chrysostomus. Ein Beitrag zum Verständnis des Kreuzes im 4. Jahrhundert (Trierer theol. Stud. 18), Trier 1966; *F.-J. Ortkemper*, Das Kreuz in der Verkündigung des Apostels Paulus (Stuttgarter Bibel-St. 24), Stuttgart 1967; *E. Dinkler*, Signum Crucis. Aufsätze zum Neuen Testament und zur christlichen Archäologie, Tübingen 1967; *C. Fascher*, Der erste Brief des Paulus an die Korinther: Erster Teil: Einführung und Auslegung der Kapitel 1–7 (Theol. Handkommentar z. NT VII 1), Berlin 1975; *H.-W. Kuhn*, Jesus als Gekreuzigter in der frühchristlichen Verkündigung bis zur Mitte des 2. Jahrhunderts, in: ZThK 72 (1975) 1–46.

den ebenso wie an die weisheitsbeflissenen Hellenen, die in der Erkenntnis des eigenen logoshaften Wesens den Weg zur Selbstverwirklichung erblickten. Der Glaube an Gottes Heilstat im Kreuzgeschehen von Golgota spitzte sich damit in einer Weise zu, daß eine Umkehr nicht nur den Wechsel von einer religiösen Auffassung zu einer anderen bedeutete, sondern die Preisgabe aller menschlichen Erfahrungen, die bislang auch das religiöse Bewußtsein geprägt hatten. Aus der Predigt vom Kreuz brach so eine Kluft auf, deren Bewältigung nicht nur vom Widerstand der Juden und Heiden geprägt ist, sondern ebenso vom innerkirchlichen Ringen um ein Verständnis des »Mysterium Crucis«; es stellte sich die unabweisbare Aufgabe, das Skandalon der Kreuzigung Christi zu deuten und es dem Gläubigen theologisch zu erschließen. Die hieraus entstehende »Theologie des Kreuzes« empfing ihre Antriebe aus dieser Ursprungssituation, wobei eine Antwort auf die Vorwürfe aus der jüdischen und hellenischen Umwelt, aus der ja die »Gläubigen« kamen, nicht weniger nötig war als ein »verstehender« Zugang aus der Erfahrung des erhöhten Herrn. Als bleibendes Symbol der christlichen Heilsbotschaft gewann so das Zeichen des Kreuzes eine Aussagedichte, die freilich ihre fundamentale Mitte im historischen Ereignis der Kreuzigung Jesu hatte.

1. Das Ereignis der Kreuzigung

Jeder Versuch, das Skandalon des Kreuzes zu bewältigen, hat als Grund und Ausgangspunkt das historische Geschehen der Kreuzigung Jesu auf Golgota (Mk 15,20 ff par.).[2] Alle Formen einer Theologie des Kreuzes knüpften an diesem Ereignis an, dessen Tatsachencharakter für den antiken Menschen eine unerhörte Provokation darstellte, insofern die christliche Verkündigung daran das Heil des Menschen koppelte. Diese Verknüpfung einer konkreten Exekution mit einer Heilsaussage löste eine Welle von Deutungen und Interpretationen innerhalb der christlichen Gemeinden aus; aber selbst in manchen Tendenzen der Verflüchtigung erkennt man noch den Anlaß: das historische Geschehen. Das Ereignis von Golgota und seine theologische Deutung er-

---

2 Siehe J. Blinzler, Der Prozeß Jesu, Regensburg 41969.

scheinen so geradezu als der klassische Fall von Geschichte und Glaube.

Nun hat uns bereits die formgeschichtliche Methode gezeigt, wie stark die Passionsberichte im Leben der Urgemeinde wurzeln und wie sich die Entstehung der Evangelien um diesen Kernbestand der Jesus-Überlieferung rankt.[3] Differenzen in der Darstellung resultieren aus diesem »Sitz im Leben«, ein Umstand, der jedoch das Geschehen von Golgota nicht in die Ungeschichtlichkeit entläßt; gerade dort, wo die unverkennbare Absicht bestand, mithilfe des Weissagungsbeweises einen von Gott initiierten heilsgeschichtlichen Zusammenhang herzustellen, wird die Kreuzigung Jesu als Tatsache vorausgesetzt. Bemerkenswerterweise deckt sich auch der geschilderte Verlauf der Exekution mit dem allgemein üblichen Verfahren. »Zug für Zug der Hinrichtungsgeschichte entsprechen der römischen Rechtspraxis, die schimpfliche Form der Sklavenhinrichtung auf die Freiheitskämpfer anzuwenden, die sich gegen das Imperium erhoben.«[4] Die Darstellung der Evangelien überschreitet freilich den Stil eines historischen Protokolls, sie rückt das Geschehen vielmehr in einen übergreifenden Rahmen göttlicher Heilsökonomie. Diese theologische Eigenart der »Berichterstattung« entspricht durchaus dem Verkündigungscharakter neutestamentlicher Schriften; die implizite Tendenz der einschlägigen Berichte, das Kreuz-Geschehen zu deuten und so aus Glauben das Skandalon zu bewältigen, unterstreicht nur, wie sehr das historische Ereignis von Golgota eine vielschichtige Theologie des Kreuzes in Bewegung brachte, und zwar in extremen Formen hin bis zur Preisgabe des geschichtlichen Grundes.

In diesen Kontext gehört auch die schwerwiegende Frage der Schuldzuweisung, die alsbald in eine scharfe antijüdische Polemik ausartete. Der Ablauf des Verfahrens gegen Jesus von Nazaret und seine Hinrichtung durch das Kreuz sprechen für eine Bestrafung aus politischen Gründen, die in die Verantwortung der Römer geht.[5] Nach Auskunft des Titulus, dessen Historizität allerdings mangels Vergleichsmaterials in der antiken Literatur

---

[3] Vgl. *R. Bultmann*, Die Geschichte der synoptischen Tradition, Göttingen ²1931, 282 ff.

[4] *E. Benz*, Der gekreuzigte Gerechte bei Plato, im Neuen Testament und in der Alten Kirche (AAWLM.G), Mainz 1950, 1037 f. Siehe ferner *K. Latte*, Art. Todesstrafe, in: RE Suppl. VII 1599–1619.

[5] Vgl. *H.-W. Kuhn*, Jesus als Gekreuzigter 3 ff; *F. Mußner*, Traktat über die Juden, München 1979, 293 ff.

gelegentlich in Zweifel gezogen wurde,[6] erging der Urteilsspruch des Pilatus wegen Usurpation der messianischen Würde, die ihn in den Augen der römischen Besatzungsmacht als politischen Revolutionär erscheinen ließ.[7] Der Anspruch des historischen Jesus zielte allerdings nicht unmittelbar auf den Konflikt mit der staatlichen Macht, wenngleich er im Grunde das politisch-religiöse System des römischen Imperiums sprengte. Eine gewisse Sonderstellung des Judentums, dessen Monotheismus im polytheistischen Umfeld von seiten Roms toleriert wurde, mag die Aufmerksamkeit in diesem Bereich erhöht haben, so daß aufgrund des eigentümlichen Ineinanders religiöser und staatlicher Räson eine Trennung beider Komponenten bei der Verurteilung Jesu unangebracht erscheint. Ein religiöser Insurgent gefährdete in römischer Sicht auch die politische Ordnung, und man kann daher schwerlich von einem »politisch gekreuzigten Christus« sprechen.[8] Die Gründe für die Hinrichtung Jesu lassen sich darum weniger aus der Isolierung einzelner Motive ausmachen, die in den neutestamentlichen Berichten anklingen; es ist vielmehr jener religiös-politische Konsens maßgebend, dessen Bestand die salus publica des Imperiums verbürgt und dessen Bruch unter Umständen die Todesstrafe involviert.[9]

Im übrigen galt die Kreuzigung in der Antike als schändliche und entehrende Strafe, deren sadistische Brutalität geradezu den letzten Rest persönlicher Menschenwürde auslöschte. *Martin Hengel* hat die verschiedenen Aspekte der Kreuzigung in der Umwelt des Neuen Testaments dargestellt und ihre entwürdigende Grausamkeit beschrieben. »Wenn Paulus von der ›*Torheit*‹ *der Botschaft vom Gekreuzigten* spricht, so redet er nicht verschlüsselt oder mit einer abstrakten Chiffre, sondern bringt die harte Erfahrung seiner anstößigen Missionsverkündigung zum Ausdruck, und zwar gerade auch seiner Verkündigung bei den Nichtjuden, zu denen er sich als Apostel in erster Linie gesandt wußte.«[10] Den Abscheu vor

---

[6] *H.-W. Kuhn*, Jesus als Gekreuzigter 5, Anm. 13.

[7] Zur Deutung dieser Perspektive siehe *J. Moltmann*, Der gekreuzigte Gott. Das Kreuz Christi als Grund und Kritik christlicher Theologie, München ⁴1981, 129 ff.

[8] Ebd. 129, Anm. 50.

[9] Die Parallele zu Barabbas, dem nach Mk 15,7 ausdrücklich στάσις (Aufruhr) angelastet wird, rückt den Urteilsspruch über Jesus von Nazaret jedenfalls in die Nähe dieses strafrechtlich bedeutsamen Tatbestands. Vgl. den Vorwurf des Kaisers Claudius gegen die Juden Alexandriens; dazu *St. Lösch*, Epistula Claudiana. Der neuentdeckte Brief des Kaisers Claudius vom Jahre 41 n. Chr. und das Urchristentum. Eine exegetisch-historische Untersuchung, Rottenburg a. N. 1930.

[10] Mors turpissima crucis 180.

dieser Strafform steigerte für den Juden die Fluchformel aus Dtn 21,23, wonach ein Aufgehängter von Gott verflucht ist; nicht zuletzt deshalb galt ihnen die Vorstellung von einem gekreuzigten Messias als nicht vollziehbar.

Das historische Ereignis der Kreuzigung Jesu forderte angesichts des Anspruchs christlicher Verkündigung Gläubige und Ungläubige zur Reaktion heraus; es bildete gewissermaßen den Kristallisationspunkt jeglicher Theologia crucis und zugleich den Antrieb, das innewohnende Skandalon zu bewältigen. Alle einschlägigen Entwürfe beziehen sich auf dieses Geschehen, selbst jene, die darin nur ein Phantasma oder Schein erblicken. Insofern bleibt das Ereignis von Golgota in seiner historischen Qualität auch Maßstab für die bald aufbrechende Interpretation.

2. Die Leugnung der Historizität

Ein grundsätzlicher Einspruch gegen die Inkarnation des präexistenten Logos allgemein und insbesondere gegen das historische Ereignis der Kreuzigung Jesu erging von seiten eines gnostisch orientierten Doketismus, der das darin liegende Skandalon spiritualistisch-dualistisch auflöste.[11] Schon innerhalb der neutestamentlichen Schriften erkennt man das Bemühen, jenen Tendenzen entgegenzuwirken, die auf eine Abschwächung der Wirklichkeit des Kreuzes bedacht waren (Gal 5,11; 1 Kor 1 u. 2),[12] ein Zug, der im gnostischen Umfeld der frühen Gemeinden immer stärker zur Geltung kam. Nach Auskunft des Eirenaios lehrte Simon der Magier von Jesus in solchen geschichtsentleerenden Denkformen: »Deshalb kam er, um die Welt aufzurichten, wurde umgestaltet und ähnlich den Mächten, Kräften und Engeln, so daß er wie ein Mensch aussah und doch keiner war, in Judäa gelitten zu haben schien und doch nicht gelitten hatte.«[13] Nach dieser Auffassung Simons, dem man im allgemeinen die Zuweisung eines »homo putativus« abspricht, ist Jesus kein wirklicher Mensch und sein

[11] Die Rede vom Doketismus meint weniger eine fest umgrenzte Häresie als ein Bündel von Strömungen. Vgl. *A. Grillmeier*, Art. Doketismus, in: LThK[2] III 470 f; *A. Orbe*, Cristologia Gnóstica, Introdución a la soteriologia de los siglos II y III (BAC 384–385), Madrid 1970. *J. Moltmann* folgert im Anschluß an *G. Ebeling*: »Ein zarter Doketismus durchzieht darum die altkirchliche Christologie« (Der gekreuzigte Gott 85).

[12] *U. Wilckens*, Weisheit und Torheit 214 ff.

[13] Eirenaios, adv. haer. I 23,3 (Harvey I 193). Vgl. *G. Lüdemann*, Untersuchungen zur simonianischen Gnosis, Göttingen 1975, 81 ff.

Leiden Schein. In ähnlicher Weise folgerte auch Basilides: »Er (Jesus) hat nicht gelitten, sondern ein gewisser Simon von Cyrene, den man zwang, für ihn das Kreuz zu tragen. Dieser wurde irrtümlich und unwissentlich gekreuzigt, nachdem er von ihm verwandelt (transfiguratum) war, so daß er für Jesus gehalten wurde. Jesus aber nahm die Gestalt (formam) des Simon an und lachte sie aus, indem er dabeistand.«[14] Der Text, so verdächtig er auch im System des Basilides erscheinen mag, geht offensichtlich von dem doketischen Anliegen aus, das geschichtliche Geschehen der Kreuzigung als Schein zu entlarven und so die Unkörperlichkeit des Christus genannten Nus zu erweisen; im Interesse seiner Loslösung von der geschaffenen, materiellen Welt wird sein Auftreten in ihr als Phantasma gekennzeichnet. Der angebliche Rollentausch zwischen Jesus von Nazaret und Simon, möglicherweise angestoßen durch eine enge, wörtliche Auslegung von Mk 15,21–24, ermöglichte es, den vom Vater gezeugten Nus von der Berührung mit dem Kreuz und der konkreten Geschichte zu entlasten.[15] Wie schon erwähnt, operiert die antike Dichtung oftmals mit der Vorstellung, daß Götter dem Menschen nur im Abbild gegenübertreten; schon bei Homer treten Götter in fremder Gestalt auf, und in der Tat gehört die Metamorphose zu den wiederkehrenden Elementen des antiken Mythos.[16] Das Motiv eignete sich vorzüglich zur Entlastung der himmlischen Wirklichkeit des gnostischen Christus von jeglichem Kontakt mit der Materie sowie dem skandalösen Ausgeliefertsein einer von Menschen vollzogenen Exekution, und zwar unter bewußter Preisgabe der Geschichte.

Auch für Markion boten solche Vorstellungen die Möglichkeit, den Gegensatz vom alttestamentlichen Schöpfergott und dem »fremden« Gott des gereinigten Neuen Testaments auszuzeichnen. Da ersterer in Anbetracht von Dtn 21,23 nicht seinen eigenen Sohn verfluchen kann, gehört der Gekreuzigte auf die Seite des guten Gottes; infolgedessen galt Christus ihm auch als Geist, der »in hominis forma« erschien, also in einem Scheinleib, der »von Natur leidensunfähig« ist.[17] Das Verständnis des Leibes Christi

---

14 Ebd. I 24,4 (Harvey I 200); vgl. Ps. Tertullian, adv. haer. 1: »uenisse in phantasmate, sine substantia carnis« (CSEL 47,215). Zur Gestalt siehe J. H. Waszink, Art. Basilides, in: RAC I 1217–1225.

15 Vgl. F. M. Grant, Gnostic Origins and the Basilidians of Irenaeus, in: VC 13 (1959) 121–125.

16 J. Behm, Art. μορφή κτλ., in: ThWNT IV 750–767; M. Hengel, Mors turpissima crucis 133 f.

17 Eirenaios, adv. haer. III 16,1: »naturaliter impassibilem« (Harvey II 82); vgl. ferner

als »phantasma« mindert aber die entwürdigende Radikalität der Kreuzigung, auch wenn sie Markion als Begründung für seinen gespaltenen Gottesbegriff dient.[18]

Diese radikale Abkehr vom historischen Ereignis der Kreuzigung setzt sich fort in gnostischen Berichten von Staurophanien. Ein charakteristisches Beispiel hierfür bietet die Offenbarung des Kreuzgeheimnisses in den Johannesakten des dritten Jahrhunderts, wonach der leidende Gekreuzigte dem flüchtigen Johannes auf dem Ölberg erscheint und erklärt: »Für die Menschen unten wurde ich in Jerusalem gekreuzigt und mit Lanzen und mit Rohren gestoßen und mit Essig und mit Galle getränkt.« Und nach dem Erscheinen eines Lichtkreuzes wird dieses – deutlich unterschieden vom »hölzernen Kreuz« – in seiner kosmischen und soteriologischen Funktion interpretiert.[19] Mögen solche Berichte nun am Kreuz von Golgota selbst oder am »Zeichen des Menschensohnes« von Mt 24,30 anknüpfen, sie sind von der Absicht getragen, das historische Geschehen als sekundär gegenüber der Staurophanie auszuweisen; das Lichtkreuz allein ist gottgemäß, es symbolisiert eine Fülle von biblischen Heilsbegriffen vom Logos über das Brot bis zur Auferstehung, und es figuriert als Struktur des Kosmos.

Man wird gewiß auch diese gnostischen Entwürfe in das vielfältige Spektrum einer frühchristlichen Kreuzestheologie einbeziehen müssen, wenngleich sie mit ihrer bewußten Abkehr vom historischen Ereignis die biblische Grundlage verlassen. Gespeist von verschiedenen Motiven, schuf diese Ablösung von der Geschichte die Möglichkeit zu tiefsinnigen Spekulationen, die gewiß dem Bedürfnis des antiken Menschen entgegenkamen, aber eben um den Preis des Grundes. Anlaß zur Ablösung von der Geschichte bot im Hinblick auf die Kreuzigung Jesu nicht zuletzt das Apathie-Axiom, die Lehre von der Leidensunfähigkeit eines Gottes, das sich mit dem Geschehen von Golgota nicht vereinbaren ließ. Dieses Prinzip hatte schon innerhalb der Mythologie zu Schein-Lösungen geführt, insofern man es vermied, den Göttern selbst anstößige Vorkommnisse anzulasten; verbunden mit der Norm

A. v. Harnack, Marcion. Das Evangelium vom fremden Gott (TU 45), Leipzig ²1924, Neudr. Darmstadt 1960, 132 u. 286.

[18] Anders B. Aland, Marcion. Versuch einer neuen Interpretation, in: ZThK 70 (1973) 420–447, bes. 423 f.

[19] Johannesakten 97 f (Hennecke-Schneemelcher II 157 f). Vgl. auch E. Pax, Art. Epiphanie, in: RAC V 832–909, bes. 884 ff.

des Gottgemäßen (θεοπρεπές) entstand so eine breite Front der Ablehnung gegen das Kreuzesgeschehen von Golgota, die um des geschichtlichen Charakters dieses Ereignisses willen entschiedenen Widerspruch aus biblischem Antrieb herausforderte. Das Skandalon des Kreuzes ließ sich nicht um den Preis der Geschichtlichkeit aufheben.

3. Die Betonung der geschichtlichen Kreuzigung

So belastend das Skandalon des Kreuzes auch für die nachapostolischen Gemeinden war und deshalb verschiedene Wege zu seiner Bewältigung eingeschlagen wurden, eine Auflösung des historischen Ereignisses von Golgota im Sinne gnostisch-doketischer Intentionen gefährdete die Wirklichkeit des Heils selbst. Tatsächlich treffen wir schon frühzeitig auf Antworten, die gegen jegliche Aufhebung des Kreuzgeschehens dessen geschichtliche Wirklichkeit betonen, und zwar vor allem im Umkreis aufkommender gnostischer Strömungen. Repräsentativ für dieses Bemühen sind hier die Aussagen des Ignatios von Antiochien, der trotz Rezeption gnostischen Vorstellungsgutes entschieden die Realität der Kreuzigung Christi einschärft.[20] Gegen die Häretiker, die sich vermutlich auf eine jüdisch-gnostische Evangelienliteratur stützten,[21] beruft sich der Bischof von Antiochien auf die Urkunden (ἀρχαῖα) Jesu Christi, als die ihm »sein Kreuz, der Tod, seine Auferstehung und der durch ihn (gewirkte) Glaube« gelten.[22] Als Urkunden versteht er in antithetischer Wendung also nicht Texte, sondern Geschehnisse, die in der Gestalt Jesu Christi zusammengefaßt sind; aus ihm resultiert dann die πίστις, die über ihre rechtfertigende Funktion hinaus das eigentümliche Zueinander von geschichtlichem Ereignis und Glaube artikuliert. Dieser Rekurs auf das Geschehen von Golgota kommt noch unmittelbarer

[20] Vgl. das anders lautende Urteil von H. *Schlier*, Religionsgeschichtliche Untersuchungen zu den Ignatiusbriefen (BZNW 8), Gießen 1929, 67 f. Die antignostische Argumentation des Ignatios verlangt im übrigen kaum eine Spätdatierung seiner Briefe; vgl. *J. Rius-Camps*, Las Cartas auténticas de Ignacio, el obispo de Siria, in: Rev. Catalana de Teología II 1 (1977) 31–149.

[21] J. *Klevinghaus*, Die theologische Stellung der Apostolischen Väter zur alttestamentlichen Offenbarung, Gütersloh 1949, 98 ff.

[22] Ignatios, Philad. 8,2; der ganze Abschnitt lautet: »ἐμοὶ δὲ ἀρχεῖά ἐστιν Ἰησοῦς Χριστός, τὰ ἄθικτα ἀρχεῖα ὁ σταυρὸς αὐτοῦ καὶ ὁ θάνατος καὶ ἡ ἀνάστασις αὐτοῦ καὶ ἡ πίστις ἡ δι' αὐτοῦ« (Bihlmeyer-Schneemelcher 104).

zur Geltung, wenn es im Brief an die Trallianer von Jesus Christus heißt, daß er »aus dem Geschlechte Davids, aus Maria stammt, der wirklich (ἀληϑῶς) geboren wurde, aß und trank, wirklich (ἀληϑῶς) verfolgt wurde unter Pontius Pilatus, wirklich (ἀληϑῶς) gekreuzigt wurde und starb vor den Augen derer, die im Himmel, auf Erden und unter der Erde sind«.[23] Mit rhetorischer Eindringlichkeit hebt der Verfasser auf das Gesamt der irdischen Existenz Jesu ab und betont dabei auch die Wirklichkeit seines Todes durch das Kreuz, und zwar gezielt gegen die Behauptung von Ungläubigen (ἄπιστοι) vom scheinbaren Leiden.[24] Die doketische Leugnung der Kreuzigung wird entschieden zurückgewiesen und als Haltung des Unglaubens entlarvt. Ohne Zweifel verfolgt Ignatios mit seinen Ausführungen das Ziel, die Einheit von menschlicher und göttlicher Wirklichkeit in Jesus Christus zu erweisen,[25] trotzdem sollte man sein Bemühen »um die Einmaligkeit der geschichtlichen Offenbarung« nicht in Abrede stellen.[26] Bezeichnenderweise erwähnt er nicht nur in dem oben zitierten Abschnitt aus Trall. 9,1 Pontius Pilatus, sondern auch Smyrn. 1,2 zusammen mit Herodes[27] und Magn. 11. Die Einfügung des Prokurators in die antidoketischen Texte verrät gewiß einen formelhaften Bekenntnisstil; aber dies mindert nicht die Absicht, hierdurch das Geschehen von Golgota zeitgeschichtlich zu verankern, zumal, wenn auch noch Herodes genannt wird. Durch manches Vokabular und einiges Gedankengut der ignatianischen Schreiben schimmert gnostisches Milieu, doch wird deren Tendenz zur Verflüchtigung nachdrücklich Einhalt geboten durch die Betonung des datierten Ereignisses der Kreuzigung Jesu.

Trotz der Disparität der sich weiter entfaltenden Kreuzestheologie zählt der Rückgriff auf das historische Ereignis der Kreuzigung in der Folgezeit zum unaufhebbaren Bestand des großkirchlichen Glaubensbewußtseins, vor allem in der Auseinandersetzung mit der Häresie.[28] Entsprechend der jeweiligen Fragestel-

---

23 Ignatios, Trall. 9,1 (Bihlmeyer-Schneemelcher 95).

24 Ebd. 10: »λέγουσιν, τὸ δοϰεῖν πεπονϑέναι αὐτόν« (Bihlmeyer-Schneemelcher 95). Vgl. die gleiche Wendung Smyrn. 2 (Bihlmeyer-Schneemelcher 106); ferner Smyrn. 4,2.

25 Siehe H. Köster, Geschichte und Kultus im Johannesevangelium und bei Ignatios von Antiochien, in: ZThK 54 (1957) 56–69; A. Grillmeier, Jesus der Christus im Glauben der Kirche I. Von der Apostolischen Zeit bis zum Konzil von Chalcedon (451), Freiburg-Basel-Wien 1979, 198 ff.

26 So H.-W. Kuhn, Jesus als Gekreuzigter 18.

27 Smyrn. 1,2: »ἀληϑῶς ἐπὶ Ποντίου Πιλάτου ϰαὶ Ἡρώδου τετράρχου ϰαϑηλωμένον ὑπὲρ ἡμῶν ἐν σαρϰί« (Bihlmeyer-Schneemelcher 106).

28 In scharfer Form geißelt Polykarp, Phil. 7,1, jeden als Antichrist, der leugnet, daß Jesus

lung ergeben sich dabei unterschiedliche Akzente. So vertrat Eirenaios von Lyon mit Nachdruck die Einheit der Christusgestalt gegen die Gnostiker, die von einem leidensunfähigen Christus sprechen, der selbst nicht gelitten habe, sondern von Jesus beim Kreuzgeschehen wieder fortgeflogen sei.[29] Gegen alle Spaltungstendenzen pochen die Antignostiker auf die reale Menschwerdung des Logos, um so auch die Wirklichkeit der Kreuzigung Christi ungeschmälert zu verteidigen.[30] Man verweist auf die Öffentlichkeit des Geschehens von Golgota sowie die Rahmenereignisse, welche vor aller Welt sein konkretes Sterben bezeugen.[31]

Mit allem Nachdruck insistiert das frühe Christentum also auf dem historischen Ereignis der Kreuzigung Jesu, vorab gegen die Versuche gnostischer Entleerung. Neben dieser apologetischen Zielsetzung äußert sich darin das Bewußtsein von der einmaligen geschichtlichen Vorgabe dieses Geschehens, das aller theologischen Interpretation vorausliegt. Der implizite Skandalon-Charakter ließ freilich das Geschehen nicht selten in den Hintergrund treten, ein Umstand, der wohl aus dem zeitgeschichtlichen Umfeld erklärbar ist.

4. Die anhaltende Polemik gegen das Kreuz

Das Ärgernis des Todes Jesu Christi am Kreuz minderte sich für die Gläubigen des Anfangs nur unwesentlich mit dem Fortgang der Zeit, weil trotz des wachsenden Abstandes die Polemik dagegen lebendig blieb. Der Widerspruch zielte dabei nicht allein auf die Tatsache des schändlichen Todes; er gewann seine Schärfe mit dem damit verbundenen Anspruch der christlichen Verkündigung, daß in diesem Geschehen der entscheidende Heilsweg eröffnet sei. Das σκάνδαλον τοῦ σταυροῦ (Gal 5,11) wurde so zur paradoxen Herausforderung für die Umwelt und zugleich Vor-

---

Christus im Fleische gekommen ist (vgl. 1 Joh 4,2 f), und als Teufel, wer das Zeugnis des Kreuzes (τὸ μαρτύριον τοῦ σταυροῦ) nicht bekennt (Bihlmeyer-Schneemelcher 117).

[29] Eirenaios, adv. haer. III 18,5 (Harvey II 98); er erwähnt in diesem Zusammenhang »dispositionem passionis« (ebd.). Siehe A. Bengsch, Heilsgeschichte und Heilswissen. Eine Untersuchung zur Struktur und Entfaltung des theologischen Denkens im Werk »Adversus Haereses« des hl. Irenäus von Lyon (Erfurter theol. Stud. 3), Leipzig 1957, 79 f.

[30] Vgl. Tertullian, carne Christi 25,3: »alium magnanimum alium uero trepidantem, nouissime alium passum alium resuscitatum« (CCL 2,916).

[31] Zwar werden damit auch spekulative Elemente, wie das vom geköderten Satan verbunden,

wand zur Verweigerung der Nachfolge für die »Feinde des Kreuzes Christi« (Phil 3,18).

Von jüdischer Seite erhob sich in erster Linie Widerspruch aus dem Fluchwort von Dtn 21,23, gegen dessen Konsequenz für Jesus schon Paulus die Unvereinbarkeit von Gesetz und Kreuz als Heilsweg ins Feld führte (Gal 3,13). Es ist bemerkenswert, wie dieses Argument neben anderen Invektiven die Auseinandersetzung mit den Juden beherrscht, und zwar zu einer Zeit, da die Loslösung des Christentums schon besiegelt war. In Justins Dialog mit dem Juden Tryphon spitzt dieser seinen Einwand auf das Verfluchtsein zu, wenn er sagt: »Daran zweifeln wir, ob es notwendig war, daß Christus in so schmachvoller Weise am Kreuze starb, denn verflucht ist nach dem Gesetze, wer gekreuzigt wird. Dies ist nämlich noch eine Lehre, von der ich mich im Augenblick nicht überzeugen kann. Das ist zwar klar, daß die Schrift einen leidenden Christus verkündet. Wissen möchten wir aber, ob du auch das beweisen kannst, daß Christus ein im Gesetz verfluchtes Martyrium erleidet.«[32] Der Fluch des Gesetzes sowie Schmach und Ehrlosigkeit des Kreuzes[33] machen es dem Juden unmöglich, einen gekreuzigten Messias anzuerkennen; dieses Ärgernis fordert ihn zum Widerspruch heraus.

Den Vorwurf der Heiden gegen das Kreuz faßt bereits Paulus in den Begriff μωρία, Dummheit, zusammen (1 Kor 1,18); damit ist freilich nicht nur ein Mangel an intellektueller Fähigkeit angesprochen, sondern zugleich eine religiöse Disqualifikation im Sinne von Aberglauben.[34] In einem Kontext, der den heidnischen Vorwurf der Gottlosigkeit gegen die Christen zurückweist, greift Justin dieses Urteil auf: »Denn darin beschuldigt man uns der Torheit (μανία), indem man sagt, daß wir den zweiten Rang nach dem unwandelbaren und ewigen Gott, dem Weltschöpfer, einem gekreuzigten Menschen zuweisen.«[35] In aller Deutlichkeit markiert Justin das unerträgliche Skandalon, daß die Christen dem höchsten Gott einen Gekreuzigten zuordnen, der als Mensch un-

gleichwohl sichert die Öffentlichkeit das reale Geschehen der Kreuzigung. Vgl. Johannes Chrys., hom. 6,3 in Col. (PG 62,341).

[32] Justin, dial. 89,2 (Goodspeed 203). *H.-W. Kuhn* machte auf eine Formulierung der Tempelrolle (Y. Yadin, The Temple Scroll, in: Bibl. Arch. 30 (1967) 135–139) aufmerksam, die die Auffassung, daß aufgrund von Dtn 21,23 ein Gekreuzigter verflucht ist, bestätigt (Jesus als Gekreuzigter 33 f).

[33] Justin, dial. 96,1 begegnet Dtn 21,23 in der paulinischen Form von Gal 3,13, während dial. 90,1 der Hinweis darauf mit dem schmachvollen Charakter verbunden wird.

[34] Vgl. *G. Bertram*, Art. μωρός κτλ., in: ThWNT IV 837–852.

[35] Justin, apol. I 13,4 (Goodspeed 34).

ter Pontius Pilatus – er wird wieder ausdrücklich genannt – hingerichtet worden ist; die Hineinnahme Jesu, diskriminiert durch dieses historische Geschehen, in die Wirklichkeit Gottes sprengt den Rahmen auch eines philosophisch orientierten Gottesbegriffs. Das Widerstreben der heidnischen Welt gegen die Verkündigung des Kreuzes ist dem Vertreter des Christentums vollauf bewußt; es bildet den Rahmen, in dem die Entfaltung des trinitarischen Glaubens erfolgt.[36]

Die Unvereinbarkeit seines Gottesbegriffs mit dem Geschehen von Golgota bildet auch für Kelsos die Grundlage seiner Polemik im Ἀληθὴς λόγος. Für ihn gilt, daß Gott das Häßliche gar nicht zu tun vermag,[37] und schon deshalb wendet er sich gegen die Verkündigung eines Sohnes Gottes, der »nicht ein reines und heiliges Wort« ist, sondern ein Mensch, »der aufs Schimpflichste zum Tode abgeführt und unter Martern getötet worden ist«.[38] Die Kreuzigung Jesu steht für Kelsos in diametralem Gegensatz zu seinem Verständnis eines höchsten Seins und seinem Kulturbewußtsein; in ätzender Kritik gießt er seinen Spott über die Anhänger des Kreuzes, die Gläubigen.

Unter den Vorwürfen gegen die Christen ist bis heute jener der Eselsanbetung nicht einwandfrei geklärt.[39] Neben den einschlägigen Zeugnissen bei Tertullian und Minucius Felix[40] wirft in diesem Zusammenhang das sogenannte Spottkruzifix im Antiquarium auf dem römischen Palatin, das einen Gekreuzigten mit Eselskopf zeigt, Fragen auf. Die Parallele zu einem Bericht des Polybios, wonach der Thronprätendent Achaios im Jahre 214 v. Chr. hingerichtet und in einer Eselshaut samt Kopf gekreuzigt wurde, illustriert gewiß den Anspruch Jesu als »König der Juden«,[41] weist

---

36 Apol. I 22,3 vergleicht Justin den gekreuzigten Sohn Gottes mit den leidenden Zeussöhnen, um so die Ebenbürtigkeit Christi mit dem Vater zu illustrieren. Vgl. *M. Hengel*, Mors turpissima crucis 181, Nachtrag.

37 Origenes, c. Cels. V 14: »ἀλλ᾽ οὔτι γε τὰ αἰσχρὰ ὁ θεὸς δύναται« (GCS 3,1,15). – Zum Gottesbegriff siehe *H. Dörrie*, Die platonische Theologie des Kelsos in ihrer Auseinandersetzung mit der christlichen Theologie aufgrund von Origenes c. Celsum 7,42 ff, in: Ders., Platonica Minora (Studia et Testimonia antiqua VIII), München 1976, 229–262.

38 Origenes, c. Cels. II 31 (GCS 2,158); ebd. VI 34 berichtet Kelsos: »Überall aber (findet man) dort das Holz des Lebens und die Auferstehung des Fleisches vom Holz, weil, wie ich glaube, ihr Lehrer an ein Kreuz genagelt wurde und von Beruf ein Zimmermann war« (GCS 3,1,103).

39 Siehe *I. Opelt*, Art. Esel, in: RAC VI 564–595.

40 Tertullian, nat. I 14,1; apol. 16,12; Minucius Felix, Oct. 9,3.

41 *G. M. A. Hanfmann*, The Crucified Donkey Man: Achaios and Jesus, in: Studies in Classical Art and Archeology, trib. to P. A. von Blankenhagen, ed. by G. Kopcke and M. B. Moore, New York 1979, 205–207; *E. Dinkler*, Zum Spott-Crucifixus des Antiquariums auf dem Palatin zu Rom, in: ThR 46 (1981) 234 f.

aber doch eine große zeitliche Distanz auf, so daß man nach wie vor an eine Karikatur denken könnte, die aus jenem von Tertullian angesprochenen polemischen Milieu stammt; auch ohne eine gezielte Spitze gegen einen »König der Juden« gibt das Spottkruzifix die Verehrung eines Gekreuzigten der Lächerlichkeit preis, ähnlich wie Lukian in seinem Zerrbild der Christenbeschreibung nicht versäumt, einzuflechten: »Sie verehren (σέβουσι) ja noch jenen großen Menschen, der in Palästina gekreuzigt wurde.«[42] Der Glaube an einen Gott, der gekreuzigt worden ist, erschien dem antiken Menschen unerträglich; dem entsprechend betrachtete man das Geschehen von Golgota als einen Strafvollzug an einem Menschen, dem nur Narren Bedeutung beimessen.

Die Polemik gegen das Kreuz setzt sich über den religionspolitischen Wandel unter Kaiser Konstantin hinaus fort, obwohl unter christlichem Einfluß diese Hinrichtungsform abgeschafft worden war.[43] Vor allem Kaiser Julian (361–363) wirft den Christen ihr Verhalten vor, das nicht zuletzt den Traditionen antiker Bildung widerspricht; voller Spott erklärt er: »Das Holz des Kreuzes betet ihr an und mit seinem Bild bezeichnet ihr euere Stirn, auch als Überschrift auf euren Wohnungen verwendet ihr es. Muß man nicht den Klügsten unter euch hassen und die Unverständigen bemitleiden, die, verleitet durch ein Beispiel, ins Unglück geraten sind, die ewigen Götter zu verlassen und sich einem toten Juden zuzuwenden.«[44] In einer Zeit, in der die Kreuzverehrung schon weit verbreitet war, polemisiert Kaiser Julian noch einmal gegen die christliche Verkündigung, wonach im gekreuzigten Jesus das Heil liegt; er eifert gegen das Kreuz an den Legionsfeldzeichen und wird andererseits beim Vollzug des heidnischen Opfers mit einer Kreuzerscheinung konfrontiert.[45]

Über Jahrhunderte hinweg sah sich das Christentum einer anhaltenden Polemik gegen das Kreuz und seine Heilsbedeutung ausgesetzt. Vom Vorwurf der Torheit über die Schande der Kreuzes-

---

[42] Lukian, Peregr. 11; ebd. 13: »sie verbeugen sich vor jenem gekreuzigten Sophisten«.

[43] Aurelius Victor, Caes. 41: »Constantinus . . . eo pius, ut etiam veterrimumque supplicium patientorum et crucibus suffringendis primum removerit«. Vgl. *Th. Mommsen*, Römisches Strafrecht, Darmstadt 1961, 921.

[44] Kyrill Al., c. Jul. 6,194 (PG 76,796 f).

[45] Gregor Naz., or. IV 66; IV 54; vgl. auch V 25: »Wir sind, wie man sagt, Galiläer, unangesehene Menschen, beten den Gekreuzigten an, sind Jünger von ungebildeten Fischern, sitzen Psalmen singend bei alten Weibern, sind von vielem Fasten abgezehrt und halbtot, berauben uns unnützerweise des Schlafes und vergeuden mit eitlem Gerede ganze Nächte an den Stationen« (PG 35,693 BC).

strafe bis zur Unvereinbarkeit mit dem Gottesbegriff reichen die Argumente des heidnischen Widerspruchs, der die Predigt vom Kreuz begleitete. Die heidnische Öffentlichkeit, vor allem auch die bildungsorientierte Schicht der Gesellschaft mokiert sich über eine solche Religion, die nicht zuletzt dem Selbstverständnis des antiken Menschen entgegensteht. Dieser antichristliche Hintergrund schärfte zwangsläufig das σκάνδαλον σταυροῦ, ein Umstand, der im Urteil über die Schwerpunkte der christlichen Verkündigung in dieser Zeit nicht außer acht bleiben sollte. Tertullian beruft sich geradezu auf diese Situation, wenn er erklärt: »Jawohl, dieses Kreuzmysterium mußte in der alten Verkündigung in Bilder gehüllt werden. Denn wäre es bildlos-nackt verkündet worden, es wäre ein noch viel größeres Skandalon geworden, und je großartiger dieses Mysterium sein sollte, um so mehr mußte es im Schatten der Bilder bleiben, auf daß die Schwierigkeit des Verstehens immer wieder suche nach der Gnade Gottes.«[46] Diese Aussage bestätigt die skizzierte Situation für eine Verkündigung des Kreuzes in der christlichen Frühzeit, und sie weiß um ihren Ärgernischarakter; die vorgeschlagene Methode, das Mysterium in Bildern zu erläutern, kann im heidnisch-polemischen Umfeld schwerlich als Entleerung der Botschaft gelten.

5. Leitlinien der Kreuz-Verkündigung

Die Botschaft vom Kreuz stieß also vom Ursprung her bei den Hörern der antiken Welt auf Unverständnis und Widerspruch; das Ärgernis provozierte die Menschen unmittelbar. Diese Situation blieb nicht ohne Rückwirkung auf die großkirchliche Missionspredigt, deren Themen überdies von den allgemeinen religiösen und sittlichen Gegebenheiten in der Umwelt mitbedingt waren. Das Wort vom Kreuz setzt geradezu die Abkehr von polytheistischen Vorstellungen voraus, um in seiner theologischen Tragweite zur Geltung zu kommen.

Gegenüber dem Judentum verschärfte sich so zwangsläufig die Auseinandersetzung, insofern man seinen Repräsentanten die Verantwortung an der Kreuzigung Jesu zuschob. Über alle Problematik solcher Schuldzuweisungen hinaus ist zunächst daran zu erinnern, daß die Tatsache der Kreuzigung als historisches

---

46 Tertullian, adv. Marc. III 18,2 (CCL 1,531).

Ereignis vorausgesetzt wird; die Heftigkeit der Vorwürfe, wie sie von christlicher Seite erhoben wurden, bestätigt geradezu die Realität des Geschehens von Golgota. Die böse Schelte, mit der Meliton von Sardes den Juden Gottesmord vorwirft,[47] signalisiert freilich eine Entfremdung, die über den Kontrast zwischen dem unbarmherzigen Volk und dem milden Pilatus[48] bis zu den schrillen Invektiven eines Johannes Chrysostomos[49] und den kaum verhalteneren Schuldsprüchen Augustins[50] führt. Zum guten Teil betrieb man auf seiten des Christentums die Loslösung vom Judentum unter dem Stichwort Kreuz, wobei das innewohnende Skandalon umgedeutet wurde zur so geschichtswirksamen Anklage. Die Bewältigung jenes Ärgernisses, das im Geschehen von Golgota lag, erfolgte auf dem Rücken des jüdischen Volkes, dessen Schicksal man nicht selten als Strafe auffaßte.[51]

Neben dieser juridischen Argumentation setzten schon frühzeitig Versuche ein, das Mysterium des Kreuzes zu erhellen. Bereits die Passionsberichte der Evangelien selbst bekunden diese Absicht, und es gewinnen Weissagungsbeweis sowie Typologie große Bedeutung für die Interpretation des Golgotageschehens.[52] Schon für Justin bildet der Paradiesbaum eine Präfiguration des Kreuzes,[53] und Eirenaios parallelisiert die Ungehorsamstat am Holz mit dem Gehorsam Christi am Kreuz.[54] Die vielfältigen Bezüge zwischen Altem und Neuem Testament beleuchten die zentrale Funktion des Kreuzes in der Geschichte des Heils, zugleich wird

---

[47] Meliton, de pascha 96 (SChr 123,116).

[48] Ps. Cyprian, adv. Jud. 4: »Pilatus exterae gentis iudex saecularis potestate temporalis purificauit manus et abluit scelus necessitatis dicens: immunis et innocens sum ab huius sanguine« (CSEL 3,3,137).

[49] Johannes Chrys., hom. 43,3 in Mt.: »Denn weitaus größer und schlimmer, als die Propheten ermordet zu haben, war es, auch den Herrn selbst zu morden« (PG 57,460); vgl. P. Stockmeier, Theologie und Kult des Kreuzes 131 ff.

[50] Vgl. Augustin, in Joan. tr. 118,1: »Es geschah, was die Juden wollten; nicht sie, sondern die Soldaten, welche dem Pilatus gehorchten, haben auf seinen Richterspruch hin Jesus gekreuzigt, und doch, wenn wir an ihren Willen, ihre Nachstellungen, ihre Bemühungen, ihre Überantwortung, endlich ihr herausforderndes Schreien denken, haben gewiß viel mehr die Juden Jesus gekreuzigt« (CCL 36,654); dazu B. Blumenkranz, Die Judenpredigt Augustins. Ein Beitrag zur Geschichte der jüdisch-christlichen Beziehungen in den ersten Jahrhunderten (Basler Beitr. z. Geschichtswiss. 2), Basel 1946, 190 ff.

[51] Als Beispiel sei erwähnt Johannes Chrys., in Ps. 8,3, der als einzigen Grund für ihr Los nennt: »τὸ σταυρῶσαι τὸν Χριστόν« (PG 55,110).

[52] Siehe L. Goppelt, Die typologische Deutung des Alten Testaments im Neuen, Gütersloh 1939; J. Daniélou, Sacramentum futuri. Études sur les origines de la typologie biblique, Paris 1950.

[53] Justin, dial. 86,1. Vgl. P. Prigent, Justin et l'Ancien Testament (Études bibliques), Paris 1964, 172 ff.

[54] Eirenaios, adv. haer. V 16,3.

das Mysterium in seinen heilswirksamen Komponenten enthüllt. Auf diese Weise meint Justin sogar den Anstoß aus Dtn 21,23 überwinden zu können, wenn er sagt: »Wie nun Gott trotz des Befehls, die eherne Schlange, also ein Bild, zu errichten, nicht Anlaß zu einer Beschuldigung gibt, so ist nunmehr auch trotz des im Gesetz über die Gekreuzigten ausgesprochenen Fluches doch der Fluch nicht auch über den Christus Gottes verhängt; denn durch Christus erlöste Gott alle, die Fluchwürdiges begangen haben.«[55] Unter Berufung auf das alttestamentliche Bilderverbot (Ex 20,4 f u. ö.), dem die Errichtung der ehernen Schlange widersprach, wird der Fluch über den Gekreuzigten entkräftet und das soteriologische Verständnis vertieft. Eine Vielzahl solcher Typologien hob die frühchristliche Theologie ins Bewußtsein, um im Glauben an die in Christus erfolgte Heilstat Gottes zugleich das Ärgernis zu bewältigen.[56]

Die Suche nach Vorbildern für das Kreuz überschreitet nun bezeichnenderweise den Rahmen der biblischen Offenbarung; mit sucherischem Spürsinn tastet man den Kosmos ab, um Symbole des Kreuzes zu entdecken. Macht und Herrschaft des Kreuzes demonstriert Justin an den sinnenfälligen Dingen: »Denn betrachtet alles, was in der Welt ist, ob es ohne diese Figur gehandhabt werden oder Zusammenhang haben kann«,[57] und er verweist im folgenden auf die Segelrahen, Pflugscharen, auf Handwerkszeug und selbst auf die menschliche Gestalt. Die ganze Welt gilt ihm von der Kreuzgestalt geprägt, wobei der platonische Impuls seine Wirksamkeit entfaltete, wonach die Grundstruktur des Kosmos kreuzgestaltig angelegt sei.[58] Vorstellungen dieser Art werden aufgenommen und auf die Funktion des Logos übertragen. »Er ist selbst das Wort des allmächtigen Gottes« erklärt Eirenaios, »das in unsichtbarer Gegenwart uns alle zumal durchdringt, denn

---

[55] Justin, dial. 94,5 (Goodspeed 209). Tertullian bezieht Dtn 21,23 auf Judas, und zwar im Hinblick auf den Wortlaut des Textes (adv. Jud. 10); ähnlich argumentiert auch Augustin, der dann weiterfährt: »Am Holze hing der Tod des Herrn, damit er im Sterben den Tod besiege ..., am Holze hing die Sünde des alten Menschen, die der Herr für uns in der Sterblichkeit des Fleisches angenommen hatte; als Vorbild dieser Sünde und dieses Todes hat auch Moses in der Wüste die Schlange am Stabe erhöht; verflucht ist also der Tod, die Sünde, die Schlange« (exp. 22 in Gal. [PL 35, 2120]). Vgl. *B. Blumenkranz*, Judenpredigt 86 f.

[56] Siehe *P. Stockmeier*, Theologie und Kult des Kreuzes 220 ff.

[57] Justin, apol. I 55,2 (Goodspeed 66). Vgl. *H. Rahner*, Symbole der Kirche. Die Ekklesiologie der Väter, Salzburg 1964, 237 ff.

[58] Timaios 36bc. Vgl. *W. Bousset*, Platons Weltseele und das Kreuz Christi, in: ZNW 14 (1913) 273–285.

durch das Wort Gottes werden alle Dinge der Ordnung gemäß geleitet; und Gottes Sohn ist in ihnen gekreuzigt, indem er in der Form des Kreuzes allem aufgeprägt ist. War es doch recht und angemessen, daß er mit seinem eigenen Sichtbarwerden an allem Sichtbaren seine Kreuzesgemeinschaft mit allem ausprägе; denn seine Wirkung sollte es an den sichtbaren Dingen und in sichtbarer Gestalt zeigen, daß er derjenige ist, welcher die Höhen, d. h. den Himmel erhellt und hinabreicht in die Tiefen, an die Grundfesten der Erde, der die Flächen ausbreitet von Morgen bis Abend und von Norden und Süden die Weiten, und alles Zerstreute von überallher zusammenruft zur Erkenntnis des Vaters.«[59] Vom historischen Geschehen der Kreuzigung ausgehend wird hier eine kosmische Funktion des Kreuzes entwickelt, die als Strukturgesetz das ganze All prägt und geradezu im Kosmos aufscheint; in Angleichung an den Logos führt so das Kreuz zur Erkenntnis. Ohne Zweifel eignet einem solchen Weltverständnis tiefe Sinnhaftigkeit, zumal es unschwer analoge Gedankengänge der Umwelt integrieren und sich sogar auf biblische Aussagen wie Kol 1,17 berufen konnte. Gleichwohl macht sich hierbei eine Ablösung vom historischen Kreuzgeschehen geltend mit der Gefahr einer Verlagerung der darin vollzogenen Erlösung auf Erkenntnis; damit gelang es sicher, das Ärgernis von Golgota zu mildern, aber um den Preis seiner geschichtlichen Einmaligkeit.

Für die Bewältigung des Skandalons, das in der Kreuzigung Jesu lag, bot sich nicht zuletzt das Sieges-Motiv an. Schon innerhalb des Neuen Testamentes begegnen wir einer Sicht des Todes Christi, die als Überwindung von Sünde und Tod erscheint (1 Kor 15,55; 1 Kol 1,13; 1 Joh 3,8 u. a.),[60] und die Gläubigen der nachapostolischen Zeit griffen diese Vorstellung auf. Justin zögerte nicht, das Kreuz mit den Siegeszeichen der Legionen zu vergleichen,[61] und Origenes bezeichnete es direkt als τρόπαιον.[62]

Gewiß bildete den Ausgangspunkt dieser im Kreuz manifestierten Sieges-Theologie die paulinische Deutung des Todes Christi als Überwindung aller gottfeindlichen Mächte. Aber schon Mt 24,30 ist die Rede vom Zeichen des Menschensohnes, das mit ihm bei der Parusie in Herrlichkeit erscheinen wird, und es währt nicht lange, bis dieses Zeichen mit dem Kreuz identifiziert wird;

[59] Eirenaios, epid. 34 (PO 12,5, 685 f).
[60] Vgl. *O. Bauernfeind*, Art. νικάω κτλ., in: ThWNT IV 941–945.
[61] Justin, apol. I 55,6 (Goodspeed 66); Minucius Felix, Oct. 29,7.
[62] Origenes, hom. in Joh. 20,36 (GCS 10,376). Vgl. Methodios, c. Porph. 1.

so heißt es beispielsweise in der Apokalypse des Petrus: »Indem mein Kreuz vor meinem Angesicht hergeht, werde ich kommen in meiner Herrlichkeit.«[63] Die Parusie des Herrn wird so in Zusammenhang mit dem Kreuz gebracht, das Symbol schändlicher Strafe zur Insignie des Endgerichts gewandelt.

Wie die endzeitliche Interpretation als Zeichen von Macht und Herrlichkeit dem Kreuz grundsätzlich die Anrüchigkeit des Entehrenden nimmt, so bewährt sich nach Auskunft vieler Zeugnisse seine Kraft bereits innerhalb der Weltzeit. *Franz Joseph Dölger* hat in den postum erschienenen »Beiträge(n) zur Geschichte des Kreuzzeichens«[64] die Vielfalt dieser Wirkmöglichkeiten dargestellt, die für das Bewußtsein der Gläubigen vom Ausdruck der Kreuzesnachfolge bis zum fast magischen Gebrauch reichen. In diesen Rahmen gehört auch die aufkommende politisch-militärische Funktion des Kreuzes, die in den rückschauenden Berichten von Konstantins des Großen Kreuzesvisionen ihren geschichtsmächtigen Niederschlag gefunden hat.[65] Ohne hier die literarischen und archäologischen Fragen zu diskutieren, darf man wohl jenen Aussagen und Zeugnissen Vertrauen schenken, die Konstantin in der Folgezeit aus der Erfahrung seines Sieges an der Milvischen Brücke ein wachsendes Vertrauen in »die siegbringende Kraft dieses Paniers«[66] zuschreiben.

Seine Schilderung des Labarum läßt Eusebios in den Schluß einmünden: »Dieses heilbringende Zeichen (σωτηρίῳ σημείῳ) gebrauchte nun der Kaiser stets als Schutzmittel (ἀμυντηρίῳ) gegen jede Macht, die sich ihm feindlich entgegenstellte, und er befahl, daß das Abbild desselben allen seinen Heeren vorangetragen werde.«[67] Solche Texte ignorieren die ursprüngliche negative Symbolaussage des Kreuzes, sie heben vielmehr den Triumph hervor, der in den politischen und militärischen Erfolgen Kon-

---

[63] Apoc. Petri 1 (Hennecke-Schneemelcher II 472); ferner Epist. Apost. 27; Sib. 8,224; Kyrill Jer., cat. 13,41. Zum Erscheinen des endzeitlichen Zeichens siehe E. *Stommel*, Σημεῖον ἐκπετάσεως (Didache 16,6), in: RQ 48 (1953) 21–42.

[64] Die materialreichen Untersuchungen erschienen in neun Folgen, bearbeitet von Th. *Klauser*, in: JbAC 1 (1958) bis 10 (1967).

[65] Voneinander abweichende Berichte davon bei Lactantius, mort. pers. 4,4, und Eusebios, vita Const. I 27–32; siehe dazu knapp *J. Vogt*, Art. Constantinus der Große, in: RAC III 306–379, bes. 321 ff.

[66] Eusebios, vita Const. III 2,2: »τῷ νικητικῷ τροπαίῳ« (GCS 7,78). Vgl. F. J. *Dölger*, Beiträge VIII, in: JbAC 8/9 (1965/1966) 47 f; E. *Dinkler*, Das Kreuz als Siegeszeichen, in: Signum Crucis 55–76.

[67] Eusebios, vita Const. I 31,3 (GCS 7,31).

stantins seine Bestätigung erfuhr.[68] Als Siegeszeichen wird es überall gepriesen, und zwar in seiner pneumatischen Kraft ebenso wie in seiner herrschaftlichen Wirksamkeit. »Das Kreuz hat sich Perser dienstbar gemacht, hat Skythen gezähmt.«[69] Und Ambrosius entwirft eine staurologisch orientierte Herrschaftsideologie, anknüpfend an der Auffindung des Kreuzes durch Helena, die nach seinen Worten weise handelte, »da sie das Kreuz auf dem Haupte der Könige aufpflanzte. Es sollte das Kreuz Christi an den Königen verehrt werden. . . . Ein Gut ist dieser Nagel (sc. vom Kreuz) im Zügel der römischen Herrschaft. Er beherrscht den ganzen Erdkreis und schmückt die Stirne der Kaiser, so daß sie jetzt Prediger sind, die so oft die Verfolger waren. Mit Recht ruht der Nagel auf dem Haupte, damit dort, wo der Verstand thront, auch der Schutz herrsche. Auf dem Haupte die Krone, in den Händen der Zügel. Die Krone vom Kreuze, daß der Glaube leuchte; desgleichen der Zügel vom Kreuze, auf daß die Macht herrsche.«[70] Aus der Kreuzauffindungslegende[71] erwächst eine neue Herrschaftslegitimation, die eng mit der religionspolitischen Wende am Beginn des Jahrhunderts gekoppelt wird. Konstantins Rolle in der Herrschaftsauffassung des Ambrosius erhellt nicht zuletzt aus dem Besitz des (wiedergefundenen) Kreuzes, »durch das er selbst mitten im Schlachtengewühl sicher war und keine Gefahr zu fürchten brauchte«.[72]

Es wäre verfehlt, die Bedeutung des Kreuzes für den Herrscher auf seine sieghaft-imperiale Funktion einzuschränken; trotzdem läßt sich nicht leugnen, daß diese Sicht stark die frühchristliche Staurologie prägte. Die Interpolation von Ps 96,10 in der Form: »Dominus regnavit a ligno« ermöglichte nicht nur ein Zurückdrängen des Skandalons von Golgota,[73] sondern auch eine Aus-

---

[68] Den Sieg des Kaisers Constantius II. über den Usurpator Magnentius brachte man ebenfalls mit einer Kreuzerscheinung in Zusammenhang (Kyrill Jer., ep. ad Const. [PG 33,117A]). Vgl. *J. Vogt*, Berichte über Kreuzeserscheinungen aus dem 4. Jahrhundert n. Chr., in: ΠΑΓΚΑΡΠΕΙΑ. Mélanges H. Grégoire I, Brüssel 1949, 593 ff.

[69] Kyrill Jer., cat. 13,40; mit dem Kontext lautet der Abschnitt: »Ἀλλὰ τὸ τρόπαιον Ἰησοῦ τὸ σωτήριον, ὁ σταυρός, πάντας συνήγαγε. Τοῦτο Πέρσας ἐδουλαγώγησε, καὶ Σκύθας ἡμέρωσε« (PG 33,821A).

[70] Ambrosius, ob. Theod. 48 (CSEL 73,396 f).

[71] Vgl. *J. Straubinger*, Die Kreuzauffindungslegende, Paderborn 1912.

[72] Ambrosius, ob. Theod. 41 (CSEL 73,393). Vgl. Paulus Orosius, hist. adv. paganos VII 35,15: »Signo crucis signum proelio dedit ac se in bellum, etiamsi nemo sequeretur, uictor futurus, inmisit« (CSEL 5,530); dazu *F. J. Dölger*, Beiträge VIII, in: JbAC 8/9 (1965/1966) 48 ff.

[73] So z. B. schon Justin, dial. 73,1: »Aus Davids fünfundneunzigstem Psalm haben sie (sc. die Juden) die kurze Bemerkung ›von dem Holze‹ entfernt« (Goodspeed 182); vgl. Tertullian, adv. Jud. 10; adv. Marc. III 19; Augustinus, enarr. in Ps. 95,2 u. ö.

weitung des Herrschaftsgedankens auf die politische Ebene. Im Zuge dieser Entwicklung verlor das eigentümliche Paradox des Kreuzgeschehens von Golgota seinen ärgerniserregenden Charakter, ein Vorgang, den man innerkirchlich aufzufangen suchte durch das asketische Motiv vom Kreuztragen.[74] Man muß die Entfaltung der Kreuzsymbolik während der Zeit der entstehenden Reichskirche nicht einmal als »Bruch mit dem Bisherigen« betrachten,[75] da schon für Justin »das größte Mysterium seiner Macht und Herrschaft« unter anderem auch an den militärischen Feldzeichen aufscheint.[76] Ohne Zweifel erleichterte aber die sieghafte Deutung des Kreuzes, die seit Konstantin zusehends die Öffentlichkeit prägte, eine Bewältigung des Skandalons, und dies um so mehr, als sich ein Verständnis im Sinne der »Schmach des Kreuzes« breitzumachen begann.[77] Wie für den einzelnen Christen der Glaubensweg von der Niedrigkeit des Kreuzes zur Höhe führt,[78] so mündet für die Gemeinschaft der Gläubigen insgesamt der Kreuzesglaube in die Perspektive des Triumphes; das Zeichen des Ärgernisses wird zum Herrschaftssymbol.[79]

Fraglos hat die sieghaft orientierte Staurologie einen Weg zur Überwindung des Skandalons vom Kreuze bereitet, und zwar hin bis zur symbolhaften Darstellung.[80] Für die frühesten Kreuzigungsbilder, das bekannte Elfenbeintäfelchen im britischen Museum zu London sowie die Wiedergabe auf der Holztür von Santa Sabina, Rom, mag ebenfalls diese »Aufarbeitung« des Ärgernisses von Belang gewesen sein, insofern der Widerstand gegen eine realistische Darstellung geschwunden war. Man konnte, ja mußte geradezu das historische Ereignis in seiner Schmach ins Gedächtnis rufen, um dem Vorwurf der Heiden zu entgehen, die Christen würden nur die Herrlichkeit der Christusgestalt verkünden.[81] Die

---

[74] Vgl. beispielsweise Johannes Chrys., hom. 14,1 in Phil., dazu siehe E. Dinkler, Jesu Wort vom Kreuztragen, in: Signum Crucis 77–98; P. Stockmeier, Theologie und Kult des Kreuzes 160 ff.

[75] So C. Andresen, Die Kirchen der alten Christenheit (Die Religionen der Menschheit 29,1/2), Stuttgart-Berlin-Köln-Mainz 1971, 330.

[76] Justin, apol. I 55; vgl. Anm. 57.

[77] Etwa bei Ambrosius, sermo 21,21 in Ps. Siehe G. Stählin, Skandalon 390.

[78] Charakteristisch hierfür z. B. die Antithesen Augustins: »Ubi humilitas, ibi majestas; ubi infirmitas, ibi potestas; ubi mors, ibi vita« (sermo 160,4 [PL 38,875]).

[79] Vgl. J. Gagé, La théologie de la victoire impériale, in: Revue historique 171 (1933) 1–43.

[80] Siehe E. Dinkler, Bemerkungen zum Kreuz als ΤΡΟΠΑΙΟΝ, in: Mullus. Festschr. Th. Klauser, JbAC Erg. Bd. 1, Münster 1964, 71–78.

[81] Johannes Chrys., hom. 87,1 in Mt.: »Damit nämlich die Heiden uns nicht vorwerfen können, wir teilten dem Volke und den Laien nur das Glänzende und Herrliche im Leben Jesu

Lesung der Passionsberichte hebt danach auf das Bewußtwerden des Skandalons ab, und es liegt nahe, analog dieser gezielten Hinwendung zum realen Christusbild der Evangelien auch die Entstehung der ersten Kreuzigungsbildnisse – sie weisen bekanntlich syrischen Einfluß auf – als Reaktion auf die einseitige Bewältigung des Skandalons vom Kreuz aufzufassen.[82]

---

mit, wie die Zeichen und Wunder, das Schmachvolle aber verhehlten wir, deshalb hat der Heilige Geist in seiner Gnade es so gerichtet, daß alle diese Begebenheiten verlesen werden, wenn sich an den Hochfesten Männer und Frauen in großer Zahl ... versammeln; wenn alle Welt zugegen ist, dann wird es mit lauter Stimme verkündet« (PG 58,770).

[82] Zur weiteren Diskussion vgl. *A. Grillmeier*, Der Logos am Kreuz. Zur christologischen Symbolik der älteren Kreuzigungsdarstellung, München 1956.

Christlicher Glaube und antike Religiosität[*]

In seiner Studie »Zur Religiosität der Christenverfolger im Römischen Reich«[1] hat *Joseph Vogt* darauf hingewiesen, daß die Maßnahmen der politischen Macht nicht nur vom Recht und von der Staatsgewalt her begriffen werden können; er sieht »ihren Ursprung im Glauben an die römischen Götter, der bis zuletzt ein Stück echter religio bewahrt hat, etwas von der alten Ehrfurcht vor der Macht, die aus dem Geheimnis wirkt«.[2] Das behandelte Quellenmaterial rechtfertigt ohne Zweifel ein solches Urteil, das dem antiken Heidentum trotz aller zu beobachtenden Skepsis noch religiöse Kraft zuerkennt. Falls diese Beobachtung zutrifft – und es ließen sich unschwer weitere Zeugnisse beibringen –, dann muß wohl der Historiker der alten Kirche ein weit verbreitetes Denkschema überprüfen, wonach die Religiosität in der Umwelt des frühen Christentums von Hohlheit und Zersetzungstendenzen gekennzeichnet sei.[3] Auch wenn etwa im Kaiserkult leerer Formalismus überhandnahm, so geht es nicht an, das Ideal der frühchristlichen Kirche vor einem dunklen Hintergrund zu beschreiben. Trotz aller Kritik im einzelnen haben übrigens die Vertreter des frühen Christentums die Religion der Umwelt nicht als *quantité négligeable* betrachtet, sondern in ernster Auseinandersetzung den christlichen Anspruch zu vertreten versucht. Es gab im Umkreis der Gläubigen kein religiöses Vakuum, sondern ein reichhaltiges Angebot an Kulten, Riten und Frömmigkeitsformen, denen gegenüber die biblische Verkündigung in Konkurrenz trat.

[*] Aus: Aufstieg und Niedergang der römischen Welt. Geschichte und Kultur Roms im Spiegel der neueren Forschung, hrsg. von H. Temporini und W. Haase, Bd. II 23,2, hrsg. von W. Haase, Verlag Walter de Gruyter, Berlin-New York 1980, 871–909.
[1] SHAW.PH 1962, 1.
[2] Ebd. 28. Daß sich die religiöse Kraft in dem von den Behörden urgierten Staatskult weniger äußert als in den neuen Mysterienkulten, liegt auf der Hand.
[3] Man vgl. z. B. die Ausführungen von *K. Baus*, Von der Urgemeinde zur frühchristlichen Großkirche, Handbuch der Kirchengeschichte I, hrsg. v. H. Jedin, Freiburg-Basel-Wien ³1962, Neudr. 1973, 105 f.

Im Zuge dieser Begegnung hat sich das Christentum einerseits entschieden distanziert von Formen und Gehalten heidnischer Kulte, andererseits sah es sich genötigt, seinen Platz in einer Umwelt zu behaupten, die schon vom Staat her religiös orientiert war. Man stand vor der Aufgabe, das Selbstverständnis des eigenen Glaubens zu formulieren in Bildern und Begriffen, die der Mitwelt geläufig waren, so daß es trotz deutlicher Vorbehalte zu einem vielschichtigen Prozeß der Angleichung kam. Unter dem Aspekt von der »Hellenisierung des Christentums« ist dieser Vorgang nicht erst in der Neuzeit betrachtet bzw. beurteilt worden. Gegenüber dem Anspruch Kaiser Julians (361–363) auf den Hellenismus verteidigte z. B. Gregor von Nazianz († um 390) das Recht der Christen auf das ἑλληνίζειν, selbst wenn es im Sinne der θρησκεία, also der *religio* zu verstehen sei.[4] Das Bemühen der Christen, in der Weise antiker Paideia aufzutreten, führte offensichtlich auch im Bereich der Religion zu einer Angleichung der Strukturen, obschon man sich von den Inhalten nachdrücklich distanzierte.

Eine solche Begegnung setzt einen Unterschied zwischen christlichem Glauben und antiker Religiosität voraus, dessen Kriterium in der Überzeugung liegt, daß sich in Jesus von Nazaret Gottes endzeitliche Heilstat erfüllt hat.[5] Solcher Glaube ist bestimmt von der Überantwortung des Menschen an Gott, auch wenn die inhaltliche Komponente nicht ignoriert werden kann (vgl. Röm 10,8; 3,27; Gal 1,23; Apg 6,7); nachdrücklich hebt ferner das Neue Testament hervor, daß Glaube nicht von unten her zustande kommt, sondern von Gott geschenkt wird (vgl. Mt 16,17; 1 Thess 1,4 f; 1 Kor 2,4 f; Phil 1,29; Eph 2,5). Besonders Paulus betont den Gegensatz dieses Glaubens zu einem Heilsweg aus menschlichem Vermögen; so heißt es Röm 4,4 f: »Dem aber, der Werke tut, wird der Lohn nicht angerechnet nach Gnade, sondern nach Schuldigkeit. Wer jedoch keine Werke tut, sondern an den glaubt, der den Sünder rechtfertigt, dem wird angerechnet sein Glaube [nach dem Beschluß der Gnade Gottes] zur Gerechtigkeit.« Nun läßt

---

4 Gregor Naz., or. IV 103 (PG 35,637 f). Zum Problem der Hellenisierung siehe die knappen Übersichten bei W. *Glawe*, Die Hellenisierung des Christentums in der Geschichte der Theologie von Luther bis auf die Gegenwart, Berlin 1912; P. *Stockmeier*, Art. Hellenismus und Christentum, in: Sacramentum Mundi II (1968) 665–676.

5 G. *Bertram* stellt fest: »Der Begriff ›Religion‹ . . . ist der biblischen Sprache grundsätzlich fremd und hat nur an wenigen Stellen eindringen können.« (Art. θεοσεβής, in: ThWNT III 125), vgl. ferner R. *Bultmann*, Art. πιστεύω κτλ., in: ThWNT VI 174–230.

sich allerdings nicht übersehen, daß auch eine gewisse Tendenz aufkommt, πίστις absolut zu gebrauchen und weniger im Sinne der Formel πίστις εἰς. Damit wird aber »Glaube« zur »schlechthinnigen Bezeichnung der Religion, und die ›Glaubenden‹ oder ›Gläubigen‹ sind die Christen«.[6] Im Geflecht der zahlreichen Religionen bekommt christlicher Glaube einen Stellenwert, der für den Glaubenden selbst ein »religiöses« Verständnis ermöglicht. Dies hindert aber nach Ausweis des Neuen Testaments nicht, Kritik zu üben an religiösen Formen des Judentums. »Ein reiner und fleckenloser Gottesdienst vor Gott dem Vater ist dies: Waisen und Witwen aufzunehmen in ihrer Trübsal . . .« (Jak 1,27; vgl. Mk 12,32 f). Eine solche Überführung zu tätiger Nächstenliebe schließt zwar eine Gottesverehrung nicht aus; sie erfährt aber eine Konzentration auf Christus hin, die eine Abkehr von traditionellen Kultformen impliziert. Insofern erwächst aus christlichem Glauben der Einspruch gegen eine naturhafte Religiosität, ganz abgesehen davon, daß außerhalb der biblischen Welt die Haltung der πίστις ohnedies in geringem Ansehen stand.[7]

Die biblisch-neutestamentliche Verkündigung begegnete nun keiner abstrakten Religiosität, sondern konkreten Ausformungen religiösen Lebens. Gründend in der gleichen Überlieferung erfuhren die Christen zunächst am *Judentum*[8] die Eigentümlichkeit ihres Glaubens. Aufgerufen zur Einkehr boten sich ihnen Tempelkult und Frömmigkeitspraxis der jüdischen Umwelt als eine Größe dar, an der sie Kritik übten, auch wenn sie sich nicht spontan davon lösten. Gewiß brachte die Zerstörung des Tempels und der im Gefolge dieses Ereignisses sich entfaltende Synagogengottesdienst einen Durchbruch zum geistigen Verständnis von Religion; aber die totale Erfassung des menschlichen Lebens durch religiö-

---

6 *R. Bultmann*, Art. πιστεύω 217.

7 Philo von Alexandrien bezeichnet den Glauben als τελειοτάτη ἀρετή (Quis rer. div. heres 91 [Wendland III 21,21 f]), obwohl der griechische Begriff ἀρετή kein angemessenes sprachliches Äquivalent im hebräischen Denken hat. Umgekehrt schätzte die griechische Welt πίστις von der Warte der Erkenntnis aus gering, so daß sich hieraus schon eine Antithese abzeichnete. Vgl. *R. Walzer*, Galen on Jews and Christians (Oxford Classical and Philosophical Monographs), London 1949, 48 ff.

8 Im Blick auf unsere Problematik orientieren gut *K. Schubert*, Die Religion des nachbiblischen Judentums, Freiburg-Wien 1955; *Ch. Guignebert*, The Jewish World in the Time of Jesus, New York 1959; *C. Westermann*, Das Problem der Religion im alten Testament, in: Christentum und Religion, hrsg. von H. Kahlefeld u. a., Regensburg 1966, 7–31; *L. Prijs*, Die jüdische Religion. Eine Einführung, München 1977. Vgl. auch die Beiträge zur Religion des Judentums in späthellenistischer und römischer Zeit in den Bänden II 19 – II 21 des Werkes ANRW.

se Normen, wie sie gerade von den Vertretern dieser Richtung, den Pharisäern, vorgenommen wurde, mündete in eine neue Gesetzlichkeit. In der Antithese von Gesetz und Evangelium ist der paulinische Einspruch (Röm 7,1–25; vgl. Apg 7,1–53; 10,1–48) gegen eine Frömmigkeit von unten her zusammengefaßt; der Apostel bezeichnet Phil 3,8 den natürlich religiösen Heilsweg geradezu als σκύβαλον (= Dreck). Die anhaltende Diskussion zwischen Christen und Juden bewegte sich zwar keineswegs nur in dieser Polarität,[9] sie illustriert aber deutlich, daß Glaube und Religiosität zum Problem geworden sind.

Relativ früh stieß das Evangelium auch bereits auf *griechisch-hellenistisch geprägte Religiosität*, wobei angesichts des regen geistigen Austausches eine Abgrenzung immer fragwürdig bleibt.[10] Eine begriffsgeschichtliche Analyse fördert die Einsicht in das Verständnis griechischer Religiosität wenig, da es ursprünglich keine Bezeichnung für religiöse Erfahrung und die ihr korrespondierende Haltung des Menschen gab. Die Termini εὐλάβεια, θεραπεία, θρησκεία, εὐσέβεια und δεισιδαιμονία weisen zwar in diesen Bereich, demonstrieren aber in ihrer Vielfalt unterschiedliche Aspekte. Charakteristisch für die griechische Religiosität sind ein mythologischer Grundzug, die Bindung an eine Tradition sowie das Fehlen einer kultischen Einheit. In der hellenistischen Periode strömten zahlreiche Kulte ein, die insbesondere der religiösen Sehnsucht des Menschen nach Erlösung entgegenkamen. Kennzeichnend ist für griechische Religiosität ferner die Auffassung, wonach der Kosmos religiöse Erfahrung ermöglicht; daraus resultiert ein starkes Zutrauen zur Wirklichkeit der Welt, die als eine Art πίστις zu betrachten ist.

Römisch-religiöses Verhalten weist demgegenüber durchaus Besonderheiten auf.[11] Schon der einheitliche Begriff *religio* verrät eine

---

[9] V. E. *Hasler*, Gesetz und Evangelium in der alten Kirche bis Origenes. Eine auslegungsgeschichtliche Untersuchung, Zürich-Frankfurt 1953.

[10] Zur Religion der Griechen siehe W. *Nestle*, Griechische Religiosität in ihren Grundzügen und ihren Hauptvertretern von Homer bis Proklos (Sammlung Göschen), Berlin 1930–34; U. v. *Wilamowitz-Moellendorff*, Der Glaube der Hellenen, 2 Bde., Berlin 1955; M. P. *Nilsson*, Geschichte der griechischen Religion II. Die hellenistische und römische Zeit (HbAW V 2), München 1961; F. *Cumont*, Die orientalischen Religionen im römischen Heidentum. Nach der 4. französischen Auflage unter Zugrundelegung der Übersetzung Gehrichs bearbeitet von A. Burckhardt-Brandenberg, Darmstadt 1959.

[11] Eine Zusammenfassung des Phänomens römischer Religion bieten G. *Wissowa*, Religion und Kultus der Römer (HbAW IV 5), München ²1912, Neudr. 1971; K. *Latte*, Römische Religionsgeschichte (HbAW V 4), München 1960. Vgl. auch H. *Wagenvoort*, Wesenszüge

Konzentration, die in der differenzierten Ausdrucksweise der griechischen Sprache nicht zum Ausdruck kommt. Über die Möglichkeiten seiner etymologischen Ableitung herrschen seit alters verschiedene Auffassungen; aber in allen Bedeutungsnuancen, seien sie gewonnen von *relegere* (erneut durchgehen, gewissenhaft beobachten), von *religari* (sich zurückbinden) oder *reeligere* (wieder erwählen), kommen Sinnelemente religiösen Verhaltens zum Vorschein, auch wenn ursprünglich das Wort nicht auf diesen Bereich eingeschränkt war. Cicero leitet nat. deor. 2,72 den Begriff von *relegere* ab, während der christliche Schriftsteller Laktanz und der frühe Augustin von *religare* ausgehen.[12] Neben *religio* finden wir noch die Parallel-Begriffe *cultus, ritus* und *pietas*; die beiden ersten meinen mehr den äußeren Vollzug der Götterverehrung, letzterer zielt auf ehrfürchtige Haltung, und zwar auch gegenüber Menschen. Bestimmt wird dieses Verhältnis weithin durch den Gedanken vom *commercium* (Handel, Tauschgeschäft); den Göttern muß man die schuldige Ehre erweisen und kann dafür ihre Hilfe erwarten. Diese Wechselbeziehung erschöpft sich freilich nicht ausschließlich in dem juridischen *do ut des*-Prinzip. Hier gilt, auch für *religio*, was *Walter Dürig* in seiner Studie zum Frömmigkeitsbegriff sagt: »Die römische pietas ist, soweit sie sich auf das Göttliche bezieht, die besonders in der kultischen Verehrung der Gottheit sich äußernde Frömmigkeit, bei der innerliche Bejahung der empfundenen Verbindlichkeit, also die gesinnungsmäßigen Voraussetzungen, die persönliche Frömmigkeit, bald mehr bald weniger in Erscheinung trat, aber wohl in keiner Entwicklungsperiode gänzlich fehlt«.[13] Im Hinblick auf die Begegnung mit dem Christentum ist nicht zuletzt der Umstand bedeutsam, daß die römische Religion getragen wird von einem einheitlichen Staat und dessen Bürgern. Die Römer betrachteten nachgerade ihre Religiosität als charakteristischen Vorzug gegenüber anderen Völkern. Daraus erklärt sich auch die Funktion der *religio* für die gesamte Gesellschaft, die in der Übernahme des Titels *pontifex maximus* durch Kaiser Augustus ihren unübersehbaren

---

altrömischer Religion, in: ANRW I 2, 348–376 und die Beiträge zu Bd. II 16 dieses Werkes (›Heidentum: Römische Religion, Allgemeines‹), bes. *R. Muth*, Vom Wesen römischer ›religio‹, in: ANRW II 16,1, 290–354.

12 Lactantius, div. inst. IV 28,2: »Hoc uinculo pietatis obstricti deo et religati sumus: unde ipsa religio nomen accepit, non ut Cicero interpretatus est a relegendo« (CSEL 19,389); dazu Augustinus, vera rel. 111. Vgl. *R. Muth*, religio 342 ff.

13 *W. Dürig*, Pietas Liturgica. Studien zum Frömmigkeitsbegriff und zur Gottesvorstellung der abendländischen Liturgie, Regensburg 1958, 26.

Ausdruck fand. Der Staat trägt die Verpflichtung, für den Kult der Götter zu sorgen; als Sache der Öffentlichkeit, die schließlich im Kaiserkult ihre spezifische Zuspitzung erfuhr, vermochte diese Religion freilich dem einzelnen Menschen kaum mehr zu genügen. »Religiosität bedeutet eben für den Römer nicht eine Gesinnung, die die ganze Persönlichkeit prägt, sondern die ständige Bereitschaft, auf jedes Anzeichen einer Störung des gewohnten Verhältnisses zu den Göttern mit einer begütigenden Handlung zu antworten und einmal übernommenen Verpflichtungen nachzukommen«.[14]

Die religiöse Durchdringung der antiken Welt demonstriert jedenfalls, daß die christliche Botschaft nicht einem Vakuum in religiosis gegenübertrat, sondern einem äußerst differenzierten Komplex von Götterkulten, Mythen und Heilsangeboten.[15] In dieser Begegnung kam es trotz des Bewußtseins von der »Neuheit des Christentums« zu einem intensiven Austausch von Ideen, Formen und Verhaltensweisen, der unter dem Schlagwort von der »Hellenisierung« allgemein bekannt ist. Unter religionsgeschichtlichem Aspekt hat die Forschung bereits ein reiches Material aufbereitet, um die Zusammenhänge zu durchleuchten.[16] Ohne Zweifel kamen in dieser mehr inhaltlich orientierten Arbeitsweise immer auch formale Gesichtspunkte zur Sprache, aber es ist bezeichnend, daß die Auseinandersetzung zwischen christlichem Glauben und antiker Religiosität unter formaler Rücksicht relativ wenig behandelt wurde. Zwar haben Altertum und Mittelalter über diese Frage durchaus nachgedacht – erinnert sei nur an Peter Abaelards »Dialogus inter Philosophum, Judaeum et Christianum«[17] –, aber erst im reformatorischen Protest wurde der eigentümliche Zusammenhang in seiner Tragweite markiert. Die katholische Mission des 16. und 17. Jahrhunderts beurteilte die nichtchristlichen Religionen im Sinne einer *praeparatio evangelica,*

---

14 *K. Latte,* Römische Religionsgeschichte 39.

15 Vgl. etwa *K. Prümm,* Religionsgeschichtliches Handbuch für den Raum der altchristlichen Umwelt. Hellenistisch-römische Geistesströmungen und Kulte mit Beachtung des Eigenlebens der Provinzen, Rom 1954; *H. Rahner,* Griechische Mythen in christlicher Deutung, Darmstadt [3]1966; *C. Andresen,* Art. Erlösung, in: RAC VI 54–219.

16 Hervorzuheben ist hier vor allem die Arbeit der sogenannten religionsgeschichtlichen Schule, die primär allerdings den neutestamentlichen Grundlagen nachspürte. Vgl. *G. W. Ittel,* Die Hauptgedanken der Religionsgeschichtlichen Schule, in: ZRGG 10 (1958) 61–78.

17 PL 178, 1161–1682. Im übrigen vgl. *E. Heck,* Der Begriff »religio« bei Thomas von Aquin. Seine Bedeutung für unser heutiges Verständnis von Religion (Abh. z. Phil., Psychol., Soziol. d. Religion u. Ökumenik 21/22), Paderborn 1970.

die protestantische Erweckungsbewegung hingegen mehr als Götzendienst. Als Reaktion auf einen allgemeinen Religionsbegriff, der es etwa *Ernst Troeltsch* ermöglichte, mit Hilfe der religionsgeschichtlichen Methode eine »faktische Höchstgeltung des Christentums«[18] zu demonstrieren, betrachtete die dialektische Theologie »Gottes Offenbarung als Aufhebung der Religion« schlechthin und artikulierte so den Gegensatz des Christentums zu den Religionen.[19] Über *Dietrich Bonhoeffer*[20] hat diese Antithese einen wirksamen Einfluß auf die Theologie der Gegenwart ausgeübt, wobei freilich die geschichtliche Fragestellung kaum berücksichtigt wurde.

Weniger aus diesem theologischen Impuls als aus historisch-philologischem Interesse ist eine Reihe von Untersuchungen entstanden, die den eigentümlichen Unterschied von christlichem Glauben und antiker Religiosität ins Licht rücken; dabei sind auch begriffsgeschichtliche Arbeiten aufschlußreich, die dem liturgiewissenschaftlichen Bereich angehören. Dennoch fehlen weithin Einzelanalysen in entsprechendem Umfang, aufgrund deren eine Darstellung des Problems allseits gesichert erscheinen könnte.[21] Von vornherein ist zudem ein Vorbehalt anzumelden, der sich aus einer historisch-theologischen Beobachtung ergibt. Die neuzeitliche Theologie pflegt nämlich gern den Unterschied des christlichen Glaubens zu heidnischer Religion mit Hilfe der Kategorie »Offenbarung« zu bestimmen. Geht man von einem spezi-

[18] *H. Benckert*, Art. Troeltsch Ernst, in: RGG³ VI 1044–1047, 1045.

[19] Vgl. *K. Barth*, Kirchliche Dogmatik II 2, Zollikon-Zürich 1949, 324–356 u. ö. Dazu siehe *J. M. Vlijm*, Het religie-begrip van Karl Barth (Diss. Amsterdam), La Haye 1956; *B.-E. Benktson*, Christus und die Religion. Der Religionsbegriff bei Barth, Bonhoeffer und Tillich, Stuttgart 1967.

[20] *D. Bonhoeffer*, Widerstand und Ergebung, München ⁸1958. Einen knappen Überblick bietet ferner *U. Mann*, Religion als theologisches Problem unserer Zeit, in: Christentum und Religion, hrsg. von H. Kahlefeld u. a., Regensburg 1966, 53–89.

[21] Außer den einschlägigen Artikeln in Fachlexika seien erwähnt: *E. Williger*, Hagios. Untersuchungen zur Terminologie des Heiligen in den hellenisch-hellenistischen Religionen (RVV 19/1), Gießen 1922; *Th. Ulrich*, Pietas als politischer Begriff im römischen Staate bis zum Tode des Kaisers Commodus (Histor. Unters. 6), Breslau 1930; *R. Heinze*, Vom Geist des Römertums, Leipzig 1939; *J. B. Kätzler*, Religio. Versuch einer Worterklärung, 20. Jahresbericht des Bischöfl. Gymnasiums Paulinum in Schwaz 1953, 2–18; *R. Hernegger*, Ideologie und Glaube. Volkskirche oder Kirche der Gläubigen, Nürnberg o. J.; *Ders.*, Religion, Frömmigkeit, Kult. Einbruch heidnischer Religiosität in den christlichen Glauben, Weilheim/Obb. 1961; *C. Koch*, Religio. Studien zu Kult und Glauben der Römer (Erlanger Beitr. z. Sprach- u. Kunstwiss. 7), Nürnberg 1960; *L. Koep*, »Religio« und »Ritus« als Problem des frühen Christentums, in: JbAC 5 (1962) 43–59; *D. Kaufmann-Bühler*, Art. Eusebeia, in: RAC VI 985–1052; *E. M. Pickman*, The Sequence of Belief. A Consideration of Religious Thought from Homer to Ockham, New York 1962.

fischen Verständnis dieses Begriffs aus, dann eignet er sich durchaus, dem Anspruch biblischer Verkündigung gerecht zu werden. Allerdings erscheinen die gemeinten Kriterien in der frühchristlichen Literatur relativ selten unter dem Wort »Offenbarung«. Das einschlägige Vokabular (ἀποκαλύπτειν, φανεροῦν, *revelare*) weist vielmehr in den Umkreis der allgemeinen »Offenbarungsgläubigkeit« und illustriert so die Nähe dieses Begriffs zu einem verbreiteten Phänomen antiker Religiosität. Das Göttliche faßte nämlich der Mensch zunächst nicht als absolute Transzendenz, man wurde seiner in ständigen Offenbarungen inne. *Kurt Latte* beschreibt es als »eine Macht, die den Menschen auf Erden überall umgibt, deren Segen man sich nutzbar machen möchte, die zu erzürnen man fürchtet. Aber es wird nicht als Einheit aufgefaßt, sondern zerteilt sich in eine Fülle von Manifestationen«.[22] Angesichts einer solchen Aufgeschlossenheit war es für die Christen nicht nötig, die Möglichkeit von Offenbarungen grundsätzlich aufzuweisen, andererseits eignete sich diese Kategorie aber nicht, das Eigentümliche der neutestamentlichen Botschaft zu verdeutlichen; man muß sogar feststellen, daß unter dem Aspekt »Offenbarung« ihre Nähe zur religiösen Auffassung der Umwelt unterstrichen wird. Unbekümmert führt etwa der Verfasser des sogenannten 1. Klemensbriefes außer biblischen Zeugnissen auch Beispiele aus der heidnischen Welt an, wonach sich Könige und Fürsten auf den Rat von Orakeln hin dem Tod überliefert hätten.[23] Gewiß, hier ist nicht bewußt eine Gleichsetzung biblischer Offenbarung mit dem Orakelwesen intendiert, aber die zwanglose Beiordnung läßt eine kritische Unterscheidung vermissen. Vor dem Hintergrund einer durchgängigen Vertrautheit mit dem Phänomen der Mantik läßt sich so argumentieren, fraglos zu Lasten der christlichen Offenbarung. Aufschlußreich für diese Zuordnung ist insbesondere der »Pastor Hermae« (Mitte 2. Jh.). In einem apokalyptisch-visionären Stil schildert der Autor verschiedenartige Offenbarungen, wobei erstmals auch die Sibylle erwähnt wird.[24] Wenn möglicherweise auch für den Hirten selbst

[22] Römische Religionsgeschichte 63. *A. Wlosok*, Römischer Religions- und Gottesbegriff in heidnischer und christlicher Zeit, in: Antike und Abendland 16 (1970) 39–53; *P. Stockmeier*, Glaube und Religion in der frühen Kirche, Freiburg-Basel-Wien 1973.

[23] 1 Klem 55,1: »πολλοὶ βασιλεῖς καὶ ἡγούμενοι . . . χρησμοδοτηθέντες παρέδωκαν ἑαυτοὺς εἰς θάνατον« (Bihlmeyer-Schneemelcher 64,11–13). Dazu vgl. *A. W. Ziegler*, Neue Studien zum ersten Klemensbrief, München 1958, 60 ff.

[24] Pastor Hermae, vis. II 4 (GCS 48,7). Vgl. *B. Thompson*, Patristic Use of the Sibylline Oracles, in: Rev. of Religion 16 (1952) 115–136.

ein entsprechendes Vorbild anzunehmen ist,[25] dann demonstriert gerade diese Schrift, wie sehr die biblisch-christliche Offenbarungsvorstellung eingebettet ist in die religiöse Umwelt. Nach Ausweis der frühchristlichen Literatur eignet sich diese Kategorie also nicht vorbehaltlos, um den Sondercharakter des Christentums zu verdeutlichen; die Abgrenzung gegenüber heidnischer *religio* kann darum auch nicht ohne weiteres unter diesem Aspekt erfolgen, wie es eine gängige theologische Betrachtungsweise gern tut.

Phänomenologisch betrachtet boten die frühchristlichen Gemeinden nicht das Bild religiöser Kultvereine mit ihrem typischen Apparat von Tempeln, Opfer und Priesterschaft. Zwar gehören gottesdienstliche Elemente von Anfang an zur Praxis des Glaubens, an die Öffentlichkeit trat man aber primär durch die Verkündigung der neuen Heilsbotschaft. Die Missionspredigt kreiste um Jesus von Nazaret, in dem Gott dem Menschen Heil zugesprochen hatte, und um die gläubige Antwort des Menschen. Beim Übergang in die hellenistische Kulturwelt vollzog sich ein Austausch von Gedanken, der das Christentum in die Nähe philosophischer Schulen rückte. Der Weg Justins führte beispielsweise von den Zirkeln der Weisheitslehrer zum Christentum als der neuen Philosophie[26] und Klemens von Alexandrien nennt die Kirche direkt ein διδασκαλεῖον.[27] Gerade dieses Erscheinungsbild der Kirche nötigt uns, ihren vom Wort des Evangeliums geprägten Charakter gegenüber geläufigen religiösen Phänomenen nicht aus dem Auge zu verlieren; gleichwohl unterlag auch das Verständnis der ἐκκλησία sowohl in seiner personalen wie kultischen Dimension einem Wandel.

I. Religiöse Elemente in nachapostolischer Zeit

Schon innerhalb des Neuen Testaments begegnen wir Versuchen, das christliche Glaubensbewußtsein in religiösen Kategorien der Umwelt auszusprechen. So grenzt beispielsweise der absolute Wortgebrauch von ὁδός in Apg 9,2; 19,9.23; 22,4; 24,14.22 den

---

25 Siehe *M. Dibelius*, Der Offenbarungsträger im ›Hirten des Hermas‹, in: Botschaft und Geschichte. Gesammelte Aufsätze II, Tübingen 1956, 80–93.
26 Justin schildert seine »Bekehrung« in dial. 1,1–8,2.
27 Klemens Al., paed. III 98,1 (GCS 12,289). Zum Thema vgl. *F. Normann*, Christos Didaskalos. Die Vorstellung von Christus als Lehrer in der christlichen Literatur des ersten und zweiten Jahrhunderts (MBTh 32), Münster 1967.

christlichen Glauben als neue Religion bewußt von Judentum und Heidentum aus;[28] auch wenn die Herkunft dieser Redeweise nicht ganz geklärt ist, so illustriert sie doch ein Eigenverständnis gegenüber und analog anderen ὀδοί. Trotzdem schloß man sich nicht ab, sondern wußte sich der Tatsache verpflichtet, daß »Gott den Heiden die Tür des Glaubens geöffnet hatte« (Apg 14,27). Dementsprechend betonte die junge Gemeinde immer auch die Kongruenz mit religiösen Auffassungen der Umwelt. In der vieldiskutierten Areopagrede (Apg 17,22–31) kommt diese Tendenz deutlich zum Ausdruck, wenn der christliche Redner den Athenern verkündet, was diese im unbekannten Gott verehren.[29] Aus dem missionarischen Impuls erwächst also der Dialog mit den Vertretern der religiösen Umwelt, der bei aller Eigenständigkeit des Christlich-Biblischen zu einer Kongruenz mit eben jenen Strukturen führt. Freilich ist der Vorgang differenzierter, als es in Harnacks Frage zum Ausdruck kommt: »Wie hat sich das Christentum selbst so ausgestaltet, daß es die Weltreligion werden mußte, die übrigen Religionen durch Aussaugung mehr und mehr zum Absterben brachte und wie ein Magnet die Menschen an sich zog?«[30] Allein die ständige Auseinandersetzung widerspricht einer bewußten und totalen Absorption von seiten der Gläubigen; umgekehrt schließt das Bewußtsein der Eigenständigkeit eine Verschränkung mit naturhafter Religiosität nicht aus.

1. Die Adaptation religiöser Begrifflichkeit

Schon oftmals wurde auf die eigenartige Argumentationsweise des ersten Klemensbriefes hingewiesen, der z. B. im 20. Kapitel mit seinen kosmischen Motiven für Friede und Ordnung mehr stoische als biblisch-christliche Herkunft zu verraten scheint.[31] Nicht zu Unrecht hat *John Lawson* diesen Text als Ausdruck einer

---

[28] W. *Michaelis*, Art. ὀδός, in: ThWNT V 42–118, bes. 93 ff; R. *Bultmann*, Theologie des Neuen Testaments, Tübingen [3]1958, 468 f; E. *Repo*, Der Weg als Selbstbezeichnung des Christentums. Eine traditionsgeschichtliche und semasiologische Untersuchung (Ann. Acad. Sc. Fennicae B. 132,2), Helsinki 1964; W. L. *Knox*, Some Hellenistic Elements in Primitive Christianity (The Schweich Lectures of the British Academy 1942), London 1944.

[29] Apg 17,23:»ὃ οὖν ἀγνοοῦντες εὐσεβεῖτε, τοῦτο ἐγὼ καταγγέλλω ὑμῖν.« Siehe dazu E. *Norden*, Agnostos Theos. Untersuchungen zur Formengeschichte religiöser Rede, Darmstadt [4]1956, 129.

[30] A. v. *Harnack*, Die Mission und Ausbreitung des Christentums in den ersten drei Jahrhunderten, Leipzig [4]1924, Neudr. Wiesbaden o. J., 527.

[31] Vgl. W. C. v. *Unnik*, Is 1 Clement 20 purely Stoic?, in: VC 4 (1950) 181–189.

natural religion bezeichnet.[32] Der Verfasser des Briefes appelliert an eine gewisse Grundeinsicht des Menschen, die aus der Betrachtung des Kosmos erwächst und eine religiöse Haltung gegenüber dem höchsten Ordnungsprinzip verlangt. Diese Denkweise steht ganz in der Nähe der sogenannten »natürlichen Gotteserkenntnis«, und sie trägt auch einen betont rationalen Zug in die christliche Verkündigung ein. Damit ist die Möglichkeit eröffnet, eine Begegnung auf der Basis allgemeiner Religiosität zu schaffen und auch den biblischen Glauben in deren Kategorien auszudrücken.[33]

Bezeichnend für diesen Vorgang ist der zunehmende Gebrauch des Terminus εὐσέβεια. *Dieter Kaufmann-Bühler* hat in seiner Wortuntersuchung darauf hingewiesen, daß der Begriff zu jener Gruppe griechischer Wörter gehört, »deren Festlegung auf einen bestimmten heidnischen Inhalt die Übernahme erschwert«.[34] Seine Bedeutung war abgesehen von dem ehrfürchtigen Verhalten gegenüber Eltern, Vaterland und Verstorbenen insbesondere orientiert an der religiösen Beziehung der Menschen zu den Göttern. Offensichtlich verhinderte dieser Umstand eine Übernahme des Begriffs in die Evangelien, während er sich in den Pastoralbriefen sowie bei den Apostolischen Vätern und Apologeten zusehends durchsetzt. Der Verfasser des 1. Klemensbriefes scheint sich der religiösen Tradition des Begriffs durchaus bewußt zu sein, wenn er ihn übernimmt und mit einem christlichen Vorzeichen versieht; er bewundert nämlich »die besonnene und gebührende Frömmigkeit in Christus« der Korinther.[35] Mit der Formel ἐν Χριστῷ soll offensichtlich der religiös qualifizierte Terminus als christlich bestimmt werden, ähnlich wie es 21,8 mit dem inhaltschweren Terminus παιδεία geschieht.[36] Man würde die Aussagekraft der Sprache überfordern, wenn man darin eine Verfrem-

---

[32] *J. Lawson*, A Theological and Historical Introduction to the Apostolic Fathers, New York 1961, 38.

[33] Dieser Prozeß wurde dadurch erleichtert, daß der griechisch denkende Mensch die »Natur« (φύσις) im Gegensatz zum modernen Naturalismus mit göttlicher Wirklichkeit erfüllt dachte und sie unmittelbar in sein religiöses Verhalten einschloß. Vgl. *W. Jaeger*, Das frühe Christentum und die griechische Bildung, übers. v. W. Eltester, Berlin 1963, 13.

[34] *D. Kaufmann-Bühler*, Art. Eusebeia, in: RAC VI 1823.

[35] 1 Klem 1,2:»τήν τε σώφρονα καὶ ἐπιεικῆ ἐν Χριστῷ εὐσέβειαν οὐκ ἐθαύμασεν« (Bihlmeyer-Schneemelcher 35). Das Wort finden wir außerdem 2,3; 11,1; 15,1; 32,4; 50,3; 61,2; 62,1. Vgl. *O. Knoch*, Eigenart und Bedeutung der Eschatologie im theologischen Aufriß des ersten Clemensbriefes (Theophaneia 17), Bonn 1964, 285.

[36] Zur Adaptation der Paideia-Vorstellung siehe *P. Stockmeier*, Der Begriff παιδεία bei Klemens von Rom, in: TU 92, Berlin 1966, 401–408.

dung durch heidnische Religiosität erblickte; aber die eigenartige »Verchristlichung« des Begriffs weist doch auf die Absicht hin, das geläufige religiöse Verhalten zu integrieren, ein Sachverhalt, der einer auch sonst zu beobachtenden universalistischen Tendenz entspricht.

Das Verhalten gegenüber den Göttern kommt im Wort θεοσέβεια noch deutlicher zum Ausdruck.[37] Während in der heidnischen Welt sein Vorkommen relativ spärlich ist, verwendet ihn Philon vorwiegend für die jüdische Religion. Diese umgreifende Funktion finden wir alsbald auch in der frühchristlichen Literatur, so wenn im Martyrium Polycarpi 3 von der γενναιότης τοῦ θεοφιλοῦς καὶ θεοσεβοῦς γένους τῶν Χριστιανῶν gesprochen wird.[38] Vor allem bei den Apologeten gewinnt das Wort immer mehr Bedeutung, um das Gesamt christlichen Glaubens im Sinne von Religion auszusprechen; so heißt es im Dialog Justins, daß Menschen aller Völker unter dem Eindruck des Kreuz-Mysteriums »die eitlen Götzen und Dämonen verließen und sich der Gottesverehrung zuwandten«.[39] Der Apologet stellt die θεοσέβεια den Götzen und Dämonen der Heiden gegenüber und nimmt so den Begriff für die Christen in Anspruch.[40] Heidnische Frömmigkeit kann gar nicht als θεοσέβεια bezeichnet werden, weil sie sich nicht an den wahren Gott richtet; erst die Verkündigung der Apostel führte zur Kenntnis der Gottesverehrung.[41] Die Kritik zielt also weniger auf die Religiosität als solche, sondern gegen die falschen Götter. Mit Hilfe dieses Verfahrens wird es möglich, die Struktur religiöser Verehrung zu adaptieren und gleichzeitig die heidnischen Götter abzulehnen. Wenn μὴ κοινῶς ἐκείνοις θεοσεβοῦμεν, dann liegt dies nach dem Christ Athenagoras im biblischen Gott begründet, nicht aber in der Art und Weise der Verehrung.[42]

Die Übernahme des Begriffs θρησκεία, der mehr die kultisch-rituelle Seite der Gottesverehrung beinhaltet, bringt ebenfalls ein

---

[37] G. *Bertram*, Art. θεοσεβής, θεοσέβεια, in: ThWNT III 124–128.

[38] Flor. Patr. 1,42.

[39] Justin, dial. 91,3:»εἰς τὴν θεοσέβειαν ἐτράπησαν ἀπὸ τῶν ματαίων εἰδώλων καὶ δαιμόνων«(Goodspeed 205); vgl. dial. 52,4; 55,6.

[40] Justin, dial. 119,6 werden sie als »ἔθνος καὶ θεοσεβὲς καὶ δίκαιον«bezeichnet (Goodspeed 238).

[41] Justin, dial. 110,2: »ἀπὸ τοῦ νόμου καὶ τοῦ λόγου τοῦ ἐξελθόντος ἀπὸ Ἰηρουσαλὴμ διὰ τῶν τοῦ Ἰησοῦ ἀποστόλων τὴν θεοσέβειαν ἐπιγνόντες«(Goodspeed 226).

[42] Athenagoras, suppl. 14,2 (Goodspeed 329).

71

charakteristisches Element ins christliche Selbstverständnis ein.[43] Innerhalb des Neuen Testaments relativ selten (Apg 26,5; Jak 1,26 f; Kol 2,18), begegnet das Wort mehrmals im 1. Klemensbrief, und zwar 45,7 zur Kennzeichnung alttestamentlicher Gottesverehrung,[44] sodann 62,1, um die christliche Haltung rundweg als θρησκεία ἡμῶν zu umschreiben. Zugeflossen ist der Ausdruck dem Verfasser wohl aus der intertestamentarischen Literatur (vgl. Josephus, ant. XIX 5,2; XX 1,2; I 13,1; XIII 8,2; 4 Makk 5,13), und er verwendet ihn entsprechend seiner sonstigen Praxis, um die Gottesverehrung der Gläubigen vor dem Hintergrund alttestamentlicher Frömmigkeit zu zeichnen. Daß damit ein kultisches Verständnis des christlichen Glaubens gefördert wird, entspricht auch anderen Abschnitten des Briefes.[45] Gewiß wird das religiöse Vokabular mit neuen Inhalten gefüllt, aber die Struktur der vorgeprägten Religiosität erscheint damit noch nicht aufgebrochen. In diesem Umstand wurzelt die Eigenart des klementinischen Christentums, über dessen jüdisch-hellenistische Färbung viel diskutiert wird.[46]

2. Das Christentum als soziologisch-religiöse Größe

Die Annahme des Evangeliums schloß die Gläubigen zu einer neuen Gemeinschaft zusammen, freilich nicht unter radikaler Trennung vom religiösen Milieu. Gerade durch ihr Festhalten am Gesetz und am Tempel (Apg 10,14 u. a.) hielten sie das Band zum Judentum, zumindest im palästinensischen Bereich, aufrecht. Trotz aller Eigenständigkeit ist aber auch in der paulinischen Heidenmission der Zusammenhang mit der Synagoge nicht zu übersehen.

Das Wachstum der Gemeinden unter dem Vorzeichen des Judentums vollzog sich in einem Bewußtsein, das in der Vorstellung

---

[43] K. L. Schmidt, Art. θρησκεία κτλ., in: ThWNT III 155–159.

[44] Es handelt sich hier um Ananias, Azarias und Misael (Dan 3,19 ff) und nicht um christlichen Gottesdienst, wie K. L. Schmidt, Art. θρησκεία 156 meint.

[45] Vgl. die Kap. 40–43; dazu R. Knopf, Die Apostolischen Väter I. Die Lehre der zwölf Apostel. Die zwei Clemensbriefe (HNT Erg. Bd.), Tübingen 1920, 112 ff.

[46] D. Völter meinte etwa, daß man die Religion des Klemens als »ein erneuertes Judentum bezeichnen müsse oder vielmehr als die Religion jener ›Gottesfürchtigen‹ aus den Heiden, die ursprünglich im Anschluß an die Synagoge ihr Heil gesucht, dann aber sich dem Christentum zugewendet hatten, nicht sowohl um hier eine neue Religion als vielmehr die religiöse Vollberechtigung zu finden, die ihnen das Judentum verweigerte« (Die Apostolischen Väter I. Clemens, Hermas, Barnabas, Leiden 1904, 109).

vom »neuen Israel« seinen Ausdruck fand.[47] Während freilich mit dieser Bezeichnung nicht eigentlich eine Distanz zur jüdischen Volksgemeinschaft statuiert wurde, führten äußere Ereignisse wie der Fall Jerusalems und theologische Reflexionen immer mehr zu einer Abgrenzung, so daß die Gemeinschaft der Gläubigen auch von außen als selbständige Größe betrachtet wurde. Zwangsläufig übertrug man auf sie Kategorien anderer religiöser Gruppen, die ihrerseits das christliche Selbstverständnis beeinflußten. So stammt wohl schon die Bezeichnung Χριστιανοί, die nach Apg 11,26 um das Jahr 45 in Antiochien aufkam, von Außenstehenden, möglicherweise römischen Verwaltungsbeamten, denn die Gläubigen nannten sich selbst Jünger, Brüder, Berufene oder Heilige.[48] Ausdrücklich leitet auch Tacitus den im Volk üblichen Namen vom Urheber ab und charakterisiert ihre Überzeugung als »verderblichen Aberglauben«.[49] Die Anhänger des Jesus von Nazaret werden hier schon als abergläubische Sekte qualifiziert, in ähnlicher Weise wurden sie von den Juden als *pîn*, als häretische Partei betrachtet.[50] Wie stark in der Polemik diese Auffassung nachwirkte, zeigt der Vorwurf von der »gottlosen und gesetzlosen Häresie«, den Justin in seinem Dialog mit dem Juden Tryphon zurückweist.[51] Sowohl von jüdischer wie von heidnischer Seite klassifizierte man die Christen in einer Weise, die sie übrigens nicht nur religiös in der antiken Gesellschaft isolierte; damit waren der jungen Kirche Gesetzmäßigkeiten auferlegt, unter denen sich die Entfaltung des Glaubensbewußtseins vollzog.[52]

Der integrierende Effekt dieser soziologischen Situation äußert sich bereits in dem Bestreben, die Gesamtheit der Überzeugungen und Lebensformen in einem Leitwort auszudrücken. In be-

[47] Zur Diskussion des Bildes vgl. L. *Goppelt*, Die apostolische und nachapostolische Zeit (Die Kirche in ihrer Geschichte I A), Göttingen 1962, 18 f; M. *Simon*, Verus Israel. Étude sur les relations entre Chrétiens et Juifs dans l'Empire Romaine (135–425) (Bibl. des Écoles françaises d'Athènes et de Rome), Paris ²1964. Vgl. hierzu und zum folgenden auch W. *Schäfke*, Frühchristlicher Widerstand, in: ANRW II 23,1, 466–723 (mit Stellenregister S. 706 ff).

[48] Vgl. E. *Peterson*, Christianus, in: Misc. G. Mercati I (Studi e testi 121), Città del Vaticano 1946, 335–372; H. *Karpp*, Art. Christennamen, in: RAC II 1114–1138.

[49] Tacitus, ann. XV 44,3: »Auctor nominis eius chrestus«; 44,4: »exitiabilis superstitio.« Vgl. H. *Fuchs*, Tacitus über die Christen, in: VC 4 (1950) 65–93.

[50] H. L. *Strack*, Jesus, die Häretiker und die Christen nach den ältesten jüdischen Angaben (Schriften des Institutum Judaicum in Berlin 27), Berlin 1910.

[51] Justin, dial. 108,2: »αἵρεσίς τις ἄθεος καὶ ἄνομος« (Goodspeed 224).

[52] Es ist bemerkenswert, wie im Brief an Diognet (Kap. 5) der Versuch unternommen wird, gegenüber einer drohenden Ghettobildung die Gemeinsamkeit der Christen mit den übrigen Menschen zu betonen.

wußter Abkehr vom Judentum fordert Ignatios von Antiochien die Magnesier auf, dem »Christentum« gemäß zu leben[53] und das ἰουδαΐζειν zu lassen. Ähnlich wie später das ἑλληνίζειν nicht nur intellektualistisch, sondern auch religiös aufgefaßt wird, so ist das »Leben nach jüdischer Art« für den Gläubigen untragbar. Aus der Antithese zum Judentum formt sich der Χριστιανισμός zu einer Lebensnorm, die analog zu anderen Religionen verbindlich wird; das Christentum erscheint dabei zwangsläufig als eine religiöse Wirklichkeit neben anderen. Die Tragweite solcher sprachlicher Neubildungen wird bewußt, wenn man die Formel vom κατὰ Χριστιανισμὸν ζῆν vergleicht mit der bekannten Stelle aus dem Galater-Brief (3,11), wo Paulus gegen eine Rechtfertigung aus dem Gesetz polemisiert und erklärt: »Daß aber durch das Gesetz niemand gerechtfertigt wird vor Gott, ist offenkundig, da der Gerechte aus dem Glauben Leben empfängt.« Die paulinische Formel ἐκ πίστεως ζῆν, die ein Wort Jahwes an den Propheten Habakuk aufgreift (Hab 2,4), wandelt sich bei Ignatios zum κατὰ Χριστιανισμὸν ζῆν. Gerade die Präposition κατά im Sinne von »gemäß« illustriert, daß Ignatios das Normgebende hervorkehren wollte. Der geschichtsträchtige Ausdruck Χριστιανισμός erweist sich so geprägt vom Gegenbegriff »Judentum«, auch wenn er auf Jesus Christus zurückgeführt wird. Als Richtschnur für das christliche Leben schließt er ein starkes ethisches Moment ein und zugleich die Summe der neutestamentlichen Heilsbotschaft. Da aber mit dem ἰουδαΐζειν von Magn. 10,3 zweifelsohne auch die Befolgung des jüdischen Zeremonialgesetzes gemeint ist, erhält der Gegenbegriff »Christentum« eine religiöse Dimension, wenn nicht gar einen nomistischen Zug.[54]

Das Bewußtsein von der Eigenständigkeit der Gläubigen innerhalb der Menschheit bringt ferner das Motiv vom »dritten Geschlecht« zum Ausdruck.[55] Ansätze zu einem solchen Denken enthalten schon die Aussagen über die Kirche als das neue Israel, wobei für die Auseinandersetzung mit den Heiden der geschichtliche Aspekt dieser Selbstbezeichnung geeignet war, da sich Zu-

---

[53] Ignatios, Magn. 10,1: »μάθωμεν κατὰ Χριστιανισμὸν ζῆν« (Bihlmeyer-Schneemelcher 91). Fraglos ist dieser Neologismus des Antiochener Bischofs (vgl. auch Magn. 10,3; Röm. 3,3; Philad. 6,1) als Antithese zum Ἰουδαϊσμός formuliert, wie vor allem Magn. 10,3 bestätigt.

[54] Statt Ἰουδαϊσμόν bringen die Codices G, A und g zu Magn. 8,1 (Bihlmeyer-Schneemelcher 90) die Lesart νόμον ἰουδαϊσμόν bzw. ἰουδαϊκόν.

[55] Zum Thema siehe A. v. Harnack, Mission 259 ff; L. Baeck, Das dritte Geschlecht, in: Jewish Studies in memory G. A. Kohut, New York 1935, 40–46.

sammenhang und Abstand zu Israel verdeutlichen ließ. Der Apostel Paulus hatte schon im Römerbrief (9.–11. Kap.) eine Geschichtsbetrachtung entworfen, wonach das neue Volk der Christen Juden und Heiden integrieren würde. Daß allerdings damit auch das religiöse Element angesprochen war, erhellt bereits aus den Worten 1 Petr 2,9: »Ihr aber seid so ein auserwähltes Geschlecht« (Jes 43,20), ein »königliches Priestertum, ein geheiligtes Volk (Ex 19,6)«. Und Joh 4,21–23 finden wir das für unseren Zusammenhang aufschlußreiche Wort an die Samaritanerin: »Es kommt die Stunde, da ihr weder auf diesem Berge noch zu Jerusalem Anbetung halten werdet dem Vater. Ihr betet an, was ihr nicht kennt: wir beten an, was wir kennen, denn das Heil kommt aus den Juden, wo die wahren Anbeter den Vater anbeten werden in Geist und Wahrheit.«[56] *Adolf von Harnack* hat auf die Bedeutung dieses Textes aufmerksam gemacht, weil er drei Möglichkeiten der Gottesverehrung unterscheidet, nämlich: Samaritaner (= Heiden), Juden und Christusgläubige.[57] Neben Gnostikern[58] greifen auch großkirchliche Schriftsteller dieses Thema auf und stellen die Christen als neue religiöse Gruppe vor. So heißt es in dem sogenannten Kerygma Petrou (1. Hälfte 2. Jh.) bezüglich des Religionswesens: »Was Griechen und Juden betrifft, ist alt; wir aber sind die Christen, die ihn als drittes Geschlecht auf neue Weise verehren.«[59] Auch wenn die Neuheit nachdrücklich betont wird, so demonstriert gerade diese Äußerung, wie sehr Religiosität als gemeinsame Grundstruktur erscheint, innerhalb deren man differenziert. Die Gläubigen verstehen sich als eine religiöse Gemeinschaft, die den Unterschied zu Heiden und Juden klar betont und in der Redeweise vom »dritten Geschlecht« gewissermaßen geschichtstheologisch die vorausgehenden Epochen überhöht.[60] Aber auch wenn der religiöse Ausgangspunkt überleitet zur Schilderung des »neuen Gottesvolkes« selbst, wie es der Verfasser des Diognet-Briefes (um 200) tut, dann geschieht dies, um

---

56 Zur Stelle siehe *R. Schnackenburg*, Das Johannesevangelium I (HThK IV 1), Freiburg-Basel-Wien 1965, 469 ff.

57 *A. v. Harnack*, Mission 263 f.

58 Vgl. Simon Magus bei Eirenaios, adv. haer. I 23: »semetipsum esse qui inter Judaeos quidem quasi filius apparuerit, in Samaria autem quasi pater descenderit, in reliquis vero gentibus quasi Spiritus sanctus adventaverit« (Harvey I 191).

59 *W. Schneemelcher*, Das Kerygma Petrou, in: Hennecke-Schneemelcher II 62. Klemens von Alexandrien hat diesen Text aufgenommen in seine Stromateis VI 41,6 (GCS 52, 452).

60 Vor allem in der gebräuchlichen Bezeichnung der Christen als »neues Volk« kommt diese Tendenz zur Sprache: die Belege sind zusammengetragen bei *A. v. Harnack*, Mission 262, Anm. 1.

von der »Gottesverehrung der Christen« Kenntnis zu geben.[61]
Die θεοσέβεια erscheint so sehr als Merkmal der Christen, daß
z. B. Meliton von Sardes in seiner um 172 an Kaiser Mark Aurel
gerichteten Apologie rundweg vom »Geschlecht der Gottesfürchtigen« reden kann.[62] Es handelt sich bei diesem Ausdruck also
nicht nur um eine innerkirchliche Sprachgepflogenheit, sondern
um eine allgemein übliche Bezeichnung, insofern darin ein Anspruch geltend gemacht wurde. Dieser zielt aber trotz aller Differenzierungen wesentlich auf eine qualifizierte Religiosität und beweist so, wie sehr er das Selbstverständnis der frühen Christen
prägte; mit Hilfe einer religiösen Terminologie bestimmt die Gemeinde der Gläubigen ihr Verhältnis zu Juden und Heiden.

3. Der Einspruch gegen die zunehmende Vergesetzlichung: Markion

Verschiedene Faktoren führten im Laufe der nachapostolischen
Zeit dazu, daß christlicher Glaube Strukturen und Formen der
religiösen Umwelt integrierte. Dieser Vorgang erfolgte nicht ohne
Konflikte, wie uns der nie verstummende Anspruch des Charismas zeigt. Unter dem Aspekt »Glaube und Religion« ist in besonderer Weise der Protest Markions aufschlußreich, der um die Mitte des 2. Jahrhunderts aus der Antithese von »Gesetz und Evangelium« eine Revision der christlichen Verkündigung propagier-
te.[63] Tatsächlich hatte die Interpretation der »neuen Religion« als
»neues Gesetz« bedeutendes Gewicht gewonnen, wobei man sich
durchaus der Orientierung an Christus bewußt blieb, jedoch unter dem Aspekt der *lex*.[64]
Gerade an dieser Auffassung setzte die Kritik Markions an. Nach
dem Bericht Tertullians war für ihn der Grundgedanke des Rö-
mer- und Galaterbriefes maßgebend, wonach der Gerechte aus
dem Glauben an den Gekreuzigten eine μεταβολή (= Umbildung)

---

61 Ep. ad Diogn. 1: »τὴν θεοσέβειαν τῶν Χριστιανῶν μαθεῖν« (Bihlmeyer-Schneemelcher
141). Vgl. *W. Eltester*, Das Mysterium des Christentums. Anmerkungen zum Diognetbrief,
in: ZNW 61 (1970) 278–293.
62 Bei Eusebios, hist. eccl. IV 26,5: »τὸ τῶν θεοσεβῶν γένος« (GCS 9,1,384). Vgl. Mart.
Polyc. 3; Orac. Sibyll. IV 136.
63 Vgl. *V. E. Hasler*, Gesetz und Evangelium 44 ff.
64 So z. B. Barn. 2,6: »ὁ καινὸς νόμος τοῦ κυρίου ἡμῶν Ἰησοῦ Χριστοῦ« (Bihlmeyer-Schneemelcher 11); Pastor Hermae, sim. VIII 3,2: »ὁ δὲ νόμος οὗτος ὁ υἱὸς τοῦ θεοῦ ἐστιν« (GCS
48,68); ferner 1 Klem 58,2; Did. 3,2 ff u. ö.

erfahre; in diesem Glauben empfange er *ex dilectione dei* Erlösung und ewiges Leben.[65] Die Haltung des »markionitischen« Christen gegenüber Gott gründet wesentlich im Glauben, der von Furcht – sie prägt in zunehmendem Maße das christliche Gottesverhältnis – frei bleiben soll.[66] Nicht aus der Erfüllung gesetzlicher oder religiöser Vorschriften vermag der Christ Gott zu erreichen, sondern dieser wendet sich in Gnaden dem Menschen zu. Die Voraussetzung hierfür bildet der Glaube: Ὁ ἀγαθὸς τοὺς πιστεύοντας αὐτῷ σώζει.[67] Unser Gewährsmann Tertullian sagt von Markion, daß nach dessen Meinung Gottes Güte allein den Menschen rettet: »Sufficit unicum hoc opus deo nostro, quod hominem liberauit summa et praecipua bonitate sua.«[68] Mit diesem Antinomismus wird jede Gottbegegnung von unten her abgelehnt und zugleich auch ein Urteil über die religiöse Betätigung gesprochen, wie sie etwa von den Pseudo-Klementinen propagiert wurde.[69] Die Problematik judaistischer Religiosität hat Markion klar erkannt, und er plädierte seinerseits für die Gnade, das Evangelium und den Glauben. Es liegt nur in der Konsequenz seines Ansatzes, wenn er aufgrund des Talionsprinzips am Gott des Alten Testaments keine Güte meint erkennen zu können; erst in Christus offenbarte der unbekannte Gott seine Liebe und überwand so das Gesetz der Gerechtigkeit. *Adolf von Harnack* steht nicht an zu erklären: »Der Apostel Paulus hat keinen überzeugteren Schüler als ihn gehabt, und von keinem anderen Gott wollte Marcion wissen als von dem, der in dem Gekreuzigten erschienen war.«[70] So zutreffend Markions Kritik an einer möglichen Judaisierung der christlichen Botschaft aber auch gewesen sein mag, durch seinen radikalen Dualismus und die Errichtung einer Sonderkirche vermochte er den Einspruch nicht durchzuhalten. Immerhin demonstriert sein Protest, daß die zunehmende Verschränkung des Glaubens mit religiösen Formen als Problem erkannt worden war.

---

[65] Tertullian, adv. Marc. IV 25,10 (CCL 1,614). Ähnlich ist auch Justin, apol. II 2,5 von einer μεταβολή im Sinne eines Sinneswandels die Rede (Goodspeed 79), während apol. I 66,2 eine seinshaft-mystische Bedeutung zugrunde liegt (Goodspeed 75).

[66] Tertullian, adv. Marc. IV 8,7: »nisi quod Marcion deum suum timeri negat, defendens bonum non timeri« (CCL 1, 557).

[67] Adamantios, dial. II 4 (GCS 4,64,36).

[68] Adv. Marc. I 17,1 (CCL 1,458).

[69] Sie vertreten eine antipaulinische Tendenz und schätzen den Glauben nicht hoch; siehe J. *Irmscher*, Die Pseudo-Clementinen, in: Hennecke-Schneemelcher II 373–398; B. *Rehm*, Art. Clemens Romanus II (Ps. Clementinen), in: RAC III 197–206.

[70] A. v. *Harnack*, Marcion. Das Evangelium vom fremden Gott (TU 45), Berlin 1924, Nachdr. Darmstadt ²1960, 1.

II. Auseinandersetzung unter dem Aspekt der Religiosität

Die Verkündigung der christlichen Heilsbotschaft erfolgte in einem Milieu, das weithin religiös geprägt war. Klar zeigt die Polemik von seiten des Heidentums, daß man die christliche Botschaft als Herausforderung verstand. Inhalte, Denkformen und Argumentation der Auseinandersetzung konnten freilich nicht von den Gläubigen allein bestimmt werden; diese waren in hohem Maße von außen, von den religiösen Gegebenheiten her auferlegt. Als Repräsentanten dieses Dialogs gelten vor allem die sogenannten Apologeten, die über die Zurückweisung der gängigen Vorwürfe hinaus das Evangelium zugleich in den religiösen Kategorien der Umwelt zu erläutern suchten.[71]

1. Die Polemik gegen das Christentum

Die Reaktion der Umwelt auf die christliche Verkündigung und deren Anhänger äußerte sich nicht nur in spontanen Pogromen und staatlich verfügten Repressalien, sondern ebenso in geistiger Polemik. Da man im Christentum eine Gefahr erblickte, die insbesondere den religiös verstandenen Staat und dessen Gesellschaftsordnung gefährdete, mußte es nachgerade zum Zusammenstoß kommen.

a) Schon in der Anklage gegen Stephanus wird von seiten des Judentums der christlichen Verkündigung vorgeworfen, sie zerstöre die überlieferte Religion. Nach dem Bericht Apg 6,8–15 traten einige aus der Synagoge der Libertiner und Cyrenäer auf und stritten mit Stephanus. Aufgrund von Verleumdungen wird der Diakon vor den Hohen Rat gezogen, wo falsche Zeugen aussagten: »Dieser Mensch hört nicht auf, gegen diese heilige Stätte und das Gesetz zu reden, haben wir doch gehört, wie er sagte: Der

---

[71] Aus der einschlägigen Literatur ist für unser Thema aufschlußreich: *J. Geffcken*, Zwei griechische Apologeten (Sammlung wiss. Kommentare zu griech. und röm. Schriftstellern), Leipzig-Berlin 1907; *Ders.*, Der Ausgang des griechisch-römischen Heidentums (Religionswiss. Bibl. 6), Heidelberg 1929, Neudr. Darmstadt 1963; *P. de Labriolle*, La réaction païenne. Étude sur la polémique antichrétienne du Ier au VIᵉ siècle, Paris 1934; *W. Nestle*, Die Haupteinwände des antiken Denkens gegen das Christentum, in: ARW 37 (1941) 51–100; *H. Doergens*, Das antike griechisch-römische Heidentum und die christliche Religion, in: ThGl 34 (1942) 341–346; *M. Pellegrino*, Studi sull'antica apologetica (Storia e Letteratura 14), Rom 1947; *C. Andresen*, Logos und Nomos. Die Polemik des Kelsos wider das Christentum (Arb. z. Kirchengesch. 30), Berlin 1955.

Nazaräer Jesus, der wird diese Stätte zerstören und die Bräuche abändern, die uns Moses überliefert hat« (13 f).[72] Auch wenn der von Lukas komponierte Bericht von Verleumdung redet, so ist die Anklage nicht einfach aus der Luft gegriffen; denn in der Ablösung des Gesetzes durch Christus und in der Abkehr vom Tempel als Mitte des Heils besteht in der Tat ein wesentliches Element christlichen Glaubens. Der Widerspruch gegen den jüdischen Kult ist durchaus erfaßt und zum Kern der Anklage gemacht worden. Bekanntlich stellt die Antwort des Stephanus (7,1–53) auf eine Relativierung von Gesetz und Tempel ab; sie gelten ihm als Zeichen und Vorläufer des wahren Heils, das mit Christus gekommen ist. Dabei ermöglichen die gleichen, aber neu interpretierten Begriffe eine Auseinandersetzung mit dem Judentum, um so Zusammenhang und Abstand zu erweisen.

b) Die heidnische Polemik zielte verständlicherweise nicht mit dem Vorwurf der Abkehr von Gesetz und Tempel gegen das Christentum, sondern sie argumentierte von ihren eigenen Voraussetzungen aus. Neben vielerlei Einwänden aus dem politischen, philosophischen und ethischen Bereich nimmt das religiöse Argument einen wichtigen Platz ein; diese Tatsache bestätigt schon der Bericht des Tacitus über die Verfolgung unter Kaiser Nero, in dem das Christentum als *exitiabilis superstitio* bezeichnet wird.[73] Von Anfang an erscheint also die neue Bewegung in den Augen der Öffentlichkeit als ein religiöses Phänomen, das es entsprechend zu bekämpfen gilt; dieses Urteil leitet denn auch eine anhaltende Polemik ein, deren Kategorien bald das Selbstverständnis der Gläubigen beeinflussen.

Der Begriff *superstitio* besagt zunächst ängstliche Scheu vor dem, was über die Dimension des Menschen hinausgeht, also gegenüber dem Göttlichen bzw. dem Dämonischen; ähnlich wie das griechische Äquivalent δεισιδαιμονία bekommt es erst nachträglich einen pejorativen Sinn.[74] Das Wort meint dann die falsche Haltung gegenüber den Göttern, also Aberglauben, Wahnglauben. Seneca, clem. 2,5.1 drückt damit den Gegensatz zu *religio*

---

[72] Zur Stelle siehe E. *Haenchen*, Die Apostelgeschichte (Krit. exeget. Kommentar über das NT[14] III, Göttingen [5]1965, 224; ferner *J. Bihler*, Die Stephanusgeschichte im Zusammenhang der Apostelgeschichte (Münchener theol. Stud. I 16), München 1963, bes. 148 ff.

[73] Nachdem es durch die Exekution des Urhebers zunächst unterdrückt war – so der Bericht des Tacitus: »exitiabilis superstitio rursum erumpebat« (ann. XV 44,3).

[74] Siehe E. *Riess*, Art. Aberglaube, in: RE I 29–93; H. *Leclercq*, Art. Superstition, in: DACL XV 2 1730–1736; W. *Otto*, Religio und Superstitio, in: ARW 12 (1909) 533–554; 14 (1911) 406–422; S. *Calderone*, Superstitio, in: ANRW I 2, 377–396; R. *Muth*, religio 351 f.

aus,[75] und er bezeugt so ein Verständnis, das offensichtlich dem Urteil des Tacitus und Sueton[76] zugrunde liegt. Die beiden heidnischen Berichterstatter betrachten das Christentum demnach als falsches, ja verwerfliches Verhalten gegenüber dem Göttlichen, eben als Aberglauben; sie ordnen es mit diesem Vorwurf zugleich dem »religiösen« Verhalten der breiten Massen zu, für die der offizielle Kult an Lebendigkeit verloren hatte.[77] Die Christen sahen sich angesichts eines solchen Urteils vor die Notwendigkeit gestellt, den Vorwurf der *superstitio* zurückzuweisen, ein Unternehmen, das praktisch auf den Erweis, religiös zu sein, hinauslief. Von der Vorstellungswelt der Antike her wird jedenfalls die Apologetik zu einer Antwort genötigt, die dem ursprünglichen Glaubensbewußtsein nicht entsprach.

c) Unangemessen wirkt vom modernen Standort aus der Vorwurf des Atheismus, der von seiten der Heiden gegen die Christen erhoben wurde. *Adolf von Harnack* hat in seiner Untersuchung »Der Vorwurf des Atheismus in den drei ersten Jahrhunderten«[78] diese Invektive analysiert und auf die häufige Anwendung des Epithetons ἄθεοι hingewiesen.[79] Offensichtlich bildet die Verweigerung des Götterkultes den Grund für diesen Vorwurf; denn das νομίζειν τοὺς θεούς, οὓς ἡ πόλις νομίζει[80] galt als Pflicht eines jeden Bürgers. Seit Harnack ist es üblich geworden, römische *religio* mit dem Vollzug kultischer Riten gleichzusetzen. » ›Atheist‹, ›gottlos‹ ist für die Staatsgewalt nicht etwa der, der nicht mehr in seinem Inneren an die alten Götter glaubt, sondern der, der diesen Göttern, mögen sie nun existieren oder nicht, den geschuldeten *ritus* verweigert«.[81] Ohne Zweifel besteht zwischen *religio* und *ritus* ein enger Zusammenhang. Man muß aber auch den feinen Unterschied beachten, wie er im Martyrium Cyprians anklingt: »imperatores . . . praeceperunt eos, qui Romanam religionem non

---

[75] Vgl. auch Cicero, nat. deor. II 71: »maiores nostri superstitionem a religione separaverunt.«

[76] Sueton, Nero 16: »superstitio nova ac malefica.«

[77] K. *Latte*, Römische Religionsgeschichte 327 ff; E. *Stemplinger*, Antiker Volksglaube (Sammlung Völkerglaube), Stuttgart 1948.

[78] TU 28,4, Leipzig 1905. Siehe auch L. M. *Sans*, El »ateismo« de los primeros cristianos, in: Razón y Fe 173 (1966) 157–166.

[79] Man vgl. z. B. Justin, apol. I 6,1; I 13,1; I 46,3; Mart. Polyc. 3,2; 19,2; Athenagoras, suppl. 4–30; Klemens Al., strom. VI 1,1; VII 4,3; 54,3; Arnobius, adv. nat. III 28; VI 27 u. ö.; zum Vorkommen des Begriffes siehe A. v. *Harnack*, Vorwurf des Atheismus 11 ff.

[80] Aus dem Sokrates-Prozeß des Jahres 399 v. Chr. ist uns diese Formel mehrmals überliefert; vgl. Platon, apol. 24b; Xenophon, mem. I 1,1.

[81] L. *Koep*, »Religio« und »Ritus« 46.

colunt, debere Romanas caeremonias recognoscere.«[82] Religiöse Überzeugung und Vollzug kultischer Riten sind danach nicht schlechthin identisch. Das Bewußtsein von dieser Differenz kam der Argumentation der Christen entgegen, die auf Erkenntnis des wahren Gottes und entsprechende Religiosität abhob. So sehr man sich damit philosophischen Strömungen näherte, der Abstand zum religiösen System des Imperiums blieb bestehen.[83] Justin ist sich des Unterschieds vollauf bewußt und will ihn gewahrt wissen: »Daher werden wir auch Gottlose genannt; und wir bekennen, im Hinblick auf die Verehrung solcher Götter, gottlos zu sein, nicht aber in bezug auf den wahrhaftigsten Gott und Vater der Gerechtigkeit und Besonnenheit und der übrigen Tugenden, rein von Schlechtigkeit.«[84] Die Argumentation geht vom »polytheistischen Atheismus«[85] aus, zu dem sich die Christen uneingeschränkt bekennen; sie lehnt aber den Vorwurf ἄθεοι insofern ab, als man den wahren Gott verehrt. *Norbert Brox* hat darauf hingewiesen, daß sich in diesen Worten noch ein besonderer antichristlicher Affront artikuliert, den er in einer modernen Diktion die »Religionslosigkeit« des frühen Christentums nennt.[86] Gerade unsere Darstellung bestätigt diese Beobachtung; allerdings ist sie dahin zu ergänzen, daß auch an der oben zitierten Justin-Aussage eigentlich nicht die Verehrung, also das νομίζειν abgelehnt wird, sondern die Vielzahl der Götter. Hinsichtlich des wahren Gottes verwendet Justin sogar die starken Ausdrücke σέβεσθαι und προσκυνεῖν.[87] Das Ziel der Argumentation ist also weniger der Erweis einer »Religionslosigkeit« – obwohl diese vielfach die heidnischen Vorwürfe begründet –, sondern das Bestreben, im Glauben an den wahren Gott auch dessen wahre Verehrung durch die Christen zu betonen. Der Vorwurf des Atheismus resultiert also

---

82 Pass. Cypr. 1,1 (Knopf-Krüger 62). Zur Diskussion des Textes siehe *L. Koep*, Antikes Kaisertum und Christusbekenntnis im Widerspruch, in: JbAC 4 (1961) 58–76.

83 Die Identifikation von religiöser und bürgerlicher Existenz illustriert die Bemerkung Tertullians, apol. 24: »nec Romani habemur, quia nec Romanorum deum colimus« (CCL 1,135).

84 Justin, apol. I 6,1: »Ἔνθεν δὲ καὶ ἄθεοι κεκλήμεθα καὶ ὁμολογοῦμεν τῶν τοιούτων νομιζομένων θεῶν ἄθεοι εἶναι, ἀλλ᾽ οὐχὶ τοῦ ἀληθεστάτου καὶ πατρὸς δικαιοσύνης καὶ σωφροσύνης καὶ τῶν ἄλλων ἀρετῶν ἀνεπιμίκτου τε κακίας θεοῦ« (Goodspeed 29).

85 Vgl. die Formulierung bei Origenes, exhort. ad mart. 32: »τὴν πολύθεον ἀθεότητα« (GCS 2,28); c. Cels. I 1 (GCS 2,56,15) u. ö. In ihrer Argumentation trafen sich die christlichen Apologeten mit der zeitgenössischen Götterkritik der Philosophie.

86 *N. Brox*, Zum Vorwurf des Atheismus gegen die alte Kirche, in: TThZ 75 (1966) 274–282, 279.

87 Apol. I 6,2 (Goodspeed 29). Die Proskynese wollten die Griechen nur den Göttern vorbehalten wissen gegenüber der Herrscherverehrung bei den Persern.

aus ihrer Weigerung, am öffentlichen Kult teilzunehmen; dieses Verhalten nötigte zu der Annahme, die Christen leugneten überhaupt eine Gottheit, die sich nach Auffassung der Antike vielfältig manifestierte. Es steht hinter diesem Einwand aber auch die Auseinandersetzung zwischen Monotheismus und heidnischem Polytheismus; die Verkündigung eines transzendenten Gottes stieß bei Griechen und Römern offensichtlich auf Unverständnis, zudem damit der Absolutheitsanspruch verbunden war.[88]

d) In unmittelbarem Zusammenhang mit dem Atheismus-Argument steht die Anklage der Irreligiosität. *Deos non colitis* ist nach Auskunft Tertullians ein wichtiger Anklagepunkt gegen die Christen,[89] der als *crimen laesae religionis* gewertet wurde.[90] Seine Widerlegung tendiert dahin, den Heiden diesen Vorwurf der Irreligiosität zurückzugeben.[91] Skeptisch gegenüber einer Erkenntnis der Transzendenz und verhaftet einem bewährten Traditionalismus spricht der Heide Caecilius von der *inreligiosa prudentia*, welche die alte Religion gefährdet;[92] er schildert diese Haltung noch näher: »Tempel verachten sie, als ob es Gräber wären; vor Götterbildern speien sie aus, verlachen die heiligen Opfer; selbst bemitleidenswert, schauen sie . . . mitleidig auf unsere Priester herab; selbst halbnackt, verachten sie Ehrenstellen und Purpur.«[93] Demnach lehnen die Christen alle religiösen Institutionen und Praktiken der Umwelt ab, während die Juden trotz ihres Monotheismus noch Tempel und Altäre besitzen.[94] Im gleichen Vorstellungsbereich bewegt sich auch der Polemiker Kelsos, wenn er den Christen vorwirft, ihre Augen könnten keine Tempel, Altäre und Göt-

[88] Die Diskussion darüber begegnet oft in der frühchristlichen Literatur, z. B. Minucius Felix, Oct. 10,5: »Deum illum suum, quem nec ostendere possunt nec uidere« (CSEL 2,14); vgl. ferner den Dialog zwischen Dionysius mit Gefährten und dem Richter Ämilianus bei Eusebios, hist. eccl. VII 11. Kelsos sagt direkt, daß der gottlos handle, wer behauptet, daß nur ein Gott gemeint sei, wenn er über Gott spricht (Origenes, c. Cels. VIII 11). Zu den Argumenten, mit denen man das christliche Gottesbild von heidnischen Gottheiten abhob, siehe J. Geffcken, Zwei griechische Apologeten 170 ff; J. Lortz, Das Christentum als Monotheismus in den Apologien des zweiten Jahrhunderts, in: Festgabe A. Ehrhard, Bonn-Leipzig 1922, 301–327.

[89] Tertullian, apol. 10,1 (CCL 1,105).

[90] Th. Mommsen, Der Religionsfrevel nach römischem Recht, in: HZ 64 (1890) 421–455 (Nachdr. in: Ders., Gesammelte Schriften III, Berlin 1907, 389– 422).

[91] Tertullian, apol. 24,2: »in uerum committitis crimen uerae irreligiositatis« (CCL 1,133).

[92] Minucius Felix, Oct. 8,1 (CSEL 2,11). Vgl. G. Lieberg, Die römische Religion bei Minucius Felix, in: Rhein. Museum 106 (1963) 62–79.

[93] Ebd. 8,4: »templa ut busta despiciunt, deos despuunt, rident sacra, miserentur miseri . . . sacerdotum; honores et purpuras despiciunt, ipsi seminudi« (CSEL 2,12).

[94] Ebd. 10,4.

terbilder ertragen.[95] Er hat scharf erkannt, daß sie den ganzen Apparat heidnischer Kult- und Religionsübung negativ beurteilen; insofern gelten die Gläubigen als irreligiös. Dabei ist bemerkenswert, daß eine solche Haltung als Ausdruck der Ungebildetheit verstanden wird.[96]

Tatsächlich verstehen sich in diesem Sinn die Gläubigen als irreligiös. Allerdings müssen wir auch hier unterscheiden, da grundsätzlich *religio* anerkannt wird; wenn der Diognetbrief die Gottesverehrung der Christen als »unsichtbar« bezeichnet,[97] dann ist dieser Hinweis kaum mit der Arkandisziplin zu erklären, sondern durch ihren Verzicht auf äußere Riten und Zeremonien. Mit dem Anspruch eines »geistigen Gottesdienstes« boten die Gläubigen jedoch Anlaß zu Mißverständnissen.

e) Unter dem Aspekt von Nomos und Logos trug vor allem Kelsos in seinem Ἀληθὴς λόγος (um 178) seine Polemik gegen das Christentum vor. *Carl Andresen* umschreibt den Nomos als »die Haltung des Menschen in Kult und Frömmigkeit, in dem die religiöse Einstellung des Einzelnen an eine alte Überlieferung gebunden wird, die mit den kultischen Satzungen der Völker sich bis in die Gegenwart erhalten hat«.[98] Dieser Nomos wird auf einen mythischen Gesetzgeber, praktisch die Götter, zurückgeführt, und er beansprucht universale Gültigkeit. Zwar haben ihn die Völker in verschiedene Formen abgewandelt – Kelsos gesteht beispielsweise auch dem Judentum einen eigenen Nomos zu –, aber diese Einzelnomoi werden in die Einheit des allgemeinen Nomos zurückgeführt und somit relativiert. Insofern begründet es auch keinen Unterschied, wenn man dem göttlichen Wesen verschiedene Namen zueignet. »Ich glaube«, sagt der Heide Kelsos, »daß es keinen Unterschied ausmacht, ob man Zeus den Hypsistos nennt oder Zen oder Adonai oder Sabaoth oder Amun wie die Ägypter oder Papairos wie die Skythen.«[99] Mit einer solchen Auffassung

95 Origenes, c. Cels. VII 62: »οὐκ ἀνέχονται νεὼς ὁρῶντες καὶ βωμοὺς καὶ ἀγάλματα« (GCS 3,211).
96 Bei Kelsos verdeutlicht durch den Vergleich der Christen mit Nomadenstämmen (c. Cels. VII 62); auch Minucius Felix spricht von sozial minderen Gruppen und Dummheit (Oct. 8,4 f). Letzterer Vorwurf begegnet oftmals im Umfeld von superstitio; siehe dazu *P. Mikat*, Die Bedeutung der Begriffe Stasis und Aponoia für das Verständnis des 1. Clemensbriefes (Arb.-Gem. f. Forsch. d. Landes Nordrhein-Westfalen, Geisteswiss. 155), Köln-Opladen 1969.
97 Ep. ad Diogn. 6,4: »ἀόρατος δὲ αὐτῶν ἡ θεοσέβεια μένει« (Bihlmeyer–Schneemelcher 144).
98 *C. Andresen*, Logos und Nomos 189.
99 Origenes, c. Cels. V 41 (GCS 3,45).

ist es möglich, die Einheit der Religion in pluralen Formen zu wahren, wobei ein betont rechtlicher Zug unverkennbar ist.

Gegen diesen Nomos, der durchaus der geschichtlichen Eigenart einzelner Völker gerecht wird, verstoßen nun freilich die Christen. Nachdem Kelsos zunächst die Juden kritisierte wegen ihrer Abkehr vom religiösen Kult der Ägypter, fährt er weiter: »Sie haben dasselbe, was sie den Ägyptern angetan haben, von denen erlitten, die sich Jesus anschlossen und zu dem Glauben gekommen sind, er sei der Messias; in beiden Fällen aber ist die Ursache der Neuerung das Motiv gewesen, gegen die Gemeinschaft zu meutern.«[100] Wie die Juden von den Ägyptern, so haben sich die Christen vom Nomos der Juden gelöst und damit gegen das religiöse Prinzip der Einheit verstoßen. Das στασιάζειν πρὸς τὸν κοινὸν νόμον besagt den Aufstand der Christen gegen den universalen Nomos, in dem die sittlichen und heiligen Werte der Vergangenheit zusammengefaßt sind; insofern gefährden sie die Einheit der antiken Gesellschaft.[101] Darin gipfelt auch folgender Vorwurf des Kelsos: »In jüngster Vergangenheit und sogar, nachdem wir diesen Menschen, der euch verführt hat, bestraften, seid ihr vom väterlichen Gesetz abgefallen.«[102] Bei aller Vielfalt religiöser Formen durchzieht ein gemeinsames Prinzip den Kosmos, das anzuerkennen geradezu als vernunftgemäß erscheint. Indem die Christen davon abgefallen sind, haben sie sich außerhalb des Nomos gestellt und die Tradition verlassen; bemerkenswerterweise bedeutet bei Kelsos νομίζειν soviel wie: den Nomos als Brauchtum pflegen.

Von dieser Warte aus erscheint die christliche Verkündigung als umstürzend, weil sie durch ihr Gottesbild und die Verweigerung des (gleichwie gearteten) Götterkultes den Nomos mißachtet. Es zeigt sich, daß auch dieser Vorwurf, ähnlich wie die anderen Einwände, die religiöse Qualität des Christentums in Frage stellt. Da hierdurch die öffentliche Ordnung tangiert wurde, mußte zwangsläufig eine Interpretation der biblischen Botschaft im Sinne der *religio* einsetzen.

---

[100] Ebd. III 5 (GCS 2,206).
[101] Über die religiös-juridische Tragweite des Begriffs στάσις vgl. *P. Mikat*, Die Bedeutung der Begriffe Stasis und Aponoia 23 f.
[102] Origenes, c. Cels. II 4 (GCS 2,130).

2. Die »religiöse« Interpretation des Christentums

Die »religiöse« Disqualifizierung der biblischen Botschaft von seiten heidnischer Polemiker nötigte die Christen förmlich dazu, ihr Selbstverständnis unter angemessenem Vorbehalt in solchen Kategorien auszusprechen, die dem Vorwurf entgegenwirkten. Der missionarische Impuls zur Übersetzung des biblischen Wortes in die Denkform der Hörer wurde so durch die Polemik intensiviert.

a) Dieser Einfluß äußert sich bereits im Ringen um das Verständnis des Glaubens. Schon innerhalb des Neuen Testaments finden wir eine inhaltlich orientierte Bedeutung von πίστις (z. B. Gal 1,23; 1 Tim 4,1 u.ö.) neben der ursprünglich gemeinten Überantwortung an Gott. Diese Verschiebung des Glaubensverständnisses setzt sich in der nachapostolischen Zeit fort, wenn es etwa im 1. Klemensbrief mit εὐσέβεια gleichgesetzt werden kann.[103] Insoweit Glaube auf ein Fürwahrhalten überirdischer Dinge tendierte, bot er wieder Angriffsflächen für die Heiden. Aus einer rationalistischen Einstellung kritisiert der Arzt und Philosoph Galenos († um 199 n. Chr.) die Abhängigkeit der Christen vom »Glauben«, der als subjektive Auffassung sich einer wissenschaftlichen Beweisführung entzieht.[104] Ob diesem Einwand mit dem Hinweis auf die Autorität oder mit der Überführung zur Gnosis begegnet wird, immer macht sich das geistig-religiöse Bewußtsein der Umwelt geltend.

So beeinflußt beispielsweise schon die lateinische Übersetzung den neutestamentlichen Glaubensbegriff. Der Terminus *fides* ist befrachtet mit einer differenzierten Bedeutungsgeschichte, die stark römisches Gedankengut widerspiegelt;[105] er drückt jenes sittlich-rechtliche Gefühl aus, in dem sich der einzelne sowohl seinen Mitmenschen wie den Göttern gegenüber verpflichtet weiß. Trotz eines gewissen Bedeutungswandels dringen diese Gehalte bei der Adaptation des Begriffs durch die Christen lateinischer Zunge ins Glaubensbewußtsein ein. Schon die Veren-

---

[103] Siehe 1 Klem 10,7; 11,1; 12,1.8. Zu den Akzentverlagerungen vgl. auch *G. Brunner*, Die theologische Mitte des ersten Klemensbriefes. Ein Beitrag zur Hermeneutik frühchristlicher Texte (Frankfurter theol. Stud. 11), Frankfurt 1972, 126 f.

[104] Vgl. *R. Walzer*, Galen on Jews and Christians 14 f; 48 ff.

[105] *G. Koffmane*, Entstehung und Entwicklung des Kirchenlateins bis auf Augustinus und Hieronymus, Breslau 1879, 54; *E. Fränkel*, Zur Geschichte des Wortes fides, in: Rhein. Museum 71 (1916) 187–199; *R. Heinze*, Fides, in: Hermes 64 (1929) 140–166.

gung der *fides* auf »den christlichen Glauben, den man durch die Taufe annimmt«,[106] weist auf die inhaltliche Komponente, die im Sinne der *regula fidei* betonten Normcharakter gewinnt. Vor allem Tertullian betont eine solche Auffassung, wenn er z. B. die Notwendigkeit der Taufe gegenüber einer *fides nuda* vertritt.[107] Unverkennbar ist gerade bei ihm die Tendenz, den Glauben im Sinne einer *lex* zu interpretieren; so heißt es in der Prozeßeinrede gegen die Häretiker: »Der Glaube ist in der Glaubensregel niedergelegt; er umschließt das Gesetz und aufgrund der Beobachtung des Gesetzes das Heil.«[108] Auch wenn der Afrikaner nachdrücklich das Paradox des Glaubens hervorhebt, so bricht doch ein nomistischer Zug durch, der über seine Persönlichkeit hinaus in römisch-religiöser Geistesart wurzelt. Glaube so verstanden fügt sich auch in jene Denkstrukturen ein, die von Kelsos als kritisches Maß ans Christentum angelegt worden waren.

b) Auf die gezielten Vorwürfe des Atheismus und der Irreligiosität antworteten die Vertreter des Christentums mit einer Götterkritik, wobei sie sich gern des von der Philosophie bereitgestellten Materials bedienten. In einer erstaunlichen Offenheit hält Justin jene für Christen, » die mit Vernunft (μετὰ λόγου) lebten, auch wenn sie als Gottlose (ἄθεοι) verschrieen wurden, wie unter den Griechen ein Sokrates und Heraklit sowie ihnen ähnliche Männer«.[109] Man stellt sich auf die Seite jener Philosophen der Vorzeit, die am Götterkult Kritik geübt hatten und deshalb zum Teil wegen Asebie verurteilt worden waren.[110] Durch den Rekurs auf den Logos, an dem alle Menschen Anteil haben, wird es möglich, den Christennamen sehr weit auszulegen und die Haltung der Gläubigen jener der Weisheitssucher anzugleichen.

Der Anklage der Irreligiosität begegnet man auf seiten des Christentums in ähnlicher Weise. Ziel der Apologetik ist weniger das Bemühen, die Eigentümlichkeit christlichen Glaubens darzulegen

---

[106] *St. W. J. Teeuwen*, Sprachlicher Bedeutungswandel bei Tertullian. Ein Beitrag zum Studium der christlichen Sondersprache (Studien zur Geschichte und Kultur des Altertums 14,1), Paderborn 1926, 30.

[107] Tertullian, bapt. 13,2 (CCL 1,289).

[108] Tertullian, praescr. haer. 14: »Fides in regula posita est, habet legem et salutem de obseruatione legis« (CCL 1,198); vgl. auch adv. Jud. 2–4 (CCL 2,1341–1349). Zum Einfluß des Rechtsdenkens allgemein siehe *A. Beck*, Römisches Recht bei Tertullian und Cyprian. Eine Studie zur frühen Kirchengeschichte, Halle 1930, Neudr. Aalen 1967.

[109] Justin, apol. I 46,3 (Goodspeed 58).

[110] Minucius Felix, Oct. 20,1: »ut quiuis arbitretur, aut nunc Christianos philosophos esse aut philosophos fuisse iam tunc Christianos« (CSEL 2,28). Gerade Sokrates begegnet uns vielfach als Vorläufer der Christen (Justin, apol. II 10,5; Athenagoras, suppl. 31,1 f).

– obwohl dies nicht außer acht bleibt –, als der Nachweis, daß im Grunde erst die Christen Anspruch auf wahre Religiosität erheben können. Ohne Umschweife bezeichnen die Christen selbst ihren Glauben als Religion.[111] Wenn in den griechischen Texten mit einem gewissen Vorzug θεοσέβεια verwendet wird, dann hängt dies möglicherweise mit der starken Betonung der Gotteserkenntnis zusammen. Dennoch bewegt man sich in der Gedankenwelt der Heiden, denen Tertullian mit juridischer Schärfe entgegnet: »Indem ihr eine Lüge verehrt und die wahre Religion des wahren Gottes nicht nur verschmäht, sondern sogar bekämpft, geratet ihr in das Verbrechen der Irreligiosität.«[112] Der gegen die Christen erhobene Vorwurf wird an die Heiden zurückgegeben, und zwar vom Anspruch der *vera religio* aus. Auch der Christ Tertullian betrachtet seinen Glauben unter religiösem Aspekt, wobei er zum Unterschied von den heidnischen Kulten das Kriterium der Wahrheit hervorhebt. Aus der Anerkenntnis des »wahren Gottes« resultiert die »wahre Religion«.[113] Die Argumentation der Apologeten ist also gekoppelt mit der Diskussion über die Gotteserkenntnis bzw. einer regelrechten Götterkritik.[114] Insofern kann *religio christiana* auch nicht kurzschlüssig mit den Ausdrucksformen antiker Religiosität identifiziert werden. Behutsam markiert Tertullian den Abstand zu kultischen Praktiken der Umwelt, wenn er etwa hinsichtlich des Ablegens der Pänula beim Gebet erklärt: »Solche Dinge rechnet man nicht zur Religion, sondern zum Aberglauben, affektiert und gezwungen, mehr einem ängstlichen als vernünftigen Dienste entstammend, sind sie gewiß auch darum zu unterdrücken, weil sie uns den Heiden gleich machen.«[115] Diese Kritik richtet sich allerdings mehr gegen zeremonielle Äußerlichkeiten als gegen das Verständnis christlichen

---

111 Vgl. oben S. 69 ff; ferner ep. ad Diogn. 1,1; 4,6; 6,4 u. ö., dessen Verfasser den Begriff θεοσέβεια für »christlichen Gottesdienst« verwendet.

112 Tertullian, apol. 24,2: »qui mendacium colentes ueram religionem ueri Dei non modo neglegendo, quin insuper expugnando, in uerum committis crimen uerae irreligiositatis« (CCL 1,133).

113 Man wird also primär den Vorwurf des Atheismus und der Irreligiosität als Grund für die Interpretation im Sinne einer *religio* in Erwägung ziehen müssen, auch wenn die Tendenz unverkennbar ist, christlichen Glauben theoretisch »im neuartig universalen Horizont der Menschheit« zu begreifen. Vgl. *W. Kamlah*, Christentum und Geschichtlichkeit. Untersuchungen zur Entstehung des Christentums und zu Augustins »Bürgerschaft Gottes«, Stuttgart-Köln ²1951, 99.

114 Man vgl. z. B. Minucius Felix, Oct. 24,10.

115 Tertullian, orat. 15,1 (CCL 1,265); anschließend kritisiert er die ebenfalls aus dem Heidentum eingedrungene Praxis, sich nach dem Gebet niederzusetzen.

Glaubens im Sinne einer *religio*; trotz unbestreitbarer Vorbehalte sucht man dennoch das Christentum als »wahre« Religion auszuweisen, und zwar – dies sei klar festgehalten – schon in der Zeit der Verfolgung.

c) Die Distanzierung von den religiös-kultischen Gepflogenheiten der Heiden lief offensichtlich nicht auf die Alternative Glaube oder Religion hinaus, man interpretierte vielmehr Glaube im Sinne der *religio*. Schon der Verzicht auf eine spezifisch christliche Wortbildung oder auf den ausschließlichen Gebrauch von »Glaube« begünstigt den Import von allgemein-religiösen Motiven und Gedanken, den man sonst durchaus philologisch zu hindern verstand.[116] Auf den Einfluß des rechtlichen Denkens wurde schon hingewiesen, der zu einer Angleichung biblischer Aussagen an römisch-religiöse Geistesart führte. Es ist nicht zu übersehen, wie etwa die Gottesvorstellung des Afrikaners Tertullian vom Leitbild des *pater familias* geprägt ist.[117] Nach Ulpian, Dig. 50,16,195,2 begründet die Rechtsstellung das *dominium*, die Vollmacht des Hausvaters, und nicht seine Vaterschaft; seine Funktion gegenüber Kindern und Sklaven besteht analog dem magistratischen Amt darin, über seine »Familie« einerseits Herrschafts- einschließlich Strafgewalt zu üben, andererseits ihr den angemessenen Schutz zu gewähren. Gottes Herrschaft und Macht wird bei ihm verstanden analog der *potestas* des römischen Hausvaters.[118] Konsequenter führt die Angleichung Laktanz durch, der die Vater-Prädikation dem Christengott vorbehalten wissen will [119] und dementsprechend ergänzt: »idem etiam dominus sit necesse est, quia sicut potest indulgere, ita etiam coercere.«[120] Als *pater* und *dominus* steht Gott dem Menschen gegenüber, der ihm *duplex ho-*

---

[116] Als Beispiel sei nur die Ersetzung des heidnisch vorbelasteten Begriffs *ara* durch *altare* erwähnt; vgl. *Chr. Mohrmann*, Wortform und Wortinhalt. Bemerkungen zum Bedeutungswandel im altchristlichen Griechisch und Latein, in: Dies., Études sur le Latin des Chrétiens II, Roma 1961, 11–34, bes. 20.

[117] Tertullian, apol. 34,2 (CCL 1,144).

[118] Tertullian, adv. Marc. I 27,3: »Plane nec pater tuus est, in quem competat et amor propter pietatem et timor propter potestatem, nec legitimus dominus, ut diligas propter humanitatem et timeas propter disciplinam« (CCL 1,471). Vgl. *R. Braun*, Deus Christianorum. Recherches sur le Vocabulaire doctrinal de Tertullien (Publ. de la Faculté des Lettres et sciences humaines d' Alger 12), Paris 1962, 28 ff; *A. Wlosok*, Laktanz und die philosophische Gnosis. Untersuchungen zu Geschichte und Terminologie der gnostischen Erlösungsvorstellung (AHAW.PH 1960, 2), Heidelberg 1960, 232 ff.

[119] Lactantius, div. inst. IV 3,13f: »deos multos colere contra naturam est contraque pietatem, unus igitur colendus est, qui potest uere pater nominari« (CSEL 19,280).

[120] Ebd. (CSEL 19,280); siehe auch IV 4,11. Dazu vgl. *A. Wlosok*, Laktanz 241 f.

nos, nämlich Furcht und Liebe entgegenzubringen hat.[121] Die Herkunft dieses Gottesbildes aus dem weltlichen Rechtsbereich deutet Laktanz selbst an mit seinem Hinweis: *iuris ciuilis ratio*.[122]

Das Verhältnis zwischen Gott und Mensch erscheint dann zwangsläufig unter rechtlichen Kategorien. Bekanntlich war die römische Religiosität stark orientiert am Prinzip des *do ut des*, obgleich es verfehlt wäre, ihr nur formale Äußerlichkeit anzulasten. Gerade im Verständnis der *pietas* kommt die innere Verbindlichkeit zum Ausdruck, welche die *iustitia adversus deos* prägt. Diese Tendenz zur Verinnerlichung bestimmt auch in erhöhtem Maße die Aussagen der Kirchenschriftsteller; dennoch blieben auch sie einem rechtlich-religiösen Verständnis verhaftet, so wenn beispielsweise Tertullian unter Hinweis auf das angebliche Regenwunder unter Kaiser Mark Aurel behauptet: »Wann ist einmal unseren Kniebeugen und dem Fasten zum Trotz die Dürre nicht gewichen«.[123] Ganz abgesehen davon, daß religiöse Gesten ganz selbstverständlich vorausgesetzt werden, überrascht vor allem die Art, wie er sie als Leistung im Sinne des *do ut des* wertet. Die gleiche Auffassung spricht auch aus seinem Trostspruch an die Märtyrer: »Wenn ihr auch einige Lebensfreuden verloren habt, so ist es ja ein Handelsgeschäft (*negotium*), etwas zu verlieren, um größeres zu gewinnen.«[124] Die radikale Christusnachfolge, als Signum außerordentlichen Charismas in der Gemeinde anerkannt, wird hier in eine privatrechtliche Kategorie gefaßt und in das Schema »Leistung–Lohn« übersetzt. In der Schrift mit dem bezeichnenden Titel »De ira Dei« erklärt Laktanz im Hinblick auf Gottes Wohltun: »Es läßt sich nicht anders denken, als daß Gott für die Dienstbezeigungen (*officiis*) edler, heilig lebender Menschen Anerkennung gewährt und Gegendienst erstattet (*ad uicem reddat*), um nicht die Schuld des Undanks auf sich zu laden, die auch bei den Menschen als Vorwurf gilt.«[125] Nicht nur in der gefilterten Übernahme rechtssprachlicher Terminologie, sondern in ausführlichen Worten wird das Verhältnis Gott–Mensch im Sinne von Leistung und Lohn geschildert. Ohne Zweifel hat hier eine gewisse Gesetzlichkeit aus alttestamentlicher Tradition nachge-

---

121 Lactantius, epit. 54,4 (CSEL 19,735).
122 Lactantius, div. inst. IV 3,15 (CSEL 19,280).
123 Tertullian, Scap. 4,6 (CCL 2,1131).
124 Tertullian, mart. 2,6 (CCL 1,4).
125 Lactantius, ira Dei 16 (CSEL 27,108).

wirkt, aber gerade die juridisch gefärbte Sprache weist auf römischen Einfluß hin. Das Verständnis der Taufe als einer Art »Vertrag« zwischen Gott und dem Neophyten legt vom Ursprung her die gläubige Existenz des Christen in Rechtskategorien fest.[126] Diese Auffassung ist im frühen Christentum keineswegs noch gemeinkirchlich anerkannt, sie repräsentiert aber ein Modell, das nicht nur zeitgenössischen religiösen Formen entsprach, sondern sich auch auf den Bestand der Gemeinden konsolidierend auswirkte. »Corpus sumus de conscientia religionis et disciplinae unitate et spei foedere«, so umschreibt Tertullian die kirchliche Gemeinschaft;[127] der »Corpus«-Begriff entstammt dem römischen Privatrecht und gibt der christlichen Brüderschaft eine rechtlich-organisatorische Note. Es erscheint nur folgerichtig, wenn der Afrikaner zwischen *ordo* und *plebs* in der Kirche unterscheidet[128] und von *sacerdotalia munera* oder *sacerdotale officium* spricht.[129] Das Vokabular aus dem staatsrechtlichen Beamten– bzw. Sakralrecht dient dazu, das kirchliche Selbstverständnis zu artikulieren; damit prägen aber auch die Kategorien der römischen Religiosität das Christentum. Das religiöse Milieu nötigte förmlich die Christen, Glaube im Sinne dieser Vorstellungen auszulegen, wobei der kritische Einspruch der biblischen Botschaft nicht immer gewahrt blieb.

d) Eine eigentümliche Synthese von christlichem Glauben und religiösen Formen trat auch im Bereich des Kultes ein. Obwohl die Predigt Jesu harte Kritik an der religiösen Praxis des Judentums geübt hatte, löste sich die Jerusalemer Urgemeinde nicht rundweg von Tempel und Gesetz. Immerhin verrät der seltene Gebrauch des griechischen Terminus θρησκεία im Neuen Testament eine deutliche Distanz zu den kultischen Bräuchen der religiösen Umwelt. Obwohl es verfehlt wäre, griechische und römische Kultformen auf äußere Zeremonien zu reduzieren,[130] so läßt

126 Siehe *O. Heggelbacher*, Die Christliche Taufe als Rechtsakt nach dem Zeugnis der frühen Christenheit (Paradosis 8), Freiburg/Schw. 1953.

127 Tertullian, apol. 39,1 (CCL 1,150). Vgl. auch *K. Adam*, Der Kirchenbegriff Tertullians (Forsch. z. christl. Lit.- und Dogmengesch. VI 4), Paderborn 1907, 36 ff. ; *G. Krüger*, Die Rechtsstellung der vorkonstantinischen Kirchen (Kirchenrechtliche Abhandlungen 115, 116), Stuttgart 1935, Neudr. Amsterdam 1961.

128 Tertullian, exhort. cast. 7: »Differentiam inter ordinem et plebem constituit ecclesiae auctoritas« (CCL 2,1024). Vgl. *P. van Beneden*, Ordo. Über den Ursprung einer kirchlichen Terminologie, in: VC 23 (1969) 161–176.

129 Tertullian, praescr. haer. 41 (CCL 1,222).

130 *M. P. Nilsson*, Geschichte der griechischen Religion II. Die hellenistische und römische Zeit (HbAW V 2), München ²1961, 372 ff; *F. Pfister*, Art. Kultus, in: RE XI 2, 2118–2124.

sich die »Pflege« (des Heiligen) doch an entsprechenden Riten am besten verifizieren.[131] *Leo Koep* meint sogar: »In jener Zeit, da das Christentum dem Römischen Reich und damit der offiziellen religio Romana begegnet, sind religio . . . und ritus engstens miteinander verbunden, wenn nicht gar identisch: Die religio Romana äußert sich in ihren Riten, in ihren Zeremonien.«[132] Die christliche Kritik am Polytheismus weist allerdings darauf hin, daß hinter den Riten durchaus eine geistige Haltung stand; geriet diese in eine Krise oder öffnete sie sich gar einem biblisch-christlichen Monotheismus, dann verlor auch der Kultus seine Bedeutung.[133] Trotz aller Reserve gegenüber den vielfältigen Kultformen heidnischer Religiosität wird es so dem Christentum möglich, seinerseits kultische Strukturen zu entfalten. Unter dem Aspekt des Monotheismus war der Vergleich mit dem Judentum naheliegend. Tatsächlich stellt schon an der Wende zum 2. nachchristlichen Jahrhundert der Verfasser des 1. Klemensbriefes die alttestamentliche Kultordnung den Korinthern als Modell für die Gemeindeordnung vor.[134] Die Aussageabsicht zielt fraglos darauf, die Unruhe in Korinth beizulegen; insofern kann der Verweis auf den Tempelkult nicht einfach als Grundlage einer kultischen Ordnung der Kirche verstanden werden. Die Analogie leistete allerdings auch der Tendenz Vorschub, christliche Liturgie nach dem Vorbild des Alten Bundes zu interpretieren. Für den Verfasser bildet jedenfalls der Begriff λειτουργεῖν die Summe aller Dienste in der Gemeinde und somit auch der Bruderliebe; zwangsläufig prägt er dadurch sein Verständnis von Gemeinde im kultisch-hierarchischen Sinn.[135] Wenn der Ablauf der Natur ebenfalls als λειτουργία gekennzeichnet wird (20,10), dann äußert sich hier eine kosmische Religiosität, in die hinein die biblische Botschaft integriert wird. Gerade dadurch wird aber der eschatologisch-pneumatische Grundzug, wie er in der Liturgie der Urgemeinde zum Ausdruck kommt, bedroht.

Obwohl sich die Christen entschieden von heidnischen Riten und

---

[131] Der Lexikograph Festus charakterisiert *ritus* als »mos comprobatus in administrandis sacrificiis« (*Lindsay* 364).

[132] L. *Koep*, »Religio« und »Ritus« 46.

[133] Aufschlußreich ist z. B. die Methode Tertullians bei der Untersuchung heidnischer Kultriten (apol. 14,1 ff); er kritisiert zwar Mißbräuche, weniger aber den Vollzug der Riten grundsätzlich. Im übrigen geht er schnell zu einer allgemeinen Götterkritik über.

[134] 1 Klem 40–41. Zur Stelle siehe R. *Knopf*, Die Apostolischen Väter I 112 ff.

[135] 1 Klem 9,2; 19,3; 20,10; 40,5 u. ö. Siehe O. *Knoch*, Eigenart und Bedeutung der Eschatologie 387.

Kultformen distanzierten, verzichteten sie selbst keineswegs auf eine Verleiblichung ihres Glaubens. Mahl und Taufe zählten vom Ursprung her zu diesen Ausdrucksformen, und man wußte sich darin der Weisung Jesu verpflichtet. Auch wenn im einzelnen die Ausgestaltung mit Riten und Zeremonien noch ungeklärt ist, so kann man die Tatsache als solche und damit die kultische Fixierung nicht übersehen.[136] Daß hier über sprachliche Anleihen hinaus auch geistige Gehalte aus jüdischer und heidnischer Religion in das christliche Verständnis Eingang gefunden haben, illustriert deutlich die Adaptation des Priesterbegriffs, der ja den Kultus voraussetzt.[137] Bekanntlich meiden die Verfasser des neutestamentlichen Schrifttums den klassischen Terminus ἱερεύς, um damit Amtsträger in der Gemeinde zu bezeichnen. Offenkundig suchte man sich hier durch einen sprachlichen Verzicht abzugrenzen von den geläufigen Priestervorstellungen der Umwelt, auch wenn Elemente eines Priestertums festzustellen sind. Während 1 Petr 2,9 jedoch vom »königlichen Priestertum« aller Gläubigen die Rede ist, bekundet 1 Klem 40,5 vor alttestamentlichem Hintergrund schon eine Differenz zwischen dem λαϊκὸς ἄνθρωπος und kirchlichen Amtsträgern, denen das »Darbringen der Gaben« (44,4) zukommt. Die Angleichung an den alttestamentlichen Opferdienst brachte den Vorsteher der christlichen Gemeinde immer stärker in kultischen Zusammenhang. Auch hier spielte die antichristliche Polemik eine Rolle, die Christen hätten keine Opfer, ein Einwand, dem man mit dem Hinweis auf die Eucharistie begegnete.[138] Tertullian überträgt denn auch auf Bischöfe und Presbyter den sakralrechtlichen Begriff *sacerdos*;[139] er führt allerdings den Unterschied zum Volk auf kirchliche Autorität zurück.[140] Die Verabsolutierung des Priesterbegriffs vollzog sich dann im Zusammenhang der Diskussion über das Sakramentsverständnis, wobei die Frage nach dem *character indelebilis* noch der Klärung bedarf. Hand in Hand damit erfolgte eine Sakralisierung des Prie-

---

[136] Aus der Fülle liturgiegeschichtlicher Arbeiten seien in unserem Zusammenhang nur genannt *Th. Klauser*, Kleine abendländische Liturgiegeschichte. Bericht und Besinnung, Bonn 1965; *J. A. Jungmann*, Liturgie der christlichen Frühzeit bis auf Gregor den Großen, Freiburg/Schw. 1967.

[137] Vgl. *H. v. Campenhausen*, Die Anfänge des Priesterbegriffs in der alten Kirche, in: Svensk exegetisk Årsbok 4 (1939) 86–101, Nachdr. in: Ders., Tradition und Leben. Kräfte der Kirchengeschichte, Tübingen 1960, 272–289.

[138] Justin, dial. 41,3; 117,3.

[139] Siehe z. B. exhort. cast. 7 (CCL 2,1024 f); dazu *A. Beck*, Römisches Recht 105.

[140] Vgl. oben Anm. 128.

stertums, die einerseits Ausdruck seiner einzigartigen Stellung war, andererseits Normen setzte für seinen Lebensstil.[141] Die seit dem Beginn des 4. Jahrhunderts begegnenden Forderungen nach Ehelosigkeit der Priester stehen fraglos im Sog sakralisierender Tendenzen.[142] So verfehlt es wäre, darin das ausschließliche Motiv der Zölibatsgesetze zu sehen, nicht wenige Kirchenväter argumentieren aus dem Zusammenhang von Gottesdienst und jungfräulichem Leben. Johannes Chrysostomos († 407) gibt dem sittlich-sakralen Vollkommenheitskanon für den Priester programmatischen Ausdruck: »Wenn er den Heiligen Geist herabruft, das schaudererregende Opfer vollbringt, und den Herrn, das Gemeingut aller, ständig berührt, auf welche Rangstufe, sage mir, setzen wir ihn da erst? Welch peinliche Reinheit und welch ausnehmende Gewissenhaftigkeit müssen wir da von ihm fordern. Bedenke doch, wie beschaffen die Hände sein müssen, die solchen Dienst verrichten, wie beschaffen die Zunge, die solche Worte ausspricht, wie die Seele, die solchen Geist in sich aufnimmt, reiner und heiliger sein muß als die eines jeden anderen.«[143] Die Zeugnisse für ein sakrales Verständnis des Priestertums ließen sich mehren; sie demonstrieren, wie sehr der Dienst in der Gemeinde unter kultischen Aspekt gerückt ist. Es überrascht darum auch nicht, wenn seit konstantinischer Zeit entsprechende Kategorien in die allgemeine Gesetzgebung einfließen.[144]

Gerade der Umstand, daß sich die Priestervorstellung so nachdrücklich innerhalb des Christentums durchsetzte, bestätigt, wie sich christlicher Glaube auch im Kult manifestiert. Die ständig aktualisierte Rückbindung an den Ursprung bzw. Christus ermöglichte gewiß immer eine kritische Distanz zu den Formen naturhafter Religiosität. Andererseits sahen sich die Gläubigen gezwungen, Vokabular und Symbole der religiösen Umwelt aufzu-

---

[141] Vgl. G. Every, Sakralisierung und Säkularisierung im Osten und Westen während des ersten Jahrhunderts nach Christus, in: Concilium 5 (1969) 507–512; M. Meslin, Kirchliche Institutionen und Klerikalisierung in der frühen Kirche (zweites bis fünftes Jahrhundert), in: Concilium 5 (1969) 512–519; W. Gessel, Resakralisierungstendenzen in der christlichen Spätantike, in: Probleme der Entsakralisierung, hrsg. von H. Bartsch (Gesellschaft und Theologie, Abt.: Praxis der Kirche 4), München-Mainz 1970, 101–122.

[142] Dazu siehe die knappe Darstellung von B. Kötting, Der Zölibat in der alten Kirche (Schriften der Ges. z. Förderung d. Westf. Wilhelm-Univ. zu Münster 61), Münster 1968.

[143] Johannes Chrys., sacerd. 6,4 (PG 48,681).

[144] Vgl. z. B. Cod. Theod. XVI 2,2: »Qui divino cultui ministeria religionis impendunt, id est hi, qui clerici appellantur« (Mommsen 835).

greifen, um Verständnis zu wecken. Am Beispiel des traditionellen Totenkultes läßt sich dieser Prozeß einer Verchristlichung gut demonstrieren, den Augustin mit folgenden Worten legitimiert: »Ut vetus superstitio consummetur, et nova religio perficiatur.«[145] Diese Dialektik bestimmt wesentlich die Begegnung von Glaube und Religion.

III. Christlicher Glaube als Gnosis und Paideia

Antike Religiosität äußerte sich trotz aller Betonung sakraler Elemente nicht nur im Bereich der Tempel, sie erfüllte irgendwie den ganzen Lebensraum. Seit Alexander dem Großen setzte zudem eine Vermischung der religiösen Kulte und geistigen Denkformen ein, die es nicht erleichtert, diese Welt des Synkretismus zu analysieren. Insofern kann man die Alternative Glaube und Religion nicht auf ihre unmittelbare Bedeutung einengen; wir begegnen ihr auch unter anderen Aspekten, wobei nach Auskunft des patristischen Schrifttums Gnosis und Paideia einen nachhaltigen Einfluß ausübten.[146]

1. Mit dem Begriff »Gnosis« ist nicht nur die Vielzahl der christlich-häretischen Gruppen gemeint, die von seiten der Kirchenväter nachhaltig bekämpft wurden, sondern jene synkretistische Religionsströmung der Spätantike überhaupt, die den Menschen durch Erkenntnis zur Erlösung zu führen vorgab. Auch wenn diese Bewegung im 2. nachchristlichen Jahrhundert ihren Höhepunkt erreichte, so geht sie nicht im oder an der Peripherie des Christentums auf; in ihr äußert sich ein allgemeiner Grundzug nach heilschaffender Gnosis, die als solche nicht intellektuell verstanden werden kann. Von den hermetischen Traktaten bis zu den Vertretern der spätantiken Philosophie, insbesondere des Neupythagoreismus und des Neuplatonismus, begegnen wir einem gnostisch gefärbten Religionsbegriff. Nachdrücklich wird im hermetischen Traktat die Zuordnung von Philosophie und Reli-

---

[145] Sermo 8,5 (*G. Morin*, Miscellanea Augustiniana I, Rom 1930, 231). Zum Kult selbst siehe *J. Quasten*, »Vetus Superstitio et Nova Religio«. The Problem of Refrigerium in the Ancient Church of North Africa, in: HThR 33 (1940) 253–266.

[146] Die Diskussion über Herkunft und das Verhältnis der Gnosis zu anderen Religionen ist noch nicht befriedigend geklärt; man vgl. dazu *U. Bianchi*, Le origini dello Gnosticismo (Studies in the History of Religions 12), Leiden 1967. Unter dem Begriff »Paideia« faßte vor allem *W. Jaeger*, Paideia. Die Formung des griechischen Menschen, 3 Bde., Berlin [3-4]1959, die Geistesgeschichte der Griechen zusammen.

gion vertreten, wenn es heißt: »puram autem philosophiam eamque diuina tantum religione pendentem. . .«[147] Die philosophische Wahrheitssuche verband sich mit der Erlösungssehnsucht zu einer Bewegung, die auf das christliche Selbstverständnis nicht ohne Einfluß bleiben konnte.[148] Neben den Schöpfern gnostischer Systeme entfalteten auch Theologen der Großkirche ihr Glaubensbewußtsein unter dem Aspekt religiöser Erkenntnis. Klemens von Alexandrien († vor 215) polemisiert zwar in seiner Mahnrede an die Heiden scharf gegen ihre Kulte; trotzdem zögert er nicht, die Sprache der Mysterien zu übernehmen, um die christliche Wahrheit zu erläutern. »Ich will dir den Logos und die Mysterien des Logos zeigen«, so wendet er sich an die Heiden, »und sie dir mit den Bildern erklären, die dir bekannt sind.«[149] Bestrebt, griechische Weisheitssuche mit der biblischen Botschaft zu harmonisieren, greift der Alexandriner den Impuls der Gnosis auf und deutet unter diesem Aspekt den christlichen Glauben. Für ihn ist die Wahrheit, um die sich die Philosophie bemüht, identisch mit der von Christus offenbarten.[150] Damit wird eine Kongruenz von Wissen und Glauben hergestellt, die religiösen Charakter hat und es ermöglicht, der heidnischen Polemik zu entgegnen. »Jetzt ist es an der Zeit, den Griechen darzutun, daß allein der Gnostiker wahrhaft fromm ist, damit die Philosophen erkennen, welcher Art der wahre Christ ist, und beschämt ihre eigene Torheit einsehen, in der befangen sie grundlos und aufs Geratewohl den Christennamen verfolgen und mit Unrecht Gottesleugner jene nennen, die den wahren Gott erkannt haben.«[151] Im 7. Buch seiner »Stromateis« entwirft Klemens das Bild des Gnostikers, der als der Fromme schlechthin vorgestellt wird; denn Gottesfurcht gründet für ihn in der Gnosis.[152] Dadurch wird in die Großkirche ein Religionsbegriff eingeführt, der den Glauben in den Horizont heilbringender Erkenntnis rückt und die Christen als die wirklich Frommen ausweist.

---

[147] Corpus Hermeticum 13,312,3 (Nock–Festugière).

[148] Siehe A. J. Festugière, La Révélation d'Hermès Trismégiste, 4 Bde., Paris 1944–54, sowie die zusammenfassende Darstellung von C. Andresen, Art. Erlösung, in: RAC VI 54–219; R. Bultmann, Art. γιγνώσκω κτλ., in: ThWNT I 688–719.

[149] Klemens Al., protr. 119,1 (GCS 12,84).

[150] Klemens Al., strom. I 32,4 (GCS 52,21). Siehe A. Wlosok, Laktanz 143 ff.

[151] Klemens Al., strom. VII 1,1 (GCS 17,3); vgl. ebd. VII 2,1 u. ö.

[152] Klemens Al., strom. VII 59,6 (GCS 17,43) Vgl. W. Völker, Der wahre Gnostiker nach Klemens von Alexandrien (TU 57), Berlin 1952; M. Pohlenz, Klemens von Alexandreia und sein hellenisches Christentum (NAWG.PH 1943, 1), Göttingen 1943, 103–180.

Die Betonung der Gnosis durch die frühen Alexandriner, von Philon vorbereitet, impliziert ein gewisses Desinteresse an äußeren kultischen Formen. Es ist nun erstaunlich, wie Laktanz († 1. Hälfte 4. Jh.), der sich mit dem Grundverständnis von Religion auseinandersetzt,[153] im Anschluß an die Hermetik auf die Erkenntnis Gottes abhebt und darin die wahre Frömmigkeit erblickt: »hominis ratio . . . cuius propria est humanitas. sed ipsa humanitas quid est nisi iustitia? quid iustitia nisi pietas? pietas autem nihil aliut quam dei parentis agnitio.«[154] Die bekannten Elemente antiker Religiosität werden konsequent unter den Anspruch der *cognitio dei* gestellt. Laktanz spitzt »alles auf die Gotteserkenntnis zu und macht dabei die *religio dei*, und das heißt immer das Christentum, zur Gnosis im Sinne der religiösen Vereinigung von erkennendem und ethischem Bemühen, man kann aber auch sagen, der echten Einheit von Philosophie und Religion«.[155] So gewiß damit die hermetische Formel γνῶσις καὶ εὐσέβεια aufgenommen wurde, es enthält die These »et in sapientia religio et in religione sapientia est«[156] auch die überkommene Argumentation aus der apologetischen Kritik, wonach durch die Erkenntnis des wahren Gottes der Polytheismus ad absurdum geführt wird. Frömmigkeit und Gottesverehrung, also Religion, gründen nach dieser Konzeption in der Erkenntnis Gottes.

Augustin († 430) greift in seinem Frühwerk »De vera religione« diese Thematik erneut auf und liefert darin den Nachweis, »daß es nicht auf der einen Seite eine Philosophie gibt, das heißt eine Wissenschaft der Weisheit, und auf der anderen Seite eine von ihr abweichende Religion«.[157] Nach wie vor ist der Polytheismus lebendig, gegen den der Glaube an den einen Gott zu verteidigen war. Neuplatonische Gedankengänge kamen dem Verfasser gelegen, um die *vera religio* am Monotheismus zu explizieren. Wenn er die Verbindung (*religare*) mit dem allmächtigen Gott als Religion bezeichnet, dann umschreibt er sie als ein Erkennen der Wahrheit. »Deshalb wollen wir auch die Wahrheit, die in keinem Teil ihm unähnlich ist, in ihm und mit ihm verehren; sie ist doch

---

[153] Lactantius, div. inst. IV 28,2 f (CSEL 19,388 f); epit. 64 (CSEL 19,752 f).
[154] Lactantius, div. inst. III 9,19 (CSEL 19,201 f); vgl. dazu *A. Wlosok*, Laktanz 196 ff.
[155] *A. Wlosok*, Laktanz 212.
[156] Lactantius, div. inst. IV 3,10 (CSEL 19,279).
[157] Augustinus, vera rel. 26 (CSEL 77,9 f). Vgl. *H. Dörries*, Das Verhältnis des Neuplatonischen und Christlichen in Augustins ›De vera religione‹, in: ZNW 23 (1924) 64–102; *A. Mandouze*, Saint Augustin et la religion romaine, in: Recherches augustiniennes 1 (1958) 187–223.

das Maß aller Dinge, die von dem Einen gemacht sind und zu dem Einen hinstreben.«[158] Hier wirkt eine Tradition nach, die eine Osmose von Erkenntnis und Gottesverehrung propagiert; andererseits ist die Reserve gegenüber der Vernunft zu spüren, welche für die Manichäer verbindliche Instanz auf dem Weg zum Glauben war. [159] Hier setzt bei Augustin eine gnoseologische Differenzierung ein, die es ihm ermöglicht, das Thema *fides-intellectus* schließlich in einer neuen Weise dem Mittelalter zu stellen. Für den Religionsbegriff selbst gewinnt im Gottesstaat allerdings die Liebe entscheidendes Gewicht.[160]

2. Die auf Gnosis gerichtete Interpretation des Glaubens konfrontierte uns bereits mit jener Spannung, die zwischen antiker Paideia und dem Evangelium aufgebrochen war. *Werner Jaeger* hat unter dem Aspekt der Paideia die Entfaltung und Wirksamkeit des griechischen Geistes dargestellt.[161] Dieser Begriff beschränkt sich nicht nur auf die philosophische oder rhetorische Bildung, er tangiert den Menschen in seiner Gesamtheit,[162] also auch in seiner religiösen Dimension. Platon, der sich um eine Erneuerung der Paideia bemühte, erklärt in seiner »Politeia«, daß »die Idee des Guten, das Urprinzip aller Werte, beherrschend in den Mittelpunkt des Kosmos gestellt wird. Die entscheidende Erkenntnis für die Erziehung ist, daß sie von diesem Bild des Kosmos auszugehen hat. Sie muß um die Idee des Guten als ihre Zentralsonne kreisen. So finden wir dann auch an unserer Stelle der ›Nomoi‹ die wahre Paideia auf das Göttliche, wie Plato sich hier ausdrückt, bezogen«.[163] Diese Idee der Paideia hat gewiß verschiedene Ausformungen erfahren, ob es nun der Appell an die ἀρετή des Menschen war, der Anspruch des *homo-mensura*-Satzes oder die Angleichung an das Göttliche, irgendwie wurde damit die religiöse Existenz berührt. Tatsächlich haben auch christliche Schriftsteller die heidnische Paideia als religiöse Größe verstanden. Weniger eindeutig ist dies noch, wenn etwa Justin in seiner Apologie die

---

[158] Augustinus, vera rel. 310 (CSEL 77,80).
[159] Siehe *A. Adam*, Das Fortwirken des Manichäismus bei Augustinus, in: ZKG 69 (1958) 1–25; *J. Burnaby*, Amor Dei. A Study of the Religion of St. Augustine, London ²1947.
[160] Augustinus, civ. Dei X 3: »Hic est Dei cultus, haec uera religio, haec recta pietas, haec tantum Deo debita seruitus« (CCL 47,276).
[161] Siehe oben Anm. 146.
[162] Aufschlußreich hierfür ist die lateinische Übersetzung humanitas, so z. B. beim römischen Grammatiker Aulus Gellius: »humanitatem appellarunt id propemodum, quod Graeci vocant, nos eruditionem institutionemque in bonas artes dicimus« (noct. att. XIII 17).
[163] *W. Jaeger*, Paideia III 302. Gemeint ist die Stelle aus leg. 643 a 5–7.

Kaiser in einem Kontext religiöser Terminologie als »Anhänger der Paideia« bezeichnet;[164] entschieden wehrt sich gegen ein solches Verständnis Ps.-Justin (Mitte 3. Jh.), der den Hellenen erklärt, daß die wahre Religion nicht in den Versen der Dichter und nicht in ihrem Bildungsideal gelegen sei.[165] Und noch im 4. Jahrhundert nötigte die heidnische Restauration des Kaisers Julian (361–363), die auf eine Wiederbelebung der alten Kulte und den Ausschluß der Christen von der Bildung hinauslief, zum Widerspruch von seiten der Kirche, die im »Hellenisieren« (ἑλληνίζειν) sehr deutlich das Element des Kultischen und damit des Religiösen erkannte.[166] Den mit Paideia umschriebenen Komplex betrachteten offensichtlich die Christen als konkurrierendes Heilsangebot, ein Urteil, aus dem die zögernde Begegnung zu erklären ist.[167]

Weniger die soziologische Zusammensetzung der Gläubigen, die im Hinblick auf den Jüngerkreis gern als »Fischerversammlung«[168] apostrophiert wurde, als die biblische Heilsansage demonstrierte den Gegensatz zu heidnischer Paideia. Im Wort vom Kreuze (1 Kor 1,18) formulierte Paulus das Paradox des Glaubens. »Hat Gott nicht die Weisheit dieser Welt zur Torheit gemacht? Denn weil die Welt in ihrer Weisheit Gott in seiner Weisheit nicht erkannt hat, gefiel es Gott, durch die Torheit der Predigt die zu retten, die glauben« (1 Kor 1,20 f). Damit war unübersehbar die Antithese der christlichen Botschaft zur religiösen Selbstverwirklichung des antiken Menschen markiert, die sich unter den Begriffen Weisheit, Bildung, Humanität oder Paideia artikuliert hatte. Es gehört nun mit zu den dynamischsten Vorgängen der frühchristlichen Geistesgeschichte, wie sich die Gläubigen in einer kritischen Auseinandersetzung dem Paideia-Denken erschlossen haben.[169] Zwar war das religiöse Verständnis durch die Septua-

---

164 Justin, apol. I 2,2: »Ὑμεῖς μὲν οὖν ὅτι λέγεσθε εὐσεβεῖς καὶ φιλόσοφοι καὶ φύλακες δικαιοσύνης καὶ ἐρασταὶ παιδείας, ἀκούετε πανταχοῦ« (Goodspeed 27); vgl. apol. I 1,1.

165 Ps.-Justin, cohort. ad Graecos 38: »οὐκ ἐν ποιητικοῖς μέτροις τὰ τῆς ἀληθοῦς θεοσεβείας πράγματα, οὐδὲ ἐν τῇ παρ' ὑμῖν εὐδοκιμούσῃ παιδεύσει« (PG 6, 309 AB).

166 Gregor Naz., or. IV 103: »ἢ γὰρ τῆς θρησκείας εἶναι τοῦτο φήσεις« (PG 35, 637C).

167 Vgl. P. Stockmeier, Glaube und Paideia. Zur Begegnung von Christentum und Antike, in: ThQ 147 (1967) 432–452, Nachdr. in: Erziehung und Bildung in der heidnischen und christlichen Antike, hrsg. von H.-Th. Johann, Darmstadt 1976, 527–548 [in diesem Band S. 120–137].

168 Zu den einschlägigen Stellen siehe E. Norden, Die antike Kunstprosa vom VI. Jahrhundert v. Chr. bis in die Zeit der Renaissance, 2 Bde., Darmstadt ⁵1958, 516 ff.

169 W. Jaeger, Das frühe Christentum und die griechische Bildung, Berlin 1963.

ginta vorbereitet, die göttliche Heilsführung oder Zuchtmaßnahmen gegenüber den Sündern damit zu kennzeichnen pflegte,[170] aber unverkennbar ist auch das Bestreben, das Christentum analog zu den Griechen als wahre Paideia darzustellen. Schon in der Areopag-Rede (Apg 17,22–32) kündigt sich der Versuch an, die biblische Heilsbotschaft unter Berufung auf heidnische Dichter den Griechen, und zwar im Zentrum ihrer Bildung, zu akkomodieren. Direkter äußert sich ein Imitator, nämlich der Verfasser der apokryphen Philippus-Akten, wenn er den Apostel sprechen läßt: »Ich bin nach Athen gekommen, um euch die Paideia Christi zu offenbaren.«[171] Auch wenn dieser Text erst aus dem späten 4. Jahrhundert stammt, so bestätigt er eine Tradition der missionarischen Verkündigung, die sich offensichtlich mit der Areopagrede legitimiert. Voll durchgeführt erscheint das Programm einer Interpretation des Christentums im Sinne der Paideia bei Klemens von Alexandrien, der in seinem »Paidagogos« Christus als den Erzieher des Menschengeschlechts beschreibt;[172] ja die ganze Wirklichkeit des Christentums erscheint in diesem Lichte. »Schule nämlich ist die Kirche, und ihr Bräutigam der einzige Lehrer, des guten Vaters guter Wille, die echte Weisheit, die Heiligkeit unserer Erkenntnis.«[173] Analog zu den Strukturen und Gehalten antiker Paideia wird hier das Christentum vorgestellt; und zwar geht die Tendenz nicht bloß dahin, rationale Erkenntnis in den Dienst des Glaubens zu nehmen, sondern diesen selbst als Paideia zu verstehen. So kann beispielsweise auch Tatian das Christentum als παιδεία charakterisieren.[174]

Auch wenn die Adaptation dieser Vorstellung divergierenden Kräften ausgesetzt war, so hat das christliche Glaubensverständnis dadurch eine Deutung erfahren, die dem Verständnis der Umwelt angepaßt war. Die Problematik dieses Vorgangs erhellt

---

[170] Dieses Verständnis floß auch ins frühchristliche Schrifttum ein; siehe *P. Stockmeier*, παιδεία bei Klemens von Rom.

[171] Lipsius-Bonnet II 2,27. Siehe dazu W. *Jaeger*, Paideia Christi, in: ZNW 50 (1959) 1–14.

[172] Vgl. etwa Klemens Al., strom. VI 57,2–58,1; paed. III 101,1 u. ö. Siehe zum Thema E. *Fascher*, Der Logos-Christos als göttlicher Lehrer bei Clemens von Alexandrien, in: TU 77, Berlin 1961, 193–207; F. *Normann*, Christos Didaskalos 153 ff.

[173] Klemens Al., paed. III 98,1 (GCS 12,289). Zum Problem ist aufschlußreich *J. Schmidt*, Clemens Alexandrinus in seinem Verhältnis zur griechischen Religion und Philosophie, Diss. Wien 1939.

[174] Tatian, or. ad Graecos 12,5 (Goodspeed 280); 35,2 (Goodspeed 300). Die Bemerkung von M. *Elze* (Tatian und seine Theologie [Forsch. z. Kirchen- und Dogmengesch. 9], Göttingen 1960, 21), Tatian stehe unter den frühen Apologeten damit völlig allein, ist vom Gesamttrend her nicht zutreffend.

aus der Bemerkung Tertullians von der Notwendigkeit, das Mysterium des Kreuzes verhüllt zu künden, um angesichts des antiken Lebensgefühls das Skandalon nicht zu übersteigern.[175]

IV. Christlicher Glaube und öffentlich-rechtliche Anerkennung

Der Übergang des neutestamentlichen Glaubensverständnisses in die Welt antiker Religiosität erfolgte in einer sublimen Adaptation von Begriffen und Denkformen, die das Christentum als *vera religio* ausweisen konnten. Gegenüber der heidnischen Polemik sahen sich seine Anhänger genötigt, Strukturen in Anspruch zu nehmen, die sie als religiös qualifizierten. Wenn im Zuge dieser Rezeption der biblische Vorbehalt weithin gewahrt blieb, so führte die Ausbildung kultischer Riten und der Ausbau der Gemeindeverfassung doch zu einem Erscheinungsbild der Kirche, das Ähnlichkeiten mit religiösen Gruppen der Umwelt aufwies. Die Gläubigen hatten grundsätzlich keine Bedenken, sich religiös zu verstehen; man war vielmehr der Überzeugung, daß »die durch die Lehre Christi geforderte Art der Gottesverehrung nicht neu und fremd ist, sondern . . . die erste, die einzige, die wahre ist«.[176] Diese Auffassung ermöglichte es, einerseits Kritik an der heidnischen *pompa diaboli* zu üben, andererseits religiöse Formen zu integrieren. Bewußt ging die christliche Kirche diesen Weg, der seit Konstantin dem Großen auch öffentlich-rechtliche Anerkennung fand.

1. Der römische Staat betrachtete von Anfang an die Christen als eine religiöse Gruppe, die er entweder in sein System einzuordnen oder, als sich dies als unrealistisch erwies, zu unterdrücken versuchte. Die Abkehr von dieser Politik unter Konstantin dem Großen (306–337) brachte gewiß eine spektakuläre Einstellung von Verfolgungsaktionen, dahinter stand aber noch mehr ein Wandel in der religiösen Auffassung, der durch einen Zug zum Henotheismus längst vorbereitet war. Diese unifizierende Tendenz ermöglichte es dem Christentum, dem gleichwie verstandenen *einen* höchsten Wesen der Heiden den biblischen Gott anzugleichen; es begab sich damit aber auch in die Koordinaten eines Systems, das es nur mehr zum Teil aufbrechen konnte, indem es

175 Tertullian, adv. Marc. III 18,2 (CCL 1,531).
176 Eusebios, hist. eccl. I 4 (GCS 9,1,44).

das polytheistische Konzept ablöste durch das monotheistische.[177]

Schon Kaiser Galerius (305–311) hatte kurz vor seinem Tod in einer Art Toleranz-Erlaß den Christen freie Ausübung ihrer Religion zugestanden.[178] Während diese Maßnahme weder den Rahmen einer polytheistischen Frömmigkeit sprengt noch die übliche Förderung von seiten des Staates in Aussicht stellt, verraten die Mailänder Abmachungen zwischen Konstantin und Licinius (313) eine andere Haltung. Abgesehen davon, daß schon vor diesen Vereinbarungen kirchliche Gruppen durch den Sieger von der Milvischen Brücke Gunsterweise erfahren hatten,[179] begegnen wir hier einem betont monotheistischen Zug. Die beiden Herrscher bestimmten, es dürfe »niemandem die Freiheit abgesprochen werden, sich den (kultischen) Gepflogenheiten der Christen oder der Religion zuzuwenden, die er als die für ihn passendste ansieht, auf daß die höchste Gottheit, deren Verehrung wir aus freier Hingabe folgen, uns in allem die gewohnte Gunst und Wohlwollen erweise«.[180] Aus dem ganzen Kontext wird ersichtlich, wie sehr das Christentum von seiten des Staates als religiöse Größe verstanden wird. Der Kaiser weiß sich verantwortlich für die Gottesverehrung, die auch von den Christen geübt wird. Offenbar erleichterte es der allgemeine Durchbruch eines henotheistischen Denkens, den Ausschließlichkeitsanspruch des Christentums in das religiöse System zu integrieren; umgekehrt konnten sich die Gläubigen weithin bestätigt sehen in ihrem Ringen um die wahre Gottesverehrung. Die Gleichrangigkeit des Christentums neben den alten Kulten im Sinne einer *religio licita* ge-

---

177 Für diesen Zeitraum vgl. besonders *V. Schultze*, Geschichte des Untergangs des griechisch-römischen Heidentums, 2 Bde., Jena 1887–92; *E. Peterson*, Der Monotheismus als politisches Problem, Leipzig 1935; *U. Pestalozza*, La Religione di Ambrogio (Studi e testi di Storia Milanese 3), Milano 1949; *B. Kötting*, Christentum und heidnische Opposition in Rom am Ende des 4. Jahrhunderts (Schriften d. Ges. z. Förderung d. Westf. Wilhelms-Univ. z. Münster 46), Münster 1961; *A. Momigliano*, The Conflict between Paganism and Christianity in the fourth Century (Oxford-Warburg Studies), Oxford 1963; *P. Stockmeier*, Die sogenannte Konstantinische Wende im Licht antiker Religiosität, in: Hist. Jahrb. 95 (1975) 1–17 [in diesem Band S. 236–253]; *K. Aland*, Das Verhältnis von Kirche und Staat in der Frühzeit, in: ANRW II 23,1, 60–246.

178 Der Text des Ediktes bei Lactantius, mort. pers. 34 (CSEL 27,212 f); Eusebios, vita Const. I 57 (GCS 7,34).

179 Über diese Verfügungen siehe *J. Vogt*, Art. Constantinus der Große, in: RAC III 328 f, Nachdr. in: Ders., Orbis. Ausgewählte Schriften zur Geschichte des Altertums, Freiburg-Basel-Wien 1960, 241 f.

180 Lactantius, mort. pers. 48,2 (CSEL 27,228 f); vgl. Eusebios, hist. eccl. X 4,5.

nügte freilich noch nicht dem Anspruch einer *vera religio*;[181] so sehr sich gerade in dieser Forderung christlicher Glaube aktivierte, sie entsprach doch weithin antikem Religionsverständnis. Schon die Mailänder Abmachungen begründeten die Freigabe der christlichen Gottesverehrung mit dem Prinzip des *do ut des*, und in der Gesetzgebung Konstantins, die in der Folgezeit kirchliche Angelegenheiten regelte, begegnen wir ebenfalls einer Auffassung des Christentums, die weithin von den Kategorien der überkommenen Religiosität geprägt ist. In dieses Bild von der Kirche paßt die Redeweise von der θρησκεία[182] und dem heiligen Gesetz[183] nicht weniger als die Befreiung der Kleriker von öffentlichen Lasten.[184] Die Kirchenstiftungen des Kaisers erfolgen gleichfalls aus sakralrechtlichen Motiven, und sie demonstrieren die traditionelle Verantwortung des *pontifex maximus* für die rechte Gottesverehrung.[185] Aus den einschlägigen Dokumenten wird jedenfalls ersichtlich, daß die Anerkennung des Christentums weithin auf Voraussetzungen basiert, die vom Religionsverständnis der Antike bestimmt waren und dazu führten, daß der kultische Aspekt dominierte.

Die religiöse Integration der Gläubigen in das Imperium Romanum war aber nicht einfach ein theologisches, wenn auch politisch wirksames Mißverständnis Konstantins; er konnte an eine kirchliche Argumentation anknüpfen, die unter dem gleichen Vorzeichen um Selbstbehauptung in der religiösen Umwelt gerungen hatte. Die Leidenschaftlichkeit, mit der etwa in der Mitte des 4. Jahrhunderts der ehemalige Heide Firmicus Maternus sein

---

[181] Konstantin spricht aber in dem um die Wende der Jahre 312/313 entstandenen Schreiben an Caecilian schon von der »wahren und hochheiligen katholischen Religion« (Eusebios, hist. eccl. X 6,1 [GCS 9,2,890]). Vgl. F. C. Grant, Religio licita, in: TU 79, Berlin 1961, 84–89.

[182] So schon im Brief Konstantins an Caecilian von Karthago (312/313); vgl. dazu H. Dörries, Das Selbstzeugnis Kaiser Konstantins (AAWG.PH 3,34), Göttingen 1954, 17 f.

[183] Brief Konstantins an Aelafius: »obseruantiam sanctissimae legis catholicae« (CSEL 26,204).

[184] Brief Konstantins an den Prokonsul Anullinus (312/313): »Die unter Cäcilianus Dienst tuenden sogenannten Kleriker brauchen keine staatlichen Verpflichtungen abzuleisten, damit sie nicht durch Versehen oder Verstoß von dem der Gottheit schuldigen Dienst abgezogen werden, sondern ohne alle Belästigung ihrem eigenen Gesetz gehorchen können« (Eusebios, hist. eccl. X 7,2 [GCS 9,2,891]). Zur Stellung des Bischofs siehe J. Colson, L'Évêque dans les communautés primitives. Tradition paulinienne et tradition johannique de l'épiscopat des origines à Saint Irénée (Unam Sanctam 21), Paris 1951.

[185] Siehe L. Voelkl, Die Kirchenstiftungen des Kaisers Konstantin im Lichte des römischen Sakralrechts (Arb.-Gem. f. Forsch. d. Landes Nordrhein-Westfalen, Geisteswiss. 117), Köln-Opladen 1964.

Werk »De errore profanarum religionum« niedergeschrieben hat, zeigt, wie sich Auffassungen und Denkformen bereits angeglichen haben. Im übrigen wird man *Hermann Dörries* beipflichten, der zur Vorsicht mahnte hinsichtlich der Frage, »ob nicht das heidnische Religionsverständnis mindestens die Formen herlieh, in die das Neue gegossen wurde«.[186] So sehr nämlich christliche Aussagen in religiösen Hülsen vorgetragen wurden und das Erscheinungsbild der Kirche im frühen 4. Jahrhundert kultisches Gepräge bekam, man muß dennoch feststellen, daß sich die Christen nicht mit der religiösen Rolle eines Kultvereins zufrieden gaben. Gerade der Aufbruch der theologischen Diskussion im Zusammenhang mit Donatismus und Arianismus, also praktisch nach der öffentlich-rechtlichen Anerkennung des Christentums, illustriert, daß eine intensive Besinnung auf die Schrift einsetzte, die im Grunde das religionspolitische Konzept des Staates störte. Trotz aller Öffnung auf religiöse Strukturen hin beobachten wir auch im 4. Jahrhundert den Vorbehalt des Glaubens.

2. Das Selbstverständnis des Christentums als *vera religio* einerseits und die innerkirchlichen Wirren andererseits führten schließlich unter Kaiser Theodosius (378–395) zu dem Versuch, römischen Staat und katholisches Christentum endgültig zur Deckung zu bringen.[187] Am 28. Februar 380 erging ein kaiserliches Edikt, wonach alle Untertanen jene Gottesverehrung üben sollten *(religione versari)*, die der Apostel Petrus den Römern übergeben hat und bis heute lehrt. Daran anschließend wird festgestellt, daß jeder ein Sakrileg begeht, der die Heiligkeit des göttlichen Gesetzes stört oder durch Nichtbeachtung verletzt.[188] Der Text dieser Urkunde und nicht zuletzt die ergänzende Poenformel unterstreichen nachdrücklich das religiöse Grundverständnis des christlichen Glaubens, der in diesem Horizont die geistige Einheit des Imperiums garantieren soll. Wenn der Erlaß trotz der Eingangsworte zunächst den Ausgleich innerkirchlicher Parteien intendiert, so weisen antiheidnische Maßnahmen wie das Verbot

---

[186] H. *Dörries*, Das Selbstzeugnis Kaiser Konstantins 340.
[187] Zum religionspolitischen Verhalten des Kaisers Theodosius siehe J. *Wytzes*, Der Streit um den Altar der Victoria. Die Texte der betreffenden Schriften des Symmachus und Ambrosius mit Einleitung, Übersetzung und Kommentar, Amsterdam 1936; W. *Ensslin*, Die Religionspolitik des Kaisers Theodosius d. Gr. (SBAW.PPH 1953,2), München 1953; N. Q. *King*, The Emperor Theodosius and the Establishment of Christianity, London 1961; A. *Lippold*, Théodosius der Große und seine Zeit (Urban-Bücher 108), Stuttgart 1968.
[188] Cod. Theod. XVI 1,2; 2,25.

von Opfern und Tempelbesuch aus dem Jahre 391[189] darauf hin, daß die Bürger des einen Imperiums unter eine Religion gebeugt werden sollten. Damit wird unter christlichem Vorzeichen wieder eine Verfahrensweise aufgenommen, die von den heidnischen Kaisern gegen die Vertreter des christlichen Glaubens angewendet worden war. Die Theologie der *vera religio* vermochte gewiß christliche Intoleranz subtiler zu begründen,[190] aber das Ideal einer christlichen Gesellschaft blieb trotz der daraus resultierenden Zwangsmaßnahmen[191] weitgehend eine Fiktion, auch wenn die Identifikation von Feinden des römischen Namens und Gegnern des katholischen Glaubens liturgische Gebetsformeln prägte.[192]

Die Verkündigung der christlichen Botschaft erging an Menschen, die Religion in ihrer Vielgestaltigkeit äußerst intensiv erlebten. Damit war für die Annahme des Gotteswortes eine Situation gegeben, die trotz Protestes gegen Kultformen und religiöse Praxis der Umwelt ein religiöses Vorverständnis einschloß. Während in der nachapostolischen Zeit zumeist unreflektiert entsprechende Vorstellungen adaptiert wurden, nötigte die missionarische Auseinandersetzung mit heidnischen Polemikern bald dazu, sich als *vera religio* auszuweisen. Der darin ausgesprochene Vorbehalt hinderte die Gläubigen jedoch nicht, ihrerseits etwa das Gottesverhältnis »religiös« zu deuten und kultisch-zeremonielle Formen auszubilden, die sich zwar phänomenologisch weitgehend von heidnischen Praktiken unterscheiden, als solche aber eben doch religiös sind. Die Anerkennung der Kirche von seiten des Staates erfolgte zwangsläufig unter dem Vorzeichen des antiken Religionsverständnisses, und die Gunsterweise für die christlichen Gemeinden stehen in der Tradition der kaiserlichen Verantwortung *in sacris*. Die christliche Kirche hat im Zuge dieser Maßnahmen fraglos ihr »religiöses« Erscheinungsbild stärker konturiert, obwohl die Frage nach dem wesentlich Christlichen gerade in dieser Periode neu gestellt wurde. Mit der gesetzmäßigen Erhebung des Christentums zur Staatsreligion im späten 4. Jahrhundert wurde im Sinne der *vera religio* konsequent die

---

189 Cod. Theod. XVI 10,10; XVI 10,12.

190 Man vgl. dazu die besonnenen Überlegungen von *H. Dörries*, Konstantinische Wende und Glaubensfreiheit, in: Wort und Stunde I, Göttingen 1966, 52 ff.

191 Zum ersten Todesurteil des Staates gegen einen Häretiker siehe *P. Stockmeier*, Das Schwert im Dienste der Kirche. Zur Hinrichtung Priszillians in Trier, in: Festschrift A. Thomas, hrsg. von H. Ries, Trier 1967, 415–428.

192 Sacrament. Leonianum: »Hostes Romani nominis et inimicos catholicae religionis expugna« (Feltoe 27).

Identifikation von katholischem Bekenntnis und Bürgern des Imperiums verfügt. Die tatsächlichen Verhältnisse widersprachen freilich dem Religionsgesetz, so daß christlicher Glaube in die Gefahr der Ideologie geriet.

Auch wenn man Religion als eine Grundgegebenheit menschlicher Existenz betrachtet, stellt ihre Begegnung mit christlichem Glauben einen tiefgreifenden Vorgang der Kirchengeschichte dar. Eine harmonisierende Betrachtungsweise mag darin eine »natürliche« Entwicklung sehen; nach Auskunft der Quellen steht dahinter jedoch ein theologisches Ringen um das Selbstverständnis der biblischen Botschaft, das auch die Gefahr der Verfremdung impliziert. Sie ist allerdings im Bereich der formalen Strukturen schwieriger zu erkennen als in augenfälligen Phänomenen der Religionsgeschichte.

Christlicher Glaube und antikes Ethos*

Die Begegnung von Antike und Christentum vollzog sich nicht in spektakulären Ereignissen, sondern in einem langandauernden geistigen Prozeß, der das Erscheinungsbild der Kirche und zugleich des Abendlandes so nachhaltig prägte, daß in der Rückschau oft alle Bauelemente in christlichem Gewand vorgestellt werden.[1] Diese Osmose läßt sich unter anderem auch deutlich im ethischen Bereich beobachten, insofern zahlreiche Kategorien sittlichen Verhaltens unauffällig von den Vertretern des Christentums aus der Umwelt übernommen wurden. Die Einsicht in diesen Sachverhalt war zwar nie völlig verlorengegangen, rückte aber im Zuge eines latent vorhandenen Integralismus oft in den Hintergrund. Eine Reihe von einschlägigen Untersuchungen hat diese Zusammenhänge wieder ins Bewußtsein gehoben, und neuerdings wird die Frage diskutiert, worin das Spezifische einer christlichen Ethik zu sehen sei, ein Problem, das fraglos einen historischen Aspekt besitzt.

Ohne die sittlichen Weisungen der neutestamentlichen Botschaft zu ignorieren, ergibt schon eine oberflächliche Durchsicht des frühchristlichen Schrifttums, daß dort ethische Fragen einen immer breiteren Raum einnehmen. »Die Beziehungslosigkeit der paulinischen und johanneischen Lehren vom Menschen und sei-

---

* Aus: Begegnung. Beiträge zu einer Hermeneutik des theologischen Gesprächs (Festschrift für Heinrich Fries), hrsg. von M. Seckler, O. H. Pesch, J. Brosseder und W. Pannenberg, Verlag Styria, Graz-Wien-Köln 1972, 433–446.

[1] Der Literaturbericht von *R. Bultmann*, Christentum und Antike, in: ThR 33 (1968) 1–17, informiert über die wichtigsten Neuerscheinungen zu dieser Frage. Hinsichtlich der frühchristlichen Ethik seien außer den einschlägigen Artikeln im RAC erwähnt: *A. Bonhoeffer*, Epiktet und das Neue Testament (RVV 10), Gießen 1911; *J. Stelzenberger*, Die Beziehungen der frühchristlichen Sittenlehre zur Ethik der Stoa. Eine moralgeschichtliche Studie, München 1933; *J. Klein*, Tertullian. Christliches Bewußtsein und sittliche Forderungen. Ein Beitrag zur Geschichte der Moral und ihrer Systembildung (Abhandlungen aus Ethik und Moral, Bd. 15), Düsseldorf 1940; *M. Spanneut*, Tertullien et les premières moralistes africaines (Recherches et Syntheses Sect. mor.), Gembloux-Paris 1969; *Ders.*, Le Stoicisme des Pères de l'Église de Clément de Rome à Clément d'Alexandrie (Patr. Sorb., Bd. 1), Paris ²1969.

ner Erlösung, von Gesetz, Freiheit, Sünde u. ä. zur gemeinchristlichen Entwicklung der ersten beiden Jahrhunderte bedeutet ohne Frage einen großen Mangel der letzteren an geistigem Gewicht und theoretischer Klarheit.«[2] Schon vor dem Aufkommen des Schlagwortes »Frühkatholizismus« ist dieses Phänomen erkannt, wenn auch unterschiedlich beurteilt worden; immerhin bemerkt *Rudolf Bultmann*, der nachdrücklich auf das Gefälle aufmerksam gemacht hat: »Das Problem der christlichen Lebensführung war der Gemeinde von Anfang an mitgegeben, und zwar nicht allein und nicht primär als ein Problem der Praxis des Lebens, sondern vor allem als ein Problem des christlichen Selbstverständnisses.«[3] Die zahlreichen Lebensordnungen und persönlichen Imperative mögen gerade in der nachapostolischen Epoche mit einem gewissen Erlahmen ursprünglicher Spontaneität zusammenhängen und insofern die Redeweise von einer »Versittlichung« der neutestamentlichen Botschaft rechtfertigen. Man beklagt angesichts dieses Befundes vor allem das Zurücktreten der Reflexion über die πίστις und die christliche Rechtfertigung.[4] Verschiedene Gründe werden für diesen Vorgang angeführt, unter anderem gern die Parusieverzögerung. Neben diesen innerkirchlichen Motiven ist jedoch auch die Umwelt zu berücksichtigen, die auf Art und Weise der christlichen Verkündigung einen starken Einfluß ausübte. Nicht wenige Themen sind der frühchristlichen Theologie von außen diktiert, ein Umstand, der es erschwerte, das Glaubensbewußtsein nach »schriftgemäßen« Schwerpunkten zu entfalten. Da die hellenistisch-römische Ethik auf die Lebensgestaltung des antiken Menschen einen maßgeblichen Einfluß ausübte und als eine »politische« Aufgabe betrachtet wurde,[5] konnten die Vertreter des Christentums diese Norm nicht ignorieren. So setzte eine Auseinandersetzung ein, die zu einer engen Verschmelzung biblischer Weisungen mit ethischen

---

[2] So *A. Dihle*, Ethik, in: RAC VI 646–796, hier 709.

[3] *R. Bultmann*, Theologie des Neuen Testaments, Tübingen ⁵1965, 552.

[4] *A. Dihle* erklärt in dem zitierten Artikel:»Für das Gemeinchristentum der ersten beiden Jahrhunderte nimmt Paulus (wie Johannes) durchaus nicht die Sonderstellung ein, die ihm die moderne Dogmengeschichte einräumen muß« (Ethik 710); und *J. Baur* konstatiert, daß vor Augustin die Reflexion über die fides unentwickelt sei (Salus christiana. Die Rechtfertigungslehre in der Geschichte des christlichen Heilsverständnisses, Bd. 1: Von der Antike bis zur Theologie der deutschen Aufklärung, Gütersloh 1968, 15). Vgl. auch das Material bei *E. Aleith*, Das Paulusverständnis der alten Kirche (BZNW 18), Berlin 1937.

[5] *E. Schwartz*, Ethik der Griechen, Stuttgart 1951; *W. Jaeger*, Paideia. Die Formung des griechischen Menschen, 3 Bde., Berlin ³⁻⁴1959.

Kategorien der Umwelt führte. Man wird nicht zuletzt das »Defizit« an paulinischer Theologie mit dieser Situation in Zusammenhang bringen müssen.

1. Die innergemeindlich bedingte Ethisierung

Bereits in den Pastoralbriefen kündigt sich die Tendenz an, das Leben und Verhalten des einzelnen Gläubigen in der Gemeinde zu regeln; dabei bewegt sich der Verfasser in konventionellen Bahnen, wenn er auf das Naturgemäße und Moralische abhebt. Nicht mit Unrecht hat *Martin Dibelius* deshalb von einer aufkommenden christlichen »Bürgerlichkeit« gesprochen.[6] Verstärkt wird in der nachapostolischen Literatur das sittliche Element betont, wozu fraglos die konkrete Situation der Adressaten Anlaß bot. Die Auswahl bestimmter Tugenden indes und die Art der Motivation deuten an, daß sich die Schreiber weitgehend dem ethischen Kanon der Umwelt anpaßten, um so die Allgemeingültigkeit ihrer Paränese zu erweisen. Obwohl bei christlichen Adressaten die Berufung auf biblische Weisungen naheliegt, überrascht auch hier die Offenheit für sittliche Prinzipien der Antike. Die Argumentation bewegt sich vielfach im Vorstellungsbereich außerchristlicher Kategorien, so daß eine Konvergenz zwischen biblischer Verkündigung und antiker Lebensverwirklichung hergestellt wird. Vorbereitet war dieser Ausgleich allerdings schon durch den im Zeitalter des Hellenismus einsetzenden Verschmelzungsprozeß, in den auch die Autoren der alttestamentlichen Bücher hineingezogen worden waren; an der intertestamentarischen Literatur läßt sich dieser Einfluß deutlich weiter verfolgen.

Charakteristisch für die Begegnung von Glaube und antikem Ethos ist eine Bemerkung aus dem ersten Klemensbrief (um 95 n. Chr.), in der vom Verfasser die Missionspredigt des Apostels Paulus folgendermaßen umschrieben wird: »Er lehrte die ganze Welt Gerechtigkeit«.[7]

Der berühmte Kontext schildert knapp den Lebensweg und das Schicksal der beiden Apostelfürsten, und zwar in der Absicht,

---

6 *M. Dibelius*, Die Pastoralbriefe (HNT 13), Tübingen ⁴1966, 7.

7 1 Klem 5,7: »δικαιοσύνην διδάξας ὅλον τὸν κόσμον« (Bihlmeyer-Schneemelcher 38). In der Form eines resultativen Aorists wird die Tätigkeit des Apostels summarisch charakterisiert.

den Korinthern Petrus und Paulus als Opfer des ζῆλος vor Augen zu stellen. In diesem Zusammenhang wird die Verkündigungstätigkeit des Paulus als ein »Lehren der Gerechtigkeit« umschrieben, eingeordnet in eine Reihe von Partizipialkonstruktionen, die nach enkomiastischem Stil Leistung und Leiden des Apostels rühmen. Der Begriff δικαιοσύνη ist aber nicht näher bestimmt, abgesehen von der Bemerkung, daß sie der Apostel den ganzen Kosmos gelehrt habe. In ihrer verdichteten Form unterliegt die Aussage einerseits einer gewissen Mehrdeutigkeit, andererseits eignet ihr eine gezielte Prägnanz. So erhebt sich die Frage, ob mit dieser sentenzenhaften Formulierung der Kern paulinischer Verkündigung getroffen ist. Die Wahl des Wortes δικαιοσύνη zur Beschreibung der paulinischen Botschaft läßt in dieser Form verschiedene Interpretationen zu, sei es im Anschluß an genuine paulinische Theologie, unter dem Aspekt eines jüdisch-nomistischen Denkens oder in Betracht der griechisch-hellenistischen Auffassung von Gerechtigkeit. Die Verwendung des Begriffes in dem rhetorisch konzipierten Text macht das Gewicht bewußt, das ihm der Verfasser beimaß. Entsprechend der Gesamttendenz des Briefes wollte er damit auch den Korinthern mehr eine Weisung erteilen, als allgemeingültig die paulinische Lehre darlegen.[8] Diese Absicht bestimmte fraglos die Wahl des Begriffes δικαιοσύνη, nicht zuletzt im Hinblick auf die Korinther, an die sich Paulus selbst in seinen Briefen gewandt hatte. Nun besagt aber gerade in den spezifisch paulinischen Gedankengängen δικαιοσύνη vor allem jene Gerechtigkeit, die dem Menschen aufgrund seines Glaubens von Gott her zuerkannt wird. »Die δικαιοσύνη θεοῦ ist Gottes Gerechtigkeit als Einheit von Gericht und Gnade, die er hat, die er handelnd erweist, indem er Gerechtigkeit herausstellt und im Freispruch als sein Urteil mitteilt, die aber ebenso als neues Leben in die Königsherrschaft hineinzieht und zum Dienste verpflichtet. Sie wird im Endgericht vollendet herausgestellt.«[9] In der knappen Formulierung des Klemensbriefes kommt freilich nicht die Rechtfertigung des Menschen von Gott her zur Sprache, sondern die Meinung, daß Paulus den Kosmos Gerechtigkeit gelehrt habe. Daß dem Verfasser die Verknüpfung von Glaube und Ge-

---

[8] Vgl. 1 Klem 3,4: »ἄπεστιν ἡ δικαιοσύνη καὶ εἰρήνη« (Bihlmeyer-Schneemelcher 36). Nachdrücklich weist A. W. Ziegler auch darauf hin, daß für die Deutung des Briefes Zweck und Ziel nie außer acht bleiben dürfen (Neue Studien zum ersten Klemensbrief, München 1958, 34).

[9] G. Schrenk, Art. δίκη κτλ., in: ThWNT II 176–229, hier 205 f.

rechtigkeit bekannt war, bestätigt der Hinweis auf Abraham, der im Glauben Gerechtigkeit und Wahrheit geübt habe.[10] In der Wendung 1 Klem 5,7 ist aber von diesem Zusammenhang nicht die Rede; sie scheint auch weniger das Thema Rechtfertigung anzusprechen als die Erziehung zur Gerechtigkeit durch den Apostel Paulus, etwa im Sinn von 1 Klem 3,4 und 33,8; gerade die letzte Stelle erinnert an alttestamentlich-jüdische Frömmigkeit, nach der *zaddiq* (= δίκαιος) das einwandfreie sittliche Verhalten, kultische Reinheit und Gerechtigkeitssinn vor Jahwe in gleicher Weise zum Ausdruck brachte. Gleichwohl vermeint der Gebrauch des Singulars ἔργον δικαιοσύνης sowie das praktische Fehlen des Begriffs νόμος[11] die paulinische Antithese zum Glauben nicht aufzunehmen. Der Glaube bildet nach dieser Auffassung die Grundlage für Gerechtigkeit und Wahrheit,[12] er ist aber nicht Anlaß der Rechtfertigung. Glaube führt gewissermaßen über zur Tugend der Gerechtigkeit, die der Autor in umfassendem Sinn versteht, d. h., sie prägt das Verhalten des Christen nicht nur im zwischenmenschlichen Bereich, sondern auch gegenüber Gott. In 1 Klem 48,2 wird das Christentum sogar als »Tor der Gerechtigkeit« bezeichnet[13] und damit unterstrichen, welche zentrale Bedeutung der Verfasser ihr zuweist. Analog der weitgehenden Berufung auf alttestamentliche Vorbilder, z. B. der Kultordnung, wird man das Verständnis von »Gerechtigkeit« zumindest auch aus dieser Tradition erklären müssen, die das Gesamt des religiösen und sittlichen Verhaltens damit artikulierte. Die Paränese zielt also primär auf Gerechtigkeit und die ihr beigeordneten Tugenden, nicht eigentlich auf Glauben.

Die Deutung der paulinischen Missionspredigt im alttestamentlichen Sinn vermochte fraglos die Christen aus dem Judentum anzusprechen; sie war aber auch offen für die Gläubigen aus dem Heidentum. Ausgehend von der philosophischen Ethik, hatte sich ein Verständnis von Gerechtigkeit durchgesetzt, das in ihr die Einheit der Tugenden erblickte; vor allem Platon identifizierte die δικαιοσύνη τελεία mit der Tugend schlechthin und bestimmte sie »als Gesundheit, Schönheit und Wohlbefinden der Seele, als

---

[10] 1 Klem 31,2; vgl. dazu Röm 4,1–3; Gal 3,6–9.14; Jak 2,21–24.
[11] Nur 1 Klem 1,3 ist von Satzungen (νόμοι) Gottes die Rede. L. *Sanders* möchte die Stelle 1 Klem 33,8 im stoischen Sinn interpretieren (L'hellénisme de Saint Clément de Rome et le Paulinisme [Studia Hellenistica 2], Louvain 1943, 138 f).
[12] Das Verhalten Abrahams wird 1 Klem 31,2 so aufgefaßt (vgl. 1 Klem 10,6).
[13] 1 Klem 48,2: »πύλη . . . δικαιοσύνης« (Bihlmeyer-Schneemelcher 61).

110

jenen Zustand, in dem die ganze Seele der Vernunft folgt«.[14] Δικαιοσύνη stellte nachgerade ein Ideal der Lebensverwirklichung
dar, welches die Christen nicht ignorieren konnten, und dies
umso mehr, da sie selbst der ἀδικία bezichtigt wurden. Im Horizont einer solchen Denkweise kann man die Formel 1 Klem 5,7
schwerlich als zufällig abtun; dieser Akkord löste eine Resonanz
im Bereich außerchristlicher Vorstellungen aus, die vom Verfasser
offensichtlich intendiert war. Im übrigen verrät der Hinweis auf
den ganzen Kosmos, der von Paulus unterwiesen worden ist, wie
sich der Verfasser in einem philosophischen Weltverständnis bewegt, das δικαιοσύνη als Ordnungsprinzip kennt.

Wenn zudem 1 Klem 5,7 gesagt wird, daß Paulus Gerechtigkeit
gelehrt habe, dann gehört diese Redeweise zur platonischen Vorstellung von der Lehrbarkeit der Tugend.[15] Sosehr im Begriff der
δικαιοσύνη auch alttestamentlich-jüdische Traditionen eingeschlossen sind, man wird gerade in der Verbindung mit διδάσ-
κειν die griechische Linie erkennen. Insofern erweist sich die Formel als geeignet, unterschiedliche Denkweisen verbal zu vereinen
und sie der intendierten Paränese zuzuordnen.[16] Daß hierbei eine
gravierende Akzentverschiebung im Paulusverständnis vorliegt,
kann nicht bezweifelt werden.[17] Dennoch wird man nicht einseitig die Argumentation und das Verständnis des ersten Klemensbriefes beurteilen können.

An der Tatsache der Ethisierung der christlichen Botschaft und –
paradigmatisch – der paulinischen Verkündigung kommt man
nicht vorbei. Aber es ist bei diesem Vorgang nicht nur das Maß
paulinischer Kernbriefe anzulegen, sondern auch die Situation
der Adressaten, die in besonderer Weise mit dem Apostel verbunden waren. Wenn in 1 Klem 5,7 die Gerechtigkeit in den Vor-

---

[14] H. *Meyer*, Platon und die aristotelische Ethik, München 1919, 102. Vgl. ferner E. *Schwartz*,
Ethik der Griechen, Stuttgart 1951; H. J. *Krämer*, Arete bei Platon und Aristoteles. Zum
Wesen und zur Geschichte der platonischen Ontologie, Heidelberg 1959, bes. 52–55; A.
Dihle, Der Kanon der zwei Tugenden (Arb.-Gem. f. Forsch. d. Landes Nordrhein-Westfa-
len, Geisteswiss. 144), Köln-Opladen 1968, bes. 15 ff.

[15] Dazu siehe jetzt J. *Kube*, TEXNH und APETH. Sophistisches und platonisches Tugendwis-
sen (Quellen und Studien z. Gesch. d. Phil. 12), Berlin 1969.

[16] O. *Knoch* bemerkt, daß δικαιοσύνη bei Klemens »von der LXX und dem Judentum
bestimmt« sei (Eigenart und Bedeutung der Eschatologie im theologischen Aufriß des
ersten Clemensbriefes [Theophaneia 17], Bonn 1964, 230 Anm. 7). Knoch berücksichtigt
allerdings nicht die Interpretation paulinischer Verkündigung in 1 Klem 5,7.

[17] Vgl. W. *Schneemelcher*, Paulus in der griechischen Kirche des zweiten Jahrhunderts, in: ZKG
75 (1964) 1–20, bes. 13 ff. Schneemelcher hebt besonders die Vielfalt der Jesusüberlieferung
hervor, welche die »Schriftgemäßheit« der nachapostolischen Theologie beeinträchtigt.

dergrund gerückt wird, dann sicher aus paränetischer Tendenz; zudem spielt der Gedanke eine Rolle, die Christen auch in der Öffentlichkeit als »gerecht« auszuweisen, da neben der Gottlosigkeit den Christen vor allem Ungerechtigkeit vorgeworfen wurde.[18] Es bestand offenbar Veranlassung, vor der Öffentlichkeit zu betonen, daß die Gläubigen δικαιοσύνη üben, um so falschen Verdächtigungen entgegenzuwirken. *Paul Mikat* hat zuletzt darauf hingewiesen, daß die Unruhen in der Gemeinde von Korinth nicht nur innerkirchlich zu beurteilen seien, sondern auch die Einheit der Polis als solcher tangieren.[19] Unter anderen Motiven bekommt so das Insistieren auf Gerechtigkeit, wie es im ersten Klemensbrief begegnet, auch eine soziale und politische Note.

Auf den ersten Blick erscheint die Auskunft 1 Klem 5,7, wonach Paulus den ganzen Kosmos Gerechtigkeit gelehrt habe, als eine Reduktion paulinischer Verkündigung auf Moralismus. Das vielschichtige Verständnis von δικαιοσύνη, das aus alttestamentlicher und philosophischer Tradition gespeist ist, warnt uns jedoch vor einer solcher Interpretation; denn der Begriff »Gerechtigkeit« birgt den Impuls zu einer Lebenshaltung, die der jüdische Fromme nicht weniger akzeptieren konnte als der Heide, der sich um den βίος φιλοσοφικός mühte. Die verkürzte Aussage über Paulus erscheint so als Versuch, von einem zentralen Thema antiker Lebensgestaltung her die christliche Botschaft auszulegen. Im Hinblick auf die Gemeinde in Korinth, die sich unmittelbar auf paulinische Briefe berufen konnte, gewinnt diese Akzentuierung noch mehr Gewicht, weil gerade hier ein »moralisches« Mißverständnis des Apostels auch die Wirkung des römischen Schreibens mindern konnte.

2. Die dialogisch motivierte Ethisierung

Die Berufung auf den Glauben als Basis christlicher Existenz bereitete offensichtlich dem antiken Menschen nicht geringe

---

[18] Vgl. Justin, apol. I 4,7: »τὸν αὐτὸν τρόπον κακῶς ζῶντες ἴσως ἀφορμὰς παρέχουσι τοῖς ἄλλως καταλέγειν τῶν πάντων Χριστιανῶν ἀσέβειαν καὶ ἀδικίαν αἱρουμένοις« (Goodspeed 28). Siehe dazu *V. Stegemann*, Christentum und Stoizismus im Kampf um die geistigen Lebenswerte im 2. Jahrhundert nach Christus, in: Die Welt als Geschichte 7 (1941) 295–330, bes. 308.

[19] *P. Mikat*, Die Bedeutung der Begriffe Stasis und Aponoia für das Verständnis des 1. Clemensbriefes (Arb.-Gem. f. Forsch. d. Landes Nordrhein-Westfalen, Geisteswiss. 155), Köln-Opladen 1969.

Schwierigkeiten. Aus der philosophischen Tradition war ihm die Auffassung zugewachsen, daß der Mensch sein Leben auf Einsicht und Weisheit aufbauen müßte. Insbesondere durch den Stoizismus wurde das Ideal des Weisen propagiert, antithetisch dem Toren gegenübergestellt, der gewissermaßen als »geisteskrank« erachtet wurde. »Beim Weisen ist der Logos gesund und stark, und im unerschütterlichen Besitz der rechten Erkenntnis vermag er sich gegenüber allen lockenden Einflüssen aufrechtzuerhalten. Nie wird er aus Schwäche einer falschen Vorstellung zustimmen. Er wird wohl im Zweifelsfalle sein Urteil zurückhalten, aber nie in Doxa oder Irrtum verfallen; nie braucht er seine Meinung zu ändern.« So schildert *Max Pohlenz* die grundlegende Funktion der Vernunft für das gesamte menschliche Verhalten.[20]

Unter dem Anspruch des Logos stehend, gewinnt für den antiken Menschen der Geist eine enorme Bedeutung; denn aus ihm fließen jene Einsichten, die zum rechten Handeln führen. Die κατορθώματα entsprechen nach Auffassung der Stoiker dem Logos, die ἁμαρτήματα stehen in Gegensatz zu ihm. Unabdingbar bleibt damit das ethische Verhalten an die Reflexion des Geistes gebunden, ja die rechte Erkenntnis macht geradezu das Wesen der Tugend aus; insofern kann man von einem Intellektualismus sprechen, der das sittliche Handeln prägt.

Demgegenüber wirkt die biblische Forderung des Glaubens als Herausforderung und Widerspruch. Paulus hat den Gegensatz klar markiert, indem er der Weisheit der Welt die Torheit des Glaubens gegenübergestellt hat (1 Kor 1,18 ff). In einer Welt, die von einem starken Drang nach Erkenntnis erfüllt war, bedeutete der Glaube eine Schranke für alle, die sich dem Christentum näherten; seine Anhänger standen unter dem Verdacht, den Logos als bestimmendes Element ihres Lebens zu ignorieren, ein Motiv, das allseits zur Disqualifizierung der Gläubigen diente. Tatsächlich polemisiert das aufgeklärte Heidentum auch gegen die Haltung des Glaubens, wie sie von den Christen gefordert wird. Der heidnische Philosoph und Arzt Galenos († um 199) bemerkt abschätzig, daß Juden und Christen ihre Anhänger nötigten, alles auf Glauben hin anzunehmen.[21] Ein Zeitgenosse Galenos', der Platoniker Kelsos, schlägt in die gleiche Kerbe, wenn er in seinem

---

[20] M. *Pohlenz*, Die Stoa. Geschichte einer geistigen Bewegung, 2 Bde., Göttingen 1948, Bd. 1, 154 f.
[21] R. *Walzer*, Galen on Jews and Christians, London 1949, 48 f.

'Αληθὴς λόγος den Christen vorwirft: »Einige von ihnen hätten gar nicht die Absicht, von dem, was sie glauben, Rechenschaft zu geben oder zu nehmen; sie folgen dem Grundsatz: ›Prüfe nicht, sondern glaube!‹ und: ›Dein Glaube wird dich retten‹« (Mk 5,36; 9,23; Mt 9,22).[22] Zwar scheint nach diesem Text Kelsos auch geistig aufgeschlossene Christen zu kennen, aber an seinem grundsätzlichen Urteil ändert dies nichts; er spricht von einer »idiotischen Lehre«. Diese Polemik gegen den Anspruch des Glaubens hält in den folgenden Jahrhunderten an. Eusebios berichtet, daß nicht wenige Heiden am Christentum das Fehlen des Logos bemängeln und daß die Auffassung seiner Anhänger auf »einem unvernünftigen Glauben und einer unkritischen Zustimmung« beruhe.[23] Und noch mitten in den sogenannten »christiana tempora« sieht sich Gregor von Nazianz († um 390) veranlaßt, Kaiser Julian (361–63) entgegenzutreten, der seine heidnische Restauration unter der Antithese betrieb:»Uns gehören Wissenschaft und Bildung, weil wir die Götter verehren. Für euch (Christen) passen Dummheit und Rohheit; euer oberster Grundsatz und eure Weisheit ist: Glaube!«[24]

In dieser späten Phase gehen die religiösen und philosophischen Argumente bereits ineinander über, während ursprünglich die ethischen Forderungen weniger von seiten der Religionen als durch die Vertreter der Philosophie erhoben wurden. Sie waren es, die das Wesen der Sittlichkeit beschrieben und ihre Prinzipien von der Vernunft des Menschen her entfalteten. Nachgerade zwangsläufig mußte es zum Zusammenstoß mit den Christen kommen, die ihre Lebenshaltung auf den Glauben gründeten.

Jedenfalls demonstrieren die angeführten Zeugnisse in aller Deutlichkeit, daß die christliche Glaubensforderung bei den logosorientierten Heiden auf Unverständnis stieß und deshalb diskreditiert wurde. Dem griechischen Menschen bedeutete πίστις wenig. Vor allem »glaubte« er nicht an Götter; ihre Existenz war ihm mehr oder weniger selbstverständlich, da er ihre Macht ständig erfuhr. Christlicher Glaube erschien demgegenüber unqualifiziert, als ein »Fürwahrhalten« aufgrund bloßer Überredung. Man

---

[22] Origenes, c. Cels I 9 (GCS 2,61). Vgl. *C. Andresen*, Logos und Nomos. Die Polemik des Kelsos wider das Christentum (Arb. z. Kirchengesch. 30), Berlin 1955, bes. 168 f.

[23] Eusebios, praep. ev. I 1: »ἀλόγῳ δὲ πίστει καὶ ἀνεξετάστῳ συγκαταθέσει« (GCS 43,1,7).

[24] Gregor Naz., or. IV 102: »Ἡμέτεροι ... οἱ λόγοι, καὶ τὸ Ἑλληνίζειν, ὧν καὶ τὸ σέβειν θεούς· ὑμῶν δὲ ἡ ἀλογία καὶ ἡ ἀγροικία· καὶ οὐδὲν ὑπὲρ τὸ, Πίστευσον, τῆς ὑμετέρας ἐστὶ σοφίας« (PG 35,636 f).

vermißte am Glauben die kritische Vernunft, die nicht nur für die Erkenntnis, sondern ebensosehr für die Lebensgestaltung als wesentlich erachtet wurde. Auch wenn aus einer solchen Einschätzung vielfach eine vulgäre Polemik entstand,[25] im Grunde traf dieser Vorwurf den Kern der christlichen Botschaft. Offensichtlich war sich die gelehrte Umwelt über die Grundvoraussetzung des christlichen Lebens im klaren. So bestätigen eigentlich weniger die christlichen Schriftsteller als die heidnischen Gegner, die sich nicht nur auf propagandistische Verunglimpfungen beschränkten, daß die Missionspredigt keineswegs auf das zentrale Thema des Glaubens verzichtete.

Wenn die christlichen Quellen von dieser Auseinandersetzung relativ wenig berichten, dann liegt der Grund hierfür wohl in dem Umstand, daß man den heidnischen Widerspruch nicht stärker provozieren wollte. Die Vertreter des Christentums waren darauf bedacht, eine Konvergenz mit den tragenden Ideen der Umwelt herzustellen. In dieser Hinsicht war der Versuch der frühen Alexandriner von weitreichender Bedeutung, wenn sie die biblische πίστις dem antiken Erkenntnisstreben zuordneten und so die Antithese zur γνῶσις überwanden. In der Entstehung des Dogmas fand diese Symbiose unübersehbaren Ausdruck.[26]

Während dieser Vorgang von seiten der Forschung klar registriert, wenn auch unterschiedlich beurteilt worden ist, drang die Übersetzung der πίστις in ethische Weisungen weniger ins Bewußtsein. Tatsächlich vollzog sich aber gerade hier eine Angleichung des Christentums an das antike Lebensgefühl, die vor dem Hintergrund der Glaubensdiskussion in ihrer Motivation deutlich wird. Zwar bestimmt die eigentümliche Zuordnung von Glaube und Ethik von Anfang an die christliche Botschaft, die wachsende Prävalenz der Sittlichkeit hängt aber fraglos auch mit der geschilderten Polemik zusammen, wonach mangelnde Erkenntnis zwangsläufig zu sittlichem Fehlverhalten führt. Aufgrund ihres Glaubens hielt man die Christen von vornherein für unfähig zu echter Sittlichkeit; ein Vorurteil, dem man am wirksamsten mit dem Hinweis auf die Lebensführung der Gläubigen begegnen konnte. Den Tiefgang der Auseinandersetzung macht allerdings

---

[25] Vgl. *E. Norden*, Die antike Kunstprosa vom VI. Jahrhundert v. Chr. bis in die Zeit der Renaissance, Bd. 2, Darmstadt [5]1958, 512 ff.

[26] Nach wie vor sind die einschlägigen Bemerkungen *A. v. Harnacks* (Lehrbuch der Dogmengeschichte, Bd. 1: Die Entstehung des kirchlichen Dogmas, Darmstadt [4]1964, 337 ff) lesenswert, wenngleich sich das Urteil über den Verschmelzungsprozeß geändert hat.

erst der Umstand deutlich, daß die menschliche Vervollkommnung als primäres Lebensziel antiker Ethik betrachtet wurde. Auch wenn sich εὐσέβεια mit φιλανθρωπία vor allem im Vulgärbereich zu einer Art Tugendkanon ausbildeten, so kann man ersterer schwerlich den Rang zuerkennen, der der biblischen Gottesliebe eignet (Mk 12,30 f par).[27] Primär im Vordergrund des ethischen Bewußtseins standen vielmehr jene Tugenden, die auf die menschliche Vollkommenheit zielten. »Human perfection manifests itself principally in wisdom, based on moral perfection as achieved by the different moral virtues, which are substantially identical in all later Greek philosophy.«[28] Die verschiedenen Tugenden konvergieren in einem Menschenbild, das als allgemeines Ideal zum Maß aller Dinge wird.

Die christliche Missionspredigt konnte das Menschenbild der heidnischen Umwelt nicht ignorieren. Zwar ließ man keinen Zweifel an der Überordnung Gottes als Schöpfer des Menschen, aber unter diesem Vorzeichen bot sich durchaus die Möglichkeit, ethische Prinzipien der Umwelt zu rezipieren. Als entscheidendes Hindernis für eine solche Übernahme erwies sich offensichtlich der Akt des Glaubens, der, wie gezeigt, nach antik-heidnischer Auffassung die Sittlichkeit des Menschen in Frage stellte. Der Heide Caecilius faßt das gängige Urteil über die Christen zusammen, das dann einmündet in die bekannten sittlichen Vorwürfe: »Aus der untersten Hefe des Volkes sammeln sich da die Ungebildeten und die leichtgläubigen Weiber, die wegen der Beeinflußbarkeit ihres Geschlechts ohnehin auf alles hereinfallen.«[29]

Die christlichen Apologeten sahen sich genötigt, entschieden die konkreten Verleumdungen zurückzuweisen; nicht minder wichtig war aber die Aufgabe, jenes heidnische Vorurteil abzubauen, wonach die Haltung des Glaubens keine echte Sittlichkeit ermögliche. Es ging darum, Glaube von seinen verächtlichen Koordinaten, die ihn auf die Ebene des Aberglaubens einengten, zu befreien und ihn als Basis christlicher Lebensverwirklichung zu propagieren. Von dieser Situation her ist dann weniger eine Analyse

[27] Wenn A. Dihle sich auf einen göttlichen und einen menschlichen Bereich als Bezugspunkte beschränkt, kann man seinen von den Untersuchungen Th. Klausers über die Oransgestalt und den Schafträger angeregten Ausführungen beipflichten: Der Kanon der zwei Tugenden 9.

[28] R. Walzer, Galen on Jews and Christians 49.

[29] Minucius Felix, Oct. 8,4 (CSEL 2,12).

des Glaubensaktes zu erwarten als eine Interpretation im Sinn einer Antwort auf die von der Umwelt gestellten Fragen bzw. der kolportierten Verdächtigungen.

Die sogenannten Apologeten versuchten diese Aufgabe in verschiedener Weise zu lösen; vor allem sind es zwei Aspekte, die in unserem Zusammenhang interessieren, nämlich das Heranrükken des Glaubens an die Erkenntnis sowie der Verweis auf die tatsächlich gelebte Sittlichkeit der Gläubigen.

Aufschlußreich für das Verständnis des Glaubens als Erkenntnis ist die Äußerung des Apologeten Aristeides, der dem Kaiser Hadrian (117–138) erklärt: »Die Christen haben umhersuchend die Wahrheit gefunden und stehen, wie wir ihren Schriften entnommen haben, der Wahrheit und genauen Kenntnis näher als die übrigen Völker. Denn sie kennen Gott als den Schöpfer und Demiurgen des Alls, durch den alles und von dem alles ist – einen anderen Gott verehren sie nicht –, von dem sie die Gebote empfingen, die sie in ihre Herzen eingezeichnet haben und beobachten in der Hoffnung und Erwartung der künftigen Welt.«[30] Der christliche Gottesglaube wird hier vorgestellt als Erkenntnis, und zwar im Hinblick auf die Schöpfungsordnung (Röm 1,18 ff). Auch wenn die verschiedenen Lesarten des Textes Schwierigkeiten bereiten, so wird durch Zusätze einzelner Varianten, wie die Erwähnung des Sohnes und des Heiligen Geistes oder die Vermittlung der Gebote durch Christus, sichtbar, daß solche Erkenntnis den natürlichen Bereich überschreitet und den Glauben unmittelbar tangiert. Gerade nach außenhin berufen sich die Apologeten aber weniger auf die Autorität der apostolischen Verkündigung, sondern mehr auf die allseits einsichtige Schöpfungswirklichkeit. Diese Tendenz begegnet uns oftmals in der frühchristlichen Literatur; sie hat zu einem gewissen Übergewicht der sogenannten natürlichen Theologie geführt.[31] Die Versuche Theophilos' von Antiochien († vor 200), den Glauben anhand natürlicher Analogien als vernunftmäßig auszuweisen,[32] erfolgen im Grunde aus dem gleichen Bestreben, der heidnischen Polemik den Boden zu entziehen. Daß gegen eine solche Harmonisierung in der Kirche auch Widerspruch laut wurde, zeigt uns eindringlich der Protest

---

[30] Aristeides, apol. 15,3 (Goodspeed 20).

[31] W. *Eltester*, Schöpfungsoffenbarung und natürliche Theologie im frühen Christentum, in: NTS 3 (1956/57) 93–114.

[32] Theophilos, ad Autol. I 8 (SChr 20,74 f).

Tertullians.[33] Man wird aber den Vorgang weder als innertheologisches Mißverständnis des Glaubens deuten können noch kurzschlüssig als Abfall von paulinischer Höhe, sondern als Auseinandersetzung mit der Umwelt, die den christlichen Denkern weithin die Themen der Diskussion auferlegte.

Der gleiche Sachverhalt nötigte auch die Apologeten zur Hervorhebung der christlichen Sittlichkeit. Aus dem oben zitierten Text des Aristeides erkennt man, wie das Thema vom logosorientierten Glauben rasch überwechselt auf die Ethik; offensichtlich sieht der Verfasser zwischen beiden Phänomenen einen engen Zusammenhang. Seine Argumentation läuft darauf hinaus, daß das sittliche Verhalten der Christen auf Geboten beruht, die von Gott gegeben sind. Der Vertreter des Christentums setzt sich damit von der heidnischen Auffassung ab, die ja gerade keine religiöse Grundlage der Ethik anerkannte. Bekanntlich mokierten sich die christlichen Apologeten gerne über die im Mythos erzählten Göttergeschichten mit ihren oft fragwürdigen sittlichen Themen. Wenn demgegenüber die neue Sittlichkeit auf Gott zurückgeführt wird, dann nicht nur unter dem Aspekt einer voluntaristischen Setzung, sondern im Hinblick auf den Schöpfer. Diesen Gott kann der Mensch aus den Werken erkennen, er braucht ihn – nach Ansicht der Heiden – nicht nur zu glauben. Damit wird der immer wiederholten Disqualifizierung des christlichen Glaubens der Boden entzogen. Die folgenden Hinweise[34] auf das faktische Verhalten der Gläubigen wirken wie eine Demonstration christlicher Sittlichkeit. Dieser »Beweis aus den Fakten« gehört förmlich zum Repertoire der frühchristlichen Apologetik. Erinnert sei nur an Justin, der feststellt, das Christentum habe bei seinen Bekennern einen sittlichen Wandel herbeigeführt.[35] So resümiert auch Athenagoras († nach 180) die Lehren, in denen die Christen erzogen werden, durch den Hinweis auf Lk 6,27 f, die Forderung der vollkommenen Liebe. Und im Brief an Diognet (um 200) stoßen wir bereits auf die selbstbewußte Äußerung, daß die Christen einen wunderbaren und anerkanntermaßen überraschenden Wan-

---

[33] Die Angleichung erfolgte immer nur unter Vorbehalt, selbst dann, als der heidnische Widerspruch verstummt war. Zum Problem siehe *P. Stockmeier*, Glaube und Paideia. Zur Begegnung von Christentum und Antike, in: ThQ 147 (1967) 432–452, bes. 443 ff [in diesem Band S. 120–137, bes. 130 f].

[34] Aristeides, apol. 15,4–12 (Goodspeed 20 f).

[35] Justin, apol. I 14 ff (Goodspeed 34 f).

del in ihrem bürgerlichen Leben an den Tag legen.[36] – Ohne Schwierigkeiten ließen sich die Belege für die Zuordnung der Ethik zum Glauben vermehren. Aber schon die angeführten Zeugnisse illustrieren zur Genüge, wie man auf seiten der Christen dem von der philosophischen Ethik her erhobenen Einwand der Unvereinbarkeit von Glauben und Ethos begegnete. Wenn dabei das Modell eines rational verantworteten Glaubens und das sittliche Ideal des Christentums in besonderer Weise an Boden gewinnen, dann ist dieser Vorgang nicht zuletzt von der zeitgenössischen Situation her zu beurteilen. Die Gläubigen sahen sich vor die Notwendigkeit gestellt, auf die Einwände von außen einzugehen und demgemäß die christliche Botschaft auszulegen; sie konnten sich nicht darauf beschränken, im Blick auf ihr »Wesen« einfach nur binnenkirchlich Theologie zu treiben.

Die Antithese von Glaube und Ethos verhinderte eine ungebrochene Adaption des heidnisch-philosophischen Tugendsystems. Zwar ist der Kenner des frühen Christentums und seiner Umwelt kaum über die weitgehende Ähnlichkeit sittlicher Forderungen überrascht; andererseits erwachsen aus der biblischen Tradition auch spezifische Eigenheiten des christlichen Ethos. Bei aller Offenheit für die sittlichen Kategorien und Tugenden der heidnischen Umwelt kann man freilich die entschiedene Rückführung des christlichen Ethos auf Gott nicht außer acht lassen. Während die heidnischen Denker das Ethos anthropozentrisch begründeten, führten es die frühen Theologen auf Gott zurück; diese Theozentrik bleibt trotz aller Assimilation gewahrt.

Es ist nur folgerichtig, wenn hier der Glaube jene Stelle einnimmt, die von den Philosophen der ratio zugewiesen war. Auch wenn dieser Glaube durch unterschiedliche Argumentationen überlagert erscheint, in der theonomen Orientierung erweist er sein tragendes Gewicht; insofern hat er auch die antike Hochschätzung der ἀρετή relativiert.

---

[36] Die Stelle findet sich in der bekannten Charakteristik der Christen: ep. ad Diogn. 5 (Bihlmeyer-Schneemelcher 143 f).

Glaube und Paideia *

Zur Begegnung von Christentum und Antike

Die Frage nach der Begegnung von Christentum und Antike wirft eine Vielzahl von Problemen auf, die in der Mehrschichtigkeit des geschichtlichen Vorgangs begründet sind.[1] Auf verschiedenen Ebenen vollzog sich ein Prozeß der Angleichung, der trotz mancher Ähnlichkeit in den Strukturen äußerst differenziert ist, sei es nun im Hinblick auf das Bündnis zwischen Kirche und Staat, die Adaption religiöser Formen oder das Verhältnis von Glaube und Paideia. Rückschauend vermittelt das sogenannte abendländische Christentum als Produkt jener Synthese ein imponierendes Bild der Geschlossenheit; vom Ursprung her machten sich jedoch auch in diesem Geschehen Spannungen geltend, die oftmals erst in einem langwierigen Prozeß zum Ausgleich kamen. Insofern schwingt auch in unserem Thema Glaube und Paideia ein »oder« mit.

Der Zweifel an der Legitimität dieser Synthese ist in der Tat nie ganz verstummt. Er macht sich bis zur Gegenwart geltend im Widerspruch zur »wissenschaftlichen« Theologie oder in manchen Formen kulturpolitischer Auseinandersetzung; schwerer wiegt der Einwand der dialektischen Theologie, der nicht zuletzt

* Öffentliche Antrittsvorlesung an der Universität Tübingen am 13. Juli 1967. Erschienen in: ThQ 147 (1967) 432–452. Nachdr. in: H. Th. Johann (Hrsg.), Erziehung und Bildung in der heidnischen und christlichen Antike (Wege d. Forsch. 377), Darmstadt 1976, 527–548.

[1] Zum grundsätzlichen Verhältnis beider Größen und der innewohnenden Problematik siehe P. Henry, Art. Hellenismus und Christentum, in: LThK² V 215–222 (mit Literatur). H. Fuchs, Art. Bildung, in: RAC II 346–362, bietet einschlägiges Material unter dem Aspekt der Paideia. Um von vornherein einem Mißverständnis vorzubeugen, sei darauf hingewiesen, daß die nachfolgenden Überlegungen nicht im Horizont der Harnackschen These von der Hellenisierung des Christentums stehen, sondern das eigentümliche Spannungsverhältnis von Glaube und Paideia untersuchen, dessen Aktualität beispielsweise in der knappen Skizze von F. Müller anklingt, Kerygma und Paideia, in: Zeit und Geschichte. Dankesgabe an R. Bultmann zum 80. Geburtstag, hrsg. v. E. Dinkler, Tübingen 1964, 615–621. Zumeist steht im Vordergrund der Diskussion das Verhältnis der Kirchenväter zu den heidnischen Klassikern, etwa bei H. Chadwick, Early christian thought and the classical tradition. Studies in Justin, Clement, and Origen, Oxford 1966. Geistvoll, aber in den Folgerungen gelegentlich fragwürdig erscheint A. Dempf, Geistesgeschichte der altchristlichen Kultur, Stuttgart 1964.

aus der Krise eines brüchigen Kulturoptimismus erwuchs. Umgekehrt fand die Osmose von Glaube und Paideia auch selbstverständliche Anerkenntnis. Gerade den Humanismus, in etwa Äquivalent der antiken Paideia, sieht man weithin im Christentum unüberbietbar realisiert.[2] Doch auch sein innerweltlicher Gegenentwurf, etwa in Form des Kommunismus, wird von *Karl Marx* als »wahrer Humanismus« gepriesen.[3] So erhebt sich in neuer Form eine Problematik, die in der frühen Kirche durch Jahrhunderte lebendig war. In dem Versuch, ihre Phasen aufzuzeigen, wird eine Spannung bewußt, die durch eine schematische Betrachtungsweise in ihrem eigentümlichen Gefälle allzu leicht verblaßt.

1. Die Antinomie zwischen Glaube und Paideia

Eine kritische Betrachtung jenes Vorganges, der zur Verschmelzung von Glaube und Paideia führte, hat jeweils von deren Selbstverständnis auszugehen, das einerseits in der Heiligen Schrift, andererseits in der antiken Tradition grundgelegt ist. Um die Konturen des oft verschlungenen Weges zu erfassen, sind jedoch die Ausgangspositionen akzentuiert zu umreißen, da die Tendenz zum Ausgleich den Kontrast überbrückt.

Grundlegend für den Glauben als der menschlichen Antwort auf die eschatologische Heilstat Gottes in Jesus Christus ist dessen Gnadenhaftigkeit.[4] Diese Antwort erwächst nicht aus dem Tun des Menschen, sondern wird ihm von Gott her geschenkt; insofern ist Glaube auch nicht gebunden an den Intellekt und die Geisteskräfte des Menschen, er entspringt einem anderen Horizont. Charakteristisch hierfür sind die Worte aus dem sogenannten Jubelruf, wo es im Anschluß an Jes 29,14 von der Heilsansage heißt: »Ich preise dich, Vater, Herr des Himmels und der Erde, da

---

2 *W. Jaeger* stellt das Christentum bewußt als Vollendung antiker Paideia dar (Das frühe Christentum und die griechische Bildung, übers. v. W. Eltester, Berlin 1963). Auf dieser Linie stehen auch die Vorträge von *H. Rahner*, Abendländischer Humanismus und katholische Theologie, in: Abendland, Freiburg-Basel-Wien 1966, 24–55; Gibt es einen christlichen Humanismus, in: ebd. 56–68. Zum Problem allgemein siehe *H. Kuhn*, Humanitas christiana, in: Interpretation der Welt. Festschr. f. R. Guardini, Würzburg ²1965, 151–171.

3 *K. Marx*, Der historische Materialismus. Die Frühschriften, hrsg. v. S. Landshut u. J. P. Mayer, Leipzig 1932, II 294 f.

4 Die verschiedenen Nuancen des biblischen Glaubensverständnisses hebt deutlich hervor *R. Bultmann*, Art. πιστεύω, in: ThWNT VI 174–230. Vgl. auch *M. Seckler*, Art. Glaube, in: HThG I 528–548.

du dies vor den Weisen und Klugen verborgen und den Unmündigen geoffenbart hast« (Mt 11,25; Lk 10,21). Unüberhörbar vernehmen wir die Absage der Offenbarung an irdische Weisheit und Klugheit.[5] Tatsächlich läßt sich auch nicht übersehen, daß die Umgebung Jesu antiker Paideia fernstand; es sammelten sich um ihn vorwiegend jene Leute, welche – um eine spätere Formel zu gebrauchen – die Sprache der Fischer reden.[6] Vom Kreuzesgeschehen her verschärft Paulus im Brief an die Korinther den Gegensatz zur παιδεία. Zurückgreifend auf Jes 29,14 fragt er, bezeichnenderweise in eindrucksvoller Rhetorik: »Hat Gott nicht die Weisheit dieser Welt zur Torheit gemacht? Denn weil die Welt in ihrer Weisheit Gott in seiner Weisheit nicht erkannt hat, gefiel es Gott, durch die Torheit der Predigt die zu retten, die glauben« (1 Kor 1,20 f). In der Verkündigung des Kreuzes (1 Kor 1,18) erfährt das Paradox des Glaubens seine schärfste Zuspitzung. Auch wenn der Apostel in seiner Polemik auf eine besondere (gnostische) Lehre der Korinther zielt, die Antithese des Glaubens zur Weltweisheit bleibt dennoch bestehen. Gleichwohl kann man von der Schrift her nicht schlechthin gegen Weisheit und Bildung argumentieren. Die Ansätze zu einer Öffnung auf die antike Paideia hin sind bekannt; am großartigsten exemplifiziert sie Lukas in der Szene auf dem Areopag zu Athen, wo der Völkerapostel den Repräsentanten der antiken Kultur positiv gegenübertritt (Apg 17,19–34).[7] Von den Anfängen her ist so den Christen das Thema Glaube und Paideia aufgegeben.

Die Antithese zum christlichen Glauben bildet die antike Paideia. *Werner Jaeger* hat in einem umfangreichen Werk unter dem Begriff *Paideia* die Entfaltung und die Leistung des griechischen Geistes dargestellt.[8] Der Terminus repräsentiert fraglos die griechische

---

[5] *U. Wilckens*, Weisheit und Torheit. Eine exegetisch-religionsgeschichtliche Untersuchung zu 1. Kor 1 und 2, Tübingen 1959, 198 ff. Die relativierende Funktion des Glaubens gegenüber der antiken Paideia betont *H. v. Campenhausen*, Glaube und Bildung im Neuen Testament, in: Tradition und Leben. Kräfte der Kirchengeschichte, Tübingen 1960, 17–47. Siehe außerdem *O. Cullmann*, Das Urchristentum und die Kultur, in: Vorträge und Aufsätze 1925–1962, hrsg. v. K. Fröhlich, Tübingen-Zürich 1966, 485–501.

[6] Zum Urteil über die Sprache der Bibel beachte *E. Norden*, Die antike Kunstprosa vom VI. Jahrhundert v. Chr. bis in die Zeit der Renaissance, Bd. 2, Darmstadt [5]1958, 512 ff.

[7] Zur Stelle vgl. *E. Haenchen*, Die Apostelgeschichte, Göttingen [13]1961, 453 ff. Auch wenn es sich bei der Areopagrede um eine »ideale Szene« handelt, wird das Bestreben nach einer Begegnung mit antiker Paideia sichtbar. »Paulus spricht dem Sinne nach zu ganz Athen, und Athen wiederum repräsentiert die gesamte griechische Kultur und Frömmigkeit« (ebd. 466).

[8] Paideia. Die Formung des griechischen Menschen, 3 Bde., Berlin [3-4]1959.

Kultur, welche nach Hesychios (5. Jh. n. Chr.) in ἀγωγή und ὠφέλιμος διδαχή ihren Ausdruck gefunden hat. Als lateinisches Äquivalent fungiert in etwa humanitas; so erklärt jedenfalls der römische Grammatiker Aulus Gellius: »humanitatem appellarunt id propemodum, quod Graeci παιδείαν vocant, nos eruditionem institutionemque in bonas artes dicimus.«[9] Freilich ist die Abgrenzung nach dem Horizont der jeweiligen Schriftsteller unterschiedlich. Schon die Erklärung des Hesychios macht deutlich, daß Paideia in der antiken Welt eine vielschichtige Größe darstellt. Charakteristisch für sie ist die Ausfaltung in eine »culture philosophique« und eine »culture oratoire«; in dieser Terminologie von Henri-Irénée Marrou[10] klingt eine weitere Bedeutungsnuance von Paideia an, nämlich Kultur. Unter dem Aspekt der Erziehung begegnen wir dem Wort auch in der griechischen Übersetzung des Alten Testamentes, ein Umstand, der die Übernahme durch die christlichen Schriftsteller sicher erleichterte.[11] Der Kontrast antiker Paideia zum christlichen Glauben erhellt bereits aus dieser knappen Skizze, er wird verschärft durch den Sachverhalt, daß Paideia anthropozentrisch ausgerichtet ist; für sie gilt der Satz des Protagoras: »Jeder Mensch ist für sich das Maß der Dinge.«[12] Weil der Mensch in ihr zudem die Möglichkeit der Lebenserfüllung erblickt, bekommt sie sogar eine religiöse Note. Zwangsläufig tritt sie damit in Gegensatz zur Torheit des Kreuzes. Die Möglichkeit einer innerweltlichen Erfüllung menschlicher Existenz unter dem Leitwort Paideia widerspricht dem neutestamentlichen Kerygma, das unter dem Zeichen des Kreuzes zur Krisis anthropozentrischer Heilserkenntnis führt. Zwangsläufig entstand so ein Zwiespalt, der sich in der Geschichte der alten Kirche anhaltend geltend machte und in einer erstaunlichen Weise das christliche Bewußtsein bewegte. Die zunehmende Verschränkung von Glaube und Paideia erfolgte so gewissermaßen mit »einem schlechten Gewissen«, das sich in der Rechtfertigung dieses Prozesses nicht weniger äußert als im offenen Protest.

---

[9] Gellius, noct. att. XIII 17.
[10] H.-I. Marrou, Geschichte der Erziehung im klassischen Altertum (hrsg. v. R. Harder), Freiburg-München 1957, bes. 137 f.
[11] G. Bertram, Art. παιδεύω, in: ThWNT V 596–624, bes. 607 ff. Eirenaios von Lyon gebraucht den Begriff oftmals in seiner heilsgeschichtlich orientierten Theologie; vgl. Ch. Hörgl, Die göttliche Erziehung des Menschen nach Irenäus, in: Oikoumene, Catania 1964, 323–349.
[12] Platon, Theait. 152 a.

2. Die Rechtfertigung einer christlichen Paideia

Nur wenige Themen wurden in der alten Kirche so heftig und anhaltend diskutiert wie das Zueinander von Glaube und Paideia. Die Begegnung von Christentum und Antike begleitet diese Frage in der Weise eines Leitthemas, das trotz aller (Auf-) Lösungsvorschläge immer wieder anklingt. Die natürliche Harmonie, welche in manchen Darstellungen stillschweigend vorausgesetzt wird,[13] nivelliert den Vorgang zu stark; tatsächlich stoßen wir auf Dissonanzen, die im Grunde die Antinomie von Glaube und Paideia aktualisieren. Insofern vollzieht sich auch die sogenannte Hellenisierung des Christentums nicht in blinder Öffnung, sondern in ständiger Rückfrage auf das Wesen des Glaubens. Fraglos spielen hierbei primitive Tendenzen einer Bildungsfeindlichkeit eine Rolle; doch läßt sich die Reserve nicht darauf reduzieren. Die diastolische Entwicklung gründet auf verschiedenen Faktoren, sie ist aber letztlich bestimmt von einer wachsenden Konvergenz zwischen Glaube und Paideia.

Eine außerordentlich kühne Lösung schlägt bereits Klemens von Rom vor, wenn er die Kinder teilhaben lassen möchte an einer »Paideia in Christus«.[14] Gewiß stellt sich dem Verfasser des Schreibens die Aufgabe der Erziehung, die bereits in den Pastoralbriefen von dem veränderten Bewußtsein hinsichtlich der Enderwartung Zeugnis gibt.[15] Die – fast möchte man sagen: klassische – Wortprägung von der παιδεία ἐν Χριστῷ wirft allerdings auch Probleme auf, insofern sie nahezu Unvereinbares zu verbinden sucht. Die pointierte substantivische Formel macht klar, daß sich der Autor des Kontrastes zur griechischen Paideia bewußt ist, da er sie unter das Vorzeichen der paulinischen Formel ἐν Χριστῷ stellt.[16] Ohne Zweifel beschreitet er damit einen zu-

---

13 *O. Gigon* berücksichtigt dieses Spannungsverhältnis doch zu wenig, wenn er rundweg erklärt: »Das Christentum hat im Unterschied zu allen vergleichbaren antiken Religionsgemeinden von den früheren Zeiten an zur geistigen Ebenbürtigkeit mit der griechischen und römischen Bildung gestrebt.« (Die antike Kultur und das Christentum, Darmstadt 1967, 180). Ohne Zweifel suchte die junge Kirche das Gespräch mit den Repräsentanten der antiken Paideia, aber es blieb dabei der vom Glauben her gesetzte Vorbehalt lebendig.

14 1 Klem 21,8: »τὰ τέκνα ἡμῶν τῆς ἐν Χριστῷ παιδείας μεταλαμβανέτωσαν« (Fischer 54,7 f). Zur Verwendung des Terminus allgemein siehe *P. Stockmeier*, Der Begriff παιδεία bei Klemens von Rom, in: TU 92, Berlin 1966, 401–408.

15 Das Problem der Erziehung in dieser Periode behandelt ausführlich *W. Jentsch*, Urchristliches Erziehungsdenken, Gütersloh 1951.

16 *W. Jaeger* betont ausdrücklich das komplexe Verständnis von Paideia: »Für Clemens ist diese als Bedeutung des Wortes ebenso überall gegenwärtig. Aber es ist deutlich, daß er es

kunftsweisenden Weg, das Problem als solches stellt sich aber dadurch nur dringlicher. Die Formel aus dem Klemensbrief wirkt wie eine Umarmung der Antike, die sich in der Paideia einen so großartigen Ausdruck geschaffen hat. Es fällt nicht schwer, sie unter diesem Gesichtspunkt ins Christentum einzubringen, wobei freilich die Antike ihre eigentümliche Schwerkraft bewahrt. *Werner Jaeger* hat in seiner Skizze über »Das frühe Christentum und die griechische Bildung« den Einfluß griechischen Geistes, eben der Paideia, auf die Argumentation des Verfassers gegenüber den Korinthern hervorgehoben. Welche Gefahren in einem solchen Programm enthalten sind, das demonstriert der Brief der römischen Gemeinde nach Korinth im übrigen selbst, da die Unterscheidung des Christlichen nicht immer in wünschenswerter Klarheit geübt wird. Durch ein christliches Vorzeichen, und sei es auch die paulinische Formel ἐν Χριστῷ, scheint der Vorbehalt des Glaubens keineswegs gewährleistet. Die Antinomie zwischen der Torheit des Kreuzes und der Weisheit der Welt, die den gleichen Adressaten eine Generation vorher so eindringlich vor Augen gestellt worden war, ist hier nahezu neutralisiert.

Mit großer Energie verfolgt man in der Folgezeit auf seiten der Christen den Ausgleich der Gegensätze. Zweifellos wirkte dabei das Urteil der Öffentlichkeit mit, das uns Kelsos – gewiß überspitzt – vermittelt. Er unterstellt den Christen eine Haltung, die sich in folgenden Thesen äußert: »Kein Gebildeter komme zu uns, kein Weiser und kein Verstandesmensch! Solche Eigenschaften werden bei uns als Übel angesehen. Aber wenn einer ungelehrt, wenn einer unvernünftig, wenn einer ungebildet, wenn einer töricht ist, der möge ruhig kommen.«[17] Dieses Schlaglicht übertreibt sicher die tatsächliche Situation, es beleuchtet aber auch die öffentliche Meinung, die es zu korrigieren galt.

Spezieller setzt die Kritik des zeitgenössischen Philosophen und Arztes Galenos ein, der an der »Philosophie« der Christen (und auch der Juden) die Abhängigkeit vom Glauben bemängelt. Ein solcher Ansatz widerspricht seiner Meinung nach der Objektivität, er entbehrt der wissenschaftlichen Begründung.[18] Es ist be-

---

in einem viel weiteren Sinne in seinem Brief anwendet und auch, während er das Schriftzeugnis anführt, bei sich selbst genau die Vorstellung von Paideia hat, wie er sie den Korinthern in dem ganzen Brief vorträgt« (Das frühe Christentum 18).

[17] Origenes, c. Cels. III 44 (GCS 2,239,27–240,1). Zur Zusammensetzung der christlichen Gemeinden siehe *A. v. Harnack*, Die Mission und Ausbreitung des Christentums in den ersten drei Jahrhunderten, Leipzig ⁴1924, Neudr. Wiesbaden o. J., 559 ff.

[18] *R. Walzer*, Galen on Jews and Christians, Oxford 1949, 14 ff.

zeichnend, wie rasch von der Gegenseite das Thema Glaube und Paideia aufgegriffen wird; trotz oder gerade wegen des darin ausgesprochenen Mißverständnisses sehen sich die Vertreter der jungen Kirche genötigt, immer wieder darauf einzugehen. Vor allem bemüht sich die Apologetik des 2. Jahrhunderts um die Anerkenntnis der biblischen Botschaft als Paideia. Man appelliert in Schriftsätzen an den heidnischen Kaiser als einen Liebhaber der Paideia (ἐραστὴς παιδείας), einerseits um dessen humanitäre Gesinnung zu beschwören, andererseits in der Absicht, Aufgeschlossenheit für die christliche Verkündigung zu wecken, wobei diese unter dem Aspekt der Paideia als Lehre und Philosophie ausgewiesen wird.[19] Die Interpretation der Heilsbotschaft erfolgt dabei zwangsläufig in Anpassung an die Adressaten bzw. Hörer. Selbst Tatian der Syrer, der in seiner Polemik gewiß nicht wählerisch ist, kennzeichnet das Christentum als παιδεία.[20] Angesichts der heftigen Auseinandersetzung gefährdet eine solche Deutung nicht unmittelbar das Christentum; um des Dialogs willen war sie sogar notwendig. Umgekehrt erhalten dadurch Strukturen antiken Denkens Heimatrecht bei den Gläubigen. Wie sehr eine solche Adaption gefördert wurde, illustriert der Hinweis Tertullians auf die Notwendigkeit einer verhüllenden Predigt vom Kreuze: »Jawohl, dieses Kreuzmysterium mußte in der alten Verkündigung in Bilder gehüllt werden. Denn hätte man es bildlosnackt verkündet, es wäre ein noch viel größeres Skandalon geworden.«[21] Die Begegnung von Christentum und Antike erhält unter dem Leitwort παιδεία trotz aller Gegensätzlichkeit eine Dynamik, die alsbald auch das innere Gefüge der biblischen Botschaft prägt.

Die bewußte Übernahme des griechischen Denkens in das Christentum vollzogen die Theologen Alexandriens. In dieser geistig lebendigen Stadt hatte schon Philon die alttestamentliche Offenbarung mit den Kategorien der zeitgenössischen Philosophie interpretiert; hier vollzog sich auch die Synthese von Glaube und hellenischem Geist. Es war vor allem Klemens, der unter dem

---

[19] Justin, apol. I 1,2 (Otto 4); I 2,6 (Otto 8); dial. 8,1 f (Otto 32). Zur Argumentation der Apologeten und zum Problem allgemein siehe J. *Daniélou*, Message évangélique et culture hellénistique, Paris 1961.

[20] Tatian, or. ad Graecos 12,5 (Goodspeed 280); 35,2 (Goodspeed 300). Dazu siehe M. *Elze*, Tatian und seine Theologie, Göttingen 1960, 21.

[21] Tertullian, adv. Marc. III 18 (CSEL 47,406,9 f). Gerade eine solche Aussage bestätigt das Bewußtsein von der Antinomie zwischen Kreuz und Paideia, der man angesichts der Verkündigungssituation irgendwie Rechnung tragen wollte.

Aspekt der Paideia die Größe des Christentums aufzeigte, wobei nach dem Vorgang des Eirenaios das Verständnis der Heilsgeschichte als einer Heilserziehung Gottes eine entscheidende Rolle spielte. Klemens verschließt sich nicht der Tatsache, daß fast »alle ohne die allgemeine Bildung und ohne die griechische Philosophie, zum Teil sogar ohne die Kenntnis des Lesens und Schreibens, veranlaßt durch die göttliche und barbarische Philosophie, ›in Kraft‹ die Lehre von Gott durch den Glauben angenommen haben«.[22] Auch er ist sich des Bildungsgefälles sowie der grundsätzlichen Andersartigkeit von Glaube und Paideia bewußt, doch sucht er nach der weiterführenden Synthese, wenn er sagt: »Wie wir es aber für möglich erklären, daß man ohne Kenntnis der Schreibkunst gläubig sein kann, so sind wir darüber einig, daß man die im Glauben enthaltenen Lehren unmöglich verstehen kann, ohne zu lernen. Denn die richtigen Lehren anzunehmen und die anderen zu verwerfen, dazu befähigt nicht einfach der Glaube, sondern nur der auf Wissen beruhende Glaube.«[23] In Betracht des Glaubensgehaltes kommt das Problem des *intellectus fidei* zur Sprache, ein erregendes Thema der künftigen Theologie. Klemens relativiert im übrigen die Eigenwertigkeit antiker Paideia, wenn er ihre Übernahme befürwortet. Der Gnostiker »wird nicht hinter denen zurückbleiben, die in der allgemeinen Bildung und in der griechischen Philosophie gute Fortschritte machen; aber er wird das nicht als die um ihrer selbst willen zu betreibende Hauptsache ansehen, sondern nur als etwas nötiges und als etwas, das erst an zweiter Stelle kommt und durch die Umstände bedingt ist«.[24] Der Vorbehalt gegenüber der Paideia wird ausdrücklich angemeldet, doch bleibt er in der Konzeption der alexandrinischen Theologie oft im Hintergrund.

---

[22] Klemens Al., strom. I 99,1 (GCS 15,63,12–15); vgl. auch Eusebios, praep. ev. XIV 10, 10 (GCS 43,2,288,8–20). Das Verhältnis des Klemens zur Philosophie, insbesondere zum Stoizismus, charakterisiert gut M. *Pohlenz*, Clemens von Alexandrien und sein hellenisches Christentum (NAWG.PH 1943,3).

[23] Klemens Al., strom. I 35,2 (GCS 15,23,6–10).

[24] Ebd. VI 83,1 (GCS 15,473,9–12). Wie problematisch allerdings diese Angleichung werden kann, zeigt folgender Hinweis: »Nun war vor der Ankunft des Herrn die Philosophie für die Griechen zur Rechtfertigung notwendig; jetzt aber wird sie nützlich für die Gottesfurcht, indem sie eine Art Vorbildung (προπαιδεία) für die ist, die den Glauben durch Beweise gewinnen wollen« (strom. I 28,1 [GCS 15,17,31–33]). Umgekehrt verkürzt folgende Aussage den Eigenwert der Erkenntnis: »Weil der Logos selbst vom Himmel herab zu uns gekommen ist, scheint es mir, daß wir nicht mehr in die Schule von Menschen gehen brauchen, nicht mehr nach Athen oder dem übrigen Hellas ... Denn seitdem der Logos uns als Lehrer gegeben wurde, ist die ganze Welt für den Logos zu Athen und Griechenland geworden« (protrept. XI 112,1 [GCS 12,79,6–12]).

Im theologischen Entwurf des Origenes begegnen wir gleichfalls dem Motiv der »Paideusis«.[25] Auch bei ihm erfolgt die Synthese von Glaube und Paideia nicht ohne Wissen um die innewohnende Aporie. Wie sehr den großen Alexandriner die Reserve gegenüber der heidnischen Paideia erfüllte, zeigt uns jene Notiz des Eusebios, wonach Origenes bei der Übernahme der katechetischen Unterweisung die Einsicht gekommen sei, »daß sich mit der Pflege der göttlichen Wissenschaften der grammatikalische Unterricht nicht verbinden lasse«, und konsequenterweise verkaufte er »alle Werke alter Schriftsteller, mit denen er sich früher eifrig beschäftigt hatte«.[26] Zu diesem Schritt führte den Neuberufenen offensichtlich das traditionelle Mißtrauen der Gläubigen gegenüber der heidnischen Paideia; berücksichtigt man dieses Verhalten des auch sonst durch Radikalismus bekannten Origenes, dann wird sein Ringen um eine fortschreitende Glaubenserkenntnis erst vollauf bewußt. Eusebios erwähnt außerdem, er habe viele der Minderbegabten »zum Studium der allgemeinen Wissenschaften veranlaßt, indem er ihnen erklärte, daß sie damit eine nützliche Unterlage für das Verständnis der göttlichen Schriften gewännen. Aus diesem Grunde betrachtete Origenes die Pflege der weltlichen Wissenschaften und der Philosophie auch für sich selbst als nötig«.[27] Bewältigt von einem übergreifenden Weltverständnis wird die Hemmung gegenüber der heidnisch orientierten Paideia abgelegt; weder ihr Absolutheitscharakter noch bildungsfeindliche Tendenzen hindern Origenes, die positiven Werte der Antike einzubringen ins Christentum, weil er in seiner Erfahrung mit dem »Geist Gottes« einen neuen Standort gewonnen hat.[28] Daß der Alexandriner dabei keineswegs einem unkritischen Amalgam das Wort redet, bestätigt seine Argumentation gegen die verzerrte Polemik des Kelsos:

»Als ›Weisheit dieser Welt‹ bezeichnen wir jede Philosophie, die falsche Lehren enthält und deshalb von der Schrift als eitel und

---

25 Vgl. *H. Koch*, Pronoia und Paideusis. Studien über Origenes und sein Verhältnis zum Platonismus, Berlin-Leipzig 1932. Die Stellung zur Philosophie speziell behandelt *H. Crouzel*, Origène et la Philosophie, Paris 1962.

26 Eusebios, hist. eccl. VI 3,8 f (GCS 9,2,526,13–23).

27 Ebd. VI 18,4 (GCS 9,2,556,23–27). Gregorios Thaumaturgos berichtet, daß Origenes ihn bewogen habe, auch die Schriften der Philosophen und Dichter zu studieren, abgesehen die der Gottesleugner (Dankrede 11 [Koetschau 25 f]).

28 *U. Wickert* arbeitet den von Tertullian verschiedenen Denkansatz des Alexandriners in einer scharfsinnigen Untersuchung heraus (Glauben und Denken bei Tertullian und Origenes, in: ZThK 62 [1965] 153–177).

nichtig erklärt wird, und ›Gut‹ nennen wir die ›Torheit‹ nicht schlechthin, sondern nur, insofern jemand in den Augen der Welt als Tor erscheint.«[29] Fern jeder Vereinfachung unterscheidet Origenes im Verständnis von σοφία und μωρία, wobei er die Schrift als Kriterium einführt; damit ist ihm aber der Weg eröffnet für die Versöhnung von Christentum und Paideia. Konsequent folgert er aus seinem Denkansatz noch weiter: »Es ist nach dem Sinn der christlichen Lehre sogar besser, wenn man den Lehrsätzen mit Vernunft und Weisheit zustimmt, als wenn man sie nur mit einfachem Glauben festhält.«[30] Das Bild des christlichen Gnostikers fordert geradezu den Einsatz der Ratio und damit die Begegnung mit dem griechischen Geist. Die Übernahme der antiken Gedankenwelt ist legitim; rechtfertigend und erklärend zugleich verweist man auf die Mitnahme der silbernen und goldenen Gerätschaften durch die Israeliten, als sie Ägypten verließen (Ex 3,22; 11,2; 12,35 f).[31]

Die progressistische Argumentation der Alexandriner brachte fraglos das Geschäft der Theologie in Gang; bewußt schritt man auf dem Weg der Konvergenz von Glaube und Paideia weiter.[32] Im Dialog mit den Vertretern der griechischen Geistigkeit (und auch aus innerer Konsequenz) verlagerte sich allerdings der Schwerpunkt der Diskussion auf die Ebene der Erkenntnis. Analog der Übernahme von Lehrsätzen philosophischer Schulhäupter rechtfertigte man auch den christlichen Glauben mit der Autorität (des allwissenden) Gottes. Die Rückwirkung dieser Argumentation auf das Glaubensverständnis ist unübersehbar, ebenso der Sachverhalt, daß zwischen πίστις und παιδεία die Scheidewand oft bedrohlich dünn zu werden drohte. Aber auch in dieser Konzeption, die vor allem in der Theologie des Ostens eine starke Dynamik entfaltete, ist der Vorbehalt des Glaubens nicht unterschlagen worden.

---

[29] Origenes, c. Cels. I 13 (GCS 2,65 f).
[30] Ebd. I 13 (GCS 2,66,8–10).
[31] Origenes, ep. ad Greg. Thaum. 2 f (Koetschau 41 f). Der rechtfertigende Vergleich begegnet uns in der altchristlichen Literatur noch öfters.
[32] Einen entscheidenden Anteil daran haben die Kappadokier, die sich um eine Verhältnisbestimmung zur traditionellen Paideia mühten; die Tatsache, daß in den Kreisen der Gebildeten das Heidentum noch starken Rückhalt hatte (J. *Geffcken*, Der Ausgang des griechisch-römischen Heidentums, Heidelberg 1929, Nachdr. Darmstadt 1963), verschärfte natürlich die Fronten. Gregor von Nazianz polemisiert sogar im Nekrolog auf seinen Freund Basileios gegen die vielen Christen, die aus Unkenntnis die profane Bildung als feindselig, trügerisch und Gott entfremdend ablehnen (or. 43,11 [PG 36,508 f]). Daß aber der Widerstand nicht allein auf den Nenner der Unkenntnis zu bringen ist, verrät die gekonnte

3. Der Einspruch des Glaubens gegen die Paideia

Die Synthese von Glaube und Paideia, wie sie von den Alexandrinern vollzogen wurde, hat trotz ihrer Differenziertheit nicht den ungeteilten Beifall der frühen Christenheit gefunden. Selbst bei jenen Kirchenmännern, die im Prinzip dem *fides quaerens intellectum* folgen, beobachtet man so etwas wie »ein schlechtes Gewissen« wegen ihrer Vertrautheit mit den Elementen antiker Paideia. Dieses Unbehagen erfährt in manchen Formen frühchristlicher Frömmigkeit, insbesondere in den Reihen der Mönche einen radikalen Ausdruck. Für uns stellt sich die Frage nach den tieferen Gründen einer solchen Reserve beziehungsweise Protestes; als Abwegigkeit extremer Rigoristen läßt sich dieser Einspruch nicht abtun, weil er nicht auf diese Gruppe beschränkt bleibt. Hier wird offensichtlich ein grundsätzlicher Vorbehalt angemeldet, der in der Rückschau auf die tatsächliche Entwicklung zumeist als Außenseitertum registriert, wenn nicht gar ignoriert wird.[33]
Es dauert allerdings nach Ausweis der Quellen geraume Zeit, bis dieser Protest eindringlich erhoben wird. Während in der Apologetik des 2. Jahrhunderts vornehmlich der Verbindung mit dem Logos der Griechen das Wort geredet wird, hören wir aus dem afrikanischen Westen, erstmals aus dem Munde Tertullians, den scharfen Einwand: »Was hat Athen mit Jerusalem zu schaffen? Was die Akademie mit der Kirche? Unsere Lehre stammt aus der Säulenhalle Salomons, der auch selbst die Weisung hinterlassen hat, den Herrn in Einfalt des Herzens zu suchen (Weish 1,1). Mögen da doch jene zusehen, die ein stoisches, platonisches und dialektisches Christentum aufgebracht haben! Wir brauchen keine vernünftelnde Weisheit, nachdem Christus Jesus erschienen ist, und keine philosophische Untersuchung nach dem Evangelium. Wenn wir glauben, begehren wir weiter nichts, als zu glauben. Denn zuallererst glauben wir dieses: daß es nichts gibt, was wir darüber hinaus zu glauben hätten!«[34] In einer eindrucksvollen Antithese stellt Tertullian die christliche Heilsbotschaft der heid-

---

Formulierung des Ambrosius, der die »veritas piscatorum« den »verba philosophorum« kontrastiert (incarn. 9,89 [PL 16,876 B]).

[33] Unter welchen theologischen Voraussetzungen auch ein Durchblick versucht wird, die Intensität der angemeldeten Reserve läßt sich nicht übersehen; sie verlangt eine Antwort aus ihren eigenen Gründen.

[34] Tertullian, praescr. haer. 7,9–13 (CCL 1,193,32–40). Aufschlußreich ist auch die paradoxe Formulierung carne Chr. IV 5,1: »Sed non eris sapiens, nisi stultus in saeculo fueris, dei stulta credendo« (CCL 2,880,7 f).

nischen Paideia gegenüber, als deren Symbol Athen gilt.[35] Diese Polemik plädiert für den schlichten Glauben anstatt eines philosophisch erhellten Christentums. Dabei hebt der ehemalige Anwalt in einem römisch-juridischen Sinn stark auf die *regula fidei* ab, um seine Alternative zu sichern; offenbar beschleunigt der Gegensatz zu den Lehren der Philosophie die inhaltliche Umschreibung des Glaubens. So baut der Afrikaner eine rechtlich verstandene Glaubensfront gegen die Tendenzen jeglicher Erkenntnis auf, in denen er die Gefahren der Häresie wittert. Ja, er versteigt sich zu der Behauptung: »Schließlich ist es besser, unwissend zu sein, um nicht kennenzulernen, was man nicht soll . . . Dein Glaube, heißt es, hat dir geholfen, nicht die Vertrautheit mit der Heiligen Schrift.«[36] Zwar kommt auch Tertullian selbst nicht um eine rationale Begründung seiner Auffassung,[37] doch in seinem Entscheid für das Paradox des Glaubens distanziert er sich von der Paideia, die in seinen Augen ohnedies als Verkörperung des Heidnischen erscheint.[38]

Im Hinblick auf die kritischen Äußerungen Tertullians und anderer lateinischer Kirchenschriftsteller lastet man dem Westen eine betontere Reserve gegenüber der Paideia an, während dem Osten eine größere Bildungsfreude zugeschrieben wird. Gewiß sind auch hier Differenzen in der geistigen Haltung wirksam, doch scheint wie in anderen Bereichen die Grenze nicht so klar zu verlaufen. Schon Klemens von Alexandrien hat sich mit Leuten auseinanderzusetzen, »die behaupten, man müsse sich nur mit dem Nötigsten und nur mit dem beschäftigen, was für den Glauben unentbehrlich ist, dagegen müsse man das, was darüber hinausgehe, und alles überflüssige übergehen, da es unsere Kraft unnütz aufreibe und uns bei dem festhalte, was für das Endziel nichts beitrage.«[39] Diese Reduktion auf den schlichten Glauben bildete allerdings nicht nur ein theoretisches Programm, sie fand

---

35 Vgl. auch Origenes, c. Cels. V 20 (GCS 3,21 f).
36 Tertullian, praescr. haer. 14,2 (CCL 1,198,6–9). Die Antithese erhält sogar einen sozialen Aspekt, wenn die Gotteserkenntnis eines gläubigen »christlichen Handwerkers« (opifex Christianus) dem Wissen der Philosophen gegenübergestellt wird (apol. 46,8 f [Becker 204]).
37 Den Einwand: »Wie können wir die weltlichen Studien verwerfen, ohne welche doch die religiösen nicht bestehen können?« (idol. 10,4 [CCL 2,1109,15 f]) vermag auch er kaum zu entkräften.
38 In seiner Schrift über den Götzendienst (bes. 10) unterzieht Tertullian die Institutionen heidnischer Paideia einer starken Kritik.
39 Klemens Al., strom. I 18,2 (GCS 15,13,6–9).

in manchen Kreisen der Gläubigen, vor allem bei den Mönchen, einen radikalen Ausdruck, wobei das Thema Glaube und Paideia moduliert wurde in den Gegensatz Heiligkeit und Bildung.[40] Typisch für diese Spannung ist jene Antwort an heidnische Weisheitslehrer, die Athanasios in seiner Vita dem Mönchsvater Antonios in den Mund legt: »Diejenigen, welche den wirksamen Glauben haben, brauchen den Wortbeweis nicht, er ist sogar überflüssig. Was wir aus dem Glauben wissen, das versucht ihr durch Worte aufzubauen ... Die Tat durch den Glauben ist daher besser und kräftiger als eure sophistischen Syllogismen.«[41] Unübersehbar ist auch hier die Polemik gegen eine intellektuelle Erfassung des Glaubensgehaltes, wohl auch ein Reflex der dogmatischen Kämpfe dieser Zeit. Der Widerspruch richtet sich aber nicht allein gegen den Versuch, denkend in den Glauben einzudringen, er impliziert eine Abneigung gegen die Bildung überhaupt. Ausdrücklich vermerkt Athanasios, der Mönch Antonios sei berühmt geworden »nicht durch seine Schriften, noch durch weltliche Weisheit oder durch irgendeine Kunst, sondern allein durch seine Frömmigkeit«.[42] Die Abkehr von der Paideia erscheint nachgerade als asketische Aufgabe. Hypatios, Vorsteher eines Klosters bei Konstantinopel, korrigierte dementsprechend die ehemaligen Gelehrten unter seinen Mönchen, wenn sie mit der Kunst ihrer Bildung (τῇ τέχνῃ τῆς παιδεύσεως) argumentierten, und verwies sie auf das gehörige Maß (κατὰ τὸ δίκαιον).[43]

Durch die Propaganda eines solchen Mönchideals wurde der Graben zwischen Glaube und Paideia nur vertieft. Zahlreiche Beispiele illustrieren, wie im Namen der Heiligkeit von jeglicher Bildung Abstand genommen, wenn nicht gar polemisiert wurde; sicher ist hierbei die soziologische Herkunft der Mönche von Belang,[44] letztlich bestimmt aber die Argumentation vom Glauben her den Widerspruch. Die entstehenden Häresien trugen gewiß dazu bei, in Kreisen der Mönche die Feindschaft gegen die Vernunft zu steigern; Kyriakos von Skythopolis († um 557) wettert noch im 6. Jahrhundert gegen die Origenisten: »Welche Hölle hat

---

[40] Zum Problem siehe A.-J. Festugière, Ursprünge christlicher Frömmigkeit (aus dem Französischen übersetzt v. E. Feichtinger), Freiburg 1963.

[41] Athanasios, vita Antonii 77 (PG 26,951 A).

[42] Ebd. 93 (PG 26,974 B).

[43] Kallinikos, vita Hypatii (Usener 103,3–7).

[44] Wenn sich das Mönchtum teilweise auch aus den sozial niedrigen Schichten rekrutierte, sollte jedoch dieses Motiv nicht überschätzt werden; vgl. K. Heussi, Der Ursprung des Mönchtums, Tübingen 1936, 114 f.

diese Lehren ausgespien? Das haben sie, Gott behüte, nicht von dem gelernt, der durch die Propheten und die Apostel gesprochen hat, nein: sondern von Pythagoras, Platon, Origenes, Evagrios und Didymos haben sie diese abscheulichen und gotteslästerlichen Lehren gewonnen.«[45] Die Erfahrung der Häresie bezieht in den Protest gegen die Paideia auch die wissenschaftliche Theologie ein. Ein blinder Eifer für die vermeintliche Orthodoxie beherrschte häufig die Reihen der Mönche, die sich unter diesem Vorwand unschwer für kirchenpolitische Interessen einspannen ließen.[46] Jedenfalls zeigt die Entwicklung von den Anachoreten des Orients bis zu den mittelalterlichen Klostergemeinschaften Benedikts das Ringen um das rechte Verhältnis zur Paideia, und zwar vorwiegend unter dem Aspekt der Askese.

In diesem Rahmen ist immerhin auch die Beobachtung aufschlußreich, daß die alte Kirche kaum Interesse zeigte, ein eigenes Schulwesen aufzubauen, und zwar nicht einmal in jener Zeit, als sie der staatlichen Unterstützung sicher war. Obwohl der Unterricht in den enkyklischen Fächern eine Domäne des Heidentums darstellte, begnügte sich die Kirche praktisch mit der Glaubensunterweisung. Im Vertrauen auf die Kraft des Glaubens gesteht schon Tertullian den Besuch der heidnischen Schulen zu; hinsichtlich der Elementarwissenschaften meint er: »Wenn nämlich der Gläubige dergleichen lernt, so nimmt er, wenn er schon weiß, was es damit auf sich hat, nichts an und gibt nichts zu, und das noch mehr dann, wenn er es noch nicht weiß. Oder, wenn er bereits angefangen hat, Erkenntnis davon zu haben, so muß das, was er zuerst gelernt hat, in seiner Erkenntnis notwendig auch die erste Stelle einnehmen, d. h. Gott und der Glaube.«[47] Man wird über diese erkenntnistheoretischen Grundsätze verschiedener Meinung sein können, unüberhörbar ist die fundamentale Bedeutung des Glaubens, der eine unbefangene Stellungnahme zur heidnischen Schule ermöglichte.

Der erste Kulturkampf unter Kaiser Julian (361–363) suchte bewußt durch die Identifikation von Paideia und Heidentum die Christen von den Werten der klassischen Überlieferung auszu-

---

[45] Kyrillos, vita Cyriaci Scyth. (Schwartz 230,10–14).

[46] Vgl. H. Bacht, Die Rolle des orientalischen Mönchtums in den kirchenpolitischen Auseinandersetzungen um Chalkedon (431–519), in: Das Konzil von Chalkedon II, Würzburg 1953, Nachdr. 1962, 193–314; zur theologischen Bildung der Mönche bes. 307 ff.

[47] Tertullian, idol. 10,6 (CCL 2,1110,25–28). Das christliche Desinteresse an der Schule basierte natürlich auch noch auf anderen Voraussetzungen.

schließen; anknüpfend an ältere Polemik forderte der Kaiser die Christen auf, sich zu begnügen mit dem Besuch der Kirchen, um dort Matthäus und Lukas zu kommentieren.[48] Mit voller Absicht läuft der Kampf unter der Antinomie Paideia oder Glaube. Gregor von Nazianz hat uns die Parole des Kaisers überliefert: »Uns gehören Wissenschaft und Bildung (Ἑλληνίζειν), denn wir verehren die Götter. Für euch paßt Dummheit und Rohheit; euer oberster Grundsatz und eure Weisheit ist: Glaube!«[49] In aller Schärfe wird hier wiederum von der Gegenseite das Thema der Auseinandersetzung markiert. Bezeichnend für die Antwort Gregors ist seine Erklärung des Glaubens: »Für uns besagt die Formel, daß wir den Worten der von Gott inspirierten Männer nicht mißtrauen dürfen, daß aber ihre Glaubwürdigkeit die Wahrheit ihrer Lehre garantiert, – besser als jede kritische Auseinandersetzung.«[50] Vom Staat her sollte der Glaube den Ausschluß aus der überkommenen Bildung bedingen; eine kulturkämpferische Episode, die höchst charakteristisch für das Verhältnis von Christentum und Heidentum ist, aber eben nur Episode. Die heidnische Reaktion in der Mitte des 4. Jahrhunderts offenbart im Grunde den Prozeß einer zunehmenden Verschmelzung von Glaube und Paideia. Vergleicht man jedoch die Weisungen an die Jugend über den nützlichen Gebrauch der heidnischen Literatur[51] aus der Hand des Basileios mit der kirchlichen Gesetzgebung des 5. Jahrhunderts, wonach ein Bischof die Bücher der Heiden nicht lesen soll,[52] dann ersieht man auch daraus, daß nach wie vor das Problem auf der Christenheit lastete.

Als Zeugen der anhaltenden Spannung zwischen Glaube und Paideia sind aus dieser Zeit schließlich Hieronymus und Augustin zu nennen. Man glaubt sich zurückversetzt in die Ära Tertullians, wenn man das unversöhnliche Urteil des Hieronymus hört: »Was haben Licht und Finsternis gemeinsam? Welche Übereinstimmung besteht zwischen Christus und Belial? Was hat Horaz mit dem Psalter zu tun? Vergil mit dem Evangelium? Cicero mit dem Apostel?«[53] Der gelehrte Briefschreiber und Übersetzer be-

---

[48] Vgl. *J. Bidez*, Julian der Abtrünnige, München 1940, 276 ff.

[49] Gregor Naz., or. IV 102 (PG 35,636 f).

[50] Ebd. (PG 35,637 B).

[51] Basileios, ad adolesc. (PG 31,564–589). Vgl. Anm. 32.

[52] Statuta Ecclesiae Antiqua 16 (Bruns 143); schon die Apostolischen Konstitutionen I 6 (Funk I 13 f) verurteilen die heidnischen Bücher als Produkte des Irrtums.

[53] Hieronymus, ep. 22,29 (CSEL 54,188 f). Eindrucksvoll demonstriert den persönlichen Zwiespalt der Fiebertraum des Hieronymus, in dem er von Christus wegen seiner Liebe zu den

134

herrscht selbst die Elemente überkommener Bildung, ja, er verfaßt einen Katalog berühmter Männer, d. h. christlicher Schriftsteller, um zu beweisen, daß das Christentum keineswegs bildungsfeindlich ist, und trotzdem kommt er zu dieser heftigen Tirade, die in aller Härte jenen Dualismus zwischen Glaube und Paideia aufreißt, den man seit der Zeit der Kappadokier für überwunden hält. Der Protest richtet sich freilich mehr gegen eine »culture oratoire«, deren Leerlauf zwar längst erkannt, aber deren Verlockung immer noch stark war. So trägt diesen Widerspruch vor allem ein asketisches Motiv. Grundsätzlich befürwortet auch Hieronymus die Übernahme der antiken Kultur; im Hinblick auf die heidnische Literatur argumentiert er mit jenem Vergleich vom Beutemädchen, das der Israelit erst zur Frau nehmen kann, wenn er ihren Kopf kahl geschoren, die Nägel beschnitten und die Haare entfernt hat.[54] Damit gibt er der Bewegung Raum, die auf eine Verbindung der beiden Ströme hinsteuert; gegen jeden Heilsindividualismus richtet sich sein Spruch: »Heiligkeit ohne Bildung nützt nur ihrem Träger.«[55] Unverkennbar wandelt sich hier die Argumentation gegen die Paideia vom Einspruch des Glaubens zum moralischen Vorbehalt. Damit wird der Versöhnung beider Größen sicher weiter vorgearbeitet, das Problem als solches freilich vereinfacht und reduziert auf die Ebene des späteren Index.

Ernster wiegt die Besinnung des 73jährigen Augustin, der in seinen »Retractationes« bekennt: »Ich bedaure, den freien Künsten so viel Raum gegeben zu haben; denn viele Heilige wissen absolut nichts von ihnen, und andererseits gibt es Menschen, die in ihnen bewandert und doch keine Heiligen sind.«[56]

Ein Denker wie Augustin wird am Ende des Lebens wegen seiner intensiven Beschäftigung mit der antiken Kultur von Skrupeln geplagt. Gerade das geistige Werk des Bischofs von Hippo legt die Vermutung nahe, das Problem Glaube und Paideia sei aufgearbeitet, trotzdem tritt es wieder vor seinen prüfenden Blick. Man könnte seine Erklärung nun moralisch-asketisch werten oder psychologisch als einen überspitzten Drang zum Schuldbekenntnis – ähnlich wie den Hinweis auf die Jugendsünden –, doch es kommt

---

heidnischen Klassikern den Vorwurf erfährt: »Ciceronianus es, non Christianus« (CSEL 54,189–191).
[54] Hieronymus, ep. 21,13 (CSEL 54,122).
[55] Ders., ep. 53,3 (CSEL 54,447,14).
[56] Augustinus, retract. I 3,4 (CSEL 36,19,18–20,2).

darin die alte Divergenz unseres Themas zur Sprache. Bezeichnend hierfür ist schon Augustins Wortgebrauch, der nicht von »artes liberales«, sondern von »artes saeculares« spricht; das »frei« wird für die Christen abgewandelt in »weltlich«![57] Im Grunde bleibt sich der Theologe Augustin der Spannung bewußt, die vom Kreuze Christi statuiert wird. »Besser ist es«, so betont er, »im Geiste das nicht zu sehen, was ist, aber sich nicht vom Kreuze Christi zu trennen, als dasselbe im Geiste zu sehen und das Kreuz Christi zu verachten.«[58] Das Heilsereignis von Golgota bleibt als Vorbehalt bestehen und relativiert so den Wert der Paideia.[59]

Mit dem Zusammenbruch des Imperiums fallen der Kirche mehr und mehr weltliche Aufgaben zu; in zunehmendem Maß übernimmt sie auch Verantwortung für das Unterrichtswesen. Damit schließt sich gewissermaßen institutionell die Kluft zwischen Glaube und Paideia, deren Überbrückung in den vorausgehenden Jahrhunderten heftig diskutiert worden war. Allerdings vermochten weder die Gründungen eines Cassiodor oder eines Isidor von Sevilla noch die Tradition des byzantinischen Schulwesens[60] das gläubige Mißtrauen gegenüber einem »weltlichen« Humanismus völlig auszuräumen, der trotz mancher Beschränkung im christlichen Mittelalter immer wieder seinen Anspruch geltend machte.[61] Der Versuch, Glaube und Paideia zur Deckung zu bringen, erweist sich als ein fragwürdiges Unternehmen, insofern er den eigentümlichen Charakter der πίστις ignoriert.

Das Thema Glaube und Paideia beschäftigt die alte Kirche durch Jahrhunderte. Von der neutestamentlichen Botschaft her wie von ihrer geschichtlichen Existenz aus wird den Christen der kritische Dialog mit der heidnischen Umwelt aufgegeben. Der Einspruch des Glaubens hinderte sie an einer unbekümmerten Bejahung der Paideia und der darin implizierten antiken Lebensverwirklichung; unter dem Aspekt der Erkenntnis, der Heiligkeit, der

---

[57] Augustinus, civ. Dei VI 2: »Qui tametsi minus est suauis eloquio, doctrina tamen atque sententiis ita refertus est, ut in omni eruditione, quam nos saecularem, illi autem liberalem uocant, studiosum rerum tantum iste doceat, quantum studiosum uerborum Cicero delectat« (CCL 47,167,3–7).

[58] Augustinus, tract. in Ioan. II 3 (CCL 36,13,7–10).

[59] Über das Verhältnis Augustins zur Paideia vgl. die Untersuchung von *H.-I. Marrou*, Saint Augustin et la fin de la culture antique, Paris 1958.

[60] *H.-I. Marrou*, Geschichte der Erziehung 477 ff. Siehe auch *J. Bernhart*, Die Kirche in der Auflösung der antiken Kultur, Darmstadt 1964.

[61] *G. Schnürer*, Kirche und Kultur im Mittelalter, 3 Bde., Paderborn 1-31930–36.

heidnischen Literatur oder des Unterrichts werden Lösungen ausgearbeitet, die auf eine Synthese tendieren. In diesem Vorgang hat der Komplex der antiken Paideia einen tiefgründigen Wandel erfahren; andererseits wirkte die Diskussion auch auf das Glaubensverständnis der Kirche zurück. Unter dem Einfluß der biblischen Botschaft blieb freilich auch in der Synthese der Vorbehalt des Glaubens bestehen. Die Architektur der christlichen Antike weist insofern Spannungen auf, mehr als etwa im Bauplan der römischen Kirche Santa Maria sopra Minerva zum Ausdruck kommen.

Das Glaubensbekenntnis

Aspekte zur Ortsbestimmung der frühen Kirche

Die Verkündigung der christlichen Botschaft in einer geistig und religiös aufgeschlossenen Umwelt nötigte vom Ursprung her zu einer dezidierten Umschreibung des eigenen Glaubensverständnisses, um das Eigentümliche der in Jesus von Nazaret ergangenen Offenbarung zu artikulieren. Gerade diese Aussage galt es gegenüber dem Judentum zu vertreten, während man dem sogenannten Heidentum vor allem den Monotheismus zu vermitteln hatte. Unweigerlich gerieten damit die Gläubigen aus den Bahnen der überkommenen religiösen Ordnung, und es überrascht nicht, wenn ihnen dieser Absolutheitsanspruch zum Vorwurf gemacht wurde. Die missionarische Verkündigung schloß also zwangsläufig eine Ortsbestimmung zwischen den religiösen Strömungen der Antike ein, deren Elemente in der Bekenntnisbildung greifbar werden, ein Vorgang, der sich unter gewandelten Verhältnissen dann später in Anbetracht der aufkommenden Häresien fortsetzte. Zwar hat die Symbolforschung weitgehend die Bekenntnisbildung mit dem Taufgeschehen verknüpft, und man kann diesen »Sitz im Leben« keinesfalls außer acht lassen; trotzdem läßt sich die Vorgängigkeit des Wortes nicht ignorieren, die auch in den zahlreichen Symbola der frühchristlichen Ortskirchen zum Ausdruck kam. So gesehen eignet den Glaubensbekenntnissen eine eminent ekklesiologische Funktion.[1]

---

[1] Abgesehen von den klassischen Werken der Symbolforschung von *A. Hahn*, Bibliothek der Symbole und Glaubensregeln der Alten Kirche, Breslau [3]1897, und *F. Kattenbusch*, Das Apostolische Symbol. Seine Entstehung, sein geschichtlicher Sinn, seine ursprüngliche Stellung im Kultus und in der Theologie der Kirche. Ein Beitrag zur Symbolik und Dogmengeschichte, 2 Bde., Leipzig 1894, Neudr. Hildesheim 1962, seien nur erwähnt *O. Cullmann*, Die ersten christlichen Glaubensbekenntnisse (Theol. Studien 15), Zollikon–Zürich [2]1949; *P.-Th. Camelot*, Les récents recherches sur le Symbole des Apôtres et leur portée théologique, in: RSR 39 (1951) 323–337; *V. H. Neufeld*, The Earliest Christian Confessions, Leiden 1963; *P. Smulders*, Some Riddles in the Apostles' Creed, in: Bijdragen 31 (1970) 234–260; 32 (1971) 350–366; *J. N. D. Kelly*, Altchristliche Glaubensbekenntnisse. Geschichte und Theologie, aus dem Englischen übers. v. K. Dockhorn u. A. M. Ritter, Göttingen 1972; *H. v. Campenhausen*, Das Bekenntnis im Urchristentum, in: ZNW 63 (1972) 210–253; *P. Smulders*, The Sitz im Leben of the Old Roman Creed, in: TU 116, Berlin 1975, 409–421; *A. Quacquarelli*, Por una

1. Vom Kerygma zur Formel

Die Verkündigung Jesu von der anstehenden Herrschaft Gottes forderte vom hörenden Menschen den Akt des Glaubens. Obwohl diese Haltung zunächst ein neues Gottesverständnis umschrieb, ist die Bindung an Jesus selbst unverkennbar, und zwar bezeichnenderweise unter dem Begriff *Bekenntnis, Homologie*. So heißt es in dem »im Kern wohl echten Jesuswort« von Mt 10,32: »Einen jeden, der mich bekennt (ὁμολογήσει) vor den Menschen, will auch ich bekennen (ὁμολογήσω) vor meinem Vater im Himmel.«[2] Mit allem Nachdruck wird hier vom Gläubigen das öffentliche Bekenntnis zu Jesus verlangt, der seinerseits dann eintritt vor dem Vater. Diese forensische Bedeutung der Homologie hatte offensichtlich ihren Ausgangspunkt in der Jesustradition, und sie bekam angesichts der Parusieerwartung ihr eigentümliches Schwergewicht; wenn freilich solches Bekennen auch nach Lk 12,8 unter dem endzeitlichen Gericht steht, dann bildet das Zeugnis für ihn während der Weltzeit das entscheidende Kriterium. Die Haltung des Gläubigen, der sich der Botschaft Jesu zugewendet hat, bewegt sich also nicht in einem Bereich der Unverbindlichkeit, ihr eignet von Anfang an ein Zug zum Bekenntnis, und zwar zur Person Jesu.

Mit der Erfahrung von Tod und Auferstehung Jesu gewann der deutende Glaube erhöhte Bedeutung und damit auch die inhaltliche Aussage des Bekenntnisses; der historische Jesus erscheint in nachösterlicher Perspektive als der Messias und Kyrios (vgl. Apg 2,36). Für den Apostel Paulus stellt dieser Zusammenhang die Grundlage der Homologie dar: »Wenn du nämlich mit deinem Munde bekennst (ὁμολογήσῃς): ›Herr ist Jesus‹ und glaubst in deinem Herzen: ›Gott hat ihn auferweckt von den Toten‹, wirst du gerettet werden. Denn mit dem Herzen wird geglaubt (πιστεύεται) zur Gerechtigkeit, und mit dem Mund geschieht das Bekenntnis (ὁμολογεῖται) zum Heil« (Röm 10,9 f). Glaube und Bekenntnis, innere Bejahung und Kundgabe nach außen, führen zu Gerechtigkeit und Heil. Die Artikulierung des Glaubens erscheint von soteriologischer Relevanz, und zwar aufgrund seiner christo-

---

revisione critica degli studi attuali sulla simbolica dei primi secoli cristiani, in: Vetera Christianorum 13 (1976) 5–22; *P. Meinhold* (Hrsg.), Studien zur Bekenntnisbildung, Wiesbaden 1980.

[2] *H. v. Campenhausen* erblickt in dem Wort den »Ausgangspunkt der gesamten Entwicklung« (Das Bekenntnis 225). Vgl. ferner *O. Michel*, Art. ὁμολογέω κτλ., in: ThWNT V 199–220.

logischen Aussage. Ohne Zweifel wird hier ein Maß für den Christusglauben gesetzt, das innerhalb der Gemeinde bestimmend war; doch auch für die Umwelt zeichnete sich darin ein Kriterium zur Unterscheidung ab. Man möchte fast an eine Bedrängnis-Situation denken, in die hinein die paulinischen Worte gesprochen wurden und die eine Bereitschaft zum Zeugnis-Geben erforderte.[3] Doch nicht nur dort, wo in technischen Begriffen von Homologie die Rede ist, begegnet die Sache des Bekenntnisses, sondern auch unabhängig von solchen Ausdrücken, wie z. B. das Petrusbekenntnis von Mk 8,27–30 zeigt. Damit soll keineswegs die Homologie der Akklamation angeglichen bzw. von ihr abgeleitet werden;[4] trotzdem zeigen die entsprechenden Ansätze, daß mehrere Faktoren zur Bekenntnisbildung beitrugen. Zu ihnen gehört vor allem auch die Tendenz zur lehrhaften Umschreibung der Glaubenswirklichkeit. Nach Apg 2,42 »beharrten (die Gläubigen) in der Lehre (διδαχή) der Apostel, in der Gemeinschaft, im Brotbrechen und in den Gebeten«, eine Schilderung der Urgemeinde, in deren Leben gerade die »Lehre der Apostel« als normierende Größe eine wesentliche Rolle spielte. In späteren Schriften des Neuen Testament tritt die Umschreibung eines festen Lehrbestandes noch deutlicher hervor, so wenn beispielsweise 1 Tim 6,20 vom »köstlichen anvertrauten Gut« spricht oder Jud 3 vom Glauben, »der den Heiligen ein für allemal übergeben ist«. Hier zeichnet sich bereits jene Vergegenständlichung von Glaubensaussagen ab, die eine mehr oder minder fest umrissene Größe darstellt und als solche den nachfolgenden Generationen von Gläubigen tradiert wird.

Das Neue Testament bestätigt öfters diese Entwicklungslinien der Bekenntnisformel. So betont Paulus in 1 Kor 15,3 ausdrücklich, daß sein »Auszug« aus dem Evangelium einer Überlieferung entstamme. In seiner Konzentration auf das Heilswerk Christi stellt er eine Erweiterung eingliedriger Formeln dar, und er illustriert die Dynamik christologischer Aussagen. Über seinen Ort im gottesdienstlichen Leben hinaus, in das man wohl auch den Christushymnus aus dem Philipperbrief (2,6–11) einordnen darf, bildete wohl für die Ausbildung dieser Formeln der missionarisch-

---

[3] Im Hinblick auf die Anathema-Formel von 1 Kor 12,3 denkt O. *Cullmann* an eine Bewährungssituation (Glaubensbekenntnisse 225).

[4] H. v. *Campenhausen* macht auf die Verwendung des Kyrios-Titels bei den Akklamationen aufmerksam, während in den Homologien mehr die Christus- und Gottessohn-Prädikation im Vordergrund steht (Das Bekenntnis 225).

katechetische Auftrag einen entscheidenden Antrieb. Daneben begegnen uns im Neuen Testament auch zweigliedrige Formeln, in denen neben Christus auch von Gott-Vater die Rede ist, z. B. 1 Kor 8,6. Hier akzentuiert Paulus gegenüber den vielen Göttern der Umwelt den Kern christlicher Verkündigung. »So haben wir doch nur einen einzigen Gott, den Vater, aus dem alles ist und für den wir sind, und einen einzigen Herrn, Jesus Christus, durch den alles ist und wir durch ihn.« Schon die Parallelität der Aussagesätze unterstreicht den formelhaften Charakter dieses Bekenntnisses, das bewußt gegen den Polytheismus der hellenischen Umwelt gerichtet ist (vgl. 1 Tim 2,5f). Der Vielheit von »Göttern« und »Herren« gegenüber galt es den Glauben an den einzigen Gott zur Geltung zu bringen und zugleich die Stellung Christi in gleichlautenden Aussagen zu formulieren. Die Verkündigungssituation nötigte den Apostel zu Wendungen, die knapp den christlichen Gottesglauben in seiner Eigentümlichkeit zum Ausdruck bringen. Solche binitarische Formeln, deren innergemeindliche Bedeutung auch in Grußformeln ihren Niederschlag fand (vgl. 1 Kor 1,3; 1 Tim 1,2 u. ö.), erfuhren eine Erweiterung in dreigliedrigen Ausprägungen.[5] Am klarsten finden wir dieses Schema im Schlußwort von 2 Kor 13,13 gestaltet: »Die Gnade unseres Herrn Jesus Christus und die Liebe Gottes und die Gemeinschaft des Heiligen Geistes sei mit euch allen.« In der Diskussion um das trinitarisch geformte Bekenntnis spielte immer der Taufbefehl des nachösterlichen Christus eine wichtige Rolle: »Darum gehet hin und macht alle Völker zu Jüngern, indem ihr sie tauft auf den Namen des Vaters und des Sohnes und des Heiligen Geistes« (Mt 28,19). Es ist hier nicht der Platz, die Problematik des Taufbefehls durch den Auferstandenen und dessen Entsprechung in den übrigen neutestamentlichen Schriften zu erörtern; doch darf man wohl sagen, daß es sich hierbei um ein von der Gemeindepraxis geprägtes Wort des erhöhten Herrn handelt, das neben Vater und Sohn auch dem Geist eine ebenbürtige Rolle zuweist. So sehr es nun geboten erscheint, in diese Formel noch nicht das Gewicht der Trinitätslehre einzubringen, der unverkennbare missionarische Impuls verrät bereits einen Universalismus, der die Grenzen Palästinas übersteigt. Was die Entstehung des Bekenntnisses angeht, wird man im triadischen Modell wohl

---

[5] Vgl. *H.-J. Jaschke*, Der Heilige Geist im Bekenntnis der Kirche (MBTh 40), Münster 1976, 18 ff.

»einen festen Bestandteil der christlichen Lehrtradition«[6] erblikken dürfen; vor allem aber äußert sich darin ein Zug zur Entgrenzung, ein Wille zu umfassender Mission unter Wahrung des eigenen Glaubensbewußtseins.

2. Die distanzierende Funktion

Mit Recht hat man darauf verwiesen, daß Homologie im Neuen Testament zunächst nicht auf die Summe des überlieferten Gemeindeglaubens gerichtet ist, sondern das Bekenntnis zu Jesus von Nazaret als dem »Christus« und »Kyrios« umgreift.[7] Solche Bekenntnis-Titel enthalten die Tendenz zu weiterer Entfaltung und damit zur Differenzierung, die nicht selten in hymnenartiger Gestalt ihren Niederschlag fand (Phil 2,6–11; Kol 1,15–20; Hebr 1,2–4). Die Funktion dieser verschiedenartigen Kurzformeln war zunächst von missionarischen und innergemeindlichen Bedürfnissen bestimmt; aber darin lag zugleich ihre Rolle als Unterscheidungsmerkmal gegenüber den Nicht-Gläubigen. Homologie und Glaube korrespondieren also miteinander.
Bereits innerhalb des Neuen Testaments macht sich das Bestreben geltend, mithilfe von Würdetiteln die Distanz zum Judentum zu markieren. Wenn nach dem Hebräer-Brief Gott am Ende der Tage in seinem Sohn endgültig gesprochen hat (1,2), dann schließt das Festhalten an der Homologie »Jesus ist der Sohn Gottes« (Hebr 4,14) eine überhöhende Absage an alle vorausgegangenen, gleichlautenden Prädikationen ein, deren Verweischarakter deshalb aber nicht entfällt. Zusammenhang und Abstand zum alttestamentlichen Bundesvolk bilden zunächst den Rahmen nach außen, in dem Bekenntnisformeln ihr ekklesiologisches Gewicht erlangen. Geradezu vor einen heilsgeschichtlichen Hintergrund, bildhaft ausgedrückt durch die Rede vom »alten« und »neuen« Sauerteig,[8] stellt Ignatios von Antiochien seine Devise: »Es ist nicht am Platze, Jesus Christus zu sagen und jüdisch zu leben.«[9]

---

[6] So J. N. D. Kelly, Altchristliche Glaubensbekenntnisse 30.
[7] Vgl. O. Michel, Art. ὁμολογέω 208, bes. Anm. 28; ferner J. Gnilka, Jesus Christus nach frühen Zeugnissen des Glaubens, München 1970; F. Laub, Bekenntnis und Auslegung. Die paränetische Funktion der Christologie im Hebräerbrief (Bibl. Unters. 15), Regensburg 1980, 9 ff.
[8] Ignatios, Magn. 10,2 (Bihlmeyer-Schneemelcher 91); vgl. 1 Kor 5,7; Hebr 1,1.
[9] Ignatios, Magn. 10,3: »ἄτοπόν ἐστιν, Ἰησοῦν Χριστὸν λαλεῖν καὶ ἰουδαΐζειν« (Bihlmeyer-Schneemelcher 91). Siehe G. Kittel, Art. λαλέω κτλ., in: ThWNT IV 3–5.

Ohne Zweifel wird hier das Bekenntnis zu Jesus als Christus karikiert als Lallen mit der Zunge und damit als unzulänglich verurteilt, solange man jüdischer Lebensform verhaftet bleibt; das bloße »Sagen« der Christus-Formel entspricht nicht der Qualität einer Homologie, die gezielt Distanz zum Judentum miteinschließt. Gerade in dieser negativen Wendung zeigt sich hier die Tragweite von Bekenntnisformeln für die Abgrenzung gegenüber dem Judentum, eine Tendenz, die offensichtlich auch gegenüber Irrlehren wirksam wurde.[10]

In die Auseinandersetzung mit den Juden fließen darum immer wieder formelhafte Elemente der Glaubensartikulation ein, die kundtun, daß Jesus »von dem Weltschöpfer als Gott und Christus bezeugt wird«.[11] Für Justin geht es in seinem Dialog mit Tryphon darum, zum Verständnis Jesu zu führen, in dem die Gläubigen »Christus, den Sohn Gottes erkannt haben, der gekreuzigt wurde, von den Toten auferstand, in den Himmel auffuhr und noch einmal kommen wird, um alle Menschen insgesamt bis zurück auf Adam zu richten«.[12] Die einzelnen Aussagen über Jesus von Nazaret erweisen sich als Stereotype; so sehr sie auch im innergemeindlichen Leben der Unterweisung und der Taufliturgie wurzeln, hier bilden sie die Elemente des Dialogs bzw. der Auseinandersetzung um die Gestalt Jesu. Die »Christozentrik« der bekenntnisartigen Formeln entspricht der Dialog-Situation zwischen dem Anwalt des Christentums und einem Juden, die um den Erweis der Messianität Jesu kreist.

Ein ausgesprochen christus-orientiertes Bekenntnis bringt auch Meliton von Sardes in seiner Pascha-Homilie, in der es heißt: »Dieser ist es, der den Himmel und die Erde machte und im Anfang den Menschen gebildet hat; der durch das Gesetz und die Propheten angekündigt wurde; der durch eine Jungfrau Fleisch wurde; der am Holze aufgehängt wurde; der in der Erde begraben wurde; der von den Toten auferstanden ist und aufgestiegen ist zu den Himmelshöhen; der zur Rechten des Vaters sitzt; der alle Gewalt hat, zu richten und zu retten; durch den der Vater alles gemacht hat vom Anfang bis in die Äonen.«[13] Der demonstrative

---

[10] So sind die bekenntnisartigen Formeln Magn. 11; Trall. 9,1 f; Smyrn. 1,1 f gegen doketische Auffassungen der Christuswirklichkeit gerichtet. Vgl. A. Hahn, Bibliothek 1 ff.

[11] Justin, dial. 63,5 (Goodspeed 169); vgl. dial. 85,2.

[12] Justin, dial. 132,1 (Goodspeed 253).

[13] Meliton, Pascha-Hom. 104 (SChr 123,124). Übersetzung nach J. Blank, Vom Passa. Die älteste christliche Osterpredigt (Sophia 3), Freiburg 1963, 130.

Verweis »Dieser ist es« unterstreicht die Bedeutung, welche Meliton Christus im Schöpfungs- und Heilsgeschehen zuweist, und man geht kaum fehl, wenn man auch darin eine antijüdische Spitze erblickt, die wenige Verse vorher so massiv im Vorwurf des »Gottesmordes« zum Ausdruck kam.[14] Gewiß hat der Redner bei seiner bekenntnishaften Formulierung auf das gängige Glaubenssymbol seiner Gemeinde Sardes zurückgegriffen, aber in ihrer betont christologischen Zentrierung setzt sie einen Schwerpunkt, der vom Anlaß der Osterfestpraxis her einen distanzierenden Akzent zum Judentum einschließt.[15]

Im Hinblick darauf kann auch die sogenannte »Regula fidei« schwerlich als ein festumrissener Text betrachtet werden, etwa im Sinne eines ein- oder mehrgliedrigen Glaubenssymbols. Eirenaios von Lyon insistiert bei seiner Widerlegung gnostischer Irrlehren bekanntlich auf der »Regel der Wahrheit« ($\kappa\acute{\alpha}\nu\omega\nu\ \tau\tilde{\eta}\varsigma\ \dot{\alpha}\lambda\eta\vartheta\epsilon\acute{\iota}\alpha\varsigma$) oder der »Regel des Glaubens« ($\kappa\acute{\alpha}\nu\omega\nu\ \tau\tilde{\eta}\varsigma\ \pi\acute{\iota}\sigma\tau\epsilon\omega\varsigma$), wobei offensichtlich eine Norm gemeint ist, wie sie in der Wahrheit bzw. im Glauben selbst vorliegt. Dementsprechend pocht er selbstbewußt auf die eigene Überlieferung und erklärt: »Wir haben als Regel die Wahrheit selbst.«[16]

Schon aus dieser Feststellung wird deutlich, daß mit dem Kanon nicht ein ausformuliertes, sondern ein die Gesamtheit der Glaubensüberlieferung, wie sie von der Kirche verkündet wird, umgreifendes Bekenntnis gemeint ist. »Der Kanon der Wahrheit ist die Glaubensregel, ist der Glaube der Kirche als eine sichere Größe. Er ist die ›caelestis fides‹ (V praef.), mit deren Hilfe man die häretischen Lehren wie Kot verwirft. Er ist inhaltlich identisch mit der Fülle der Dogmen und Theologumena, deren Irenäus sich bedient. Schrift, Symbol und Überlieferung der Alten umfassend, ist er ›alles, was zur Wahrheit gehört (omnia quae sint veritatis)‹, von den Aposteln ›auf das vollständigste (plenissime)‹ in der Kirche zusammengetragen, wodurch diese zur ›reichen Schatzkammer (depositorium dives)‹ wird, so daß jeder, der will, ›aus ihr

[14] Meliton, Pascha-Hom. 96 (SChr 123,116). Die Schärfe der Auseinandersetzung steigerte gewiß auch die Exkommunikation der Christen von seiten der Synagoge; erinnert sei nur an die Verwerfung der Abtrünnigen und Ketzer im Schemone Esre, deren Reflex bei Justin, dial. 16,4; 47,4 u. ö. zu beobachten ist.
[15] Mit Recht hat man darauf aufmerksam gemacht, daß die gesamte Strukturierung der Homilie einer theologischen Entfaltung des Schlußbekenntnisses gleicht. Vgl. *B. Lohse*, Die Passa-Homilie des Bischofs Meliton von Sardes, Leiden 1958; ferner *K. W. Noakes*, Melito of Sardis and the Jews, in: TU 116, Berlin 1975, 244–249.
[16] Eirenaios, adv. haer. II 28,1: »Habentes itaque regulam ipsam vertitatem« (Harvey I 349).

den Trunk des Lebens schöpfen kann‹ (III 4,1)«.[17] Dieses ganzheitliche Verständnis von Glaubensregel, in die Symbolformeln integriert erscheinen, dient Eirenaios als Norm, an der sich die Lehren der Gnostiker messen lassen. Damit bekommt die regula fidei den Charakter eines Kriteriums, das es ermöglicht, die Häresie vom großkirchlichen Glauben zu scheiden.[18] Die distanzierende Funktion des Symbols, von dem Eirenaios wörtlich im Grunde wenig Gebrauch macht, gewinnt bei ihm als Kanon des Glaubens grundlegende Bedeutung für das Bewahren der in Gottes Heilstaten kundgegebenen Offenbarung; insofern erscheint das Bekenntnis sogar als Richtschnur der Schriftauslegung.[19]

Der Afrikaner Tertullian bewegte sich in ähnlichen Bahnen der Argumentation gegen die Häretiker; auch für ihn besitzt das Symbol entscheidende Bedeutung nach außen hin, also gewissermaßen zur Abgrenzung. Keineswegs soll damit die zentrale Rolle des Bekenntnisses für den internen, insbesondere den liturgischen Bereich in Abrede gestellt werden. Trotzdem überrascht das Gewicht, das er dem Symbol in seiner Auseinandersetzung mit den Irrgläubigen zumißt, deren Auftreten angesichts der Aussage die Gläubigen seiner Zeit nicht in Verwirrung bringen sollte. Leitlinie zur Wahrung der ganzen Offenbarung ist die regula fidei, »welche die Kirchen von den Aposteln, die Apostel von Christus, Christus von Gott empfangen hat«.[20] Apostolizität und Überlieferung qualifizieren die Glaubensregel in einzigartiger Weise – fraglos mit ein Anlaß zur Bildung jener Legende, wonach jeder der Apostel einen Artikel zum Symbolum beigetragen habe[21] – und machen sie geradezu unantastbar. Nach der Wiedergabe seiner Regel des Glaubens, die kurz auf den einen Gott, den Weltschöpfer, eingeht und dann vor allem christologische Aussagen, einschließlich der Sendung des Heiligen Geistes, bringt, erklärt Tertullian: »Diese ... von Christus gelehrte Regel wird bei

---

[17] N. Brox, Offenbarung, Gnosis und gnostischer Mythos bei Irenäus von Lyon. Zur Charakteristik der Systeme (Salzburger Patrist. Stud. 1), Salzburg-München 1966, 111 f.

[18] So auch F. Kattenbusch, Das Apostolische Symbol 32 f.

[19] Eirenaios, adv. haer. I 9,4: »Ebenso wird der, welcher die Richtschnur der Wahrheit (κάνων τῆς ἀληθείας) unerschütterlich in sich festhält, die er in der Taufe empfangen hat, zwar die Namen und Redewendungen und Parabeln aus den Schriften, aber nicht ihre [sc. der Irrlehrer] gotteslästerlichen Hirngespinste anerkennen« (Harvey I 88).

[20] Tertullian, praescr. haer. 37,1 (CCL 1,217).

[21] Zu der erstmals bei Rufin faßbaren Legende siehe C. Eichenseer, Das Symbolum Apostolicum beim Heiligen Augustinus mit Berücksichtigung des dogmengeschichtlichen Zusammenhangs (Kirchengesch. Quellen und Studien 4), St. Ottilien 1960, 48ff.

uns keinerlei Untersuchungen unterworfen, außer solchen, die durch Häresien angeregt werden und wodurch man zum Häretiker wird.«[22] Für den Afrikaner ist der Glaube niedergelegt in dieser heilverbürgenden regula fidei, und nur insoweit ihre Ordnung gesichert bleibt, kann menschliche Erkenntnisbemühung um sie kreisen. »Nichts gegen die Glaubensregel wissen, heißt alles wissen!«, formuliert er antithetisch[23] und sucht so den Häretikern das Fundament ihrer Argumentation zu entziehen. Mit äußerster Skepsis betrachtet Tertullian das suchende Forschen in Sachen des Glaubens, und er zögert nicht, im Zuge seiner Polemik die Vertreter der Philosophie als die Ahnen der Häresie zu verunglimpfen. Unter Berufung auf den Apostel Paulus zeichnet er nun den Gegensatz zwischen Philosophie und Glauben mit dem berühmten Vergleich: »Er war in Athen gewesen und hatte diese Menschenweisheit in Zusammenkünften kennengelernt, diese Nachäfferin und Verfälscherin der Wahrheit, die selbst auch vielgeteilt ist in ihre Häresien durch die Mannigfaltigkeit der Schulen, die einander bekämpfen. Was hat also Athen mit Jerusalem zu schaffen, was die Akademie mit der Kirche, was die Häretiker mit den Christen? Unsere Lehre stammt aus der Säulenhalle Salomos, der selbst gelehrt hatte, man müsse den Herrn in der Einfalt seines Herzens suchen.«[24] Athen und Jerusalem repräsentieren jeweils Philosophie und Glaube, die als solche für Tertullian in Gegensatz zueinander stehen; er kennt zwar die Möglichkeit eines philosophisch orientierten Christentums, kann aber angesichts der Häresien sein Unbehagen daran nicht verhehlen. Sein Rekurs auf den Glauben schließt den Verzicht auf rationale Begründung mit ein, eine Argumentation, die letztlich juridisch vorgeht, insofern sie die Kirche als rechtmäßigen Besitzer des Glaubens auszuweisen trachtet. Die regula fidei, hier nach Art eines Symbols eingeführt, bildet wieder die unantastbare Norm, das Gesetz.[25] So unbestimmt uns einerseits die faßbaren Formeln

---

[22] Tertullian, praescr. haer. 13,6 (CCL 1,198); vgl. virg. vel. I 3,17: »Regula quidem fidei una omnino est, sola immobilis et irreformabilis« (CCL 2,1209).

[23] Tertullian, praescr. haer. 14,5: »Aduersus regulam nihil scire omnia scire est« (CCL 1,198).

[24] Tertullian, praescr. haer. 7,8–10 (CCL 1,193).

[25] Vgl. Tertullian, spect. 4,1: »Cum aquam ingressi Christianam fidem in legis suae uerba profitemur« (CCL 1,231); praescr. haer. 14,4: »Fides in regula posita est, habet legem et salutem de obseruatione legis« (CCL 1,198); siehe dazu *A. Beck*, Römisches Recht bei Tertullian und Cyprian. Eine Studie zur frühen Kirchenrechtsgeschichte, Halle 1930, Neudr. Aalen 1967, 25 ff.

der jeweiligen Symbola gegenübertreten, die Verbindlichkeit ihrer grundsätzlichen Aussagen wird mit allem Nachdruck betont. Für Tertullian schließt die regula fidei über die Absage an die Häretiker hinaus noch die Distanzierung zur Kultur mit ein, insoweit sie durch das Leitbild Athen verkörpert wird; als Verdichtung des offenbaren Gotteswortes und Norm christlicher Lebensverwirklichung kontrastiert die Glaubensregel zu all jenen Maximen, die dem erkenntnisorientierten Menschen der Antike Maßstab waren.[26]

Der unverkennbare Rigorismus Tertullians hat in der Geschichte der Bekenntnisbildung eine Verschärfung erfahren, als durch die allgemeinen Konzilien Symbola eine universalkirchliche Geltung beanspruchten und jene, die ihnen ihre Gefolgschaft verweigerten, mit dem Anathem belegten. So heißt es ausdrücklich im Anschluß an das Symbol von Nikaia: »Die aber, die sagen: ›Es gab eine Zeit, in der er nicht war‹, . . ., die belegt die katholische und apostolische Kirche mit dem Anathema (ἀναθεματίζει).«[27] Trotz mancher Reserven aus der Auseinandersetzung mit den Juden wird hier das Anathema aufgenommen, vielleicht unter Rücksicht auf Gal 1,9, und der Bannfluch über Areios und seine Anhänger ausgesprochen.[28] Die Koppelung eines allgemein verbindlichen Bekenntnisses mit der Ausschluß- und Verwerfungsformel steigert zwangsläufig die trennende Funktion solcher Formeln; obwohl einerseits das Glaubensbewußtsein der Großkirche gestärkt wurde, tritt doch zugleich die trennende Funktion des Symbols stark in den Vordergrund. Gewiß haben sie auch früher schon als Prüfstein des rechten Glaubens gedient, z. B. beim Ausschluß des Noët durch die Presbyter von Smyrna,[29] nunmehr ist die inhaltliche Norm unmittelbar mit der Fluchformel verbunden und statuiert als konziliarer Entscheid den Ort des eigenen Glaubens in aller Schroffheit gegenüber der Häresie. Diese Verknüpfung hat trotz Differenzierungen im einzelnen[30] das synodale Geschehen

---

[26] Zu diesen Leitvorstellungen gehören auch die »Symbola« aus den Mysterienreligionen, von denen Firmicus Maternus (err. prof. 18–22) berichtet. Vgl. *J. N. D. Kelly*, Altchristliche Glaubensbekenntnisse 60 f.

[27] *J. N. D. Kelly*, Altchristliche Glaubensbekenntnisse 215 f.

[28] So ausdrücklich im Synodalschreiben der katholischen Bischöfe auf der Synode von Serdika 342/343 (Theodoret, hist. eccl. II 8,34.35); erstmals begegnet das Anathema in can. 52 der Synode von Elvira (306?). Vgl. *K. Hofmann*, Art. Anathema, in: RAC I 427–430.

[29] Hippolyt, elench. X 8–12 (GCS 26,244 f).

[30] Die Sanktion der Formel von Chalkedon sieht für Kleriker Absetzung, für Mönche und Laien den Bann vor (ACO II,I 2,130).

in den folgenden Jahrhunderten weitgehend geprägt und so den Akzent der Distanzierung übermächtig betont.

3. Die martyrologische Tragweite

Aus dem engen Zusammenhang von Taufe und Bekenntnis resultiert nicht zuletzt die martyrologische Tragweite des Glaubenssymbols. Das Bekenntnis aus der Taufe fordert vom Gläubigen ein Zeugnis in der Öffentlichkeit, und zwar in der Nachfolge Christi (Röm 6,1–14; 1 Petr 3,18–22). Nachdrücklich verlangt Paulus dieses Zeugnis, wenn er an seinen bedrängten Schüler Timotheus schreibt: »Ich fordere dich auf vor Gott, der allem Leben gibt, und vor Christus Jesus, der vor Pontius Pilatus Zeugnis gab im herrlichen Bekenntnis, daß du den Auftrag (ἐντολήν) unversehrt und untadelig bewahrst bis zur Erscheinung unseres Herrn Jesus Christus« (1 Tim 6,13f). Offensichtlich ist dieses Wort in ein prozessuales Verfahren hinein gesprochen, und in dieser Lage »bedeutete es eine Stärkung des Mutes, sich daran zu erinnern, daß Christus vor Pilatus seine messianische Königsherrschaft verkündigt hatte. So sprach man vom bekennenden Christus in dem bei Verfolgungen ausgesprochenen Bekenntnis.«[31] Das Wahren (τηρεῖν) des Auftrags läßt sich aus dem Kontext am besten als ein Bewahren des Glaubens(-bekenntnisses) interpretieren, das zum Konflikt mit den staatlich-religiösen Autoritäten führt.[32] Unmißverständlich verknüpft Tertullian die Taufe mit dem Gedanken an das Martyrium, wenn er von der Bluttaufe (lavacrum . . . sanguinis) spricht. »Die beiden Arten von Taufen hat er aus der Wunde seiner durchbohrten Seite hervorgehen lassen, weil die, welche an sein Blut glauben würden, mit Wasser abgewaschen werden, und weil die, welche mit Wasser abgewaschen sind, auch Blut trinken sollten.«[33] Und Origenes verlangt vom Getauften das »τηρεῖν τὸ βάπτισμα«, ein Prinzip, das Anteil an der Auferstehung verbürgt und mit dem Anspruch verbunden ist, den Glauben, näherhin das Symbol, festzuhalten.[34]

[31] O. Cullmann, Glaubensbekenntnisse 21.
[32] H. Riesenfeld deutet den Begriff »Gebot«, »Auftrag« als »normativen Traditionsstoff« (Art. τηρέω κτλ., in: ThWNT VIII 139–151, 143).
[33] Tertullian, bapt. 16 (CCL 1,290 f). Vgl. F. J. Dölger, Tertullian über die Bluttaufe. Tertullian De baptismo 16, in: AC 2 (1930) 117–141.
[34] Origenes, hom. in Jes. 2,3 (GCS 6,19).

So sehr nun Vorsicht geboten ist gegenüber einer kurzschlüssigen Ableitung des Märtyrertitels vom neutestamentlichen Wortzeugenbegriff,[35] so demonstrieren doch die Quellen eine sachliche Nähe von Bekenntnis- und Martyriumsbereitschaft. Charakteristisch für diesen Befund ist der Bericht vom Martyrium des Polykarp, der sich weigerte, den Kaiser als Kyrios zu bekennen, was den kaiserlichen Beamten zu der deklamatorischen Frage veranlaßte: »Τί γὰρ κακόν ἐστιν εἰπεῖν· Κύριος καῖσαρ«.[36] Der Würdetitel »Kyrios« ist allein Jesus vorbehalten; er gilt als konzentriertes Bekenntnis des Glaubens, das Polykarp schließlich mit seinem Tode bezeugt. Bezeichnenderweise enthält auch sein Gebet unmittelbar vor der Exekution symbolhafte Züge, die auf eine hymnisch formulierte Vorlage schließen lassen. Glaubensbekenntnis und Martyrium treten so in einen martyrologischen Bezug, der die Tragweite des Christseins ins volle Bewußtsein hob.

Untersucht man den Dialog des Märtyrers Apollonius mit dem richtenden Prokonsul Perennis, dann fällt ebenfalls auf, wie sehr die Gedankenführung nach Art eines Bekenntnisses gestaltet ist; vom Gottesverständnis führt das instruierende Gespräch zum Logos, um schließlich in eine Doxologie einzumünden: »Ich danke meinem Gott, Statthalter Perennis, mit allen, die Gott den Allmächtigen und seinen eingeborenen Sohn Jesus Christus und den Heiligen Geist bekennen, auch für diesen deinen für mich heilbringenden Urteilsspruch.«[37] Das Bekenntnis des Glaubens, nicht selten in strukturierter Form durch die Berichte schimmernd, führt die Christen zum Konflikt mit dem polytheistisch orientierten Staat. Auf dieser Basis ergehen sogar regelrechte Aufforderungen zum Martyrium. Origenes hebt auf das »Maß« des Bekenntnisses ab und verlangt das entsprechende Zeugnis in der Öffentlichkeit. »Wenn wir es aber auch nur in einem Punkte fehlen lassen, so haben wir ›das Maß‹ des Bekenntnisses (τὸ τῆς ὁμολογίας μέτρον) nicht erfüllt, sondern es befleckt und ihm etwas Fremdes beigemischt, und wir werden darum dasselbe bedürfen

[35] Siehe N. Brox, Zeuge und Märtyrer. Untersuchungen zur frühchristlichen Zeugnis-Terminologie (Studien z. Alten u. Neuen Testament 5), München 1961; H. v. Campenhausen, Die Idee des Martyriums in der alten Kirche, Göttingen ²1964; Th. Baumeister, Die Anfänge der Theologie des Martyriums (MBTh 45), Münster 1980.

[36] Mart. Polyc. 8,2 (Bihlmeyer-Schneemelcher 124). Man vgl. Did. 4,1: »ὅθεν γὰρ ἡ κυριότης λαλεῖται, ἐκεῖ κύριός ἐστιν« (Bihlmeyer-Schneemelcher 3).

[37] Act. Apoll. 46 (Knopf-Krüger 34 f).

wie jene, die ›auf den Grund Holz oder Heu oder Stroh gebaut haben‹ (vgl. 1 Kor 3,12).«[38]

Mit dem Abklingen der Verfolgungen trat das Blutzeugnis für den Glauben in den Hintergrund; dafür gewannen die Martyrer selbst als Zeugen des Glaubens an Ansehen und Verehrung. Augustin rühmt dementsprechend die Martyrer als »principes confessionis« und »principes fidei«,[39] sieht sich aber selbst dem Anspruch der Donatisten konfrontiert, die sich als »Söhne der Martyrer« betrachteten. Wie schon Optatus gegen die Donatisten einwandte, daß man keine Leute als Martyrer bezeichnen könne, die keine Bekenner gewesen sind,[40] so pocht Augustin auf die Sache selbst, die allein einen Verfolgten zum Martyrer macht.[41] Das Blutzeugnis für den Glauben geriet angesichts der Spaltung in der afrikanischen Christenheit fast ins Zwielicht. Nur durch die überlegene Theologie Augustins, der selbst immer wieder das Symbol auslegte, gelang es, jene Kriterien zu entwickeln, die für das wahre Martyrium unerläßlich sind; sie finden sich im Bekenntnis der wahren Kirche.[42]

4. Der integrierende Aspekt

Zu den erstaunlichsten Vorgängen der Bekenntnisbildung zählt die Tatsache, daß angesichts einer konservierenden Tendenz in Form und Aussage der Überschritt zur philosophischen Begrifflichkeit nicht verweigert wurde. Als klassisches Beispiel solcher Integration gilt die Einfügung des ὁμοούσιος in das Symbol von Nikaia,[43] dessen Herkunft bis heute noch manche Fragen aufgibt. Die Reserve gegenüber diesem Begriff resultierte vor allem aus dem Umstand, daß er nicht der biblischen Sprache angehöre und so ein fremdes Element in die Sprachgestalt des Bekenntnisses

---

[38] Origenes, exhort. mart. 11 (GCS 2,11).

[39] Augustinus, enarr. in Ps. 67,36 (CCL 39,895).

[40] Optatus Mil. III 8 (CSEL 26,91).

[41] Augustinus, tract. in Joh. 38,3: »Ergo quo ego uado dixit, non cum itur ad mortem, sed quo ibat post mortem« (CCL 36,339). Vgl. H. v. Campenhausen, Idee des Martyriums 168 ff.

[42] Vgl. C. Eichenseer, Symbolum Apostolicum 146 ff.

[43] Zur Diskussion darüber auf dem Konzil siehe C. J. v. Hefele, Conciliengeschichte I, Freiburg ²1873, 306ff; ferner Fr. Ricken, Nikaia als Krisis des altchristlichen Platonismus, in: ThPh 44 (1969) 321–341; Ders., Das Homousios von Nikaia als Krisis des altchristlichen Platonismus, in: B. Welte, Zur Frühgeschichte der Christologie (Quaest. disp. 51), Freiburg 1970, 74–99.

einführe, das als solches zum integrierenden Bestandteil des Bekenntnisses werde.

Ein solcher Widerstand gegen ein philosophisch interpretiertes Christentum hatte sich früher schon öfters artikuliert;[44] er gewann aber angesichts der anstehenden Entscheidung von Nikaia erhöhte Bedeutung, zumal Areios selbst von seinen eigenen mittelplatonisch gefärbten Denkvoraussetzungen aus dagegen opponierte. Tatsächlich entschied sich das Konzil für die Einfügung des ὁμοούσιος in das Symbol, und es legitimierte damit einen Weg der Glaubensinterpretation mithilfe eines philosophischen Vokabulars. Die Theologen vor Nikaia hatten in ihrem Dialog mit der Umwelt längst diese Richtung eingeschlagen und die Affinität des biblischen mit dem philosophischen Gottesbegriff zu erweisen versucht.[45] Solche Einzelversuche erfuhren nun in ihrer Grundtendenz eine Bestätigung, insofern das ökumenische Konzil sich der gleichen Methode bediente und so das folgenschwere Ineinander von biblischer Offenbarung und philosophischer Argumentation sanktionierte.

Es ist bekannt, daß noch in der Spätantike Kritik an dieser Verschmelzung laut wurde; vor allem unter dem Schlagwort von der »Hellenisierung des Christentums« meinte man vielfach, darin einen Abfall von der ursprünglichen Höhe diagnostizieren zu können.[46] Nun vermögen Schlagworte nur selten die differenzierten Befunde der Theologie angemessen zu beschreiben, und es überrascht darum nicht, wenn gegen solche Pauschalurteile Widerspruch laut wurde. In sorgsamer Auseinandersetzung mit den zeitgenössischen geistig-religiösen Strömungen wurde so zu Recht festgestellt, daß mit dem ὁμοούσιος von Nikaia der altchristliche Platonismus in die Krise geraten sei. »Nikaia bricht mit der naiven Rezeption des spätantiken Seinsverständnisses zur Deutung des christlichen Kerygmas.«[47] Man kann diesem Resümee nur beipflichten, insofern die Väter des ersten ökumenischen

---

[44] Erinnert sei beispielsweise an Tertullian; vgl. oben Anm. 24.
[45] Siehe W. *Pannenberg*, Die Aufnahme des philosophischen Gottesbegriffes als dogmatisches Problem der frühchristlichen Theologie, in: ZKG 70 (1959) 1–45; R. P. C. *Hanson*, Dogma and Formula in the Fathers, in: TU 116, Berlin 1975, 169–184.
[46] A. v. *Harnack* sagte vom Dogma, es sei »in seiner Conception und in seinem Ausbau ein Werk des griechischen Geistes auf dem Boden des Evangeliums« (Lehrbuch der Dogmengeschichte I, Tübingen ⁴1909, Neudr. Darmstadt 1964, 20). Zur Problematik der Hellenisierung insgesamt siehe P. *Stockmeier*, Art. Hellenismus und Christentum, in: Sacramentum Mundi II 665–676.
[47] Fr. *Ricken*, Nikaia als Krisis 341.

Konzils den triadischen Raster mittelplatonischer Hypostasen-Systeme durchbrechen und aufgrund biblischer Aussagen den Logos dem Seinsbereich des transzendenten Gottes zuweisen. So gesehen dient der Begriff ὁμοούσιος zur Wahrung der ganzen Christusbotschaft; mithilfe eines philosophischen Terminus wird ein philosophisches Denkmodell korrigiert und zugleich überwunden. Das Bekenntnis von Nikaia umgrenzt also trotz Anleihe aus der nichtbiblischen Welt den offenbarungsgemäßen Standort des großkirchlichen Glaubensbewußtseins.

Andererseits läßt sich aber nicht die Tatsache ignorieren, daß durch die Übernahme philosophischer Terminologie und außerbiblischer Denkformen die Artikulation der Offenbarung in einer Weise erfolgt, die den Zugang geradezu auf die Ebene der Vernunft – anstelle der des Glaubens – umleitet. Gott wird dann in Kategorien des Seins vorgestellt, und sein Handeln in Christus tritt in den Hintergrund gegenüber spekulativen Verhältnisbestimmungen. Es wäre verfehlt, diese Auslegung der biblischen Botschaft als Fehlentwicklung zu verurteilen; sie war vielmehr bedingt durch die historische Situation der Verkünder und Hörer des Evangeliums in der griechisch-römischen Welt. Diese Gegebenheiten führten zwangsläufig zu einer Hellenisierung der biblischen Botschaft, ohne daß freilich ihr Kern verbogen worden wäre.[48]

Ein aufschlußreiches Beispiel dieser Entwicklung stellt das Symbolum Athanasianum, das sogenannte Quicumque, dar.[49] Sein Text behandelt nach Art eines theologischen Traktats die Lehre von der Dreifaltigkeit und ebenso die Christologie, wobei sogar Konzilsdefinitionen eingebaut werden; Sprache und Stil entsprechen dieser Tendenz, und so hebt sich dieses Bekenntnis deutlich

---

[48] Die Diskussion um die Hellenisierungsthese geht gelegentlich von einem unterschiedlichen Verständnis aus; gegenüber einer Auffassung, die in der Hellenisierung eine Preisgabe von biblischen Offenbarungsaussagen erblickt, wird man aufgrund der allgemeinen Anwendung des Begriffs sagen dürfen, daß er das Erscheinungsbild des Christentums seit seiner Begegnung mit dem Hellenismus anspricht. Siehe zuletzt A. *Grillmeier*, »Christus licet nobis inuitis deus«. Ein Beitrag zur Diskussion über die Hellenisierung der christlichen Botschaft, in: Kerygma und Logos. Beiträge zu den geistesgeschichtlichen Beziehungen zwischen Antike und Christentum. Festschr. f. C. Andresen, hrsg. v. A. M. Ritter, Göttingen 1979, 226–257; W.-D. *Hauschild*, Das trinitarische Dogma von 381 als Ergebnis verbindlicher Konsensbildung, in: Glaubensbekenntnis und Kirchengemeinschaft. Das Modell des Konzils von Konstantinopel (381), hrsg. v. K. Lehmann u. W. Pannenberg (Dialog der Kirchen 1), Freiburg-Göttingen 1982, 13–48, 41ff.

[49] Zur allgemeinen Problemlage siehe den Überblick von R. J. H. *Collins*, Art. Athanasianisches Symbol, in: TRE IV 328–333.

152

von früheren Formeln ab. Durchtränkt von metaphysischem Geist und rationalen Aussagen spiegelt es den Horizont jener Fragestellungen, die von den Konzilien des Altertums einer Antwort zugeführt worden waren, weitgehend auf die Herausforderung philosophischer Strömungen hin. Die Integration hellenistischer Denkformen hat in diesem Symbol fraglos einen Höhepunkt erreicht, obwohl die theologische Aussage – ausgenommen die zwischen östlichen und westlichen Kirchen umstrittene Lehre über den Ausgang des Geistes vom Vater und vom Sohn (et filio) – gemeinchristliche Glaubensüberzeugung formuliert. Ein Verständnis von Hellenisierung im Sinne des Bruchs mit der Aussage der Offenbarung läßt sich also auch in diesem Bekenntnis nicht ausmachen; seine Rezeption durch die mittelalterliche Scholastik bestätigt den geschichtlichen Befund.[50]

Schlußbemerkung

Die Bekenntnisbildung weist von ihren Anfängen der eingliedrigen Formel bis zum ausdifferenzierten Symbol auf verschiedene Anstöße zurück. Wie die Homologie des einzelnen Gläubigen seine Hinwendung zur Kirche zum Ausdruck brachte und in der Taufe besiegelt wurde, so gewann das Bekenntnis für die Gemeinschaft der Gläubigen insgesamt an Gewicht. Allein die Tatsache einer Symbolentfaltung, der in zeitgenössischen Religionen kaum ein gleichartiges Phänomen entspricht, zeugt von der Lebendigkeit des Glaubensbewußtseins in den Gemeinden. Das Glaubenssymbol als »verbum abbreviatum« stellte eine Verdichtung der christlichen Heilsbotschaft dar,[51] und es erlangte so seine ekklesiologische Bedeutung. Aus der Taufvorbereitung jedem Gläubigen geläufig, hob es die wesentlichen Elemente der biblischen Offenbarung ins Bewußtsein und aktualisierte so den Zusammenhang mit dem Ursprungsgeschehen.[52] Darüber hinaus bildete es trotz aller anderen Motive das entscheidende Kriterium der Identifikation mit der christlichen Gemeinde, die auf dieser Basis letztlich auch über die Communio miteinander befand.

[50] Siehe *L. Ott*, Das Konzil von Chalkedon in der Frühscholastik, in: Das Konzil von Chalkedon. Geschichte und Gegenwart II, hrsg. v. A. Grillmeier u. H. Bacht, Würzburg 1954, 873–922, bes. 895 ff.

[51] Augustinus, hom. in Rom. 67 (PL 35,2082); dazu siehe *C. Eichenseer*, Symbolum Apostolicum 3 f.

[52] Ambrosius vergleicht das Symbolum mit dem Fahneneid: »militiae sacramento« (virg. III 4,20 [Flor. Patr. 31,71]).

In diesem Zusammenhang verdient freilich die Tatsache Aufmerksamkeit, daß es zur Zeit des frühen Christentums eine Vielzahl von Bekenntnissen gab. Abgesehen von individuellen und synodalen Bekenntnissen besaß eine ganze Reihe von Ortskirchen je ihre eigene Formel. Dieser Befund illustriert nicht nur eine ausgesprochen schöpferische Aktivität in Sachen der Glaubensformel, er beleuchtet auch das kirchliche Selbstverständnis der Frühzeit, das stark von lokalen Traditionen, vorab des apostolischen Ursprungs, geprägt war. Ortskirche und Bekenntnis bilden eine Einheit, die nicht vorschnell von ökumenischen Formeln überlagert wird. Als universales Bekenntnis und damit als Ausdruck eines gemeinkirchlichen Konsenses vermochte sich erst das »Nicaeno-Constantinopolitanum« durchzusetzen, wobei die Hilfe des an der Einheit interessierten Staates unübersehbar ist.[53] Es bleibt jedoch beachtenswert, daß vor dem universal und reichskirchlich verpflichtenden Symbol das Bekenntnis der Ortskirche steht, und zwar nicht nur als unverbindlicher Baustein, sondern als konstitutives Element frühchristlicher Ekklesiologie. Die eigentümlichen Formulierungen vom Glauben »an den Heiligen Geist in der heiligen Kirche«[54] geben diesem Verständnis deutlich Ausdruck.

---

[53] Vgl. W.-D. *Hauschild*, Das trinitarische Dogma 38ff.
[54] Siehe *J. N. D. Kelly*, Altchristliche Glaubensbekenntnisse 153; ferner *Th. Schneider*, Der theologische Ort der Kirche in der Perspektive des dritten Glaubensartikels, in: Glaubensbekenntnis und Kirchengemeinschaft 100–119.

Teufels- und Dämonenglaube in der Geschichte der Kirche*

Wer von der kleinasiatischen Küstenstraße her auf halbem Weg zwischen Troja und Smyrna ins Landesinnere einbiegt, dem stellt sich bald ein mächtiger Bergrücken in den Weg, der Burgberg von Pergamon, einstmals glanzvolle Residenz der Attaliden. Die Reste der Palastbauten und Tempel, das steilabfallende Theater und die Gymnasien vermitteln noch heute jedem Besucher Macht und Größe eines Geschlechts, das von hier aus im 3. vorchristlichen Jahrhundert einen großen Teil Kleinasiens beherrschte, ehe es sich den Römern unterstellte. In dieser Stadt entstand schon frühzeitig eine Christengemeinde, von der wir aus dem Sendschreiben der Apokalypse (2,12–17) wissen, deren Verfasser die Bedrängnis dieser Ortsgemeinde mit der unheimlichen Bemerkung aktualisiert: »dort, wo der Thron Satans steht« (2,13). Zwar herrscht bis heute keine Klarheit darüber, ob mit dieser Aussage der imposante Burgberg mit den repräsentativen Bauten gemeint ist oder vielleicht der Zeusaltar, dessen schlangenhafter Gigantenfries in Ostberlin zu bewundern ist. Man könnte auch an das dortige Asklepieion denken, wo man neben anderen Krankheiten auch Epilepsie nach humoralpathologischen Prinzipien zu heilen suchte.[1] Auf jeden Fall aber demonstriert das Symbolwort vom »Thron Satans«, daß die Ortsgemeinde von Pergamon in einer Bedrängnis steht, die von der unmittelbaren Präsenz Satans, und zwar durch ein herrscherliches Attribut unterstrichen, ausgeht. So zutreffend es nun sein mag, den Situationsbefund der pergamenischen Gemeinde auf die Kirche in ihrer Geschichte grundsätzlich zu übertragen, es erweist sich als außerordentlich schwierig, nicht der plakativen Wirkung zu unterliegen, sondern ihn auf seine theologische Tragfähigkeit zu prüfen.

---

* Aus: R. Schnackenburg (Hrsg.), Die Macht des Bösen und der Glaube der Kirche (Schriften der Katholischen Akademie in Bayern, Bd. 89), Patmos Verlag, Düsseldorf 1979, 33–55.
[1] Zur Deutung siehe E. *Lohse*, Die Offenbarung des Johannes (NTD 11), Göttingen [10]1971, 27 ff. Das Motiv vom »Thron Satans« begegnet gerade in Verbindung mit dem Herrschaftsgedanken als Gegenpol zum Thron Gottes immer wieder in der Literatur und Kunst des Christentums, und zwar als Symbol der Anwesenheit satanischer Macht.

Das Thema »Teufels- und Dämonenglaube in der Geschichte der Kirche« gehört nach der Ordnung der Wahrheiten an die Peripherie des Glaubensbewußtseins; man sollte es im Grunde mit dem Heils-Wort »Glaube« gar nicht koppeln. Aber die Frage nach dem Un-Heil und dem Bösen in der Welt spielt es immer wieder in die Mitte, zwar vielleicht weniger der Katheder-Theologie, jedoch des allgemeinen Bewußtseins. Deshalb ist von vornherein damit zu rechnen, daß ähnliche Anschauungen auch außerhalb des Christentums anzutreffen sind und sich mit biblischen verschmolzen haben. Das Thema bleibt zudem nicht auf den Bereich theoretischer Erörterungen beschränkt, da es weitgehend von Phänomenen begleitet ist, welche die geistige und physische Struktur des Menschen tangieren. Die Überzeugung von der Existenz Satans und seiner Wirkmacht hat tiefe Furchen in der Geschichte der Kirche hinterlassen; ja, selbst dort, wo der Mensch sich dem Anruf des Glaubens entzogen hat, behauptet die Satansvorstellung ihren Platz. Die Teufelsphraseologie der Alltagssprache spiegelt recht deutlich den Prozeß dieser Säkularisierung.

Es wäre nun eine Überforderung, aus der Fülle von Zeugnissen, Anschauungen und einschlägigen Phänomenen ein umfassendes Bild des Teufels- und Dämonenglaubens in der Geschichte der Kirche nachzuzeichnen. Die folgenden Ausführungen zielen darum auf die Rezeption und Weiterentwicklung biblischer Aussagen, sie suchen die Auswirkungen dieser Satanologie zu illustrieren. Insofern stellen sie auch keinen Traditionsbeweis für die lehrhaften Aussagen des IV. ökumenischen Konzils im Lateran vom Jahre 1215 dar. Mehr als es Denzinger und offizielle Dokumente zum Ausdruck bringen, war und ist Teufelsglaube in der Christenheit lebendig, und zwar vielfach in Formen, die den Gottesglauben verdunkeln. Nicht zuletzt deshalb beschleicht den Historiker ein Unbehagen, auf dem Weg durch die Geschichte den Teufel an die Wand zu malen.[2]

---

[2] Allgemeine Information zum Thema bieten neben einschlägigen Artikeln in Fachlexika folgende jüngere Werke: F. J. *Dölger*, Die Sonne der Gerechtigkeit und der Schwarze. Eine religionsgeschichtliche Studie zum Taufgelöbnis (Liturgiegesch. Forsch. 2), Münster 1918, ²1971; E. *Reisner*, Der Dämon und sein Bild, Brügge 1947; Satan (Études Carmélitaines 27), Paris 1948; E. v. *Petersdorff*, Daemonologie, 2 Bde., München 1956/57; A. *Winklhofer*, Traktat über den Teufel, Frankfurt 1961; C. *Colpe* – J. *Maier* – J. *ter Vrugt-Lentz* – C. *Zintzen* – E. *Schweizer* – A. *Kallis* – P. G. *van der Nat* – C. D. G. *Müller*, Art. Geister, in: RAC IX 546–797; H. *Häring*, Satan, das Böse und die Theologen. Bericht über neuere Literatur, in: Bibel und Kirche 30 (1975) 27–31; 66–68; H. *Haag*, Teufelsglaube, Tübingen 1974; Christlicher Glaube und Dämonologie. Eine von einem Experten im Auftrag der Kongregation für die Glaubens-

1. Die Übernahme neutestamentlicher Aussagen

Die christlichen Gemeinden des nachapostolischen Zeitalters richteten ihr Augenmerk darauf, ihren Glauben zu bezeugen, daß Gott den Menschen in Jesus von Nazaret das Heil gebracht hat. Aus den schriftlichen Nachrichten dieser Epoche tritt die Sorge um das Bewahren dieses Kerygmas stark in den Vordergrund, zugleich das Bemühen, die Gemeinden in und aus diesem Glauben zu konsolidieren. Eine Erwähnung Satans oder der Dämonen begegnet uns verhältnismäßig selten;[3] bei Ignatios von Antiochien († um 110) gelegentlich, so wenn er im Anschluß an neutestamentliche Aussagen (Mt 13,24–30.36–43) vom »Gewächs des Teufels« spricht[4] oder von seinen Nachstellungen;[5] aber auch in der Vorstellung von des »Teufels bösen Plagen«, worin sich der Gedanke des Martyriums als Kampf mit dem Teufel ankündigt.[6] Nirgends stoßen wir auf den Versuch, die Gestalt Satans näher zu umschreiben; man rechnet mit seiner Existenz und Wirkmacht, wobei in Anlehnung an das antike Weltbild ihm und seinen Mächten der Luftraum als Lebensbereich zugewiesen ist.[7] Ein Hinweis auf das Wesen der Dämonen liegt offensichtlich in einem verschollenen Wort des Auferstandenen vor, das Ignatios zitiert: »Faßt, betastet mich und seht, daß ich kein leibloser Dämon (δαιμόνιον ἀσώματον) bin.«[8] Die kanonischen Evangelien überliefern ein solches Wort des Herrn nicht; also liegt hier ein Reflex aus der Dämonologie der Umwelt vor. Schule macht in der Folgezeit die Verbindung des Irrlehrers mit dem Teufel, die erstmals Polykarp von Smyrna († 156) in Abwandlung des Wortes von 1 Joh 3,8 vollzieht: »Wer das Zeugnis des Kreuzes nicht bekennt, ist vom Teufel.«[9] Hieraus entwickelt sich ein handfester Topos der Ketzerbe-

---

lehre erstellte Studie vom 26. Juni 1975, Trier 1977; W. *Kasper* – K. *Lehmann*, Teufel, Dämonen, Besessenheit. Zur Wirklichkeit des Bösen. Mit Beiträgen von W. Kasper, K. Kertelge, K. Lehmann, J. Mischo, Mainz 1978.

[3] Zum Beispiel im Ersten Klemensbrief nur 51,1 als »Widersacher« (Bihlmeyer-Schneemelcher 62); vgl. F. X. *Gokey*, The Terminology for the Devil and Evil Spirits in the Apostolic Fathers (The Cath. Univ. of America. Patrist. Stud. 93), Washington 1961.

[4] Ignatios, Eph. 10,3 (Bihlmeyer-Schneemelcher 85).

[5] Ignatios, Trall. 8,1 (Bihlmeyer-Schneemelcher 95).

[6] Ignatios, Rom. 5,3 (Bihlmeyer-Schneemelcher 99). Zum Motiv selbst siehe F. J. *Dölger*, Der Kampf mit dem Ägypter in der Perpetua-Vision, in: AC 3 (1932) 177–188.

[7] Ignatios, Eph. 13,2 ist von »himmlischen Mächten« die Rede (Bihlmeyer-Schneemelcher 86); vgl. Eph. 2,2; 6,12.

[8] Ignatios, Smyrn. 3,2 (Bihlmeyer-Schneemelcher 106).

[9] Polykarp, Phil. 7,1 (Bihlmeyer-Schneemelcher 117). 1 Joh 3,8 lautet: wer die *Sünde* tut, stammt vom Teufel.

schimpfung, der schon bei Eirenaios von Lyon († um 202) begegnet; er hat uns die Schelte Polykarps über Markion als »Erstgeborenen Satans« überliefert.[10]

Aus den erwähnten Zeugnissen läßt sich erschließen, daß in nachapostolischer Zeit die Vorstellung vom Teufel und seinen Mächten analog den neutestamentlichen Aussagen weiterlebte. Als widergöttliche Macht hindert er die Heilstat Christi in der Gemeinschaft der Gläubigen; diese haben sich ihrerseits gegen ihn zu wehren. Auch wenn einschlägige Aussagen noch verhältnismäßig spärlich sind, rückt man das Leben des Christen gern in die Perspektive dieser Polarität. Aus der Zwei-Wege-Lehre der Didache erhellt aber, daß diese Spannung auch durch die sächliche Antithese von »gut und bös« bestimmt ist.[11]

Mit der Notwendigkeit, das Heilsgeschehen Gottes in Jesus von Nazaret gegen jede Verflüchtigung zu betonen, gewann die Gestalt des Teufels innerhalb der frühchristlichen Theologie zusehends an Raum. Die Frage nach der Herkunft des Bösen verschärfte zudem das Problem. Vor allem in der Auseinandersetzung mit den Gnostikern und deren dualistischer Welterklärung, wonach einem guten Prinzip ein böses gegenübersteht, kam es auf die Wahrung des biblischen Gottesbildes und die Universalität der Erlösertat Christi an. Programmatisch faßt Eirenaios, führender Theologe des 2. Jahrhunderts, die Auffassung der Großkirche zusammen, wenn er sagt: Der abtrünnige Engel »überredete im Anfang den Menschen, das Gebot des Schöpfers zu übertreten, und so hatte er ihn in seiner Gewalt. Seine Gewalt aber ist die Übertretung und der Abfall; und dadurch band er den Menschen. Darum mußte er umgekehrt gerade durch den Menschen besiegt und mit den gleichen Banden gefesselt werden, durch die er den Menschen gefesselt hatte, damit der Mensch, losgelöst, zu seinem Herrn zurückkehre und dem, durch den er gebunden war, die Fesseln überlasse, das heißt die Übertretung. Seine Fesselung ist die Befreiung des Menschen geworden, denn niemand kann in das Haus des Starken einschleichen und seine Gefäße plündern, wenn er nicht zuerst den Starken selbst gebunden hat.«[12] In ein-

---

[10] Eirenaios, adv. haer. III 3,4 (SChr 211,42). Vgl. *J. Gouillard*, L'hérésie dans l'empire byzantin des origines au XIIe siècle, in: Travaux et Mémoires I, hrsg. v. R. Lemerle, Paris 1965, 299–324.

[11] Didache 5,2: »ἀγρυπνοῦντες οὐκ εἰς τὸ ἀγαθόν, ἀλλ' εἰς τὸ πονηρόν« (Bihlmeyer-Schneemelcher 4).

[12] Eirenaios, adv. haer. V 21,3 (SChr 153,274f). Vgl. *A. Bengsch*, Heilsgeschichte und Heilswissen. Eine Untersuchung zur Struktur und Entfaltung des theologischen Denkens im

drucksvollen Bildern veranschaulicht dieser Text die Erlösung des Menschen durch Christus als eine Bändigung Satans, der seinerseits den Menschen am Anfang der Geschichte in Fesseln gelegt hatte. Unübersehbar ist in diesem theologisch-soteriologischen Konzept die Rolle Satans als Feind des Menschen und somit als Gegenspieler (ἀντίθεος) Gottes.[13] Eirenaios steht mit dieser Sicht der Erlösung nicht allein in der frühchristlichen Theologie, er repräsentiert das Glaubensbewußtsein seines Jahrhunderts und formuliert im Anschluß an neutestamentliche Ausagen (Mt 12,29; Kol 2,15) eine Sicht des Erlösungsverständnisses, das in der Folgezeit immer wieder begegnet. Das Motiv von der Überwindung Satans durch Christus bekommt in der christlichen Theologie seinen festen Platz und wird zum Teil um Züge erweitert, die den Einfluß der Umwelt verraten, so wenn etwa die Erhöhung Christi als triumphaler Sieg über die Dämonen in ihrem siderischen Aufenthaltsbereich vorgestellt wird.[14] Bei der Schilderung des Kampfes (Agon) zwischen Christus und Satan zögert man nicht, die Praktiken der Ringkämpfer, angefangen bei der Täuschung des Gegners, zum Vergleich heranzuziehen[15] und den Sieg über den Teufel spöttisch zu kommentieren.[16] Jene gestaltende Phantasie, die das Bild Satans mit anthropomorphen Zügen erweitert, macht sich schon frühzeitig geltend.

Ohne Zweifel hat das in der Schrift gut bezeugte Verständnis der Erlösung im Sinn einer sieghaften Überwindung Satans zu dessen Profilierung beigetragen. Der Teufel und in seinem Gefolge die Sünde und der Tod bilden nach dieser Soteriologie den Anlaß für die Menschwerdung des Logos und sein Sterben am Kreuz, eine kontrastierende Koppelung von Heilsereignissen, die den Tri-

---

Werk »Adversus haereses« des hl. Irenäus von Lyon (Erfurter theol. Studien 3), Leipzig 1957.

[13] Zu diesem Topos siehe G. *Ruhbach*, Zum Begriff ἀντίθεος in der alten Kirche, in: TU 92, Berlin 1966, 372–384.

[14] Vgl. Athanasios, incarn. verbi 25,5 f. Johannes Chrysostomos sieht bereits in der Erhöhung am Kreuz eine Überwindung der bösen Geister. Vgl. P. *Stockmeier*, Theologie und Kult des Kreuzes bei Johannes Chrysostomus. Ein Beitrag zum Verständnis des Kreuzes im 4. Jahrhundert (Trierer theol. Stud. 18), Trier 1966.

[15] Z. B. Gregor von Nyssa, cat. magna 24,4 (PG 45,65). In der Erlösungslehre Gregors von Nyssa wird der Teufel förmlich zum Partner Gottes; vgl. dazu J. *Barbel*, Gregor von Nyssa. Die große katechetische Rede (Bibl. d. griech. Lit. 1), Stuttgart 1971, 146 ff; ferner J. *Zellinger*, Der geköderte Leviathan im Hortus deliciarum der Herrad von Landsperg, in: Hist. Jahrb. 45 (1925) 161–171.

[16] Athanasios, incarn. verbi 27,3: »So ohnmächtig ist er geworden, daß selbst das von ihm zuvor getäuschte Geschlecht der Frauen seiner wie eines Toten und Verblichenen spottet« (SChr 199,364).

umph Christi um so großartiger erscheinen läßt, je stärker man die Unheilsmacht Satans einschätzt.[17] Hier zeichnet sich ein Feindbild ab, das alsbald den theologisch-soteriologischen Rahmen sprengte und historisierend auf Häretiker, Juden oder anderweitige Gegner übertragen wurde. Es ist jedoch bemerkenswert, daß die franziskanische Theologie des Mittelalters im Anschluß an patristische Aussagen die These vertrat, der Logos wäre auch ohne die Sünde der Stammeltern Mensch geworden.

2. Dämonologie im Umfeld des frühen Christentums

Die Entwicklung der Teufels- und Dämonenvorstellung innerhalb des Christentums erfolgte in einer Umwelt, die ganz und gar von der Existenz und Wirksamkeit einer Geisterwelt überzeugt war.[18] Neben ausgebildeten Theorien unterschiedlicher Prägung über Entstehung und Wesen dieser Geister übten vor allem religiös-magische Praktiken großen Einfluß auf das Leben des antiken Menschen aus, und man überschätzt dieses Phänomen kaum, wenn man die heidnische Umwelt in einem hohen Maß als dämonisiert bezeichnet. Dieses religiös-geistige Milieu, dessen Reflex vielfach in den Schriften der Kirchenväter zu beobachten ist, gilt es zu berücksichtigen, wenn man die Auffassung der Kirche über Satan und die Dämonen darstellen will. Ein solcher Zusammenhang ist fraglos mit dem zeitgenössischen Judentum gegeben, das dem Dämonenwesen im eigenen Denken gerade in der Zeit vor Christi Geburt breiten Raum gegeben hat und in einer Reihe von Schriften, den sogenannten Apokryphen bzw. Pseudepigraphen, Ausdruck verliehen hat.[19] Über das Neue Testament hinaus haben die dort ausgebildeten Vorstellungen auf die geistige Welt des frühen Christentums starken Einfluß ausgeübt – übrigens nicht nur in diesem Bereich. So wird im ersten Buch Henoch (6,1 f) unter Aufnahme von Gen 6,2 das Böse in der Welt so erklärt, daß »Himmelssöhne« schöne Menschentöchter begehrten und mit ihnen Kinder zeugten. Tertullian († nach 220) bringt in

---

[17] In einer eigentümlichen Parallelisierung schreibt Origenes dem freiwilligen Opfer gerechter Männer die Vertreibung böser Geister zu, während Jesus starb, »um den großen Dämon und Herrscher der Dämonen zu vernichten, der alle auf die Erde gekommenen Seelen der Menschen unterworfen hatte« (c. Cels. I 31 [GCS 2,83]).

[18] Eine knappe Zusammenfassung bietet der Anm. 2 erwähnte Sammelartikel in: RAC IX 546 ff, passim.

[19] Siehe die Darstellung bei *H. Haag*, Teufelsglaube 218–262.

seiner Polemik gegen die Putzsucht der Frauen dieses (Legenden-) Motiv, und zwar unter ausdrücklicher Verteidigung der Authentizität des Buches Henoch.[20] Die volle Tragweite solchen Einflusses wird aber erst sichtbar, wenn Tertullian erklärt: »es sind diejenigen Engel, denen wir bei der Taufe widersagen«.[21] Danach bleibt der Einfluß außerkanonischer Erzählmotive nicht auf periphere Bereiche des großkirchlichen Glaubensbewußtseins beschränkt; er prägt die Absage an Satan bzw. seine Geister im Rahmen der christlichen Taufspendung[22] und erweist so, daß die Teufelsvorstellung auch und gerade von nichtbiblischen Traditionen angereichert ist.[23] Das unter dem Titel »Jubiläenbuch« bekannte Werk aus dem 2. vorchristlichen Jahrhundert bietet ähnliche Gedanken über die Welt der Dämonen und ihren Anführer, Mastema oder auch Beliar genannt; über seine Herkunft sagt das Werk freilich nichts aus. Im »Testament der Zwölf Patriarchen« begegnet uns die Welt der bösen Geister unter der Leitung Satans; bemerkenswert ist dabei vor allem das Verständnis von Sinnesfunktionen als Ausdruck der Wirksamkeit irgendwelcher Geister, wobei den sieben Geistern des Lebens sieben böse gegenüberstehen.[24]

Der Rückgriff auf die Dämonologie der Umwelt beschränkt sich jedoch nicht auf einschlägige Aussagen der zwischentestamentarischen Literatur; er nimmt auch Vorstellungen der griechisch-römischen Umwelt auf, die regelrechte Traktate über die Geisterlehre kannte. Während in homerischer Zeit dem Begriff δαίμων (etymologisch von δαίομαι = zuteilen) der Charakter des Unbestimmbaren eignet, bekommt das Wort einen pejorativen Sinn. Aber noch bei Platon († 347 v. Chr.) schwankt die Bedeutung. In seinem »Symposion« erscheinen die Dämonen als Mittler zwischen den unsterblichen Göttern und den Menschen.[25] Ausführlicher befaßte sich der Platoniker Xenokrates († 314 v. Chr.) mit dem Wesen der Dämonen, die er offensichtlich als Seelen Verstor-

[20] Tertullian, cult. fem. 2 f (CCL 1,344–346). Das Werk stammt aus der katholischen Zeit des afrikanischen Theologen.
[21] Tertullian, cult. fem. 2: »hi sunt angeli, quibus in lauacro renuntiamus« (CCL 1,345,37f); vgl. spect. 4.
[22] Vgl. Ph. Oppenheim – M. Rothenhaeusler, Art. Apotaxis, in: RAC I 558–564.
[23] Zurückhaltender äußert sich gegenüber den Apokryphen, insbesondere den Aussagen des Henochbuches Augustinus, civ. Dei XV 23. Vgl. im übrigen M. Black, Apocalypsis Henochi graece, Leiden 1970, 10 ff.
[24] Testament der Zwölf Patriarchen I 2 (Kautzsch II 460 f).
[25] Platon, symp. 202 d–203 a. Vgl. G. Zintzen, in: RAC IX 640ff.

bener betrachtete, jedoch getrieben von der Leidenschaft des Menschen.[26] Als Zwischenwesen, ausgestattet mit einer Art Geistnatur und doch affizierbar, vermitteln sie zwischen Himmel und Erde, zwischen Göttern und Menschen. Xenokrates unterscheidet erstmals gute und böse Dämonen, so daß die uralte Frage nach der Herkunft des Bösen nicht mehr dahin beantwortet werden mußte, daß man es den Göttern anlastete. Gerade die Dämonologie des Xenokrates hat auf die Geisterauffassung der ersten nachchristlichen Jahrhunderte immensen Einfluß ausgeübt. In den zeitgenössischen Schulen der Stoa, der Neupythagoreer und des Mittelplatonismus wird ebenfalls eine Weltanschauung vertreten, wonach den gesamten Kosmos Dämonen durchwalten; eine Dämonologie, wie sie der Afrikaner Apuleius († um 190) in seinem Buch »Über den Gott des Sokrates« vertrat, wirkte bis ins Mittelalter nach.

Es ist verständlich, daß der sterbliche Mensch sich einerseits die Wirksamkeit der Dämonen nutzbar machen wollte, z. B. im Orakelwesen, anderseits sich vor nachteiligem Einfluß abzuschirmen suchte. Vor allem in der sogenannten chaldäischen Theosophie der Spätantike, gesammelt in hexametrischen Orakeln,[27] nimmt die Dämonenlehre einen breiten Platz ein. Der gesamte Lebensbereich des Menschen ist danach der Macht böser Geister unterworfen, die seinen Aufstieg, hier gefördert von Engelwesen, hindern. Der Materie entstammend, ziehen sie den Menschen in die Materie zurück; dementsprechend werden sie als »Erdenhunde« angesprochen. Charakteristisch für die Dämonenlehre der chaldäischen Orakel ist die Verbindung mit der Theurgie, also mit jenen Praktiken, die zur Einheit des Menschen mit dem Göttlichen führen, aber den Täuschungen der bösen Geister ausgesetzt bleiben. Obwohl bei einzelnen Vertretern der spätantiken Philosophie, etwa bei Porphyrios († 304 n. Chr.) oder Proklos († 485 n. Chr.), die Dämonenlehre ständig variiert, nimmt sie in ihren Systemen einen festen Platz ein; bemerkenswert ist dabei die Tendenz zur Systematisierung, wonach auch den Geistern als Mittelwesen genaue Rangordnungen zukommen. Die Frage nach dem Teufels- und Dämonenglauben der Kirche kann die Tatsache nicht ignorieren, daß in ihrer Frühzeit die Umwelt von intensiver Dämonologie durchtränkt war, die über den theoretischen Cha-

[26] Vgl. Plutarch, def. orac. 13.
[27] Vgl. W. J. W. Koster, Art. Chaldäer, in: RAC II 1006–1021, bes. 1015.

rakter hinaus weithin den konkreten Lebensvollzug des antiken Menschen beeinflußte. Existenz oder Wirkmacht von bösen Geistern wurden im Umfeld des Christentums kaum bezweifelt; wohl aber stellte sich das Problem ihrer Deutung aus biblischer Sicht.

3. Reflexion über Satan und seinen Anhang

Die Übernahme neutestamentlicher Aussagen über Satan und seinen Anhang erweckt zunächst den Eindruck einer unreflektierten Weitergabe. Aber schon die Versuche, den Namen »Satan« zu deuten, verraten unterschiedliche Einflüsse. In Justins († um 165) Dialog mit dem Juden Tryphon werden biblische Aussagen bevorzugt, wenn »der Logos den Teufel als Löwen bezeichnet, der wider ihn brüllt, den Teufel, der von Mose Schlange genannt wird (Gen 3,1 f), bei Ijob (1,6) und Zacharias (3,1 f) Teufel heißt, und von Jesus Satanas angeredet worden ist (Mt 4,10) – ein zusammengesetztes Wort, mit welchem der Teufel, wie Jesus zu erkennen gibt, wegen seines Verhaltens benannt wurde; denn Sata heißt in der Sprache der Juden und Syrer Abtrünniger, und das Wort Nas wird mit Schlange übersetzt, und aus diesen beiden Worten« ist das eine Wort Satanas gebildet«.[28] Ein buntes, von verschiedenen Vorstellungen geprägtes Vokabular treffen wir darüber hinaus in den Quellen an, um die Wirklichkeit Satans zu umschreiben. Während über die neutrische oder maskulinische Deutung der Vater-Unser-Bitte: »Erlöse uns von dem Bösen« (Mt 6,13) im Grunde keine Einigkeit erzielt wurde,[29] setzt sich eine Anzahl von Namen für Satan durch – z. B. der Schwarze –,[30] in denen seine unheimliche Wirkmacht zum Ausdruck kommt.
Nach Auskunft der Quellen stellt der Teufel für die frühe Christenheit eine reale Größe dar. Leider sind jene Werke nicht mehr erhalten, die erstmals das Problem thematisieren. Meliton († um 180), Bischof der apokalyptischen Gemeinde von Sardes, schrieb ein Werk unter dem Titel: »Über den Teufel und die Apokalypse

---

[28] Justin, dial. 103,5 (Goodspeed 219).
[29] Vgl. G. *Harder*, Art. πονερός κτλ., in: ThWNT VI 546–566, 560.
[30] Barn. 4,10; 20,1 (Funk I 12; 56). Vgl. F. *J. Dölger*, Sonne der Gerechtigkeit 49 ff. Zu weiteren Vorstellungen über den Teufel, seinen Aufenthaltsort und seine Realisation siehe C. *D. G. Müller*, Von Teufel, Mittagsdämon und Amuletten, in: JbAC 17 (1974) 91–102.

des Johannes«.[31] Falls die Angabe stimmt, hat der Verfasser Satan wohl in jenen endzeitlichen Rahmen gestellt, wie er ihm durch den Seher vom nahen Patmos vorgezeichnet war. Theophilos von Antiochien († vor 200) bemerkt bei der Erklärung des Drachen-Namens für den Teufel, er habe anderwärts schon über ihn geschrieben.[32] Ob er ihn dabei im Zusammenhang der Schöpfung – für Theophilos ein wichtiges Thema – behandelte, muß offenbleiben. Auf jeden Fall überrascht die Tatsache, daß Satan schon isoliert unter den Themen der ältesten theologischen Literatur begegnet.

Ein wesentlicher Antrieb, über Satan und seinen Anhang Erwägungen anzustellen, lag zweifellos in der für den Menschen so bohrenden Frage nach der Herkunft des Bösen. Gegen die Antwort der Gnostiker hatte schon Eirenaios das Heilswerk Gottes in Jesus Christus herausgestellt; gegen die popularphilosophische Erklärung des Polemikers Kelsos († um 190), wonach das Böse dem Stoff anhafte, betont der Alexandriner Origenes († 253/254): »Der Wille des einzelnen ist an der Sündhaftigkeit schuld, die in ihm ist; diese ist ›das Böse‹, und böse sind auch die Handlungen, zu denen sie Veranlassung wird; und genau genommen ist uns sonst nichts ›Böses‹ bekannt.«[33] Kritisch gegenüber dualistischen Thesen verweist der gelehrte Theologe auf den freien Willen und die Sündhaftigkeit des Menschen; die Frage nach dem Ursprung des Bösen verlangt aber noch mehr: »Wer zu dieser Erkenntnis gelangen will, muß auch über die Dämonen sorgfältige Erwägungen angestellt haben.«[34] Der Rückgriff auf die Dämonologie ermöglichte eine Antwort, ohne in einen (latenten) Dualismus abzuleiten. Es überrascht uns jedoch, daß Origenes Zurückhaltung übt in detaillierten Aussagen. »Vom Teufel und von seinen Dienern und den feindlichen Mächten behauptet die Lehre der Kirche nur ihre Existenz«, erklärt der Alexandriner, »über Wesen und Ursprung derselben hat sie sich nicht ausgesprochen«.[35] Trotzdem nimmt er die geläufige Meinung auf, wonach der Teufel ursprünglich zu den Engeln zählte, sich aber in freier Entscheidung von Gott abwandte.[36] Damit war der Vorwurf entkräftet,

[31] Eusebios, hist. eccl. IV 26,2 (GCS 9,1,382).
[32] Theophilos, ad Autol. II 28 (Otto VIII 138).
[33] Origenes, c. Cels. IV 66 (GCS 2,336).
[34] Origenes, c. Cels. IV 65 (GCS 2,336).
[35] Origenes, princ. praef. 6 (GCS 22,13).
[36] Ebd. I 8,3 (GCS 22,99 f).

Gott selbst habe Böses geschaffen. Wie dieser Abfall freilich zu verstehen ist, darüber gingen die Meinungen weit auseinander. Origenes selbst verweist auf den Hochmut des Teufels,[37] andere denken an seine schlechte Verwaltung der Schöpfung[38] oder an die Eifersucht auf den nach dem Bild Gottes geschaffenen Menschen.[39] Nach wie vor begegnet auch das Motiv aus dem Henochbuch vom geschlechtlichen Umgang der Engel mit irdischen Frauen, und zwar nicht nur im Volksglauben. Selbst Augustin (†430) teilte diese Auffassung,[40] während sein Zeitgenosse Kyrill von Alexandrien eine solche Annahme entschieden ablehnte.[41]

Wie sehr das frühe Christentum dem dämonisierten Weltbild seiner Zeit verhaftet war, zeigt das Schrifttum des wirkungsgeschichtlich so bedeutsamen Kirchenvaters Augustin. In seiner »Weissagekunst der Dämonen«, in der er auf den vorausgesagten Abbruch des Serapeions in Alexandrien (391) Antwort gibt, argumentiert er ganz und gar aus den Anschauungen der Umwelt, um die Minderwertigkeit der bösen Geister zu demonstrieren.[42] Breit referiert Augustin in seinem Gottesstaat die Dämonenlehre des Apuleius und wendet sich gegen ihre Vermittlerrolle zwischen Göttern und Menschen; man habe vielmehr zu glauben, »daß sie Geister seien, brennend vor Begier zu schaden, aller Gerechtigkeit bar, von Hochmut aufgeblasen, blaß vor Neid, in Ränken geübt, in der Luft zwar hausend, weil sie wegen einer nicht mehr gutzumachenden Übertretung aus der Herrlichkeit des oberen Himmels herabgestürzt und vorerst zu diesem Aufenthalt wie zu dem für sie geeigneten Kerker verurteilt sind, ohne jedoch deshalb, weil die Luft über Wasser und Land ihre Stätte ist, an Wert den Menschen überlegen zu sein, die vielmehr sie weit überragen, nicht dem erdhaften Leibe nach, wohl aber an frommer Gesinnung, sofern sie den wahren Gott zu ihrem Beistand wählen«.[43] Von der Größe des wahren Gottes her und der Erlösung durch Christus argumentiert er gegen die Dämonen, an deren Existenz und Wirkmacht der Bischof von Hippo keinen Zweifel

---

[37] Ebd. I 5,5 (GCS 22,76).

[38] Athenagoras, suppl. 24 (Goodspeed 344).

[39] Vgl. z. B. Eirenaios, adv. haer. III 23,8 (SChr 34,396); ferner IV 40,3; V 24,4.

[40] Augustinus, civ. Dei XV 23 (CCL 48,489 f); vgl. dazu J. Michl, Art. Engel IV (christlich), in: RAC V 188ff.

[41] Kyrill Al., adv. anthropom. 17 (PG 76,1105 f).

[42] Das Buch »de divinatione daemonum« (CSEL 41,599–618) ist im Jahre 409 verfaßt; vgl. F. van der Meer, Augustinus als Seelsorger, Köln ³1958, 96ff.

[43] Augustinus, civ. Dei VIII 22 (CCL 47,239).

hat; die »pompa diaboli«, vor der bereits Tertullian schon so eindringlich gewarnt hatte,[44] ist auch für ihn noch präsent und bestimmt die Thematik seiner Verkündigung bzw. sein Geschichtsdenken. Im übrigen sah sich gerade Augustin genötigt, gegen manichäische Irrtümer von einem naturhaften Bösen auf die Willentlichkeit des Menschen zu pochen. »Was Gott gemacht hat, kann nicht böse sein, wenn der Mensch nicht selbst böse ist.«[45] Das Prinzip von der guten Schöpfung behauptet in der Auseinandersetzung mit dualistischen Strömungen seinen Platz und erklärt letztlich die Herkunft Satans wie der bösen Engel; während aber ein Teil der Engel in Gehorsam verharrte, »ist jener durch Ungehorsam und Stolz als Engel gefallen und zum Teufel geworden«.[46] Gegen jeden Dualismus betonen die Kirchenväter sowie das Konzil von Braga um die Mitte des 6. Jahrhunderts (DS 457), daß die Entstehung der Dämonen nicht auf Gottes Schöpfungsakt beruhe; man verwies vielmehr auf die Entscheidungsfreiheit der abgefallenen Engel, die man dann mit den Dämonen identifizierte, ein Vorgang, dem schon Klemens von Alexandrien († vor 215) nachhaltig Ausdruck verliehen hatte, als er »den Teufel, den Herrn der Dämonen«, mit jener »Böses wirkenden Seele« gleichsetzte, von der Platon sprach.[47]

Für die frühe Christenheit stellte die Existenz des Teufels und der Dämonen eine unbezweifelbare Größe dar, und zwar eingebettet in die Anschauungen der Umwelt. Die Auseinandersetzung kreist darum auch nicht nur um das Dasein böser Geister, sondern um ihre Herkunft bzw. ihre Deutung; so bildet gerade die dämonische Interpretation des Polytheismus ein wirksames Instrument, um einerseits die Widergöttlichkeit des Götzendienstes herauszustellen, andererseits die Wirkmacht der Götter nicht gänzlich auszuschließen. Vor diesem Hintergrund gewann natürlich die Gestalt Satans immer mehr an Profil; eine Predigt des Johannes Chrysostomos († 407) illustriert höchst anschaulich und leibhaftig seine Strahlungskraft auf den Menschen.[48] Mit einer

---

44 Tertullian, spect. 7 (CCL 1,233 f). Vgl. *J. H. Waszink*, Pompa diaboli, in: VC 1 (1947) 21f.

45 Augustinus, tract. in Joh. 42,10 (CCL 36,369).

46 Ebd. 42,10 (CCL 36,370).

47 Klemens Al., strom. V 92,5 (GCS 52,387); Minucius Felix, Oct. 26,12 (CSEL 2,38 f) erinnert ebenfalls an Platon, der die Wesenheit der Dämonen in die Mitte zwischen Sterblichem und Unsterblichem verlegt. Im übrigen vgl. *W. E. G. Floyd*, Clement of Alexandria's Treatment of the Problem of Evil (Oxford Theol. Monographs), Oxford 1971.

48 Der Kirchenvater mahnt aber in dieser Predigt, auch den Teufel trotz seiner Unkörperlichkeit nicht zu fürchten (diab. tent. 2,4 [PG 49,262]).

solchen Individualisierung und Profilierung rückt natürlich die Frage nach der Personalität des Teufels ins Blickfeld. In einem vorphilosophischen Sinn, wonach Person die Maske bedeutet, eignet sich der Begriff vorzüglich, um die Aktivität Satans zu schildern. So begegnet uns bei Chrysostomos die Mahnung: »Sei es, daß der Teufel sich in unserem Bruder, in einem treuen Freund, in unserer Frau oder in sonst einem von denen verbirgt, die uns besonders nahestehen; sobald er etwas vorbringt, was sich nicht gehört, dürfen wir solche Einflüsterungen nicht um der Person willen, von der sie kommt, annehmen, wir müssen im Gegenteil die Person wegen des verderblichen Rates von uns weisen, den sie uns gegeben hat. Auch jetzt macht es ja der Teufel oft so; er setzt die Maske des Mitleids auf und gibt sich den Anschein wohlwollender Teilnahme, während er uns verderbliche Ratschläge einflüstert, die schädlicher wirken als Gift.«[49] Die Vorstellung vom Teufel, der in der Maske eines anderen auftritt, bewegt sich in der Linie der Entwicklung des Personbegriffs. Aus der Vielzahl von Anschauungen über Satan, angefangen bei der kollektiven Bedeutung von diabolus bei Tertullian[50] bis zur Annahme einer ätherischen Leiblichkeit der Dämonen, erweist sich aber die Schwierigkeit, auf ihn die Definition des Boëthius († 524) anzuwenden, wonach Person eine individuelle Substanz geistiger Natur ist.[51] Es scheint, daß die frühchristliche Tradition für eine solche Personifikation keine Handhabe bietet, wenngleich die Tendenz zur Individualisierung trotz aller schillernden Erscheinungsformen nicht zu übersehen ist.

In der Erfahrung des Bösen sahen sich Heiden wie Christen dem gleichen Verhängnis gegenüber, und beide Seiten suchten eine Antwort auf die drängenden Fragen, wobei sich der Rückgriff auf die Macht des bösen Geistes bzw. die gefallenen Engel als einsichtige Erklärung anbot. Die Gestalt Satans gewann dabei zusehends an Profil, obwohl die einzelnen Aussagen nicht allseits konvergieren. Auf das kirchliche Glaubensbewußtsein wirkten überdies außerbiblische Motive und Vorstellungen ein, die es erschweren, einen »reinen Kern« der Tradition auszumachen; selbst eindrucksvolle Bildworte wie jenes von »Luzifer« zeigen deutlich, daß sie eine Kombination biblischer Texte (Jes 14,12) mit legendä-

49 Johannes Chrys., hom. 13,5 in Mt. (PG 57,214).
50 Tertullian, anim. 57,2–5 (CCL 2,865 f); vgl. J. H. Waszink, Pompa diaboli 21f.
51 Zur Problematik der Anwendung des Personenbegriffs auf Satan vgl. K. Lehmann, Der Teufel – ein personales Wesen?, in: W. Kasper – K. Lehmann, Teufel 88ff.

ren Überlieferungen darstellen. Mit großer Entschiedenheit wies die frühchristliche Theologie immer den Dualismus zurück, und zwar unter Berufung auf den Schöpfungsbericht; um diese Thematik kreisen auch die Lehraussagen bis ins Mittelalter.

4. Die Wirkmacht Satans auf Welt und Mensch

Im Vergleich zum Gottesbild ist die Vorstellung vom Satan und von den Dämonen stärker davon geprägt, daß die Macht der bösen Geister unmittelbar wirkt. Ausgestattet mit besonderen Kräften, eignet ihnen die Fähigkeit, auf den Menschen und seine Umwelt einzuwirken. Dementsprechend weist der Erfahrungsbereich eine große Bandbreite auf, von der Überzeugung, daß der Teufel allgemein der Verursacher jeglichen Unglücks ist, bis zur direkten Präsenz Satans im Menschen – am unheimlichsten verwirklicht im Phänomen der Besessenheit.

Der Rekurs auf die Dämonen beherrscht schon die Auseinandersetzung zwischen Christentum und heidnischer Idolatrie, deren Ausdrucksformen vom Opfer bis zur Mantik ihrer Wirkmacht zugeschrieben wurden.[52] Als »Engel der Bosheit« und »Verderber der ganzen Welt«[53] lastet man Satan alles Unheil an, das über den Menschen hereinbricht; ganz im Strom einer dämonologischen Kosmologie steckte auch für die Christen hinter allen Katastrophen die Macht böser Geister. Gegen den scharfsinnigen Polemiker Kelsos unterstreicht Origenes, »daß die Dämonen an Hungersnöten, Unfruchtbarkeit des Weinstocks und der Obstbäume, Dürre und Verpestung der Luft schuld sind, welche die Früchte schädigt und bisweilen auch das Hinsterben von Tieren und die den Menschen verderbliche Seuche veranlaßt«.[54]

Obwohl die antike Naturwissenschaft schon manche dieser Vorgänge natürlich zu erklären verstand, behauptete die dämonologische Sicht ihren Platz, ja, sie erfuhr in der Perspektive der Satansvorstellung als des Widersachers Gottes und des Menschen

---

[52] Vgl. Justin, apol. I 5: »Von alters hatten böse Dämonen, die Gestalten angenommen hatten, Weiber entehrt, Knaben geschändet und den Menschen Schreckbilder vorgezeigt, so daß die, welche die Vorgänge nicht mit Einsicht unterschieden, verwirrt wurden; von Furcht bedrückt und verkennend, daß es böse Dämonen waren, nannten sie jene Götter und legten den einzelnen Namen bei, den ein jeder der Dämonen sich selbst gab« (Goodspeed 29).

[53] Tertullian, test. anim. 3,2 (CCL 1,178).

[54] Origenes, c. Cels. VIII 31 (GCS 3,247).

noch eine gewisse Verschärfung. Diese Sicht verstärkten latente dualistische Strömungen, so wenn beispielsweise Satan als »Herrscher der Materie« bezeichnet wurde;[55] auch Augustin schrieb den Dämonen ein gewisses Vermögen zu, auf die zeitlichen und veränderlichen Dinge einzuwirken.[56] In vielfältiger Form gilt darum die Materie als Feld teuflischer Wirkmacht.

Der unmittelbare Einfluß auf den Menschen wird schon aus der »Geisterpsychologie« der Umwelt deutlich, die vom Hirten des Hermas, einer apokalyptisch gestalteten Buß-Schrift aus der Mitte des 2. Jahrhunderts, übernommen worden ist. Das Ringen zwischen Gut und Bös schildert der Verfasser ganz nach dem Vorbild des Testaments der Zwölf Patriarchen mit Hilfe der Geistervorstellung; so heißt es in seinem Text über Langmut und Zorn: »Wenn du langmütig bist, dann wird der in dir wohnende Heilige Geist rein sein, nicht verdunkelt von einem anderen bösen Geist, sondern in einer geräumigen Behausung wohnend wird er frohlocken und freudig sein mit dem Gefäß, in dem er wohnt ... Wenn aber der Jähzorn sich einnistet, dann wird es alsbald dem Heiligen Geist, der zart ist, zu eng, da er dort keinen reinen Wohnort mehr hat, und er sucht von dort auszugehen. Der böse Geist sucht ihn nämlich zu ersticken, indem der Zorn ihn vergewaltigt, und so kann er dem Herrn nicht mehr dienen, wie er will.«[57] Psychische und charakterliche Verhaltensweisen gründen danach in der Wirksamkeit guter oder böser Geister, und zwar nach einem vorliegenden Schema. Wahrheitsliebe oder Langmut zählen zu den guten Geistern, lügnerischer Sinn und Zorn zu den bösen; ausdrücklich wird die Selbstgefälligkeit von Lehrern als δαιμόνιον hingestellt.[58] Die menschliche Psyche erscheint demnach als Kampfplatz der Geister, der Mensch selbst als Gefäß dieser widerstrebenden Kräfte. Trotz einer unverkennbaren Rückbindung der guten Geister an den Heiligen Geist ist die Nähe zur Dämonologie offenkundig.[59]

Diese Geister-Psychologie zeigt, wie sehr der Mensch über die heilsgeschichtliche Bedrängnis hinaus geradezu von bösen Geistern beherrscht werden kann. Zwar bleibt ihm wegen der Anwe-

[55] Athenagoras, suppl. 25 (Goodspeed 345).
[56] Augustinus, civ. Dei IX 22; div. daem. 6,10.
[57] Pastor Hermae, mand. V 1 (GCS 48,29); vgl. F. X. *Gokey*, The Terminology for the Devil 120ff.
[58] Pastor Hermae, sim. IX 22,3 (GCS 48,93).
[59] Vgl. M. *Dibelius*, Die Apostolischen Väter IV. Der Hirt des Hermas (HNT Erg. Bd.), Tübingen 1923, 517ff.

senheit guter Geister die Möglichkeit zu widerstehen, und insofern ist der ermutigende Appell, vor Satan keine Furcht zu zeigen, verständlich.[60] Im Grunde bestätigt aber auch dieses Wort die Überzeugung, daß der Mensch der Wirkmacht der Dämonen ausgesetzt ist. Als Feind des Menschen will Satan den Gläubigen von Gott wegbringen, und die Dämonen sind geradezu darauf spezialisiert, dem Christen auf seinem Lebensweg Fallen zu stellen. Bis ins einzelne malen die Lehrer der Frömmigkeit derlei Gefahren aus; so spricht z. B. der vielgelesene Johannes Klimakos († um 649), Mönch auf dem Sinai, von drei Fallgruben, welche die bösen Geister ausheben, um den Aufstieg des Menschen zu Gott zu gefährden.[61] Nach Art eines Arbeitsteilungsprinzips setzen sie die verschiedenen Laster auf ihn an und gefährden so die Begegnung mit Gott.[62] In seiner ganzen Existenz sieht sich der Mensch satanischen Einflüssen ausgesetzt; gelegentlich erscheinen die Dämonen direkt als Schadensgeister, offensichtlich in Parallele zu den Schutzengeln.[63] Athanasios († 373) hat in seiner Vita des Wüstenvaters Antonios († 356) die Bedrängnisse eines Asketen durch die Dämonen höchst anschaulich geschildert und damit ein Modell für die Hagiographie geliefert.

Die Einwirkungen Satans und böser Geister auf den Menschen gipfeln in der Vorstellung von der Besessenheit. Schon in der heidnischen Antike verstand man darunter den Zustand eines Menschen, der von einer anderen Macht erfüllt und so im Handeln bestimmt wird.[64] Im Anschluß an neutestamentliche Berichte über die Heilung von Besessenen hielt auch die frühe Christenheit an der Möglichkeit fest, daß Dämonen von einem Menschen Besitz ergreifen. Schon bald machte man Merkmale von Besessenheit namhaft; beispielsweise daß der Besessene nicht mehr seine Sprache führe,[65] daß der Dämon beim Ausfahren seinen Namen nennen müsse,[66] wobei er sogar befragt werden kann.[67] Am Phänomen der Besessenheit herrscht für den Gläubigen also kein Zweifel, auch wenn seine Erklärung im einzelnen differiert. So spricht Justin von Menschen, die »durch die Seelen Verstorbener

---

[60] Pastor Hermae, mand. XII 2 (GCS 48,43).
[61] Johannes Klimakos, scal. 26 (PG 88,1013).
[62] Origenes, hom. 6,11 in Hes. (GCS 33,390) u. ö.
[63] Origenes, hom. 12 in Lc. (GCS 49,75) u. ö.
[64] Vgl. *J. H. Waszink*, Art. Besessenheit, in: RAC II 183–185.
[65] Klemens Al., strom. I 21,143,1 (GCS 52,88).
[66] Minucius Felix, Oct. 27,3–7 (CSEL 2,40).
[67] Tertullian, spect. 26 (CCL 1,249).

in Besitz genommen und hin und her gezerrt, und allgemein als Besessene oder Rasende bezeichnet werden«,[68] während sein Schüler Tatian († um 180) die Besessenheit auf die Dämonen unmittelbar zurückführt.[69] Die Diagnose deckt sich vielfach mit der Beschreibung der »heiligen Krankheit« der Antike, der Epilepsie, die aber offensichtlich den Christen als von Dämonen verursacht galt.[70] Daß man trotz Kenntnis der medizinischen Diagnose auf der dämonistischen Erklärung beharrte, zeigt eine Erklärung des Origenes zu dem mondsüchtigen jungen Mann aus Mt 17,15: »Ärzte mögen immerhin eine natürliche Erklärung (der Krankheit) versuchen, da nach ihrer Überzeugung hier kein unreiner Geist im Spiel ist, sondern eine Krankheitserscheinung des Körpers vorliegt. In ihrer natürlichen Erklärungsweise mögen sie behaupten, das Feuchte bewege sich im Kopf nach einer gewissen Sympathie mit dem Licht des Mondes, das selbst eine feuchte Natur habe. Wir aber glauben dem Evangelium auch darin, daß diese Krankheit in den damit Behafteten offenkundig von einem unreinen, stummen und tauben Geist gewirkt ist.«[71] Gegen die geläufige Auffassung der antiken Medizin, wonach Epilepsie auf dem Einfluß des Mondes beruhe, stellt der christliche Alexandriner die dämonistische Aussage des Evangeliums, eine Antithese, die sich in der Folgezeit behauptete und einen anhaltenden Konflikt mit der naturwissenschaftlichen Methode heraufbeschwor. Johannes Chrysostomos († 407) schildert einmal den Fall des Mönches Stageiros mit allen Symptomen einer Epilepsie, und zwar von der Verkrampfung der Hände, dem Verdrehen der Augen, dem Schaum vor dem Mund, unartikulierten Lauten, Zittern des gesamten Körpers bis zur Bewußtlosigkeit, – und führt die Krankheit auf Dämonen zurück.[72] Die Überzeugung von der Wirkmacht der bösen Geister sitzt so tief, zumal sie biblisch legitimiert erscheint, daß ein natürliches Verständnis des Krankheitsbildes nicht zum Tragen kommt. Versuche einer Unterscheidung zwischen Besessenheit und Krankheit, wie sie im Mittelalter etwa Wilhelm von Auvergne († um 1249) vertreten hat,[73] tun praktisch

---

[68] Justin, apol. I 18 (Goodspeed 38).
[69] Tatian, or. 16,1 (TU 4,1,17).
[70] Siehe E. *Lesky* – J. H. *Waszink*, Art. Epilepsie, in: RAC V 819–831.
[71] Origenes, hom. 13,6 in Mt. (GCS 40,193); vgl. F. J. *Dölger*, Der Einfluß des Origenes auf die Beurteilung der Epilepsie und Mondsucht im christlichen Altertum, in: AC 4 (1934) 95–109.
[72] Johannes Chrys., ep. ad Stageiron 1,1 (PG 47,426).
[73] De univ. II 3,13: »Feci igitur te scire per hoc, quia vera est medicorum sententia, qua

der dämonistischen Deutung keinen Abbruch. In höchst anschaulichen Schilderungen wird vielmehr die Wirkmacht Satans und der bösen Geister auf den Menschen dargestellt, wobei die Versuchungen des Einsiedlers Antonios oder die Dämonenberichte der Dialoge Gregors des Großen († 604) Pate standen. Während im Osten der byzantinische Philosoph und Theologe Michael Psellos († um 1078) die spätantiken Vorstellungen lebendig erhielt,[74] malte im Westen der Zisterziensermönch Caesarius von Heisterbach († 1240) in seinen Mirakelbüchern, besonders in der Distinctio »de daemonibus«, die Wirksamkeit des Teufels aus.[75] Nach seinen Schilderungen greift der Teufel samt seinem Anhang in alle Bereiche des menschlichen Lebens ein, nicht zuletzt in die Sphäre des Geschlechtlichen; als »incubus« nähert er sich der Frau, während er dem Mann gegenüber als »succubus« auftritt.[76]

Bereits hier wird in unheimlicher Weise die Überzeugung sichtbar, daß der Mensch mit dem Teufel unmittelbar in Kontakt treten kann, daß er mit ihm paktiert und zu seinem Handlanger wird. Von der Magie bis zur Teufelsmystik und regelrechten Besessenheitsepidemie im Gefolge des Dreißigjährigen Krieges zeigt sich der Hang dieses Zeitalters, dem Bösen in der Welterklärung breiten Raum zu geben. Auch wenn manche Verirrungen nur am Rand der Großkirche auftauchen, so demonstriert gerade das berüchtigte Hexenwesen den Tiefgang der Satanologie.[77] Man lese die einschlägigen Abschnitte des sogenannten Hexenhammers

sentirent arreptiones, et furores fieri ex vaporibus, et fumis, ut praedixi, et nihilominus verus est sermo, quo dicitur, quia per malignos spiritus fiunt arreptiones, et exagitationes, sive vexationes hominum juxta modos, quos praedixi« (Hotot. II 1042 E).

74 Vgl. *P. Joannou*, Les croyances démonologiques au XIe siècle à Byzance, in: Actes du VIe congrès Internationale d'Études Byzant. I, Paris 1950, 245–260.

75 Siehe *Ph. Schmidt*, Der Teufels- und Dämonenglaube in den Erzählungen von Caesarius von Heisterbach, Basel 1926.

76 Unter Berufung auf Augustinus, civ. Dei XVI 29 vertritt *Thomas von Aquin* die Meinung: »Wenn jedoch gelegentlich aus dem Beischlaf böser Geister einige geboren werden, so stammt das nicht aus dem von ihnen oder von den angenommenen Leibern ausgeschiedenen Samen, sondern aus dem zu diesem Zweck erhaltenen Samen irgendeines Menschen; und zwar so, daß der böse Geist beim Manne als Beischläferin (succubus), bei der Frau als Beischläfer (incubus) tätig ist. In ähnlicher Weise nehmen sie auch die Samen anderer Dinge zur Erzeugung mancher Dinge an, wie Augustin trin. 3,8.9 sagt. Der so Geborene ist dann nicht ein Sohn des bösen Geistes, sondern jenes Menschen, von dem der Samen erhalten wurde« (S. th. I 51,3,6).

77 Über das Hexenwesen allgemein vgl. *W. G. Soldan – H. Heppe*, Geschichte der Hexenprozesse, neu bearb. v. M. Bauer, 2 Bde., München 1912, Neudr. Hanau o. J.; *K. Baschwitz*, Hexen und Hexenprozesse, München 1963; *E. Brouette*, La civilisation chrétienne du XVIe siècle devant le problème satanique, in: Satan 352–385.

(Malleus Maleficarum), um die Verwurzelung und das Ausmaß jener Teufelslehre zu verstehen, der Tausende von Frauen – und noch herauf bis ins 18. Jahrhundert – unter kirchlicher Initiative zum Opfer gefallen sind.[78]

Warnende Rufer gegen diese fast pogromartigen Hetzen über die Konfessionen hinweg wie ein Pater Friedrich von Spee († 1635) fanden nur schwer Gehör. Aberglaube und Dämonenfurcht prägten so tief das christliche Bewußtsein, daß die Abkehr vom Hexenwahn weniger durch kirchliche Instanzen als durch die Vertreter der Aufklärung vorangetrieben wurde.

Berichte von der unmittelbaren Einwirkung des Teufels bzw. der Dämonen auf den Menschen finden wir im übrigen bis in die Gegenwart. Unter den zahlreichen Fällen sind wohl die Geschehnisse um den Pfarrer von Ars, Johannes Vianney († 1859), am bekanntesten.[79] Der heiligmäßige Pfarrer war den Berichten nach dauernd, besonders aber im Winter 1824/25, der Belästigung dämonischer Wesen ausgesetzt; der Teufel klopfte angeblich an der Tür und schrie im Haus herum, die Möbel im Schlafzimmer wurden herumgeschoben und der Vorhang vor seinem Bett zerrissen. Phänomene dieser Art, für die der Begriff »Umsessenheit« statt »Besessenheit« geläufig ist, illustrieren in unheimlicher und grotesker Weise zugleich die Macht Satans, der gerade den Heiligen gegenüber seinen Haß äußert. Als Akte des Störens und Schreckens bleiben diese Dinge freilich an der Peripherie des Bösen; ihr koboldhafter Charakter mindert im Grund den Ernst des Widergöttlichen, der in manchen Fallbeschreibungen von Besessenheit stärker zum Ausdruck kommt.[80]

Angesichts des dämonistisch geprägten Weltbildes überrascht es nicht, daß sich die Christen von Anfang an der Wirkmacht Satans und seiner Geister zu erwehren suchten. Im Anschluß an die messianische Vollmacht Jesu und entsprechend seinem Auftrag (Mk 3,15; 6,7; 16,17) entwickelte sich die Übung des Exorzismus.[81] Es scheint, daß der Heilungsexorzismus eine beträchtliche Rolle

---

[78] J. *Sprenger* – H. *Institoris*, Der Hexenhammer, ins Deutsche übers. v. J. W. R. Schmidt, Neudr. Darmstadt 1974. Papst Innozenz VIII. (1484–1492) sanktionierte mit seiner Hexen-Bulle »Summis desiderantes affectibus« (1484) die fanatische Agitation der beiden Verfasser des Hexenhammers und leitete so die Inquisition verdächtiger Personen ein. Zur Vorstellungswelt dieses Zeitalters siehe C. *Gérest*, Der Teufel in der theologischen Landschaft der Hexenjäger des 15. Jahrhunderts. Eine Studie über den Hexenhammer, in: Concilium 11 (1975) 173–183.

[79] Siehe Z. *Aradi*, Wunder, Visionen und Magie, Salzburg 1959, 89 f.

[80] Man vgl. die Beispiele bei H. *Haag*, Teufelsglaube 403 ff.

[81] Siehe K. *Thraede*, Art. Exorzismus, in: RAC VII 44–117.

gespielt hat, denn schon um die Mitte des 3. Jahrhunderts gibt es einen eigenen Stand der Exorzisten. Um die gleiche Zeit ist auch der Taufexorzismus faßbar, der sich wohl aus der Gleichsetzung von Unglaube und satanischer Besessenheit entwickelte. Die verschiedenen Spielarten der Beschwörung überschritten alsbald den religiösen Rahmen, sie bekamen den Charakter der Therapie, vielfach mit magischen Elementen durchsetzt. Nicht zuletzt um den ausufernden Exorzismus zu steuern, veranlaßte Papst Paul V. (1605–1621), der auch die Todesstrafe bei Hexenprozessen verbot, im Jahr 1614 die Ausgabe des Rituale Romanum. Unter Verwendung früherer ritueller Handbücher brachte es fraglos eine Klärung der Exorzismuspraxis; es enthält überdies sogar Hinweise, die vor leichtfertigem Besessenheitswahn warnen und Erfahrung im Urteil über derlei Phänomene verlangen.[82] Trotz dieser ordnenden Wirkung bleibt es ein dringendes Erfordernis, die Grundsätze und Formeln des Rituale Romanum zu korrigieren, und zwar vor dem Hintergrund einer grundsätzlichen Erörterung über die Wirkmacht des Teufels.

5. Die bildhaften Züge in der Satansvorstellung

Aus der bisherigen Skizze erhellt bereits, wie stark im Bereich der Satansvorstellung antike Anschauungen mit biblischen Aussagen verschmolzen sind und eine höchst schillernde Gestalt des Bösen entstehen ließen. Menschliche Unheilserfahrung hielt die Frage nach dem Bösen dauernd im Bewußtsein, so daß die »Leibhaftigkeit« des Teufels an Kontur zunahm.
Eigenartigerweise hinderten kirchliche Entscheidungen kaum diese Entwicklung. Ihr Einspruch betraf eigentlich nur den immer wieder aufbrechenden Dualismus. So verwarf das Provinzialkonzil von Braga (561) die These der Manichäer und Priszillianisten, wonach der Teufel ursprünglich kein guter Engel gewesen, sondern unerschaffen aus dem Chaos und der Finsternis aufgestiegen sei.[83] Um solchen spalterischen Tendenzen der Weltinterpre-

[82] Zur Beurteilung des Rituale Romanum siehe *F. X. Maquart – P. de Tonquédec*, L'exorciste devant les manifestations diaboliques, in: Satan 328–351; *A. Rodewyk*, Die Teufelsaustreibung nach dem Rituale Romanum, in: Geist und Leben 25 (1952) 121–134; *Ders.*, Die dämonische Besessenheit im Lichte des Rituale Romanum, Aschaffenburg 1963.
[83] *C. J. v. Hefele*, Conciliengeschichte III, Freiburg ²1877, 13 ff. Hefele datiert die Synode in das Jahr 463. Zur Situation siehe *A. Borst*, Die Katharer (Schr. d. MGH 12), Stuttgart 1953.

tation zu entgehen, pochte man immer auf den Glauben, daß Satan am Anfang als guter Engel geschaffen worden sei und durch eigenen Widerspruch zum Gegen-Gott degenerierte, gleich welcher Engelshierarchie er ursprünglich angehörte. Das Vierte Konzil vom Lateran (1215) unterstrich gegen die aufkommenden Bewegungen der Katharer und Waldenser, daß neben Satan auch die Dämonen als von Gott geschaffene Wesen zu gelten hätten und erst später in den Abfall hineingezogen wurden.[84] Diese kirchenamtlichen Aussagen weisen jeglichen Dualismus zurück, und zwar unter Berufung auf eigenes Versagen der ursprünglich guten Geschöpfe. Über die Gestalt und Wirksamkeit Satans sagen sie hingegen nichts aus, so daß unter der Voraussetzung eines Engelsturzes (vgl. Offb 12,7 ff) die alten Vorstellungen weiter wuchern konnten; ja, in mancher Hinsicht bekam erst seit dem Mittelalter der Teufel seine fratzenhaften Züge, wobei sich der volkstümliche Aberglaube voll entfaltete.

Gewiß trugen die Erschütterungen in der mittelalterlichen Welt, angefangen bei den Kreuzzügen bis zu den verheerenden Seuchen, die ganze Städte entvölkerten, dazu bei, die Macht des Bösen hoch zu veranschlagen und Satan für alles Unheil verantwortlich zu machen. Dem apokalyptischen Empfinden vieler Menschen entsprechend sah man allerorts den Teufel am Werk. Zwar konnte die Identifikation des Antichristen (vgl. 1 Joh 2,18; 4,3) mit dem römischen Reich in den christiana tempora nur unterschwellig weiterwirken; aber die augustinische Civitas-Lehre beeinflußte nachdrücklich die mittelalterlichen Geschichtsdenker, so etwa Hugo von Sankt Victor († 1141), wenn er der familia Christi die familia diaboli gegenüberstellte.[85] Überall in den Geschichtskonzeptionen dieser Zeit bricht das apokalyptische Denken durch, nicht zuletzt in dem Glauben, daß dem Satan Zeit und Raum gegeben sei, gegen die Herde Christi zu wüten. Gerhoch von Reichersberg († 1169) erblickte in den »novitates huius saeculi«, eben in den politischen Mißerfolgen und kirchlichen Spannungen seiner Zeit, die ersten Erfolge des Widersachers Gottes.[86] Und in den Spielen vom Antichrist, höchst dramatisch in Tegernsee gestaltet,

[84] C. J. v. Hefele, Conciliengeschichte V, Freiburg ²1886, 878. Vgl. Ch. Meyer, Die lehramtlichen Verlautbarungen über Engel und Teufel, in: Concilium 11 (1975) 184–188.

[85] Hugo v. St. Victor, de sacr. I 8,11: »Coepit ergo genus humanum mox in partes contrarias dividi; aliis diaboli sacramenta suscipientibus, aliis vero suscipientibus sacramenta Christi. Et factae sunt duae familiae, una Christi, altera diaboli« (PL 176,312 B).

[86] So vor allem in seinem Hauptwerk »De investigatione Antichristi«; siehe P. Classen, Gerhoch von Reichersberg. Eine Biographie, Wiesbaden 1960, 193 ff; ferner H. D. Rauh, Das

schaffte sich der bedrängte Mensch Ausdruck seiner Erfahrung von Gut und Bös.[87] Die Gestalt des Gegenchristus wird zur Schlüsselfigur der Geschichtsdeutung, und sie formte das Bewußtsein einer verängstigten Menschheit. Aber nicht nur der Einbildungskraft des Volkes entsprang die Tendenz, die Vorstellung vom Antichrist zu konkretisieren bzw. zu historisieren. Kurzum identifiziert man die Gegner der Christenheit mit dem Bösen schlechthin; immer mehr verbreitet sich die Teufelsnomenklatur als propagandistisches Kampfmittel kirchlicher Sondergruppen, vor allem in ihrer Anklage gegen den Papst.[88] In der aufbrechenden Reformation wird die Beschimpfung des Papstes als Antichrist zu einem gängigen Topos, und Martin Luther († 1546), selbst den Anschauungen der Zeit über Satan und seinen Anhang verhaftet,[89] wettert noch in seiner letzten größeren Schrift: Wider das Papsttum in Rom vom Teufel gestiftet (1545). Mit den historisierenden Auswüchsen des Teufelsglaubens verschärfte das Christentum zwangsläufig das Feindbilddenken und minderte so seine friedenstiftende Sendung.

In den Satansprojektionen dieser Zeit floß alles Schlechte zusammen, angefangen bei leiblicher Mißgestalt über Sittenverderbnis bis zur Widergöttlichkeit. Neben der Dichtung förderte vor allem die Malerei eine phantasievolle Konkretisierung des Bösen. Begnügte sich die frühchristliche Kunst noch mit dem andeutenden Symbol wie der Schlange oder des Löwen, so drangen anthropomorphe Darstellungen im Mittelalter immer mehr in den Vordergrund; in allen Variationen illustrierte man am Übergang vom Mittelalter zur Neuzeit die Schrecklichkeit Satans, ja, man gestaltete ein Theatrum diabolorum. Gerade die Versuchbarkeit des Menschen bot vielfältige Anknüpfungspunkte, um die Phantasie der Künstler anzuregen. Neben die furchterregende Bockbeinigkeit tritt plötzlich auch ein verniedlichender Zug, wie auf jenem Freskenzyklus des Benedikt-Klosters von Subiaco, wo in freier Ausgestaltung des Berichts Gregors des Großen von der Versuchung eines Mönches ein Teufelchen mit katzenartigem Schwanz

Bild des Antichrist im Mittelalter. Von Tyconius zum Deutschen Symbolismus (BGPhMA 9), Münster ²1979.

[87] Vgl. dazu H. Preuß, Die Darstellungen vom Antichrist im späten Mittelalter, bei Luther und in der konfessionellen Polemik, Leipzig 1906; P. Steigleder, Das Spiel vom Antichrist, Würzburg 1958.

[88] Siehe R. Bäumer, Martin Luther und der Papst (KLK 30), Münster 1970.

[89] Siehe H.-M. Barth, Der Teufel und Jesus Christus in der Theologie Martin Luthers, Göttingen 1967.

den Gottesmann am Skapulier aus dem Kloster zerrt. Derlei Bilder bannen den Blick des Menschen und prägen sein Glaubensbewußtsein oft mehr als das Gottesbild, zumal die kirchliche Verkündigung selbst gern das Erschreckende ausmalte. Der Teufel wird geradezu zum Chamäleon, das in jede Gestalt schlüpft. Dem Münchener Ordinari-Prediger Ignatius Ertl († 1673) gelingt es, diese Fähigkeit recht anschaulich zu schildern. »Sehe man nur«, so fragt er, »welche Gestalt ist so heilig und schön, ja so abscheulich und erschröcklich, daß nicht längsten der Teuffel in selbiger erschienen ist? . . . Anderen Heiligen Gottes erschien er als ein Soldat, ein Fischer, als ein schwarzer Mohr und Kohlbrenner, als ein Eremit und Waldbruder, . . . ja, wie erscheint er noch täglich seinem losen Zaubergesindel als ein stinckender Geißbock«.[90]

In allen möglichen Masken naht sich der Teufel dem Menschen, um ihm zu schaden; gerade in der religiösen Volksliteratur nimmt dieser teuflische Wechselbalg breiten Raum ein. Bis hinein in den Bereich der Askese trugen solche Topoi dazu bei, den Christen gegenüber Mitmenschen und Umwelt zu verunsichern.

Verbunden mit der christlichen Tradition in ihrer ganzen Breite einerseits und doch sich verselbständigend tritt uns Satan in manchen Werken der neuzeitlichen Literatur gegenüber. Während er in Dantes Inferno noch stark die Umrisse aus dem christlichen Umfeld aufweist, ist Mephistopheles in Goethes Faust fast humanistisch säkularisiert:

> »Von Zeit zu Zeit seh ich den Alten gern
> und hüte mich, mit ihm zu brechen.
> Es ist gar hübsch von einem großen Herrn,
> so menschlich mit dem Teufel selbst zu sprechen.«[91]

Die ganze Perversion offenbart aber die Satanologie, wenn sie förmlich zum Kult umgewandelt wird und in Satansmessen oder Satanshymnen Ausdruck sucht. Der französische Symbolist Charles Baudelaire formulierte diese Verkehrung in seiner »Litanei auf Satan«:

---

90 Siehe E. *Moser-Roth*, Predigtmärlein in der Barockzeit. Exempel, Sage, Schwank und Fabel in geistlichen Quellen des oberdeutschen Raumes, Berlin 1964, 51.

91 Vgl. A. *Winklhofer*, Traktat 236 f. Zu Dantes Vorstellungen siehe A. *Valensin*, Le diable dans la Divine Comédie, in: Satan 521–531; dieses Sammelwerk enthält noch weitere Beiträge zum Satansbild in der modernen Literatur.

»Du Licht und Zierde aller Engelreigen,
verratner Gott, dem keine Hymnen steigen,
Satan, meines Elends dich erbarme!«[92]

Der Teufelsglaube des Christentums trieb im Laufe der Geschichte erschreckende Blüten. Nur zögernd und selten schritt die Kirche gegen die Wucherungen auf dem Feld des Bösen ein, außer sie wurde selbst unter diesem Vorzeichen bedroht. Offensichtlich fehlten ihr die Kriterien, um der gängigen »Leichtgläubigkeit« in Sachen Teufel entgegenzuwirken. Die dringende Notwendigkeit und Problematik einer Unterscheidung der Geister demonstriert der beschämende Fall »Taxil« am Ende des letzten Jahrhunderts.

Am 26. April 1884 hatte Papst Leo XIII. (1878–1903) das Rundschreiben »Humanum genus« über die Sekte der Freimaurer erlassen und sie als »Satans Reich« bezeichnet, »in dessen Macht und Gewalt alle sind, die dem unheilvollen Beispiel ihres Führers und der ersten Eltern folgend sich weigern, dem ewigen göttlichen Gesetz zu gehorchen«. Diese Enzyklika wurde weltweit verbreitet und vielfach von den Ortsbischöfen mit Hirtenbriefen eingeführt, so z. B. recht markig von dem Regensburger Bischof Ignaz von Senestrey († 1906), der selbst unter dem Einfluß der Altöttinger Pseudo-Seherin Louise Beck und ihrer »Höheren Leitung« stand.[93] Zunächst gab es nur verhaltene Aktivitäten zur Bekämpfung der Freimaurerei im katholischen Raum, bis schließlich auf wiederholte Mahnungen aus Rom Karl Fürst zu Löwenstein († 1921) für das Jahr 1896 einen »Antifreimaurer-Kongreß« nach Trient einberief.[94] Die Öffentlichkeit war damals weniger von der neuen Enzyklika des Jahres 1894 in Sachen Freimaurerei (Praeclara) betroffen als vielmehr von Enthüllungen über die Loge, die in einigen französischen Publikationen vorgelegt wurden.[95] Darin erschienen Satanskult und Palladismus als gängige Praxis der Freimaurer, Verhaltensweisen, welche die Loge kompromittieren mußten. Zur gleichen Zeit tauchte die Gestalt einer

[92] A. Winklhofer, Traktat 242 f.
[93] Zur Gestalt dieser sogenannten Seherin, an der selbst Exorzismen vorgenommen wurden, siehe O. Weiss, Die Redemptoristen in Bayern (1790–1909). Ein Beitrag zur Geschichte des Ultramontanismus, 3 Bde., München 1977.
[94] Vgl. P. Siebertz, Karl Fürst zu Löwenstein. Ein Bild seines Lebens und Wirkens nach Briefen, Akten und Dokumenten, München 1924.
[95] So z. B. Dr. Bataille, Le Diable au XIXe siècle, 2 vols., Paris 1892–94; D. Margiotta, Souvenirs d'un Trente-Troisième. Adriano Lemmi, Chef suprème des Franc-Macons, Paris 1894.

»Miss Diana Vaughan« auf, die sich angeblich von der Freimaurerei losgesagt hatte und als Zeugin für den in der Loge geübten Teufelsspuk galt.[96] Propagandist dieser Teufelsphantasien war unter Berufung auf die Enzyklika »Humanum genus« ein gewisser Gabriel Jogand-Pagés mit dem Pseudonym Leo Taxil († 1907), der auf dem einberufenen Kongreß in Trient als Gewährsmann auftreten sollte.[97] Unmittelbar vorher sickerte die Nachricht durch, daß es sich bei den ganzen Enthüllungen um Schwindel handle, so daß die Anti-Freimaurer-Versammlung von Trient schon betonte Reserve an den Tag legte. Taxil selbst gestand wenige Jahre später (1897), daß seine Enthüllungen reines Lügengespinst seien. Das Verhängnis am ganzen Vorgang ist freilich der Umstand, daß Papst Leo XIII. bis dahin den phantastischen Spukgeschichten Taxils Glauben schenkte und deshalb die Anrufung des heiligen Michael »als Schutz gegen die Bosheit und die Nachstellungen des Teufels« den – inzwischen wieder entfallenen – drei Ave Maria nach der stillen heiligen Messe hinzufügte.[98] An der Affäre Taxil erweist sich, daß die Unterscheidung der Geister (1 Kor 12,10) nicht nur für den Mann auf der Straße Schwierigkeiten bereitet, sondern selbst für den Inhaber der höchsten kirchlichen Lehrautorität.

Der fragmentarische Durchblick über den Teufels- und Dämonenglauben in der Geschichte der Kirche erscheint fast wie ein »Teufelskreis«. Von den Anfängen bis in die Gegenwart begleitet die Gestalt Satans den christlichen Gottesglauben, und zwar in einer Form, die oft weniger von den Quellen der Offenbarung gespeist als durch die Phantasie des vom Bösen bedrängten Menschen geprägt ist. Die frühe Christenheit rezipierte zunächst jene Aussagen über Satan und die Dämonen, die im Alten bzw. Neuen Testament vorlagen; unverkennbar ist aber bereits der Einfluß außerkanonischer Überlieferungen bis hin zur Übernahme von Geistervorstellungen der Umwelt. Entschieden wehrte die Großkirche alle Versuche einer dualistischen Interpretation des Bösen

[96] Ihre »Bekenntnisse« wurden auch in deutscher Sprache herausgegeben von *M. Germanus*, Die Geheimnisse der Hölle oder Miß Diana Vaughan, ihre Bekehrung und ihre Enthüllungen über die Freimaurerei und die Erscheinungen des Teufels in den palladistischen Triangeln, Feldkirch 1896.

[97] Vgl. *L. Taxil*, Bekenntnisse eines ehemaligen Freidenkers, Freiburg/Schw.-Paderborn 1888. Zum ganzen Komplex siehe *H. Gerber* (H. Gruber), Leo Taxil's Palladismus-Roman. Oder: Die »Enthüllungen« Dr. Bataille's, Margiotta's und »Miß Vaughans« über Freimaurerei und Satanismus, 2 Bde., Berlin 1897.

[98] Siehe *J. Schmidlin*, Papstgeschichte der neuesten Zeit II, München 1934, 575.

in der Welt ab. Andererseits kann man beobachten, daß in dem Bemühen, die soteriologische Wirksamkeit Christi herauszuarbeiten, Satan an Profil gewann und dadurch zum Widersacher Gottes stilisiert wurde. In den Bannkreis des Teufels geriet so über alle Phänomene seiner (vermeintlichen) Wirkmacht hinaus nicht nur die sogenannte Volksfrömmigkeit, sondern durchaus auch das amtskirchliche Denken. Die Konkretisierung und Individualisierung des Teufels im Laufe der Geschichte bestätigen, daß an seiner Existenz kaum ein Zweifel laut wurde. Wie kaum ein anderes Phänomen des christlichen Glaubens ist aber die Vorstellung von Satan und seinem Anhang der antiken Dämonologie verhaftet, ein Befund, der es erschwert, eine »christliche« Tradition aus dem dunklen Wirrwarr der Teufelsüberlieferung herauszulösen und eine theologisch annehmbare Teufelsvorstellung zu präsentieren. Da die Kirche selbst die Tendenz nach plastischer Anschaulichkeit kaum zügelte, wurde das »mysterium iniquitatis« (2 Thess 2,7) in eine Leibhaftigkeit übersetzt, die dem Geheimnischarakter des Bösen nicht entspricht.

Patristische Literatur und kirchliche Lehrdokumente als Zeugen der historischen Entwicklung der Lehre von Himmel, Hölle, Fegefeuer und Jüngstem Gericht*

Gleich Sisyphos und Tantalos in der Unterwelt fühlt man sich angesichts der Aufgabe, die Entwicklung der Lehre von Himmel und Hölle, von Fegefeuer und Jüngstem Gericht darzustellen. Was zu diesen Themen bereits an Steinen gewälzt wurde, ist kaum überschaubar, und die Frucht des Himmels, von Interpreten immer wieder zum Greifen nahegerückt, wird nicht selten durch (lehramtlichen) Verweis auf die Hölle in Enttäuschung verkehrt. Dem Dogmenhistoriker bleibt nur die Möglichkeit, aus der Vielzahl von Äußerungen zu den Eschata jeweils einen roten Faden zu ziehen, der das Glaubensbewußtsein der Christen in diesen drängenden Fragen einigermaßen zutreffend wiedergibt. Insofern ist er auch genötigt, den verzweigten Wegen der – gewissermaßen klassischen – Lehre von den Letzten Dingen nachzugehen, ohne hier unmittelbar einer Neuinterpretation der Eschatologie Hilfe geben zu können. Das Nachwirken der alten Lehren bis in die Neuzeit hat höchst eindrucksvoll *Rainer Maria Rilke* in die Verse gegossen:[1]

> »Sie werden Alle wie aus einem Bade
> aus ihren mürben Grüften auferstehn;
> denn alle glauben an das Wiedersehn,
> und furchtbar ist ihr Glaube, ohne Gnade.«

Diese Vision des endzeitlichen Schicksals prägt immer auch jene Texte, die über den Glauben der Christen, ihre Hoffnung und Sorge angesichts der Zukunft Auskunft geben. Daß hierbei epochale geistige Strömungen und konkrete geschichtliche Erfahrungen ebenfalls eine prägende Rolle spielen, sei vorab pauschal erwähnt; denn auch Aussagen über das Jenseits haben ihren ge-

---

* Der Beitrag wurde ausgearbeitet für das von der Wiener Katholischen Akademie veranstaltete Symposion »Tod-Hoffnung-Jenseits. Dimensionen und Konsequenzen biblisch verankerter Eschatologie« (1981) und erscheint in dem in Vorbereitung befindlichen Symposion-Bericht im Verlag Herder Wien-Freiburg-Basel, hrsg. von Ferdinand Dexinger.
1 *R. M. Rilke*, Das Jüngste Gericht. Aus den Blättern eines Mönchs.

schichtlichen Ort im Diesseits. In diesem Zusammenhang ist höchst bemerkenswert, daß parallel zur Entstehung des Christentums in der geistigen Umwelt ein Umbruch erfolgte, der markiert ist durch eine Wende von einer am Irdischen orientierten Philosophie hin zum Transzendenten.[2] Das Leitbild der σωτηρία, zunächst angereichert mit Vorstellungen konkreten irdischen Wohlergehens, »wird nun ohne Einschränkung und ohne Schwanken auf die beseligende Weiterführung des Lebens nach dem Tode bezogen«.[3]

1. Wandel der Eschatologie zur Lehre von den Letzten Dingen

So zutreffend das Urteil ist, daß der Aufschub der Parusie in den apostolischen und nachapostolischen Gemeinden keine tiefgreifende Erschütterung auslöste, an der Tatsache, daß durch diese Erfahrung ein Prozeß des Umdenkens einsetzte, kann man schwer vorbeigehen. Die Verkündigung Jesu von der anstehenden Herrschaft Gottes (Mk 1,15 par) erfolgte in einer von apokalyptischem Denken erfüllten Umwelt, und diese Situation forderte angesichts der Verzögerung um so mehr zu einer Standortbestimmung gegenüber der Zukunft heraus, wobei natürlich Elemente der jüdischen Enderwartung Eingang ins frühchristliche Denken fanden. Vor einem solchen Hintergrund, der geprägt war von Versuchen zur Bestimmung der Weltalter,[4] bedeutete schon

[2] Im Hinblick auf die in den synoptischen Evangelien viermal gestellte Frage nach dem ewigen Leben (Mt 19,16; Mk 10,17; Lk 10,25; 18,18) betont *H. Dörrie*: »Ganz zweifellos hat diese Frage in den Zeiten des frühen Hellenismus keine beunruhigende Rolle gespielt. Die damals herrschenden Philosophien, die Stoa und die Philosophie Epikurs, definieren das Leben des Menschen als einen einmaligen, im Diesseits sich abspielenden Vorgang; hierzu gibt die Philosophie als *magistra vitae* eine Reihe von Hilfen, – weiter geht ihre Aufgabe nicht. Bezeichnenderweise hat das Pythagoreertum mit seiner Lehre, daß ein zweites, drittes, viertes Leben – παλιγγενεσία – Lohn oder Strafe für das in diesem Leben Getane bringen werde, in den hellenistischen Jahrhunderten kaum Einfluß ausgeübt. Um 50 v. Chr. ist aber die Frage nach den ἔσχατα plötzlich da, und ganz offenbar wird sie als eine Frage von beängstigender Dringlichkeit empfunden« (Platonica Minora [Studia et Testimonia antiqua VIII], München 1976, 230 f).

[3] Ebd. 231.

[4] Vgl. *L. Koep*, Art. Chronologie, in: RAC III 30–60, bes. 52 ff. – Zur Thematik insgesamt siehe *L. Atzberger*, Geschichte der christlichen Eschatologie innerhalb der vornicänischen Zeit, Freiburg 1896; *P. Volz*, Die Eschatologie der jüdischen Gemeinden im neutestamentlichen Zeitalter, Tübingen 1934; *J. A. Fischer*, Studien zum Todesgedanken in der alten Kirche. Die Beurteilung des natürlichen Todes in der kirchlichen Literatur der ersten drei Jahrhunderte, München 1954; *G. Florovsky*, Eschatology in the Patristic Age: An Introduction, in: TU 64, Berlin 1957, 235–250; *A. Stuiber*, Refrigerium interim. Die Vorstellungen vom Zwischenzu-

der Fall Jerusalems im Jahre 70 n. Chr. einen tiefgreifenden Einschnitt, geradezu den Anfang vom Ende. Die Überlagerung dieses historischen Ereignisses mit dem geglaubten Anfang der Endzeit in Jesus von Nazaret steigerte gewiß die schwärmerische Spannung unter den Christen. Wie aber das Urteil über den Zeitpunkt angesichts des Erfüllungsmotives oder wegen unterschiedlicher Zeitspekulationen schwankte, so rückten auch Himmel und Hölle, Fegfeuer und Jüngstes Gericht unter wechselnden Bedingungen ins Bewußtsein der Gläubigen, jedenfalls nicht nach Art eines theologischen Traktats über die Letzten Dinge.

Ausgelöst wurde zunächst der Übergang von einer eschatologischen Glaubenshaltung zu einer Art Diversifikation der Eschata durch das Ausbleiben der Parusie. Zwar stellt man immer wieder das Bemühen fest, die Bedeutung der Naherwartung für die Christusgemeinde herabzuspielen; doch allein die zeitgenössische Apokalyptik, vertreten – wenn auch umstritten – selbst im Neuen Testament, und die Geistesströmungen, am stärksten im Montanismus präsent, signalisieren eine Aufbruchsstimmung, die mehr oder weniger alle Christen erfaßt hatte. Wohl nicht zu unterschätzen ist auch der Druck aus der Verfolgung, den man durch die Hoffnung auf einen jenseitigen Ausgleich auffing. In der Sprache der Agonistik rühmt das Schreiben der römischen Gemeinde nach Korinth den Kampf der Säulen-Apostel bis zum Tod, dem als Siegespreis »der gebührende Ort der Herrlichkeit« winkt.[5] Das Lohnmotiv erfaßt in realistischer Entsprechung das Glaubensbewußtsein der Christen und beflügelt vielfach den Geist des Martyriums. Trotz solcher Spannung verlagerte sich zusehends der Glaube von der Gegenwart des endzeitlichen Heils in die Zukunft, führte der Aufschub zur Erfahrung der Geschichte.

stand und die frühchristliche Grabeskunst (Theophaneia 11), Bonn 1957; *O. Knoch*, Eigenart und Bedeutung der Eschatologie im theologischen Aufriß des ersten Clemensbriefes. Eine auslegungsgeschichtliche Untersuchung (Theophaneia 17), Bonn 1964; *K. Thraede*, Art. Eschatologie, in: RAC VI 559–564; *J. Timmermann*, Nachapostolisches Parusiedenken untersucht im Hinblick auf seine Bedeutung für einen Parusiebegriff christlichen Philosophierens (Münch. Univ. Schriften, Phil. Fak. 4), München 1968; *P. Müller-Goldkuhle*, Die nachbiblischen Akzentverschiebungen im historischen Entwicklungsgang des eschatologischen Denkens, in: Concilium 5 (1969) 10–17; *J. Ratzinger*, Eschatologie – Tod und ewiges Leben (Kleine Kath. Dogmatik 9), Regensburg 1977; *U. Fischer*, Eschatologie und Jenseitserwartung im hellenistischen Diasporajudentum, Berlin-New York 1978; *A. Läpple*, Der Glaube an das Jenseits, Aschaffenburg 1978; *W. Maas*, Gott und die Hölle. Studien zum Descensus Christi, Einsiedeln 1979.
[5] 1 Klem 5,4: »εἰς τόν ὀφειλόμενον τόπον τῆς δόξης« (Fischer 30). Vgl. *A. W. Ziegler*, Neue Studien zum ersten Klemensbrief, München 1958, 34 ff.

Während der aufkommende Gnostizismus die Frage nach der Endzeit mit dem Hinweis beantwortete, durch den Empfang der Gnosis träte der Mensch bereits in den Bereich des göttlichen Seins, also geradezu eine ontologische Auskunft gab, ließen sich die geschichtlich orientierten Zweifel nicht so leicht ausräumen. Nicht nur eine Einzelstimme ist folgende kritische Feststellung angesichts der erwarteten, jedoch ausgebliebenen Parusie: »Dies hörten wir auch zur Zeit unserer Väter, und siehe, wir sind alt geworden und nichts davon ist uns widerfahren.«[6] Über Generationen hin hat sich die Naherwartung verzögert und Zweifel ausgelöst; die Antwort des Klemensbriefes geht selbst von dieser Erfahrung aus und beschwört darum keinen geschichtlichen Termin, sondern das plötzliche und unmittelbare Kommen des Herrn. »Denn schnell wird er kommen und nicht zögern, und plötzlich wird der Herr in seinen Tempel kommen, und der Heilige, den ihr erwartet.«[7] Mit dem Vorstellungsgut der zeitgenössischen jüdischen Apokalyptik führt der Verfasser des ersten Klemensbriefes zu einem neuen Verständnis von Parusie, das weniger getragen ist von einem eschatologischen Gegenwartsbewußtsein als von der Annahme eines künftigen Gerichts und seiner Folgen.

Abgesehen von der unterschiedlichen Interpretation des Parusiebegriffs und den damit verbundenen Heilsgütern[8] erhält in der Tat der Gerichtsgedanke entscheidendes Gewicht. Nicht nur in dem Schreiben der römischen Gemeinde nach Korinth pocht der Verfasser auf die künftigen Gerichte – offensichtlich sind die Einzelgerichte nach dem Tod des Menschen gemeint –, um so das Ethos der Gläubigen zu heben, überall in der Literatur des nachapostolischen Zeitalters treffen wir auf solche Mahnrufe. Das Schlußkapitel der sogenannten Didache malt in apokalyptischer Manier die Geschehnisse der letzten Zeit aus und folgert: »Es wird euch die ganze Zeit des Glaubens nichts nützen, wenn ihr nicht in der letzten Stunde vollkommen seid.«[9] Das gleiche Motiv dient im Barnabasbrief zur Mahnung an die Gläubigen, unterstrichen durch den Appell: »Bei Tag und Nacht denke an den Tag des Gerichts.«[10] Das bevorstehende Gericht erscheint geradezu als

---

6 1 Klem 23,2 (Fischer 56).
7 1 Klem 23,5 (Fischer 56).
8 Vgl. *J. Timmermann*, Parusiedenken 38 ff.
9 Did. 16,2 (Bihlmeyer-Schneemelcher 8).
10 Barn. 19,10 (Bihlmeyer-Scheemelcher 32).

immerwährender Anruf zu ethischem Verhalten, auf das angesichts der Parusieverzögerung immer mehr Gewicht gelegt wurde. Mit Recht stellt darum *Otto Knoch* fest: »Die Eschatologie wird zu einem Traktat von den letzten Dingen . . ., der dementsprechend bald auch rein formal ans Ende der sich herausbildenden Symbole (z. B. bereits in der Did.) tritt, d. h. die eschatologischen Fakten werden treu festgehalten, während das eschatologische Gegenwarts- und Existenzverständnis und der eschatologische Glaube mehr und mehr schwinden bzw. ummotiviert werden. Zugleich wird die Zeitkategorie als Wesensbestandteil biblischen Denkens langsam ausgehöhlt und mit der griechisch-hellenistischen Dialektik von Zeit und Ewigkeit, Diesseits und Jenseits, Welt und Gott verbunden bzw. durch sie sogar in den Hintergrund gedrängt.«[11]

Neben dem Gerichtsgedanken als beherrschendem Motiv der Lebensgestaltung schärfen in nachapostolischer Zeit zusehends auch Himmel, Hölle und Fegfeuer das Bewußtsein von den Eschata. Es wäre verfehlt, die Sicht der »Letzten Dinge« auf diese Elemente einzuschränken, da beispielsweise der Glaube an die Auferstehung einen breiten Platz im Bewußtsein der Gläubigen und in ihrer Argumentation einnimmt.[12] Die Auferstehung von den Toten, als deren Unterpfand die Erhöhung Christi gilt, stellt geradezu die Bedingung der endzeitlichen Geschehnisse und der daraus resultierenden Heilsperspektiven dar. Höchst naturalistisch schildern die Akten des Pionius das Ende dieses Märtyrers im Feuertod: »So eilte er durch die Finsternis zum Licht und durch die enge Pforte zu dem ebenen und weiten Gefilde. Der allmächtige Gott gab auch sofort ein Zeichen von seiner Krone; denn alle, die das Mitleiden oder die Neugierde dorthin (zum Richtplatz) geführt hatte, sahen den Leib des Pionius so, als ob er neue Glieder bekommen hätte. Er hatte erhobene Ohren, schönere Haare, einen jung aufsprossenden Bart. Alle seine Glieder waren so wohlgestaltet, daß man ihn für einen Jüngling hielt. Das Feuer hatte seinen Leib gleichsam verjüngt, ihm zur Ehre und zum Erweis der Auferstehung.«[13] Außerordentliche physische

---

[11] *O. Knoch,* Eschatologie 458.
[12] Vgl. schon 1 Klem 24,1: »Bedenken wir, Geliebte, wie der Herr uns fortwährend anzeigt, daß die künftige Auferstehung stattfinden wird, zu deren Anfang er den Herrn Jesus Christus machte, den er von den Toten auferweckte« (Fischer 56). Eine regelrechte Literaturgattung »De resurrectione« (Athenagoras, Tertullian u. a.) illustriert die Bedeutung dieses Themas.
[13] Mart. Pionii 22 (Knopf-Krüger 56 f).

Phänomene bestätigen den Empfang der »Krone des Lebens« (Jak 1,12; Offb 2,10), und sie illustrieren einen volkstümlichen Erwartungshorizont ewiger Jugend.

In aller Deutlichkeit tritt hier die Individualisierung der Eschatologie in den Vordergrund. Das Martyrium führt den standhaften Christen nicht in den Tod, sondern zu einem neuen Leben, und zwar im Sinne einer leiblichen Unsterblichkeit. Mit dieser Wende zum Schicksal des eigenen Ich bricht sich die Geschichtserfahrung des Einzelmenschen Bahn gegenüber der im Unbestimmten bleibenden Rede vom »Ende der Zeit« (*Ernst Troeltsch*). Unweigerlich verlieren sich damit die Konturen einer apokalyptischen Gerichtskatastrophe, die den ganzen Kosmos erfaßt; zwar bleibt diese Topik ständig virulent und bricht aus konkreten Anlässen auch immer wieder hervor, aber sie prägt trotz Chiliasmus und Weltuntergangsvisionen nur wenig das christliche Glaubensbewußtsein. Stärker macht sich hingegen eine Abwertung dieser Welt geltend, insofern man den künftigen, jenseitigen Äon erwartet und erfleht.[14]

2. Herkunft und Ausdruck der Eschata-Vorstellungen

Die Frage nach dem Platz der Eschata, also von Himmel, Hölle, Fegefeuer und Gericht, in der Theologie des frühen Christentums schließt für den Dogmenhistoriker auch die Verpflichtung ein, über die patristischen Zeugnisse hinauszublicken, um so das Eigentümliche der christlichen Aussagen zu verdeutlichen. *Joseph Ratzinger* beantwortet im entsprechenden Zusammenhang die Entwicklung weithin einlinig, wenn er resümiert: »Die in der alten Kirche entwickelten Auffassungen über das Fortleben der Menschen zwischen Tod und Auferstehung beruhen auf den durch das Neue Testament in christologischer Zentrierung übermittelten jüdischen Überlieferungen von der Scheol-Existenz des Menschen.«[15] Man wird hier die markierte Grundlinie im Prinzip akzeptieren können, auch wenn sich das Spektrum der Einflüsse hinsichtlich der Endzeitvorstellungen weitet. Aus der Tradition des Alten Testaments und gespeist von Umwelteinflüssen hatte das Judentum im Zeitalter des Neuen Testaments ein breites

---

14 Vgl. Did. 10,6.
15 *J. Ratzinger*, Eschatologie 124.

Spektrum von Vorstellungen über die Eschata entfaltet. Gerade die zwischentestamentarische Literatur illustriert höchst eindrucksvoll die Welt des postmortalen Daseins, und es fällt nicht schwer, ihre Modellfunktion für frühchristliche Aussagen auszumachen. Gleichwohl ist gerade hier Vorsicht geboten, um nicht dem Kurzschluß voreiliger Abhängigkeitsthesen zu erliegen.[16] Ohne Zweifel waren die Zukunftserwartungen der frühchristlichen Gemeinden geprägt von der Apokalyptik des Judentums. Die Bedrängnis dieses Volkes während des hellenistischen Zeitalters hatte jene apokalyptischen Werke entstehen lassen, die nicht zuletzt Auskunft über den Fortgang der Geschichte und ein endzeitliches Heil Israels gaben, und zwar unter dem Vergehen dieser Welt. Als »wahres Volk Gottes« übernahm die Gemeinschaft der Christen Elemente dieser Zukunftsschau, in der das Erscheinen des Menschensohnes den Anbruch des neuen Äons und die volle Verwirklichung der Herrschaft Gottes bringen sollte. Mit der Erwartung des Weltendes verband sich ein starker ethischer Impuls zur Bewährung, der in den Märtyrern geradezu sieghaft aufleuchtet. In der aus christlichen Kreisen stammenden sogenannten Petrusapokalypse (1. Hälfte 2. Jh.) führt der Verfasser die endzeitlichen Drangsale auf einen Falsch-Christus zurück: »Und deshalb werden diese, die durch seine Hand gestorben sind, Märtyrer, und sie werden gerechnet zu den guten und gerechten Märtyrern, die Gott in ihrem Leben gefallen haben.«[17] Fraglos enthalten solche Äußerungen tröstenden Zuspruch, als dessen Wortführer Henoch und Elias genannt werden, jene beiden in der frühchristlichen Literatur so beliebten Repräsentanten der alttestamentlichen Welt. Es ist nun äußerst bemerkenswert, daß die Offenbarung des Petrus weniger den endzeitlichen Sieg Christi schildert, wie die neutestamentliche Apokalypse des Johannes, sondern im Anschluß an das Gericht die Zustände im Jenseits beschreibt und so den christlichen Gemeinden ein anschauliches Bild von Himmel und Hölle vermittelt, das weitgehend von religionsgeschichtlichen Quellen gespeist war.[18] Diese Schilderungen der Endzustände gewinnen geradezu Modell-Charakter, und

---

[16] Vgl. C. *Schneider*, Geistesgeschichte des antiken Christentums I, München 1954, 479 ff.
[17] Apoc. Petri 2 (Hennecke-Schneemelcher II 473).
[18] Neben orphisch-pythagoreischer Herkunft wird auf allgemein orientalischen Ursprung verwiesen; vgl. Ch. *Maurer* – H. *Duensing*, Offenbarung des Petrus, in: Hennecke-Schneemelcher II 468 ff.

zwar nicht nur für andere Apokalypsen, sondern hin bis zur plastischen Anschaulichkeit in Dantes Divina Commedia.

Der biblische Gerichtsgedanke war schon in der neutestamentlichen Apokalypse zum Miteinander von Triumph über den Satan und richterlichem Akt entfaltet worden. Gerade dieses forensische Element gewinnt nun in der Folgezeit an Übergewicht, zumal es vielfach phantasievoll ausgemalt wird. Charakteristisch für diese Entwicklung ist die Gerichtsszene aus der genannten Petrusapokalypse, die der offenbarende Herr folgendermaßen enthüllt: »Und er zeigte mir in seiner Rechten die Seelen von allen (Menschen) und auf seiner rechten Handfläche das Bild von dem, was sich am Jüngsten Tag erfüllen wird; und wie diejenigen tun (?) werden, die rechten Herzens sind, und wie die Übeltäter für alle Ewigkeit ausgerottet werden.«[19] Ganz nach dem Prinzip: »(Es wird vergolten werden) einem jeden nach seinem Tun« (Mt 16,27), ergeht im folgenden das Zorngericht über die Bösen, »die in den Tiefen nicht verschwindender Finsternis stehen, und ihre Strafe ist das Feuer, und Engel bringen ihre Sünden herbei; und sie bereiten ihnen einen Ort, wo sie für immer bestraft werden, je nach ihrer Versündigung«.[20] Bis ins Detail geht die Schilderung der Höllenstrafen für Ungerechtigkeit und Mord; alle Motive mittelalterlicher Endgerichtsmalerei sind hier literarisch vormodelliert, und es nimmt nicht wunder, daß sie im Bewußtsein der Gläubigen tiefe Wurzeln schlugen, immer wieder freilich aufgefrischt durch den moralischen Impetus kirchlicher Verkündigung.

Kontrastierend zu den Qualen der Hölle malt die Petrusapokalypse den jenseitigen Platz der Erwählten und Gerechten in heiteren Farben. In der akhmimischen Fassung holt der Text besonders weit aus: »Und der Herr zeigte mir einen weit ausgedehnten Ort außerhalb dieser Welt, ganz schimmernd im Lichte, und die Luft dort durchleuchtet von Sonnenstrahlen, und die Erde selbst sprossend von unverwelklichen Blumen und voll von Gewürzkräutern und von Pflanzen, die prächtig blühen und nicht verwelken und gesegnete Früchte tragen. So stark war der Blumenduft, daß er von dorther sogar bis zu uns herübergetragen wurde. Die Bewohner jenes Ortes waren bekleidet mit einem leuchtenden Engelsgewand, und ihr Kleid paßte zu ihrem Aufenthaltsort.«[21]

[19] Apoc. Petri 3 (Hennecke-Schneemelcher II 473).
[20] Apoc. Petri 6 (Hennecke-Schneemelcher II 475).

Biblische Aussagen übersteigend wird hier das himmlische Paradies höchst sinnenhaft-realistisch gezeichnet, und zwar in einer Weise, daß der Gedanke der Gottesverbundenheit zurücktritt gegenüber den Gütern des Himmels.

Die Schilderung von Himmel und Hölle in der Petrusapokalypse nimmt gewiß Grundaussagen der biblischen Tradition auf; sie schmückt freilich diese Verheißungen mit Elementen der religiösen Umwelt aus und gestaltet so eine höchst einprägsame Vorstellung, deren Tiefgang nicht zuletzt im Trostcharakter des apokalyptischen Werkes begründet liegt. Unübersehbar ist dabei die Individualisierung der Endzeitvorstellungen, die immer stärker das Heil oder Unheil des einzelnen Menschen vor Augen führt.

3. Die Ausgestaltung der Lehre von den Eschata

Angesichts des Wandels in der geistigen Situation der frühen Gemeinden und angesichts der verschiedenen Quellen überrascht es nicht, wenn die Auffassungen über Gericht, Himmel und Hölle einerseits stark ins Bewußtsein der Gläubigen gerückt werden, andererseits den einschlägigen Aussagen eine erstaunliche Variabilität anhaftet. Grundsätzlich gewann der Verweis auf die Eschata schon durch die Betonung der ethischen Dimension in der Verkündigung an Gewicht. Das bekannte Motiv von den »zwei Wegen«,[22] deren Wahl für den Menschen Leben oder Tod bringt, führt konsequenterweise zur Beschreibung dieser Zustände als Lohn oder Strafe. Gewiß konnte man hier auf Vorgaben heidnischer Philosophen und Dichter verweisen – und Laktanz macht beispielsweise ausdrücklich darauf aufmerksam –, trotzdem sahen sich die Vertreter des Christentums immer wieder genötigt, die Grundaussagen der biblischen Offenbarung zur Geltung zu bringen. Unverkennbar ist dabei ihr Bestreben, die heilsgeschichtlich orientierten Aussagen der Schrift mit den metaphysischen Einsichten hellenischer Geistigkeit zu harmonisieren, ein Unternehmen, das etwa hinsichtlich der Auferstehung der Toten einige Schwierigkeiten bereitete, weshalb man nicht selten auf die Unsterblichkeit abstellte. Angesichts der Disparität der Eschata legt es sich nahe, die einzelnen Aspekte und ihr Verständnis in

---

[21] Apoc. Petri 15–17 (Hennecke-Schneemelcher II 482).
[22] Did. 1–5; Barn. 18–20; Lactantius, epit. 54.

der patristischen Literatur gesondert aufzuspüren, wobei freilich ihre gegenseitige Zuordnung nicht aus dem Blick geraten soll.

1. Gerade die zunehmende Ethisierung der biblischen Botschaft verlieh dem Gerichtsgedanken eine besondere Aktualität. Zwar blieben die alttestamentlichen Ankündigungen des »Tages Jahwes« (Am 5,18–20 u. a.) durchaus lebendig, wie die Kommentare zu Daniel, etwa jener Hippolyts, erweisen, und die eindringlichen Appelle zur Entscheidung zwischen den beiden Wegen hielten die Aussage des johanneischen Jesus, wonach das Gericht schon gekommen sei (Joh 3,18 f; 5,24), im Bewußtsein, aber im Sinne einer Wende zum Ethischen. So verständlich dieser Wandel angesichts der Diffamierung von »Glaube« durch die antike Geisteswelt war und so sehr umgekehrt der hohe Anspruch stoischer Sittlichkeit die christlichen Gläubigen herausforderte, er brachte eine Akzentverschiebung nach dem Vergeltungsprinzip, in dem das Gericht über den einzelnen Menschen eine entscheidende Rolle gewann. Von vornherein sei aber darauf aufmerksam gemacht, daß eine Unterscheidung von besonderem und allgemeinem Gericht in den frühchristlichen Texten kaum faßbar ist. Der apokalyptische Schlußteil der Didache zentriert die Wachsamkeit und Vollkommenheit der Christen auf die letzte Zeit und kündigt der Menschenwelt ein Feuer der Bewährung (πύρωσις τῆς δοκιμασίας) an, das unter dem Zeichen des Auseinanderreißens am Himmel (σημεῖον ἐκπετάσεως) – gemeint ist wohl das Kreuz – zum allgemeinen Gericht hinüberführt.[23] Sicher begegnen uns bereits bei den Apostolischen Vätern in Aufnahme biblischer Aussagen Formulierungen, die einen Entscheid unmittelbar nach dem Tode nahelegen, so wenn beispielsweise Ignatios von Antiochien meint, es werde dem Menschen während seines irdischen Daseins »Tod und Leben vorgelegt, und jeder wird an seinen besonderen Ort gelangen«.[24] Das ethische Schema der »zwei Wege« impliziert geradezu eine angemessene Vergeltung, wobei die Konturen eines besonderen oder allgemeinen Gerichts ineinander übergehen; noch unter dem Eindruck chiliastischer Strömungen rückt letzteres allmählich ans Ende des Zwischenreiches. Als Grundtenor wird der Zusammenhang von Gericht und ethischem Verhalten mehr und mehr in der einschlägigen Literatur deutlich; geradezu extrem formuliert ihn Athenagoras, wenn er

---

[23] Did. 16 (Bihlmeyer-Schneemelcher 8 f).
[24] Ignatios, Magn. 5,1 (Fischer 165).

den Adressaten seiner Bittschrift erklärt: »Würden wir uns nun solcher Reinheit befleißigen, wenn wir nicht glaubten, daß Gott über der Menschheit walte? Gewiß nicht! Vielmehr sind wir überzeugt, daß wir Gott, der uns und die Welt erschaffen hat, über unser ganzes Erdenleben einst Rechenschaft geben müssen.«[25] Es entspricht der apologetischen Situation des frühen Christentums, daß seine Vertreter den Gerichtsgedanken auch bei den heidnischen Dichtern und Philosophen aufweisen.[26] Nicht von ungefähr argumentiert der ehemalige Jurist Tertullian mit dem Gerichtsmotiv, und er versteht es, mit unverhohlenem Zynismus »den Tag des letzten und endgültigen Gerichts« als triumphalen Kontrapunkt allen Schauspielen dieser Welt, und zwar auch dem Unterweltsmythos vom Totengericht durch Rhadamanthys und Minos, gegenüberzustellen.[27] Die biblische Grundlage von der Offenbarung der Herrlichkeit Gottes im Gericht bestimmt gewiß auch Tertullians Erläuterungen; jedoch sind sie durchtränkt von rigoristischen Elementen, die sein Gottesbild insgesamt verdunkeln. Nicht nur gegenüber Markion, der die Meinung vertrat, der gute Gott richte überhaupt nicht,[28] insistierte Tertullian auf der Strafgewalt Gottes; durch alle seine Schriften geht ein düsterer Zug, der Furcht vor Liebe und Gerechtigkeit vor gnädiges Erbarmen setzt. Eine geradezu gespenstische, aber bis heute im Volksglauben verwurzelte Begründung des Richterseins Gottes liefert er mit seinem Hinweis, daß Gott alles sehe.[29] In solchen Äußerungen offenbart sich eine Art Strafpädagogik, die gerade im westlichen Christentum bis in die Neuzeit hinein für pastorale Zwecke ihren Platz behauptete. Der Trend zur Individualisierung nach zeitgenössischen Rechtsvorstellungen kennzeichnet diese Sicht und überformt die biblische Verheißung vom letzten Gericht als Triumph über das Böse.

Es verdient ausdrückliche Beachtung, daß der nach dem Prinzip des *do ut des* formulierte Gerichtsgedanke frühchristliches Glaubensbewußtsein nicht ausschließlich beherrscht, sondern daß unter östlichem Einfluß auch auf ein Gottesbild barmherziger Gnä-

---

[25] Athenagoras, suppl. 12,1 (Goodspeed 326).

[26] Ps.-Justin, cohort. 14.27; Theophilos, ad Autol. II 8.

[27] Tertullian, spect. 30 (CCL 1,252 f). Vgl. apol. 23; ferner Origenes, c. Cels. III 16. Der Mythos vom Totengericht des Minos und Rhadamanthys bzw. Aiakos begegnet seit Pindar und erhielt durch Platon (Gorg. 523 c) seine klassische Form.

[28] Adamantios, dial. II 1 f. Vgl. *A. v. Harnack*, Marcion. Das Evangelium vom fremden Gott, Neudr. Darmstadt 1960, 137 ff.

[29] Tertullian, spect. 20,3: »qui spectat omnia« (CCL 1,245).

digkeit abgehoben wird. Charakteristisch für eine solche Haltung ist die Frage des Ambrosius: »Wird er (sc. Christus) dich verdammen können, den er vom Tod erlöst, für den er sich hingeopfert, dessen Leben er als Lohn seines Todes erkennt? Wird er nicht vielmehr sagen: Was nützte mein Blut, wenn ich den verurteilte, den ich selbst gerettet habe?«[30] Zu dieser Argumentation tritt der Apg 10,42 f und Röm 2,16 bezeugte Umstand, daß Gott Jesus als letzten Richter eingesetzt hat. So sehr Ambrosius damit zunächst auf die Ebenbürtigkeit des Sohnes mit dem Vater abhebt, also auf dessen wahre Gottheit, das Motiv der Hoffnung auf den Erlöser und »bonus iudex« zugleich bestimmt ebenso den existentiellen Glauben des Mailänder Bischofs.[31] Im übrigen ermöglicht ihm eine allegorische Auslegung eschatologischer Bibeltexte eine Wende zum Innern, zum Gewissen des Menschen und zur Gemeinschaft der Kirche, verbunden mit dem Appell, die gegenwärtigen Bedrängnisse in Wachsamkeit zu bestehen. In dem Aufruf zur »fuga saeculi« tritt freilich eine Tendenz zutage, die Eschata, besonders Wiederkunft und Endgericht, auf ihre ethische Tragweite für den Glaubenden in der Gegenwart hin auszulegen, unverkennbar belastet mit der Gefahr ihrer Verflüchtigung.[32]

Wie schon angedeutet, ermöglichte Ambrosius offensichtlich der Rückgriff auf die östliche Theologie eine solche mehr spiritualisierende Auslegung. Aus alexandrinischer Tradition heraus, die im Vollzug der Gnosis schon einen Weg zu besseren Wohnstätten erblickte, wobei »der große Richter« die »Verhärteten« geradezu antreibt,[33] hatte vor allem Origenes einer Verinnerlichung des Gerichtsgedankens vorgearbeitet, wozu ihn nicht zuletzt Kelsos herausgefordert hatte mit dem Hinweis, »die Christen wüßten über diese Punkte nichts Neues zu sagen«.[34] Diesem Vorwurf

30 Ambrosius, de Jacob et vita beata I 6,26 (CSEL 32,2,21).
31 Ambrosius, de fide II 2,28 (CSEL 78,66). Zu seinem Verständnis der Eschata siehe J. E. Niederhuber, Die Eschatologie des heiligen Ambrosius (Forsch. z. christl. Lit.- und Dogmengesch. VI 3), Paderborn 1907; E. Dassmann, Die Frömmigkeit des Kirchenvaters Ambrosius von Mailand (MBTh 29), München 1965.
32 Vgl. Ambrosius, in Luc. X 7: »Was nützt es mir, den Tag des Gerichtes zu wissen? Was nützt es mir im Bewußtsein solch großer Sünden, daß der Herr kommt, wenn er nicht in mein Herz kommt, wenn er nicht in meinem Geist einkehrt, wenn Christus nicht in mir lebt und Christus nicht in mir spricht? Zu mir muß darum Christus kommen, mir muß seine Ankunft zuteil werden. Die zweite Ankunft des Herrn aber ereignet sich beim Untergang der Welt, sobald wir sagen können: ›Mir aber ist die Welt gekreuzigt und ich der Welt‹.« (CSEL 32,4,457). Siehe E. Dassmann, Frömmigkeit 220 ff.
33 Vgl. Klemens Al., strom. VII 12,4–5 (GCS 17,9 f).
34 Origenes, c. Cels. II 5 (GCS 2,132); vgl. ebd. IV 30; III 16.

gegenüber beruft er sich auf die Verkündigung Christi[35] und die Kirche.[36] Weithin tritt dabei die pädagogische Funktion der endzeitlichen Vergeltung in den Hintergrund; dementsprechend betrachtet er auch das Gericht als einen inneren Vorgang, als eine Art Offenbarung vor den Augen des Geistes.[37] Wie die Schilderung vom Kommen des Herrn auf den Wolken des Himmels (Mt 24,30) kindlicher Vorstellung gemäß ist, als solche jedoch durch geistige Auslegung überwunden werden muß, so auch das Modell einer irdischen Gerichtsverhandlung.[38] Getragen von einem grenzenlosen Vertrauen in Gottes Handeln umgreift der Gedanke der Apokatastasis letztlich die Gerichtsperspektive gemäß dem Prinzip: »Semper enim similis est finis initiis«.[39] Im Gegensatz zur gängigen Auffassung der Alten Kirche, wonach im Gericht eine Trennung der Menschen erfolgt, entwirft Origenes die Vision endzeitlicher Einheit: »(Alle aber) werden wieder durch die Güte Gottes, die Unterwerfung unter Christus und die Einheit im heiligen Geist zu dem einen Ende gebracht, das dem Anfang gleicht. Diese sind es, die ›im Namen Jesu ihr Knie beugen‹ und dadurch ein Zeichen ihrer Unterwerfung geben; die ›Himmlischen, Irdischen und Unterirdischen‹ (Phil 2,10).«[40] Für Origenes erfolgt diese Unterwerfung aber aus der Freiheit des menschlichen Entscheides, der andererseits die wandelnde Kraft des Logos entspricht, die letztlich zur Vollkommenheit in der Apokatastasis führt.

Diese faszinierende Endzeitperspektive, in die bekanntlich philosophisch-stoische Elemente verwoben sind,[41] fand in der Alten Kirche verständlicherweise Resonanz. Gregor von Nyssa legt den Gedanken seiner Schwester Makrina in den Mund, die ihn sentenzenhaft formuliert: »Wenn das Übel einst durch die Feuerskur ausgeschieden und gesühnt ist, wird nichts außer dem Guten zurückbleiben.«[42] Eine Synode zu Konstantinopel vom Jahre 543 verurteilte diese Lehre, so daß sich der Gerichtsgedanke mit der

---

[35] Origenes, c. Cels. I 29.
[36] Origenes, princ. II 10,1.
[37] Origenes, comm. in Mt. ser. 70: »quando et peccatores cognoscent in conspectu suo sua delicta et iusti manifeste videbunt semina iustitiae suae ad qualem eos perduxerint finem« (GCS 38,165).
[38] Origenes, in ep. ad Rom. IX 41 (PG 14,1240–1245).
[39] Origenes, princ. I 6,2 (Görgemanns-Karpp 216).
[40] Origenes, princ. I 6,2 (Görgemanns-Karpp 216 ff).
[41] Siehe *Chr. Lenz*, Art. Apokatastasis, in: RAC I 510–516.
[42] Gregor Nyss., an. et res. 18,4 (PG 46,160 C); vgl. Facundus Herm., def. tr. cap. 4,4 (PL 67, 627 A).

konsequenten Scheidung in Gute und Böse durchsetzte. Dem Realismus in der Schilderung der endzeitlichen Gerichtsszenen mit allen Strafkonsequenzen im Detail[43] korrespondiert freilich immer wieder ein starker Symbolismus, der nicht zuletzt in der Erscheinung des Kreuzes auf den Wolken des Himmels zum Ausdruck kommt.[44]

Von nachhaltigem Einfluß auf die abendländische Theologie erwiesen sich Augustins Reflexionen, die freilich das Problem der Eschata zum Teil in einen übergreifenden Rahmen z. B. der umstrittenen Auffassung einer absoluten Prädestination rückten. Die Zeugnisse der Schrift von einem letzten Gericht (Offb 20,12) legt freilich auch er symbolisch aus. In dem vielbehandelten zwanzigsten Buch von »De civitate Dei« greift der große Kirchenvater das Thema grundsätzlich auf, wobei die Interpretation der einschlägigen Texte besticht.[45] An der Tatsache eines künftigen Gerichts läßt er keinen Zweifel, obwohl er sich vor einer Beschreibung von Einzelheiten hütet. Im Grunde zentriert er das Gerichtsgeschehen auf eine Art göttlicher Erleuchtung des einzelnen Menschen, wenngleich auch von einer sichtbaren Erscheinung des Richters Christus die Rede ist.[46] Entscheidend für Augustins Gerichtsgedanken scheint jedoch die Einbettung in den heilsgeschichtlichen Zusammenhang, der während dieser Weltzeit geprägt ist durch das Ineinander der beiden »civitates«. Am Gerichtstag jedoch »wird in Erscheinung treten das wahre und vollkommene Glück aller und nur der Guten und das verdiente und äußerste Unglück aller und nur der Bösen«.[47] Wie die Kirche insgesamt am Ende der Zeit in die Vollendung des »Gottesstaates« übergeht, so gelangt der einzelne Mensch in das vollkommene Glück. Gewiß ist Augustins Entwurf überschattet von seiner rigorosen Gnadenlehre, dennoch eignet ihm ein befreiendes Element für den einzelnen Gläubigen wie für die Gemeinschaft, das in der konkreten geschichtlichen Entscheidung eingeübt und am Jüngsten Tag entbunden wird. Diese Offenbarung stellt geradezu die Vollendung

---

43 Vgl. etwa Ephräm Syr., Rede über die Gottesfurcht und den Jüngsten Tag 13.
44 Johannes Chrys., hom. 54,4 in Mt. (PG 58,537). Vgl. *P. Stockmeier*, Theologie und Kult des Kreuzes bei Johannes Chrysostomus. Ein Beitrag zum Verständnis des Kreuzes im 4. Jahrhundert (Trierer theol. Studien 18), Trier 1966, 151 ff.
45 Siehe *G. Lewalter*, Eschatologie und Weltgeschichte in der Gedankenwelt Augustins, in: ZKG 53 (1934) 1–51; *B. Lohse*, Zur Eschatologie des älteren Augustin (De Civ. Dei 20,9), in: VC 21 (1967) 221–240.
46 Augustinus, tract. in Joh. 21,13 (CCL 36,219 f).
47 Augustinus, civ. Dei XX 1 (CCL 48,700).

der Heilstat Christi dar. Der Artikel des Apostolischen Glaubensbekenntnisses: »Von dort wird er kommen, zu richten die Lebenden und die Toten«, entspricht fraglos dem apostolischen Kerygma; eine Reihe von Schriftstellen wie Apg 10,42; 2 Tim 4,1; 1 Petr 4,5 weist in stereotyper Wendung dieses Bekenntnis auf.[48] Diese Einhelligkeit, die sich auch durch die anderen Symbola hindurchzieht, kann freilich nicht darüber hinwegsehen lassen, daß im Verständnis des Endgerichts eine erstaunliche Variabilität herrscht.

Tatsächlich gelangen erst die mittelalterlichen Theologen zur Unterscheidung von besonderem und allgemeinem Gericht; im übrigen rezipiert man weitgehend die Aussagen der Väterzeit. Von immenser Ausstrahlung auf den Volksglauben erweist sich alsbald die Ikonographie, deren verschiedene Bildelemente in den Gerichtsszenen den Einfluß apokrypher Überlieferungen verraten. Ohne Zweifel wirkten auf die Vorstellungen der Volksfrömmigkeit auch Erfahrungen geschichtlicher Katastrophen ein, die den Realismus im Ausdruck nur steigerten. Solchen Tendenzen vermochte auch Thomas von Aquin nur unzureichend entgegenzutreten mit seiner im Anschluß an Augustin geäußerten Meinung, es handle sich beim Letzten Gericht um einen geistigen Vorgang.[49]

2. Die Erörterung des Gerichts anhand patristischer Zeugnisse nötigte bereits zu der Einsicht, daß Himmel und Hölle nicht kurzschlüssig als Lohn oder Strafe anzusehen sind, die nach dem Richtspruch Gottes bzw. Christi zuerkannt werden, sondern in engem Zusammenhang mit der gläubigen Existenz des Christen stehen. Ohne Zweifel spielte für die Ausgestaltung der Lehre von Himmel und Hölle das antike Weltbild eine wichtige Rolle, wobei die Spannung von Diesseits und Jenseits oder der Erwartungshorizont von Jetztzeit und Zukunft immer neue Aspekte einbrachten. Das Ineinander von kosmischen Vorstellungen und Heilsaussagen begleitet darum auch die Rede von ihnen unter der Perspektive der Eschata. Bereits die biblische Verkündigung vom Himmel weist ein differenziertes Bedeutungsspektrum auf, gut faßbar in der vom rabbinischen Sprachgebrauch entlehnten metonymischen Redeweise vom »Himmelreich«, wobei Himmel für Gott steht (vgl. Dan 4,23; Mt 16,19; 18,18). Diese unmittelbare,

---

[48] Vgl. *J. N. D. Kelly*, Altchristliche Glaubensbekenntnisse. Geschichte und Theologie, Göttingen 1972, 152.

[49] Thomas, Suppl. q.88 a.2; q.87 a.2.

geradezu personalistische Ausrichtung auf Gott selbst kommt im patristischen Sprachgebrauch jedoch nicht allseits zum Tragen, sie leuchtet aber hinter den zahlreichen Umschreibungen und Bildern immer wieder auf.

Geradezu proleptisch prägt die Wirklichkeit des Himmels schon die irdische Existenz des Christen. Im Anschluß an neutestamentliche Aussagen, wonach die Gläubigen im Himmel Bürgerrecht haben (Phil 3,20; vgl. Eph 2,6), betrachten sie sich in dieser Welt als Fremdlinge. In klassischer Sentenz faßt der Brief an Diognet (Ende 2. Jh.) dieses Selbstverständnis zusammen: »Sie weilen auf Erden, aber ihr Wandel ist im Himmel.«[50] Eine solche Vorwegnahme im Sinne des »Schon« und »Noch nicht« läßt die Bildrede vom Himmel nicht als etwas Fremdes erscheinen, das zum irdischen Dasein als etwas Andersartiges aufgrund des Gerichts hinzukommt, sie drückt vielmehr die eigentliche Berufung aus, um deren Vollgestalt im künftigen Äon man sogar betet.[51] In der Ausmalung des Himmels fließen die verschiedensten Ströme, angefangen bei dem um die Zeitenwende herrschenden Weltgefühl, wonach man den Kosmos als Höhle (*Oswald Spengler*) empfand, zusammen, und sie überlagern oft die biblischen Aussagen. Vor allem in gnostischen Schriften erreichten die Spekulationen ein phantastisches Ausmaß, so etwa in der Beschreibung der sieben Himmel der Valentinianer.[52] Trotzdem zielen die einschlägigen Texte im wesentlichen auf den theologischen Bereich, also die Schilderung des Himmels als der Sphäre Gottes, beispielsweise im Anschluß an Joh 14,2, wonach viele Wohnungen beim Vater sind. Derartige Auffassungen verleiten zur Unterteilung in himmlische Regionen nach dem Vorbild des 1. Henochbuches, die Eirenaios von Lyon weiter abstuft in Paradies und Gottesstadt entsprechend der unterschiedlich zuteil gewordenen Frucht (Mt 13,8).[53] Solchen »topographischen« Tendenzen in der theologischen Spekulation korrespondieren immer wieder Zustandsumschreibungen folgender Art: »Denen, die mit Beharrlichkeit in guten Werken die Unsterblichkeit suchen, wird er geben ewiges Leben, Freude, Friede, Ruhe und eine Fülle von Gütern, wie sie kein Auge gesehen, kein Ohr gehört, noch in eines Menschen

[50] Ep. ad Diogn. 5,9 (Bihlmeyer-Schneemelcher 144).
[51] Did. 10,6.
[52] Vgl. Eirenaios, adv. haer. IV 1,1.
[53] Ebd. V 36,2 (Harvey II 428).

196

Herz gekommen sind« (1 Kor 2,9).[54] So realistisch etwa nach Art des Elysiums die Freuden des Himmels gerühmt[55] und so sehr regelrechte Lokalisierungsversuche des Paradieses unternommen werden,[56] die Wende zu einem geistigen Verständnis bricht immer wieder durch und bestimmt die Norm des Glaubensbewußtseins. Deutlich läßt sich diese Absicht an Augustin markieren, der nach dem Vorgang östlicher Theologen das Wesen der himmlischen Glückseligkeit in die Gottesanschauung verlegt. »Diese Anschauung gehört nicht dem gegenwärtigen, sondern dem zukünftigen Leben an, ist keine zeitliche, sondern eine ewige.«[57]

Es ist bemerkenswert, daß dieses Verständnis schließlich Eingang fand in kirchliche Lehräußerungen. Vor allem die bekannte Konstitution »Benedictus Deus« des Papstes Benedikt XII. (1334–1342) vom Jahre 1336 nimmt diese altkirchliche Interpretation auf, wenn sie die Vollendung aller in den Himmel Aufgenommenen folgendermaßen umschreibt: »Und nach dem Leiden und dem Tod unseres Herrn Jesus Christus schauten und schauen sie die göttliche Wesenheit in unmittelbarer Schau und auch von Angesicht zu Angesicht, ohne Vermittlung eines Geschöpfes, das dabei irgendwie Gegenstand der Schau wäre. Ohne Vermittlung zeigt sich ihnen vielmehr die göttliche Wesenheit unverhüllt, klar und offen.«[58] In dieser Formulierung der Visio beatifica konzentriert sich die kirchenamtliche Lehre, fraglos in einer gewissen Verengung gegenüber der Symboltiefe der biblischen Rede vom Himmel, aber dennoch unter Aufnahme altkirchlicher Theologie im Sinne zunehmender Vergeistigung.

3. Während sich in dem Verkündigungswort »Himmel« der Glaube an die endzeitliche Vollkommenheit des Menschen in der Gemeinschaft mit Gott artikuliert, löst die Rede von der »Hölle« das Bewußtsein von der Möglichkeit menschlichen Scheiterns aus. Obwohl »Hölle« bildlich vielfach zum Gruselkabinett gestaltet oder literarisch zum ausweglosen Gefängnis menschlicher Existenz stilisiert wurde und so wie eine Chiffre der Angst immer

---

[54] Theophilos, ad Autol. I 14 (SChr 20,92 f).
[55] Nach Tertullian, c. Valent. 7, haben die Valentinianer aus dem Himmel eine Art Wohnblock gemacht.
[56] Vgl. Methodios, de res. I 55,1–3. Andererseits appelliert Johannes Chrysostomos, die Erde selbst zum Himmel zu machen (hom. 19,5 in Mt. [PG 57,279]).
[57] Augustinus, tract. in Joh. 101,5 (CCL 36,593); vgl. civ. Dei XXII 29. Siehe H. Eger, Die Eschatologie Augustins (Greifswalder theol. Forsch. 1), Greifswald 1933.
[58] DS 1000; NR[10] 902.

neu Gestalt gewinnt, sind umgekehrt die Versuche, »Hölle« zu verdrängen, nicht zu übersehen.[59]

Als endzeitlicher Strafort für die Sünder erscheint in der Verkündigung Jesu die Bezeichnung Gehenna (Mt 5,22.29 f; Mk 9,43 u. ö.), mit der sich die Vorstellung von der Scheol verbindet (Mt 8,12; 22,13; 2 Petr 2,17). Nach Mt 25,41; Offb 19,20; 20,10; 21,8 ist sie der endgültige Ort der Verdammnis für den Sünder. In den Parusiereden bei Matthäus heißt es in aller Schärfe: »Dann wird er auch zu denen zu seiner Linken sprechen: Weg von mir, ihr Verfluchten, in das ewige Feuer, das dem Teufel und seinen Engeln bereitet ist« (Mt 25,41). Aufgrund des Schriftzeugnisses stellt denn auch *Joseph Ratzinger* fest: »Alles Deuten nützt nichts: Der Gedanke ewiger Verdammnis, der sich im Judentum der beiden letzten vorchristlichen Jahrhunderte zusehends ausgebildet hatte . . ., hat seinen festen Platz . . . in der Lehre Jesu.«[60]

An dieser Tatsachenfeststellung wird sich schwerlich rütteln lassen, wenngleich der apokalyptische Apparat, in den weitgehend die neutestamentlichen Aussagen eingebettet sind, die Abhängigkeit von den zeitgenössischen, jüdischen Vorstellungen demonstriert. Der Auslegung bleibt so vom Ursprung her die Aufgabe gestellt, die Aussageabsicht der jeweiligen Texte zu erhellen, zumal sich ohnehin ein beträchtlicher Teil (z. B. Joh 3,36; 5,14; Röm 6,23; Phil 3,19) über Art und Ort einer Höllenstrafe zurückhaltend ausdrückt.

Im Strom dieser Verkündigung stehend und die Bedrängnis der Zeit in apokalyptischer Intensität erfahrend, kann es nicht überraschen, wenn die überkommenen Vorstellungen von der »Hölle« vom frühen Christentum nicht nur rezipiert, sondern sogar erweitert und ausgestaltet werden. Ohne Zweifel übte die zunehmende Ethisierung der biblischen Glaubensbotschaft nachhaltigen Einfluß auf die Betonung dieser Straf-Perspektive aus; doch auch apologetische Tendenzen und »tröstender« Zuspruch für die Standhaften in der Verfolgung werden sichtbar. Als Grundzug, geradezu im Sinne der Gerechtigkeit, hält sich die im Pastor Hermae (Mitte 2. Jh.) ausgesprochene Überzeugung: »Die Bösen werden ins Feuer geworfen werden, weil sie sündigten und keine Buße taten; die Heiden aber werden ins Feuer wandern, weil sie ihren Schöpfer nicht erkannt haben.«[61] Die in dieser Bußschrift

---

[59] Vgl. *Th. u. G. Sartory*, In der Hölle brennt kein Feuer, München 1968.
[60] *J. Ratzinger*, Eschatologie 176.
[61] Pastor Hermae, sim. IV 4 (GCS 48,55).

zurückhaltend formulierte Strafzumessung erfährt natürlich oftmals nach vorliegenden Schablonen eine grausam-malerische Ausgestaltung. Unbekümmert erinnert Minucius Felix an solche Vorbilder, wenn er den Feuerstrom der Hölle schildert: »ein weise wirkendes Feuer verbrennt dort die Glieder und stellt sie zugleich wieder her, es verzehrt und nährt. Wie das Feuer der Blitze den Körper trifft und nicht vertilgt, wie die Feuer des Ätna, des Vesuv und aller anderen Erdbrände brennen und doch nicht verbrennen, so wird jenes strafende Feuer auch nicht von den Stoffen ernährt, die es den Brennenden entzieht; es erhält sich, indem es ihre Leiber zerfleischt, ohne sie aufzuzehren.«[62] Hippolyt erweitert seinen Appell an Ketzer und Heiden und füllt den dunklen Tartaros mit den gezüchtigten Engeln und dem nagenden Wurm (vgl. Mk 9,48).[63] Quälende Geister bevölkern die Hölle, ein ganzes Instrumentarium von Folterwerkzeugen steht zur Verfügung, Unrat und Pein warten auf die Verdammten, und zwar auch nach Auskunft christlicher Quellen.

Obwohl oder gerade weil solcher Explikation der »Hölle« kaum Grenzen gesetzt sind, begegnen wir bald auch den Mahnungen, die Qualen der Hölle nicht physisch zu deuten.[64] Grundsätzlicher greift freilich die aus dem Glauben an Gottes allversöhnende Liebe und Barmherzigkeit gespeiste Frage nach der Ewigkeit einer Verdammnis des Sünders. Nach dem Vorgang des Klemens von Alexandrien, der in der Strafe ein Erziehungsmittel erblickte,[65] hat – wie schon erwähnt – Origenes die Lehre von der Apokatastasis entwickelt und so letztlich einer Heimholung des Sünders in die allumfassende Vollkommenheit das Wort geredet.[66] Diese fraglos immer wieder bestechende Lösung des Theodizee-Problems hat die Kirche bekanntlich unter Kaiser Justinian ausgeschieden und so die Möglichkeit einer ewigen Höllenstrafe bestätigt. »Wenn jemand behauptet oder glaubt, die Qual der Strafe der Dämonen und der gottlosen Menschen sei zeitgebunden, es gäbe irgendwann ein Ende derselben, eine Allversöhnung (Apokatastasis) der Teufel und Gottlosen, der sei verurteilt.«[67]

[62] Minucius Felix, Oct. 35,3 (Kytzler 192). Vgl. Tertullian, res. carn. 35; apol. 47 f; Firmicus Mat., err. 15,5.
[63] Hippolytus, ref. X 34 (GCS 26,292).
[64] Ambrosius, comm. in Luc. VII 205.
[65] Klemens Al., strom. VII 16,1–3.
[66] Origenes, princ. I 6,1 u. 3.
[67] DS 411; NR[10] 891. Vgl. W. Breuning, Zur Lehre von der Apokatastasis, in: IKaZ 10 (1981) 19–31.

Die Düsternis einer solchen Lehraussage war freilich immer begleitet von dem Bemühen, eine Antwort zu finden auf die Vereinbarkeit einer ewigen Strafe mit Gottes Barmherzigkeit. Schon Hieronymus, der sich seit 394 bewußt von Origenes distanziert hat, entwickelte die Vorstellung, daß es für die Gläubigen nur zeitlich beschränkte Strafen gebe,[68] eine Auffassung, die in der patristischen Literatur bereits früher begegnet.[69] Die Autorität eines Johannes Chrysostomos im Osten[70] und eines Augustinus im Westen[71] blockten Interpretationen dieser Art jedoch ab. Trotzdem lassen sich auch bei diesen namhaften Kirchenvätern Tendenzen einer Milderung ausmachen, etwa dahingehend, daß durch die guten Werke von Hinterbliebenen Höllenstrafen gemildert würden,[72] oder daß zu bestimmten Zeiten, etwa am Sonntag, die Qualen erträglicher seien.[73] Diese Ansätze der sogenannten Misericordia-Lehre wurden von der Scholastik zwar wieder zurückgewiesen, obwohl sie sich andererseits selbst nicht dem Argument »mildernder Umstände« zu entziehen vermochte und deshalb von Strafen sprach, die dem eigentlichen Maß der Sünden nicht entsprechen.[74] Über aller Härte, die in dem Bekenntnis zu einer gleichwie verstandenen Höllenstrafe liegt, zieht sich also die ungebrochene Hoffnung auf die Barmherzigkeit Gottes, die sich in irgendeiner Form auch dem Verdammten zuwendet; sie kommt wohl auch in dem Beschluß der Gemeinsamen Synode der Bistümer der Bundesrepublik Deutschland zum Ausdruck, der behutsam von »der Gefahr des ewigen Verderbens« spricht.[75]

4. In das Spannungsfeld von Himmel und Hölle ist nun die Lehre vom Fegfeuer eingebettet, deren Entwicklung nicht weniger abhängig war von der jüdischen Annahme eines Zwischenzustandes wie vom Schwanken der Väteraussagen. Allein die Uneinheitlichkeit in der Annahme eines individuellen und allgemeinen Gerichts illustriert bereits die Problematik eines Läuterungszu-

---

[68] Hieronymus, in Is. 1,18; 66,24; ep. 119,7; dial. adv. Pel. 1,28.
[69] Vgl. Cyprian, ep. 55,20; Ambrosius, in Ps. 36,26.
[70] Johannes Chrys., hom. 31,5 in Rom.
[71] Augustinus, civ. Dei XXI 26.
[72] Vgl. Johannes Chrys., hom. 3,4 in Phil.
[73] Augustinus, ench. 112: »Die Meinung, daß die Strafe der Verdammten in bestimmten Zeitabständen etwas gemildert werde, mögen sie beibehalten, wenn sie ihnen zusagt« (Barbel 188).
[74] Vgl. Thomas, S.th. I q. 21 a.4 ad 1.
[75] »Unsere Hoffnung. Ein Bekenntnis zum Glauben in dieser Zeit«, vom 22. November 1975.

standes; nicht weniger die grundsätzliche Sicht des menschlichen Daseins als ein Weg der Reinigung zu Gott hin, und zwar über den Tod hinaus.

Ausgangspunkt einer Beantwortung der Frage nach dem Fegfeuer ist wiederum der schon mehrmals betonte jüdische Hintergrund, wonach die Scheol ein schattenhaftes Totenreich darstellte. Im äthiopischen Henochbuch (Mitte 2. Jh. v. Chr.) erfährt diese Unterwelt aber bereits eine vielfältige Differenzierung in Kammern, ja man verlegt sie in den Bereich der untergehenden Sonne. Der Lichtbezirk dieser Scheol ist den Gerechten vorbehalten; die Sünder sind in dunkle Höhlen verbannt – Zeichen dafür, daß der Vergeltungsgedanke bereits die Topographie der Scheol bestimmt, aber auch Hinweis auf einen Zwischenzustand, während dessen die Toten auf das Endgericht warten. Aus der Esra-Apokalypse (etwa 100 n. Chr.) hören wir von der Ungewißheit über das Los der Verstorbenen unmittelbar nach ihrem Tod – Zeichen für das Schwanken in dieser Frage.[76] Jedenfalls vertreten erst jüngere alttestamentliche Schriften und das palästinensische Judentum eine leibliche Auferstehung und somit einen Zwischenzustand in der Scheol; gelegentlich begegnet hier auch schon die Auffassung, daß diese Phase zwischen Tod und Auferstehung bereits der Vergeltung dient.[77] Unter dieser Voraussetzung wird jener Bittgottesdienst für die jüdischen Gefallenen, die heidnische Amulette getragen hatten, verständlich, »damit die begangene Sünde wieder völlig ausgelöscht würde« (2 Makk 12,32–46). Zahlreiches Material bestätigt die Annahme eines Zwischenzustandes, der dem Verstorbenen das endgültige Heil in Aussicht stellt, und zwar durch eine Art Sühneleiden.[78]

Es ist bekannt, daß die Verkündigung Jesu von diesen zeitgenössischen Vorstellungen geprägt ist; der Paradiesgedanke begegnet Lk 23,43 und ebenso die Rede vom Schoß Abrahams (Lk 16,19–29). Wie im übrigen das Gespräch des Gekreuzigten mit dem reuigen Schächer (Lk 23,43) und paulinische Formulierungen (1 Thess 4,13–5,11; 1 Kor 15,12–58) erweisen, erfolgte zusehends eine Bindung des Schicksals der Toten an die Gemeinschaft mit Christus.[79] Wenn zudem das prüfende Feuer des locus classi-

---

[76] Apoc. Esra III 10,2.3 (GCS 18,168 ff).
[77] Siehe A. Stuiber, Refrigerium interim 31.
[78] Man vgl. z. B. das »Leben Adams und Evas« 47.
[79] Vgl. P. Hoffmann, Die Toten in Christus. Eine religionsgeschichtliche und exegetische Untersuchung zur paulinischen Eschatologie, Münster 1966.

cus 1 Kor 3,10–15 auf den kommenden Herrn selbst zu deuten[80] und in dem Sinn zu verstehen ist, daß einer »mit Mühe und Not« gerettet wird,[81] dann kann der Text schwerlich als biblisches Zeugnis für das Fegfeuer gelten.

Tatsächlich greifen die frühchristlichen Schriftsteller auch auf die hellenistisch-frühjüdischen Vorstellungen zurück. Die bekannte Vision der heiligen Perpetua, deren literarische Fassung wir wohl Tertullian verdanken, läuft eher nach dem Modell heidnischer Jenseitsvorstellungen ab, als daß sie einen Hinweis auf eine Läuterung gibt; denn die Schau der Heiligen, die ihr Brüderchen Dinokrates zunächst im Elend erblickt, nach ihrem Fürbittgebet aber wohlgestaltet, demonstriert eigentlich mehr Befreiung auf Fürbitte hin als Läuterung von Schuld.[82] In seiner Schrift »Über die Seele«, die Tertullian in seiner montanistischen Epoche verfaßt hat, legt er die Parabel vom Schuldner, der seinem Gläubiger begegnet (Mt 5,26 par), dahin aus, daß er das angedrohte Gefängnis als Zwischenzeit betrachtet, in der die sündige Seele die Möglichkeit zum Ausgleich erhält. »Unter jenem Kerker, den das Evangelium andeutet, verstehen wir die Unterwelt, und den letzten Heller beziehen wir noch auf das geringe Vergehen, das durch Hinausschiebung der Auferstehung dort gesühnt werden muß; denn fraglos hat die Seele in der Unterwelt etwas abzubezahlen, ohne daß dadurch die volle Auferstehung auch dem Fleische nach in Frage gestellt würde.«[83] Der gleiche Text bietet Cyprian Anlaß, das schwerwiegende Problem der »lapsi« zu behandeln. In Fortführung des kirchlichen Rekonziliationsverfahrens rechnet er mit der Möglichkeit, »für seine Sünden in langem Schmerz gepeinigt und durch anhaltendes Feuer gereinigt und geläutert zu werden«.[84] Ohne Zweifel bezeugen diese Texte die Glaubensüberzeugung von einer postmortalen Reinigungsmöglichkeit, die bewußt vom Tage des Gerichts abgehoben wird; der Verweis auf den Kerker von Mt 5,26 unterstreicht aber die betont vindikative Argumentation der beiden Afrikaner.

---

[80] Zur Interpretation siehe J. Gnilka, Ist 1 Kor 3,10–15 ein Schriftzeugnis für das Fegfeuer? Eine exegetisch-historische Untersuchung, Düsseldorf 1955.

[81] J. Gnilka, Art. Fegfeuer II, in: LThK² IV 51.

[82] Pass. Perpet. 7 f (Knopf-Krüger 38 f). Vgl. F. J. Dölger, Antike Parallelen zum leidenden Dinocrates in der Passio Perpetuae, in: AC 2 (1930) 1–40.

[83] Tertullian, de an. 58,8 (CCL 2,869). Vgl. H. Finé, Die Terminologie der Jenseitsvorstellungen bei Tertullian (Teophaneia 12), Bonn 1958.

[84] Cyprian, ep. 55,20 (CSEL 3,2,638).

Demgegenüber entfaltet die frühe alexandrinische Theologie das Läuterungsgeschehen des Menschen insgesamt aus der philosophischen Tradition, wobei die Auseinandersetzung mit dem Gnostizismus eine erhebliche Rolle spielt. Gegen die Ansicht der Valentinianer, wonach der Gnostiker dank Wasser (Taufe) und Geist (Wind) nicht vom reinigenden Feuer erfaßt wird, betont Klemens besonders dessen erzieherische Funktion, und es gelingt ihm so, die antike Idee der Paideia mit Gottes heilendem Handeln am Menschen zu verbinden. Während dem Pistiker unter dem Bild der Zollschranke eine Reinigung nach dem Tod abverlangt wird,[85] steigt der christliche Gnostiker (vgl. Ps 24,3–6) zur Schau Gottes auf, ihm dabei gleichwerdend.[86] Bezeichnenderweise kennt Klemens kein Hadesinterim mehr; es fügt sich schlecht in sein Aufstiegsschema, von dem seine Eschatologie geformt ist.

Die östliche Christenheit hat diese Synthese von biblischer Tradition und philosophischen Impulsen weitergeführt. Vor allem Origenes gestaltete die Lehre von einer Reinigung nach dem Tode weiter aus und verband sie hoffnungsvoll mit dem schon bei Klemens vorhandenen Gedanken, es gäbe »keinen Ort, an dem sich Gottes Güte nicht wirksam zeige«.[87] Die Abkehr vom Gedanken der Allversöhnung hinderte letztlich die östlichen Kirchen nicht, an ihrer Tradition festzuhalten, während in der westlichen Christenheit das juridisch gefärbte Verständnis eines Läuterungszustandes nach dem Tode, nicht zuletzt dank der Autorität Augustins,[88] zur Geltung kam.

Seit der mittelalterlichen Diskussion über Vollendung des Menschen und Zwischenzustand, wie er unter Bruch mit der altkirchlichen Tradition in der 1336 ergangenen Bulle »Benedictus Deus« des Papstes Benedikt XII. zum Ausdruck kam, wird das »Fegfeuer« immer deutlicher umschrieben und als Zustand der »Reinigung« bezeichnet. Theologisch auf Christus bezogen, werden die überkommenen Scheol-Vorstellungen preisgegeben, eben im Sinne vorläufiger Zustände jener Verstorbenen, die der Reinigung bedürfen, während die sündelos Verschiedenen nach »Benedic-

---

85 Klemens Al., strom. IV 117,2. Strom. VII 34,4 ist von dem »verständigen (φρόνιμον) Feuer« die Rede, »das ›die Seele durchdringt‹, die durch das Feuer schreitet« (GCS 17,27). Es handelt sich hier um das älteste, klare Zeugnis für die Existenz eines »Fegfeuers«.
86 Zur Auffassung des Klemens insgesamt siehe K. *Schmöle*, Läuterung nach dem Tode und pneumatische Auferstehung bei Klemens von Alexandrien (MBTh 38), Münster 1974.
87 Klemens Al., strom. IV 37,7 (GCS 52,265).
88 Vgl. Augustinus, civ. Dei XXI 13; ench. 110.

tus Deus« schon vor der Auferstehung Gottes Wesenheit unmittelbar schauen.[89] Das Konzil von Trient bestätigt gegenüber den Einwürfen der Reformation die Existenz eines Purgatoriums, und es spricht die Überzeugung aus, daß die darin festgehaltenen Seelen der Fürbitte der Gläubigen teilhaft werden können.[90]

Schlußbemerkung

Wie kaum ein theologischer Komplex illustriert die Lehre von den Eschata die Verflochtenheit von Glaubensaussagen mit Umweltvorstellungen. Die Überlagerung biblischer Aussagen zu Himmel, Hölle, Fegfeuer und Gericht durch vorhandene Jenseitsvorstellungen ist unverkennbar, und Einflüsse von außen prägen fraglos auch die Lehrentwicklung in Ost und West. Das Abwerfen altkirchlicher Leitbilder durch mittelalterliche Lehrentscheide zeugt von dem Bemühen, die Tradition dem neuerwachten Glaubensbewußtsein entsprechend neu auszulegen. Nicht zuletzt dieser Umstand scheint es zu rechtfertigen, die Frage nach dem Menschen und seiner Zukunft vor Gott immer wieder zu ventilieren.

[89] DS 1000; NR[10] 901 f.
[90] DS 1820; NR[10] 907.

Theologie und kirchliche Normen im frühen Christentum[*]

Die historische Rückfrage nach dem Verhältnis von kirchlichem Lehramt und Theologie ist zwar durch Ereignisse der Gegenwart ausgelöst, die schon vielfach über Stellungnahmen hinaus zu grundsätzlichen Analysen Anlaß gaben;[1] es wäre jedoch verfehlt, die Problemsituation von heute undifferenziert auf das frühe Christentum zu übertragen. Das neuzeitliche Verständnis von kirchlichem Lehramt und seine praktische Ausübung haben eine Eigenständigkeit entfaltet, die gegenüber der Theologie nicht nur in Grenzfällen tätig wird, sondern vielfach auch theologische Richtungen favorisiert.[2] Manche Maßnahmen und Reglementierungen des kirchlichen Lehramtes in der jüngsten Vergangenheit ergingen offensichtlich in dem Bestreben, die alte, gefestigte Norm des Katholischen zur Geltung zu bringen – mit der Konsequenz pflichteifriger Anpassung auch von unten her. Diese Praxis, befrachtet mit der leidvollen Geschichte von Anathematisierungen, Index und Antimodernisteneid, trug in das ursprüngliche, wenn auch oft spannungsreiche Miteinander von Glaube und Vernunft geradezu einen Gegensatz, der nicht zuletzt durch die Institutionalisierung von Lehramt und Theologie seine eigentümliche Schärfe gewann.

---

[*] Aus: M. Seckler (Hrsg.), Lehramt und Theologie. Unnötiger Konflikt oder heilsame Spannung? (Schriften der Katholischen Akademie in Bayern, Bd. 103), Patmos Verlag, Düsseldorf 1981, 57–82.

[1] Neben mehr »kirchenpolitisch« orientierten Äußerungen, wie sie zuletzt durch *N. Greinacher – H. Haag*, Der Fall Küng. Eine Dokumentation, München-Zürich 1980, gesammelt wurden, greifen das Problem grundsätzlich auf *K. Rahner*, Kirchliches Lehramt und Theologie nach dem Konzil, in: StdZ 178 (1966) 404–420 (= Schriften z. Theol. VIII 111–133); *G. Baum*, Das Lehramt in einer sich wandelnden Kirche, in: Concilium 3 (1967) 31–39; *N. Schiffers*, Diskutiertes Lehramt: Kirchliche Autorität und Risiko der Gläubigen, in: ThPQ 117 (1969) 22–38; *R. Bäumer* (Hrsg.), Lehramt und Theologie im 16. Jahrhundert (KLK 36), Münster 1976; *L. Scheffczyk*, Das Verhältnis von apostolischem Lehramt und wissenschaftlicher Theologie, in: IKaZ 9 (1980) 412–424.

[2] Unverkennbar schuf die derzeitig kirchenamtlich gepflegte Reserve gegenüber manchen Aussagen des Zweiten Vatikanums ein Klima, in dem beispielsweise schon als überholt geltende Perspektiven hinsichtlich Luther und der Reformation Platz greifen. Vgl. *R. Bäumer*, Das Zeitalter der Glaubensspaltung, in: Kleine deutsche Kirchengeschichte, hrsg. v. B. Kötting, Freiburg-Basel-Wien 1980, 53–79, bes. 62f.

Tatsächlich liegt zwischen diesem Erscheinungsbild des Lehramtes und der vom Ursprung her immer lebendigen Sorge um das Ganze der Botschaft Jesu eine vielfältige geschichtliche Entwicklung, deren Stadien keineswegs einlinig verlaufen, sondern oft recht unterschiedliche Kriterien zur Geltung bringen. Diesem Umstand sucht auch die Formulierung unseres Themas gerecht zu werden, insofern es auf jene Normen abhebt, an denen sich die Theologie orientiert bzw. von denen her sie der Korrektur unterliegt.

Selbstredend wahrt dabei auch das bischöfliche Amt seine Bedeutung. Entsprechend der neuzeitlichen Entwicklung hat das Zweite Vatikanische Konzil die Lehrautorität des gesamten Episkopats sowie des Papstes umschrieben und mit der Sendung der Apostel begründet. »Die Bischöfe empfangen als Nachfolger der Apostel vom Herrn, dem alle Gewalt im Himmel und auf Erden gegeben ist, die Sendung, alle Völker zu lehren und das Evangelium jedwedem Geschöpf zu verkündigen.«[3] Diese Begründung des kirchlichen Lehramtes pauschaliert allerdings einen höchst differenzierten Vorgang, der in exegetisch-historischer Sicht manche Fragen aufwirft, und zwar nicht weniger hinsichtlich der theologischen Qualität des Sendungsbefehls (Mt 28,18–20 par.) als in Betracht der Tatsache, daß autorisiertes Lehren auch auf anderer Legitimation beruhte, wie uns das Beispiel des Apostels Paulus bestätigt. Überdies zeigen gerade die Jahrhunderte der frühen Kirche, daß die Einschränkung des Lehramtes auf die Bischöfe angesichts der theologischen Wirren zu keiner Lösung der Probleme führte, sondern die Fronten nur verhärtete, da weitgehend die Theologen zugleich Bischöfe waren und dementsprechend den Anspruch des Amtes geltend machten. Zwangsläufig ergab sich daraus die Notwendigkeit, übergeordnete Kriterien oder Instanzen zu entwickeln, die im Konfliktfall eine Lösung ermöglichten. Schon deshalb sprengt die Berücksichtigung der frühkirchlichen Verhältnisse das Rahmenthema der Tagung »Lehramt und Theologie«. Von der Sache her scheint es angemessen, das angesprochene Problem unter dem Aspekt einschlägiger Normen zu behandeln, ohne daß hierbei das (bischöfliche) Amt ignoriert werden soll. Deshalb ist auch die Auskunft , die Geschichte des Lehramtes sei identisch mit der Geschichte des kirchlichen Amtes,

---

[3] Constitutio dogmatica de Ecclesia »Lumen Gentium« III 24.

doch recht vereinfachend bzw. ein Produkt neuzeitlicher Theologie, die dem komplexen Sachverhalt nicht gerecht wird.[4]

Schon die weitgehende Identität von Theologen und Bischöfen in der Zeit des frühen Christentums drängt zur Frage nach der Eigenart dieser Theologie. Ohne hier auf die vorchristliche Verwendung des Begriffs »Theologie« einzugehen, spricht man der sogenannten Patristik im Gegensatz zur Scholastik einen betonten Verkündigungscharakter und große Bibelnähe zu; dementsprechend mangle es ihr an Systematik und methodischem Vorgehen, kurz: sie stelle ein vorwissenschaftliches Stadium von Theologie dar.[5] So zutreffend eine solche Kennzeichnung frühchristlicher »theologischer« Werke auch ist,[6] man kann den rasch eingegangenen Bund mit der Philosophie und damit auch der Vernunft nicht ignorieren; insbesondere hat die alexandrinische Gnosis auf eine tiefere Einsicht aus Glauben abgehoben. Für die Entfaltung einer theologischen Methode und damit zusammenhängend einer entsprechenden Systematik ist kennzeichnend, was bereits Origenes († 253/254) in seinem Werk »De principiis« verlangt: »Man muß gleichsam von grundlegenden Elementen dieser Art ausgehen – nach dem Gebot: ›Zündet euch selbst das Licht der Erkenntnis an‹ (Hos 10,12) –, wenn man ein zusammenhängendes und organisches Ganzes aus all dem herstellen will; so kann man mit klaren und zwingenden Begründungen in den einzelnen Punkten die Wahrheit erforschen, und, wie gesagt, ein organisches Ganzes herstellen aus Beispielen und Lehrsätzen, die man entweder in den heiligen Schriften gefunden oder durch logisches Schlußfolgern und konsequente Verfolgung des Richtigen entdeckt hat.«[7]

---

4 Siehe H. *Jedin*, Theologie und Lehramt, in: R. Bäumer, Lehramt und Theologie 7–21.
5 Vgl. B. *Studer*, Die theologische Arbeitsweise des Johannes von Damaskus (Studia Patristica et Byzantina 2), Ettal 1956; A. *Grillmeier*, Vom Symbolum zur Summa. Zum theologiegeschichtlichen Verhältnis von Patristik und Scholastik, in: Ders., Mit ihm und in ihm. Christologische Forschungen und Perspektiven, Freiburg-Basel-Wien ²1978, 585–636. Jüngst hob L. *Scheffczyk* wieder auf die Tatsache ab, »daß die Theologie sich damals noch nicht zu einem eigentlichen wissenschaftlichen Status entwickelt hatte und noch nicht mit einem relativ selbständigen Wissenschaftsanspruch auftrat« (Lehramt und wissenschaftliche Theologie 412).
6 Sie trifft vor allem auf die als »Oikonomia« bezeichnete Darstellung des Heilsgeschehens zu. Vgl. W. *Marcus*, Der Subordinatianismus als historiologisches Phänomen. Ein Beitrag zu unserer Kenntnis von der Entstehung der altchristlichen »Theologie« und Kultur unter besonderer Berücksichtigung der Begriffe OIKONOMIA und THEOLOGIA, München 1963.
7 Origenes, princ. I praef. 10 (Görgemanns-Karpp 98). Bezeichnend für den vorwissenschaftlichen Einsatz der Vernunft in der kirchlichen Praxis ist die Aufforderung der Didache 12,1

Gewiß, die Vertreter der frühchristlichen Theologie entsprachen nicht allseits diesem Programm; dennoch wird hier in aller Klarheit die Vernunft als Instanz eingeführt und so die Möglichkeit eines Konflikts mit dem »einfachen Glauben« erkannt.[8] Im Bewußtsein solcher Spannungen erklärt Augustin († 430) mit allem Nachdruck: »Ich wiederhole: es ist ausgeschlossen, daß unser Glaube den Verzicht auf vernunftgemäße Erklärung oder vernunftgemäßes Forschen fordert; denn wir könnten auch nicht glauben, wenn wir nicht vernunftbegabte Seelen hätten.«[9] So differenziert der Bischof von Hippo auch das Verhältnis von Glaube und Erkenntnis beschreibt und damit der mittelalterlichen Erörterung des Problems vorarbeitet,[10] die Rolle der Vernunft als einer komplementären Kontrollinstanz wird unmißverständlich zur Geltung gebracht. Neben der grundsätzlichen Zuordnung beider Größen enthält dieses Konzept natürlich auch die Möglichkeit des Konflikts, der schließlich das eigentümliche Verhältnis von Lehramt und Theologie formte.

Wie schon betont, läßt sich die neuzeitliche Konstellation nicht kurzschlüssig auf die Epoche des frühen Christentums übertragen. Neben der unbestrittenen Funktion des Amtes entwickelte die junge Kirche noch weitere Regulative und Normen, um die volle und ungebrochene Weitergabe der Offenbarung sicherzustellen, wobei keineswegs immer der Konfliktfall ins Auge gefaßt war.[11] Eine Darstellung dieser verzweigten Suche nach Kriterien muß sich in unserem Zusammenhang auf charakteristische Vorgänge beschränken, und es können so nur modellartig jene geschichtlichen Situationen beschrieben werden, die zur Klärung anstehender Fragen und zur Formulierung entsprechender Normen führten. Insofern zeichnet sich eine gewisse Abweichung

---

(um 100 n. Chr.): »Jeder, der kommt im Namen des Herrn, soll aufgenommen werden; dann aber sollt ihr ihn prüfen und so kennen lernen. Ihr sollt nämlich euren Verstand (σύνεσιν) anwenden zur Entscheidung über rechts und links« (Bihlmeyer-Schneemelcher 7).

[8] J. *Lebreton*, Le désaccord de la foi populaire et de la théologie savante dans l'Église chrétienne du IIIᵉsiècle, in: RHE 19 (1923) 481–506; 20 (1924) 5–37; N. *Brox*, Der einfache Glaube und die Theologie. Zur altkirchlichen Geschichte eines Dauerproblems, in: Kairos 14 (1972) 161–187.

[9] Augustinus, ep. 120,3 (CSEL 34,706).

[10] Zur theologiegeschichtlichen Einordnung siehe G. *Söhngen*, Philosophische Einübung in die Theologie. Erkennen–Wissen–Glauben, Freiburg-München 1955, 70 ff.

[11] Erinnert sei nur an das Axiom: Lex orandi – lex credendi. Bekanntlich lassen sich seine Wurzeln bis in die Väterzeit zurückverfolgen, und es dient vor allem zur Kennzeichnung der Liturgie als locus theologicus. Vgl. B. *Capelle*, Autorité de la liturgie chez les Pères, in: Rech. de Théol. ancienne et médiévale 21 (1954) 5–22.

vom Leitthema der Tagung »Lehramt und Theologie« ab, eine Akzentuierung, die freilich vom historischen Befund her gefordert ist.

1. Das sogenannte Apostelkonzil

Nach einem gängigen Vorstellungsmodell der Kirchengeschichte lebte die Gemeinschaft der Gläubigen am Anfang ohne Konflikte und falsche Lehren. Gleich einem reinen Wasserquell erfreute sich die Christenheit des Ursprungs der ganzen Wahrheit, und erst im Laufe der Zeit sei dieses hehre Erscheinungsbild verdunkelt worden. Irrlehrer und Spalter brachten Zwietracht in die junge Kirche und zerstörten ihre ursprüngliche Reinheit. Das Gleichnis vom Feind, der Unkraut in das Ackerfeld seines Nachbarn sät (Mt 13,24–30), diente über Jahrhunderte hinweg zur Illustration dieses Modells, wonach eine gleichwie verstandene reine Lehre den Anfang prägte.[12]

Doch nicht erst *Walter Bauer* machte in seinem Werk »Rechtgläubigkeit und Ketzerei im ältesten Christentum«[13] auf die Fragwürdigkeit des Schemas: ursprünglich reine Orthodoxie und dann Häresie, aufmerksam. Schon die verschiedenen Entwürfe der neutestamentlichen Schriften zeigen eine erstaunliche Vielfalt »theologischer Deutung« des Christusgeschehens; sie illustrieren zugleich eine große Variabilität der kirchlichen Praxis, die in der Frage der Gesetzesfreiheit ihre schärfste Zuspitzung erfuhr und eine Lösung verlangte. Nach Apg 15 und Gal 2,1–10 übte man von seiten einer als »falsche Brüder« (Gal 2,4) apostrophierten Gruppierung von Judenchristen Kritik an den beiden Heidenmissionaren Paulus und Barnabas, die Vorschriften des mosaischen Gesetzes als unverbindlich erklärt hatten. Ihre Gegner jedoch verlangten die Beschneidung und die Beachtung jüdischer Vorschriften auch von Taufbewerbern aus dem Heidentum. Um das Jahr 49/50 kamen in Jerusalem »die Apostel und die Ältesten« wegen dieser Angelegenheit mit der ganzen Gemeinde zusammen; sie verhandelten mit den beiden von Antiochien angereisten Heidenmissionaren über diese schwerwiegende Frage, und zwar mit

---

12 Nach Hegesipp hat ein gewisser Thebutis die Jerusalemer Gemeinde mit Irrlehren verdorben, weil er die Nachfolge Jakobus' des Gerechten nicht antreten konnte (Eusebios, hist. eccl. IV 12,5).

13 Zweite Auflage, hrsg. v. G. Strecker, Tübingen 1964.

dem Ergebnis, daß Heidenchristen nicht der Beschneidung und dem Gesetz unterworfen sein sollten.[14]

In diesem Zusammenhang interessiert weniger die Tragweite der Jerusalemer Vereinbarung als die Art und Weise, wie der aufgekommene Konflikt gelöst wurde. Zur Diskussion stand dabei nicht nur die Rechtmäßigkeit eines gesetzesfreien Evangeliums, sondern ebenso der Anspruch des Apostels Paulus gegenüber den Altaposteln; das Neue seiner Verkündigung galt es zu legitimieren im Verein mit den anerkannten Autoritäten zu Jerusalem.[15] Angesichts der Zusammensetzung kann man weder von einer Apostelversammlung sprechen noch von einer Synode; da unmittelbar kaum Vorbilder in Frage kommen – schwerlich auch die jüdische Behörde des Synhedriums[16] –, ist das Jerusalemer Treffen als eine Art Neuschöpfung zu betrachten, wobei über alle Analogien hinaus wohl das alttestamentliche Bewußtsein zur Geltung kam, wonach Gott in der Versammlung spricht. Als klassische Form einer neutestamentlichen Konfliktlösung – wie übrigens auch spätere Synoden nie vollkommen – übte die Jerusalemer Versammlung aber erst relativ spät ihre Wirkung auf das Verständnis des Konzils in der Kirche aus.[17] Im Blick auf unsere Thematik ist bemerkenswert, daß man im Apostelkonzil schon das Aufeinanderprallen des »Theologen« Paulus mit den Repräsentanten des Amtes sah, wie dies später der Zwischenfall von Antiochien so plastisch illustriert: »Als aber Kephas nach Antiochien kam, widerstand ich ihm ins Angesicht, weil er zu tadeln war« (Gal 2,11). Wie hier exemplarisch – und nicht nur in peinlicher Weise – die Möglichkeit des Widerstandes gegen den Erstapostel demonstriert wird, so in Jerusalem das Ringen um Anerkenntnis;

14 Siehe J. A. Fischer, Das sogenannte Apostelkonzil, in: Konzil und Papst. Historische Beiträge zur Frage der höchsten Gewalt in der Kirche, hrsg. v. G. Schwaiger, München-Paderborn-Wien 1975, 1–17 (mit Literatur).

15 Auf Unterschiede und Tendenzen der jeweiligen Berichte machte aufmerksam J. Eckert, Paulus und die Jerusalemer Autoritäten nach dem Galaterbrief und der Apostelgeschichte: Divergierende Geschichtsdarstellung im Neuen Testament als hermeneutisches Problem, in: Schriftauslegung. Beiträge zur Hermeneutik des Neuen Testaments und im Neuen Testament, München-Paderborn-Wien 1972, 281–311.

16 Einen gewissen jüdischen Einfluß auf das »Apostelkonzil« nimmt an G. Stemberger, Stammt das synodale Element der Kirche aus der Synagoge?, in: AHC 8 (1976) 1–14. Die Wirkungsgeschichte von Dtn 17,8 ff in Verbindung mit dem Synhedrium betont H. J. Sieben, Die Konzilsidee der Alten Kirche (Konziliengeschichte B), Paderborn-München-Wien-Zürich 1979, 384 ff.

17 Nach gelegentlichen Hinweisen in der vorausgehenden Literatur begegnet erst bei Theodor Abû Qurra († 820/825) die direkte Berufung auf das »Apostelkonzil«; vgl. H. J. Sieben, Konzilsidee 171 ff.

auf den Gegensatz Theologie und Amt lassen sich beide Ereignisse jedoch schwerlich reduzieren. Aufgrund seiner Beweisführung, nämlich der ihm zuteil gewordenen Offenbarung Jesu Christi (Gal 1,12), ging es Paulus offensichtlich um die Ebenbürtigkeit seiner Qualifikation im Apostelamt, die in der Anerkennung seines Heiden-Evangeliums durch die »Säulen« (Gal 2,9) bzw. nach Apg 15,22 durch Beschluß der Apostel, Presbyter und der ganzen Gemeinde zur Geltung gebracht wurde.

Ganz deutlich zeichnet sich hier eine doppelte Argumentationsweise ab, deren Polarität in Zukunft weitgehend die Spannung zwischen Theologie und Lehramt prägt. Für den apostolischen Außenseiter Paulus ging es zunächst in dem aufgebrochenen Konflikt darum, seine Autorität formal als gleichwertig jener der Erstapostel – oder wie er es sagt: der Angesehenen (Gal 2,6) – auszuweisen. Nicht nur katholische Amtsbegründung hob auf dieses formale Element kirchlicher Autorität ab, auch *Sören Kierkegaard* erklärt in seinem berühmten Aufsatz »Über den Unterschied zwischen einem Apostel und einem Genie«: »Ein Apostel ist, was er ist, dadurch, daß er göttliche Autorität hat. Die göttliche Autorität ist das Entscheidende.«[18] Solches Verständnis von Autorität verzichtet auf eine Legitimation vom Inhalt der Offenbarung her und beansprucht Anerkennung allein durch die Satzung, ein Autoritätsmodell, das nicht erst seit der Aufklärung seine Tragfähigkeit einbüßte. Denn schon im Konflikt um die Freiheit des Evangeliums sah sich Paulus genötigt, über den formalen Anspruch hinaus auch die inhaltliche Seite zu betonen. Weil er sah, daß die Falschbrüder »nicht den rechten Weg nach der Wahrheit des Evangeliums gingen« (Gal 2,14), kam es zum Protest gegen Kephas in Gegenwart aller. Die Argumentation schreitet über den formalen Autoritätsanspruch hinaus und hebt auf die Wahrheit des Evangeliums ab, ein Vorgehen, das er nicht nur gegenüber den Galatern, sondern auch angesichts der Parteiungen in Korinth praktizierte, nämlich die Rechtfertigung des Inhalts seiner Verkündigung (2 Kor 4,7–11 u. ö.). Tatsächlich berichtet auch Apg 15,6–30, daß man über den Verpflichtungscharakter des mosaischen Gesetzes eine Untersuchung anstellte und die Angelegenheit nicht kurzschlüssig autoritär, sondern durch »theologische« Diskussion der bekannten Lösung zuführte.[19]

[18] *S. Kierkegaard*, Der Begriff des Auserwählten. Übersetzung und Nachwort von Th. Haekker, Hellerau 1917, 313–33, 318.
[19] Zum Selbstverständnis des Paulus und seiner Sendung siehe *H. v. Campenhausen*, Kirchli-

Rekurs auf die formale Autorität, also das (Apostel-)Amt einerseits und Erweis der Wahrheit des Evangeliums andererseits bestimmen die Lösung dieses klassischen Konfliktfalles am Beginn der christlichen Missionsgeschichte. Man kann diese Polarität und den Versuch ihrer Verhältnisbestimmung nicht ohne weiteres auf Situationen späterer Zeiten übertragen; doch unverkennbar zeichnen sich hier jene Elemente ab, die auch die Spannung zwischen Lehramt und Theologie aufladen.

2. Die Herausforderung des Gnostizismus

Für die Ausbildung kirchlicher Normen, die Gewähr für die unverfälschte Weitergabe der Offenbarung blieben, trug das Aufkommen des Gnostizismus entscheidend bei. Wie der Name Gnosis (= Erkenntnis) sagt, handelt es sich um eine Bewegung, die im Umfeld des frühen Christentums entstanden ist und aufgrund von Erkenntnis dem Menschen Heil verheißt; allerdings ist hier weniger intellektuelle Erkenntnis gemeint, sondern theosophisch-mystische Einsicht in die Situation des Menschen und sein kosmisches Geschick.[20] Trotz der Funde einer regelrechten Bibliothek gnostischer Werke in Mittelägypten besteht bis heute in der Forschung keine volle Klarheit über den Ursprung dieser synkretistischen Strömung. Immerhin machte Paulus bereits in Korinth und Kolossae Bekanntschaft mit gnostischen Gruppen, die aufgrund mystischer Erfahrung eine höhere Weisheit in Anspruch nahmen.[21] Tatsächlich entfaltete sich der Gnostizismus in seiner verwirrenden Vielfalt vom Ausgang der apostolischen Zeit bis in die Mitte des 2. Jahrhunderts zu einer immensen Gefahr für das kirchliche Christentum, das ja mit den späten Schriften des Neuen Testaments die geschichtsträchtige Thematik von Glaube und Erkenntnis als legitime Aufgabe geerbt hatte.

Diese gnostischen Sekten der nachapostolischen Zeit erhoben nun den Anspruch, einer besonderen »Erkenntnis« teilhaft zu sein, die sie in unmittelbarer Offenbarung empfangen hätten.

ches Amt und geistliche Vollmacht in den ersten drei Jahrhunderten (BHTh 14), Tübingen
²1963, 32 ff; *J. Eckert*, Die Verteidigung der apostolischen Autorität im Galaterbrief und im
zweiten Korintherbrief. Ein Beitrag zur Kontroverstheologie, in: ThGl 65 (1976) 1–19.

20 Zum Verständnis des Gnostizismus allgemein siehe *U. Bianchi*, Le origini dello Gnosticismo. Colloquio di Messina 13–18 Aprile 1966, Leiden 1967; *K. Rudolph*, Gnosis und Gnostizismus (Wege d. Forsch. 262), Darmstadt 1975.

21 Vgl. *R. Bultmann*, Art. γιγνώσκω κτλ., in: ThWNT I 688–719, bes. 708 ff.

Zwar behaupten auch die Gnostiker »christlicher« Observanz, ihre Lehre von der »wahren Gnosis« sei durch kirchliche Überlieferung vermittelt, aber eben in geheimer Form, so daß sie nur den Pneumatikern zugänglich sei, nicht den einfachen Gläubigen. Die Legitimation des Gnostikers, vor allem des Sektenhauptes, gründet letztlich im Empfang einer unmittelbaren Offenbarung; seine Lehre ist identisch mit der Gnosis. Dementsprechend erklärt Markion (2. Jh.): »Das Heil wird nur denjenigen Seelen zuteil, die seine Lehre gelernt haben.«[22] Aus der Unmittelbarkeit solchen Offenbarungsempfanges leiten sich Autorität und Autonomie eines jeden Schulhauptes her. »Durch Offenbarung und Erleuchtung mit der Gnosis begabt, vermag es autonom und voraussetzungslos, unter unmittelbarer Berufung auf göttliche Beauftragung, die Menschen auf seine besondere Lehre als die heilsnotwendige zu verpflichten.«[23]

Eine solche Verabsolutierung der Offenbarungsautorität eines gnostischen Sektenhauptes, die offensichtlich in breiten Kreisen Resonanz fand, forderte die Großkirche zur entschiedenen Reaktion heraus, um den eigenen Standort zu bestimmen, ein äußerst schwieriges, aber für das Selbstverständnis der Kirche folgenreiches Unternehmen, das wir in den Schriften des Eirenaios von Lyon († um 202) gut beobachten können. Gegen die Instanz eines gnostischen Offenbarungsträgers ließ sich zunächst mit dem Verweis auf die Heilige Schrift argumentieren, ein Verfahren, das die Gnostiker abwiesen mit der Feststellung, daß die Schriften nicht »ex auctoritate« seien; ihnen galt nur das Schulhaupt als legitime Autorität. Aus der Argumentation des Lyoner Bischofs ersehen wir, wie schwer er sich tat, die Bedeutung und unabdingbare Norm der Schrift geltend zu machen, ein Versuch, der für den Gang der Kanonbildung gewichtiger war denn als formales Argument gegen die Gnostiker.[24]

Um die Originalität der biblischen Offenbarung gegen den Unmittelbarkeitsanspruch der häretischen Sektenhäupter zu sichern, arbeitete Eirenaios im Zuge der altkirchlichen Theologie

[22] Eirenaios, adv. haer. I 27,3 (Harvey I 218).
[23] N. Brox, Offenbarung, Gnosis und gnostischer Mythos bei Irenäus von Lyon. Zur Charakteristik der Systeme (Salzb. Patr. Stud. 1), Salzburg-München 1966, 119.
[24] Unabhängig von offenen Fragen kommt in der Kanonbildung eine Norm zur Geltung, die für das Offenbarungsverständnis ausschlaggebend wird. Vgl. A. Sand, Kanon. Von den Anfängen bis zum Fragmentum Muratorianum (HDG I 3a.1), Freiburg 1974; A. Ziegenaus, Die Bildung des Schriftkanons als Formprinzip der Theologie, in: MThZ 29 (1978) 264–283 (mit weiterer Literatur).

das berühmte Traditionsprinzip, gekoppelt mit der apostolischen Nachfolge, heraus, um so den Zusammenhang der Großkirche mit dem Ursprung zu sichern. »Die von den Aposteln in der ganzen Welt verkündete Tradition kann in jeder Kirche ein jeder finden, der die Wahrheit sehen will, und wir können die von den Aposteln eingesetzten Bischöfe der einzelnen Kirchen aufzählen und ihre Nachfolger bis auf unsere Tage.«[25] Daran anschließend entfaltet er das Traditionsprinzip am Beispiel der römischen Kirche, die von Petrus und Paulus gegründet sei und mit der »wegen ihres besonderen Vorranges jede Kirche übereinstimmen müsse, d. h. die Gläubigen von allerwärts«.[26] Letzterer Text ist bekanntlich auf dem Ersten Vatikanum in die dogmatische Konstitution »Pastor aeternus« über die Kirche eingegangen (DS 3057), und zwar als Beweiselement aus der alten Kirche für den römischen Primat. Eine solche Aussageabsicht gibt der nur mehr in einer jüngeren lateinischen Übersetzung erhaltene Eirenaios-Text allerdings schwerlich her. Man wird ihn vielmehr im Sinne des ersten Abschnittes interpretieren müssen, wonach eben in jeder apostolischen Kirche durch die Nachfolge der Bischöfe die originale Offenbarung Gottes zu erreichen ist, eine Auffassung, die der Ekklesiologie der alten Kirche entspricht.

Im Grunde vermag Eirenaios mit seinem Rekurs auf die apostolischen Kirchen allein die Autorität eines Sektenhauptes nicht aus den Angeln zu heben, da er nur ein formales Prinzip der Orthodoxie gegen ein absolutes Prinzip der Heterodoxie, eben die uneingeschränkte Lehrautorität des Sektenhauptes, zu stellen vermag. Zwangsläufig wechselt er darum mit seiner Argumentation auf die inhaltliche Seite, die Kritik der gnostischen Lehrsysteme, oder die theologische Ebene. »Der gesunde Verstand, der unangefochtene, gewissenhafte, wahrheitsliebende, wird eifrig erforschen, was Gott in das Vermögen des Menschen gegeben und unserer Erkenntnis unterworfen hat; darin wird er fortschreiten und durch tägliche Übung leicht zu einem Wissen von diesen Dingen gelangen.«[27] Der Bischof von Lyon setzt auf den »gesunden Verstand« – gleich was er darunter versteht – und traut ihm

---

[25] Eirenaios, adv. haer. III 3,1 (Harvey II 8).
[26] Ebd. III 3,2 (Harvey II 9). Zur Interpretation des schwierigen Textes siehe N. Brox, Rom und »jede Kirche« im 2. Jahrhundert. Zu Irenäus, adv. haer. III 3,2 in: AHC 7 (1975) 42–78; P. Stockmeier, Römische Kirche und Petrusamt im Licht frühchristlicher Zeugnisse, in: AHP 14 (1976) 357–372, bes. 369 ff.
[27] Eirenaios, adv. haer. II 27,1 (Harvey I 347).

ein Fortschreiten zum echten Wissen gegenüber der falschen Gnosis zu. In seinem Werk »Epideixis« (= Vernunftbeweis) liefert er selbst eine rationale Erklärung der Heilslehre, und insofern ist auch der Appell an die Glaubensregel (regula fidei) nicht nur formal gemeint; er verbindet sich mit dem Bemühen, sie als einsichtig zu erweisen. Häretische und kirchliche Lehre stehen sich wie Irrtum (error) und Vernunft (ratio) gegenüber.

Das Auftreten der gnostischen Bewegung nötigte die Großkirche zur Reflexion auf ihre Grundlagen, wobei das Prinzip der apostolischen Sukzession für die Wahrung der kirchlichen Heilslehre stark in den Vordergrund trat. »Seitdem«, konstatiert *Hubert Jedin*, »ist das Lehramt in der katholischen Kirche mit dem Apostolischen Amt verbunden.«[28] Eine genauere Analyse des eirenaischen Werkes zeigt allerdings, daß eine solche Reduktion auf das Amt nicht dem gesamten Befund der antignostischen Polemik entspricht. Die Autorität des Apostolischen Amtes allein vermag – so grundlegend es für die Argumentation des Bischofs von Lyon ist – gegenüber dem Anspruch des gnostischen Schulhauptes, unmittelbar Offenbarungsträger zu sein, nur ein Patt herzustellen; darum sahen sich die Vertreter der Großkirche genötigt, zugleich die häretischen Lehrsysteme als falsch zu erweisen, und zwar unter Einsatz der Vernunft. Die Alternative lautet also nicht: Ratio-Häresie gegen Amt-Orthodoxie – auch wenn sie plakativ noch so oft wiederholt wird –, sondern Amt und Ratio, oder im Sinne des Themas: Amt und Theologie![29]

3. Die Kriterien von »alt« und »neu«

Trotz verstärkten Einsatzes der Vernunft, und zwar in zunehmendem Maße mit dem Aufkommen einer »wissenschaftlichen Theologie« (théologie savante), gelang es nicht, die grundsätzliche Zuordnung von Amt und Theologie harmonisch zu verwirklichen. Am wenigsten erreichten dieses Ziel die Bischöfe selbst, die ja bekanntlich über weite Strecken der frühen Kirchengeschichte zugleich die Repräsentanten der Theologie waren. Aber gerade die Personalunion von Amtsträger und Theologe warf im-

---

[28] H. *Jedin*, Theologie und Lehramt 8.
[29] Analog dazu stellt sich die Frage nach der persönlichen Qualifikation eines Amtsträgers; vgl. dazu neuerdings E. *Dassmann*, Amt und Autorität in frühchristlicher Zeit, in: IKaZ 9 (1980) 399–411.

mer wieder neue Probleme auf, nicht zuletzt aus dem sich gegenseitig blockierenden Anspruch apostolischer Nachfolge.

Unter diesen Umständen überrascht es nicht, wenn im Zuge der kirchlichen Wahrheitssuche oder Praxis über die Berufung auf das Amt hinaus neue Kriterien geltend gemacht wurden. Während des sogenannten Ketzertaufstreites, bei dem es um die Gültigkeit der in einer häretischen Gemeinschaft empfangenen Taufe ging, kam es um die Mitte des 3. Jahrhunderts zwischen Rom und Karthago bzw. deren Bischöfen Stephan (254–257) und Cyprian († 258) zu heftigen Auseinandersetzungen.[30] Während man in Afrika jene, die in einer Sektengemeinde getauft worden waren, bei ihrer Konversion zur Catholica erneut taufte, verlangte man in Rom nur eine angemessene Buße unter Handauflegung. Nun überrascht, daß man für die römische Praxis kaum ein theologisches Argument einsetzte, sondern sich vor allem auf den alten Brauch berief. Cyprian berichtet, Papst Stephan habe befohlen, nichts anderes neu einzuführen, als was schon überliefert ist.[31] In der begleitenden Argumentation klingt zwar entfernt der Gedanke apostolischer Tradition an, doch offensichtlich verbunden mit dem Motiv von der Autorität des »Alten« an sich. Der Afrikaner bestätigt dieses Verständnis, wenn er den Römern vorwirft, daß sie behaupten, nur dem alten Herkommen zu folgen.[32]

Die Berufung Roms auf den alten Brauch in der Tauffrage ist nicht hinreichend mit dem Verweis auf die Petrusnachfolge des römischen Bischofs zu erklären, auf die offensichtlich Papst Stephan erstmals pochte; denn Cyprians Entgegnung zielt gerade nicht auf diesen Anspruch, sondern er zieht die Qualität des Altersarguments in Zweifel, wenn er erklärt: »Nicht aus dem Herkommen (de consuetudine) ist eine Vorschrift zu begründen, es muß vielmehr die Vernunft siegen.«[33] Und pointiert formuliert er an ande-

30 Zum Verlauf siehe B. Neunheuser, Taufe und Firmung (HDG IV 2), Freiburg 1956, 41 ff.

31 Cyprian, ep. 74,2: »Nihil innovetur, . . . nisi quod traditum est« (CSEL 3,2,800,7 f). Vgl. F. J. Dölger, »Nihil innovetur nisi quod traditum est«. Ein Grundsatz der Kulttradition in der römischen Kirche, in: AC 1 (1929) 79 f.

32 Cyprian, ep. 71,2: »ueterem consuetudinem sequi« (CSEL 3,2,772). Zum Argument des »Alten« siehe B. Weiß, Das Alte als das Apostolisch-Wahre? Zur Frage der Bewertung des Alten bei der theologischen Wahrheitsfindung der Väter des 2. und 3. Jahrhunderts, in: TThZ 81 (1972) 214–227; P. Stockmeier, »Alt« und »Neu« als Prinzipien der frühchristlichen Theologie, in: Reformatio Ecclesiae. Beiträge zu kirchlichen Reformbemühungen von der Alten Kirche bis zur Neuzeit. Festgabe f. Erwin Iserloh, Paderborn-München-Wien-Zürich 1980, 15–22 [in diesem Band S. 227–235].

33 Cyprian, ep. 71,3 (CSEL 3,2,773).

rer Stelle: »Eine Gewohnheit ohne Wahrheit ist nur ein alter Irrtum.«[34]

Der Norm des Alten, die in der philosophischen und religiösen Tradition der Antike jeglichen Konservatismus mitbegründen half, eignet neben der beliebten Idealisierung der Vergangenheit von Haus aus die Qualität des Guten und des Wahren. Schon Platon vertrat die Meinung, daß die ersten Menschen in größerer Nähe zu den Göttern standen als nachfolgende Generationen und darum auch einen höheren Anteil an der Wahrheit hatten. Römisches Staatsdenken und römische Religiosität sind durchtränkt von diesem Prinzip, und nicht zuletzt das Christentum hat durch seine Neuheit diesen Konservatismus gestört mit all den bekannten Folgen. Es gehört zu den erstaunlichsten Phänomenen der Anpassung, daß die römische Kirche sich so rasch das Altersargument zu eigen machte und es mit dem apostolischen Traditionsprinzip koppelte.[35] Mit dem Anspruch auf Alter behauptete es auch den Besitz der Wahrheit, der praktisch keiner Rechtfertigung mehr bedarf. Wie Bischof Cyprians Einspruch und Appell an diesem Prinzip abprallte, so in der Folgezeit noch manches Argument von Theologen. Der Anspruch Roms, wonach in seinem Herkommen zugleich die Wahrheit präsent sei, erübrigt es weiterhin, gegen theologische Einsprüche rational zu argumentieren; die Identifikation von Alter und Wahrheit stärkt zugleich den Nimbus jener Kirche, die ihren Ursprung auf Petrus und Paulus zurückführt.

4. Das Konzil als Instanz des Lehramts

Mit dem Aufkommen einer »wissenschaftlichen« Theologie, die über die Verkündigung hinaus philosophische Systeme einsetzte, um Aussagen der Offenbarung zu interpretieren, bahnte sich erstmals jener Konflikt an, der im geläufigen Gegenüber von Lehramt und Theologie zum Ausdruck kommt. Schon lange hatte das Verhältnis von Vater und Sohn, wie es die neutestamentlichen Schriften beschreiben, Anlaß zu Spekulationen geboten, wobei keineswegs nur biblische Probleme allein den Ausschlag gaben, sondern ebenso die religiösen und philosophischen Auffas-

---

[34] Ders., ep. 74,9: »nam consuetudo sine ueritate uetustas erroris est« (CSEL 3,2,806).
[35] Siehe J. Fellermayr, Tradition und Sukzession im Lichte des römisch-antiken Erbdenkens. Untersuchungen zu den lateinischen Vätern bis zu Leo dem Großen, München 1979.

sungen der Umwelt als Impulse wirksam wurden.[36] Nicht zuletzt spielte die Frage nach dem Verhältnis eines höchsten geistigen Wesens zur Materie eine Rolle, die in den platonischen Schulen mit Hilfe der Hypostasenlehre gelöst wurde. Nach dem Vorgang des Origenes († 253/254) scheint auch der alexandrinische Presbyter Areios († 336) die Frage mit Hilfe dieses Modells einer Lösung zugeführt zu haben, wobei er zwangsläufig zu einer Unterordnung (Subordination) des mit Christus identifizierten Logos unter den Vater gelangte. Man sollte seinen Entwurf nicht vorschnell von der Warte seiner Verurteilung aus als teuflischen Versuch werten, das biblische Gottesbild zu zerstören, sondern als das – wenn auch fragwürdige – Bemühen, dieses mit den zeitgenössischen philosophischen Systemen in Einklang zu bringen. Als Versuche, den Fall des Areios in der Ortskirche von Alexandrien zu bereinigen, fehlgeschlagen waren und statt dessen weite Kreise des christlichen Ostens von diesem Streit erfaßt wurden, berief Kaiser Konstantin (306–337), seit Herbst 324 auch Herrscher über den Osten, ein Konzil nach Nikaia (325) ein, um die Frage zu klären und zu entscheiden. Mit diesem Konzilsplan, dem einige fehlgeschlagene Initiativen des Kaisers zur Erledigung der Kontroverse vorausgegangen waren, inaugurierte Konstantin jene Instanz, die eine für die Gesamtkirche verbindliche Lehrentscheidung traf, nämlich daß der Sohn dem Vater ὁμοούσιος sei. Die Kirchenversammlung von Nikaia handelte offensichtlich als gesamtkirchliches Organ bei dieser Glaubensentscheidung, fraglos als Repräsentation des später so bezeichneten Lehramtes; es setzt eine Norm für das Verständnis der Trinität und grenzt dadurch die Häresie von der Orthodoxie ab. Dieses Konzil als Bischofsversammlung ist so betrachtet erstmals aktive Entscheidungsinstanz für die Gesamtkirche; es klärt materiell eine theologische Streitfrage und gewinnt so selbst den Rang einer objektiven Norm.[37] Wie freilich ein orthodoxer Bischof des Westens, Hilarius von Poitiers († 367), über die Möglichkeiten und Grenzen einer Definition urteilt, zeigt höchst aufschlußreich ein Abschnitt aus seinem Werk über die Dreieinigkeit. »Durch die böswilligen Lehren der schmähsüchtigen Irrlehrer werden wir gezwungen, zu tun, was

---

36 Zum Problem selbst siehe die zusammenfassende Darstellung bei A. Grillmeier, Jesus der Christus im Glauben der Kirche I. Von der Apostolischen Zeit bis zum Konzil von Chalcedon (451), Freiburg-Basel-Wien 1979, bes. 356 ff; ferner J. Ortiz de Urbina, Nizäa und Konstantinopel (Geschichte der ökumenischen Konzilien 1), Mainz 1964.

37 Über den Stellenwert des Konzils von Nikaia vgl. H. J. Sieben, Konzilsidee 198 ff.

unerlaubt; zu ersteigen, was steil; zu sprechen, was unsagbar; kühn zu wagen, was eigentlich versagt ist. Und obwohl man allein im Glauben die Gebote erfüllen sollte, nämlich den Vater anbeten, mit ihm zugleich den Sohn verehren, des Heiligen Geistes überströmend reich zu sein, so werden wir gezwungen, die Ohnmacht unserer Sprache bis zum Unsagbaren hin sich erstrekken zu lassen; werden wir selbst zum Übergriff durch fremden Übergriff gedrängt, so daß also, was in der gläubigen Innerlichkeit des Herzens sollte verborgen bleiben, nun der Gefährlichkeit des menschlichen Wortes ausgesetzt wird.«[38] Einprägsamer ist der Vorbehalt gegen eine Lust – nicht am Fabulieren, sondern am Definieren – kaum zu formulieren.

Als Repräsentation der Gesamtkirche ist das Konzil gewissermaßen autonom, obwohl über die Qualität bzw. über den Verpflichtungsgrad nach Nikaia keineswegs Einmütigkeit herrschte. Von moderner Sicht aus stellt sich natürlich die Frage nach der Beteiligung Roms. Im Unterschied zu den päpstlichen Konzilien des Mittelalters war der römische Bischof bei den Kirchenversammlungen des Altertums weder bei der Einberufung aktiv noch selbst anwesend – als Begründung für das Fernbleiben von der Versammlung in Arles (314) hatte Papst Silvester angegeben, er dürfe die Gräber der Apostel Petrus und Paulus nicht verlassen. Den Vorsitz führte der Kaiser, wenngleich den römischen Gesandten – zwei Priestern – und vor allem Ossius von Cordoba, wohl auch im Auftrag des Papstes, besondere Anerkennung zukam. Angesichts dieser (Mehrheits-)Verhältnisse hebt man in der Konziliengeschichtsforschung gerne auf jene Zeugnisse ab, die eine nachträgliche Identifikation mit den Beschlüssen von Nikaia zum Ausdruck bringen. Allerdings gehen diese Äußerungen kaum über analoge Zustimmungen anderer Bischofssitze hinaus, so daß als Norm für die theologische Interpretation der Offenbarung allein der Entscheid des Konzils ohne Berufung auf den römischen Bischof zur Geltung gebracht wurde.

Trotz der großartigen Selbstdarstellung des kirchlichen Lehramtes auf dem Konzil von Nikaia und dem von ihm getroffenen Entscheid gelang es nicht, die von Areios ausgelöste Diskussion abzuschnüren, sie setzte vielmehr erst recht ein und erschütterte über Jahrzehnte hinweg die Christenheit. Vor allem machten sich zahlreiche Bischöfe des Orients, also gewissermaßen Repräsen-

---

[38] Hilarius, trin. II 2 (PL 10,51 AB).

tanten des Lehramtes, nicht die Person des Presbyters Areios,[39] jedoch in differenzierender Weise seinen theologischen Ansatz zu eigen und argumentierten unentwegt gegen das theologisch verdächtige – schon auf einer Synode gegen Paul von Samosata (268) war es verurteilt worden – ὁμοούσιος; selbst Athanasios († 373), der manchmal dickköpfige Verteidiger des Nikänums, braucht Jahrzehnte, ehe er sich diesen Begriff voll zu eigen macht. Seine Zurückhaltung gründet offensichtlich in der Mißverständlichkeit des nikänischen Schlagwortes, das ja immer dem Verdacht ausgesetzt war, im Sinne einer stofflichen Emanation mißdeutet zu werden. Im Umgang mit der theologisch-technischen Begrifflichkeit noch erstaunlich variabel – wie das Nikänum selbst verwendet er οὐσία und ὑπόστασις wechselseitig –, bedient er sich gern biblischer Aussagen oder geläufiger Vergleiche aus der Natur. So zitiert der Alexandriner öfters die Schriftstelle Hebr 1,3 (Er, der als Abglanz seiner Herrlichkeit und als Abbild seines Wesens das Weltall trägt durch sein machtvolles Wort . . .), um die Zuordnung von Vater und Sohn zu beschreiben. Dieses Bild von Sonne und Glanz für Vater und Sohn (philosophisch wohl im Sinne des stoischen Vokabulars von ὑποκείμενον und ποιόν zu bestimmen) spricht dafür, das ὁμοούσιος von Nikaia mit »wesenseins« zu übersetzen. Erst die Kappadokier haben im Zuge der trinitarischen Diskussion das Verständnis von »wesensgleich« durchgesetzt, das ihrer Formel μία οὐσία, τρεῖς ὑποστάσεις zugrunde liegt und weitgehend von der Theologie rezipiert wurde.[40] Es kommt in diesem Zusammenhang nicht auf die Lösung dieses diffizilen Problems der Trinitätstheologie an, wohl aber auf den Umstand, daß im nachhinein einer dogmatischen Formel ein Sinn unterlegt wurde, der den Konzilsvätern selbst – als Teilnehmer ist Athanasios der erste Bürge – so kaum vorschwebte. Eine dogmatische Formel, die Norm der ersten großen Kirchenversammlung, ist also offenbar dem analysierenden und interpretierenden Zu-

[39] Höchst aufschlußreich für das Selbstverständnis der auf der »Kirchweihsynode« von Antiochien (341) versammelten Bischöfe um Eusebios von Nikomedien ist deren Erklärung, sie würden als »Untersuchungsrichter und Gewährsleute« (ἐξετασταὶ καὶ δοκιμασταί) nicht einem Presbyter wie Areios folgen (Athanasios, de synodis 22,3 [Opitz 248]).

[40] Zur Diskussion der sogenannten Theologie der Jungnikäner siehe A. M. Ritter, Das Konzil von Konstantinopel und sein Symbol. Studien zur Geschichte und Theologie des II. Ökumenischen Konzils (Forsch. z. Kirchen- u. Dogmengesch. 15), Göttingen 1965; Ders., Zum Homousios von Nizäa und Konstantinopel. Kritische Nachlese zu einigen neueren Diskussionen, in: Kerygma und Logos. Beiträge zu den geistesgeschichtlichen Beziehungen zwischen Antike und Christentum. Festschrift für Carl Andresen zum 70. Geburtstag, hrsg. v. A. M. Ritter, Göttingen 1979, 404–423.

griff der Theologie nicht entzogen; sie verleiht ihr einen Sinn, den das kirchliche Lehramt dann über Jahrhunderte autorisierte – möglicherweise etwas an der Aussageabsicht von Nikaia vorbei.

5. Das Traditionsprinzip des Vinzenz von Lerin

Trotz des Rückgriffs auf das Institut des Konzils in kontroversen Glaubensfragen und des Einsatzes anderer Kontrollmechanismen, wie zum Beispiel der gegenseitigen Anzeige von Bischofsernennungen unter den Ortskirchen, suchte man über die regula fidei oder den Schriftenkanon hinaus nach neuen, gewissermaßen verläßlichen Normen, an die sich Theologie halten sollte. War es die Unsicherheit gegenüber den neu aufbrechenden Fragestellungen, war es die Einsicht, daß selbst konziliare Entscheidungen dem theologischen Disput nicht Einhalt zu gebieten vermochten – höchstens um den Preis ganzer Kirchenprovinzen –, oder war es die Erfahrung, daß gelegentlich auch Bischöfe, also die Träger des Lehramtes, theologische Positionen vertraten, die der Korrektur bedurften?

Ein charakteristisches Beispiel für die Offenheit theologischer Diskussion und Suche nach normierenden Kriterien bietet der Bischof von Hippo, der heilige Augustinus († 430). Der Wortführer des afrikanischen Episkopats und theologische Bewältiger des donatistischen Schismas geriet im Zuge der Auseinandersetzung mit dem Pelagianismus zu derart schroffen Formulierungen in der Gnadenlehre, daß die menschliche Freiheit unter dem göttlichen Heilswillen aufgehoben schien.[41] Vor allem aus asketischen Kreisen, besonders bei gallischen Mönchen, erhob sich Widerspruch, weil sie in der Lehre von der Vorherbestimmung (Prädestination) die menschliche Motivation für ein Heiligkeitsstreben als gefährdet betrachteten. Ein Zentrum des Widerstandes bildete sich auf der Mönchsinsel Lerin (bei Marseille), wo man nicht nur eine Korrektur der augustinischen Position verlangte, sondern auch grundsätzlich über das Verhältnis von Theologie und gemeinkirchlichem Glaubenssinn nachdachte.

Unter dem Pseudonym Peregrinus schrieb im Jahre 434 der Priestermönch Vincentius († vor 450) vom Kloster Lerin ein Commo-

---

[41] Den Verlauf der Diskussion schildert detailliert O. *Wermelinger*, Rom und Pelagius. Die theologische Position der römischen Bischöfe im pelagianischen Streit in den Jahren 411–432 (Päpste und Papsttum 7), Stuttgart 1975.

nitorium, eine Art Memorandum, in dem er eine Antwort vorlegte auf die ständig virulente Frage, nach welchen Kriterien man entscheiden könne, was denn der wahre Glaube der katholischen Kirche sei. Der Verfasser beabsichtigte offensichtlich, die Gnadenlehre Augustins als Neuerung abzustempeln, und verwies in diesem Zusammenhang auf Schrift und Tradition als Normen des Glaubens. Da die Bibel jedoch unterschiedlich ausgelegt wird, bedarf es dazu »eines kirchlichen und katholischen Sinnes«,[42] der in der kirchlichen Tradition seinen Ausdruck gefunden hat. Vinzenz geht jedoch nicht so weit, Tradition und Lehramt in eins zu setzen, wie es der angebliche Ausspruch Papst Pius' IX. (1846–1878) »la tradizione sono io« artikuliert; vielmehr umschreibt er die Tradition als das, »quod ubique, quod semper, quod ab omnibus creditum est, hoc est etenim vere proprieque catholicum«.[43] Dieses Prinzip besagt im Grunde, daß jenes Glaubensbewußtsein, das in allen Ländern, zu allen Zeiten und von allen Christen getragen wird, Norm des Katholischen sei, ein Prinzip, das weniger auf biblischem Verständnis ruht, sondern in der stoischen Kosmoslehre beheimatet scheint. Für den Mönch von Lerin ist also nicht das kirchliche Lehramt, das ja die Glaubenskrisen nicht zu bewältigen vermochte, Norm des Glaubens; dieses hat sich vielmehr selbst an der so verstandenen Tradition zu orientieren. Nicht zuletzt dieser Aspekt machte das Traditionsprinzip des Vinzenz für die Gegner der päpstlichen Infallibilität zu einem Argument gegen die Definition.

6. Papst und Lehramt

Im Hinblick auf das gängige Verständnis vom Lehramt, das durch den Papst und das Bischofskollegium, wenn auch jenem untergeordnet, repräsentiert wird, drängt sich schließlich die Frage auf,

---

[42] Vincentius, comm. 2 (PL 50,639). Vgl. *J. Speigl*, Das Traditionsprinzip des Vinzenz von Lerinum: id teneamus quod ubique, quod semper, quod ab omnibus creditum est (Common. 2). Ein unglückliches Argument gegen die Definition der Unfehlbarkeit des Papstes, in: Hundert Jahre nach dem Ersten Vatikanum, hrsg. v. G. Schwaiger, Regensburg 1970, 131–150; *K. Oehler*, Der Consensus omnium als Kriterium der Wahrheit in der antiken Philosophie und der Patristik. Eine Studie zur Geschichte des Begriffs der Allgemeinen Meinung, in: Ders., Antike Philosophie und Byzantinisches Mittelalter. Aufsätze zur Geschichte des griechischen Denkens, München 1969, 234–271; *R. Schian*, Untersuchungen über das »argumentum a consensu omnium« (Spudasmata 28), Hildesheim-New York 1973.

[43] Vincentius, comm. 2 (PL 50,640).

inwieweit die Nachfolger des Apostels Petrus eine Norm der alt-kirchlichen Theologie bildeten. Wir haben im Zusammenhang mit dem Gnostizismus bereits von dem fundamentalen Prinzip der apostolischen Nachfolge gehört, das im Hinblick auf den Erstapo-stel Petrus in besonderer Weise den römischen Bischof auszeich-nete. Dieses Bewußtsein war in der römischen Kirche immer le-bendig, und es wurde ihr auch von anderen Gemeinden nicht streitig gemacht; doch, wie gesagt, auch anderen apostolischen Kirchen eignet nach altkirchlichem Verständis die Qualität der Glaubensnorm, und man kann den Rekurs auf dieses Kriterium nicht isoliert betrachten und als Beweis für eine Vorrangstellung Roms werten.

Tatsächlich äußert sich auch das wachsende Primatsbewußtsein der römischen Bischöfe mehr im juridisch-disziplinären Bereich als in der Theologie. Eher mit einem treffsicheren Instinkt als mit rationaler Begründung unterstützen sie jene Theologie, die Be-stand hatte, und es kennzeichnet das Ansehen der römischen Kathedra mehr, daß selbst häretische Schulhäupter dort um An-erkennung warben, als daß von dieser Kathedra erleuchtende Weisungen ausgingen, wenngleich solche nicht fehlen, so zum Beispiel das Schreiben des Papstes Dionysius (259–268) an seinen Namensvetter in Alexandrien wegen dessen Gotteslehre. Als her-ausragende theologische Leistung eines römischen Bischofs wird vielfach die sogenannte Epistula dogmatica Papst Leos des Gro-ßen (440–460) gerühmt, die fraglos in der Zwei-Naturen-Lehre eine klare Position einnahm. Doch jüngste Untersuchungen ha-ben gezeigt, daß die Väter von Chalkedon den Text mit seinen Formeln nicht unbesehen in das Symbol übernahmen, sondern ihn stark im kyrillischen Sinn korrigierten.[44] Die Lehrautorität dieses primatsbewußten Papstes findet also am allgemeinen Kon-zil geradezu seine Grenze, dessen Väter ihm durchaus petrini-schen Rang zuerkennen. Ein gewisses Rätsel geben jene Aussa-gen Leos auf, die von einer Art Lehramt des Kaisers sprechen und ihm Irrtumslosigkeit bescheinigen. Selbst Papst Leo, der in der Spätantike den Primatsgedanken auf einen ersten Höhepunkt trieb, kennt also im Bereich des Lehramtes eine Art Diversifika-tion.[45] Nun ist bekannt, daß der ganze lateinische Westen den

---

[44] Man vgl. hierzu die Analyse des Symbols von Chalkedon durch *A. de Halleux*, La définition christologique à Chalcédoine, in: Rev. Théol. Louv. 7 (1976) 3–23; 155–170.
[45] Jüngst meinte *H. H. Anton* erneut, daß diese Äußerungen »nicht Leos wirkliche Ansicht wiedergeben«: Kaiserliches Selbstverständnis in der Religionsgesetzgebung der Spätantike

subtilen Spekulationen der östlichen Theologie oft nur schwer zu folgen vermochte; aber es verdunkelt den Anspruch auf ein universales Lehramt doch beträchtlich, wenn einzelne Päpste diesem Leitbild nicht nur nicht genügten, sondern mit ihren Äußerungen gar ins Zwielicht der Glaubenswahrheit gerieten.

Neben den Päpsten Liberius (352–366) und Vigilius (537–555) ist hier vor allem Papst Honorius (635–638) zu nennen, der sich mit Restaurationsarbeiten an römischen Kirchen durchaus einen Namen machte, jedoch in Glaubensfragen rundweg versagte. Es kann hier nicht das subtile Problem des Monotheletismus im Gefolge des Monophysitismus aufgerollt werden; nur so viel sei gesagt, daß nach den Siegen des Kaisers Heraklios (610–641) sich im Osten die Möglichkeit bot, mit den seit Chalkedon (451) getrennten Monophysiten einen theologischen Vergleich zu erreichen, und zwar auf der Basis des Theologumenons von der einen Wirkungsweise Christi. Der in diesen Unionsbemühungen aktive Patriarch Sergios von Konstantinopel (610–638) schlug auch dem Papst Honorius vor, nicht mehr von zwei Energien in Christus zu sprechen, weil dadurch die Einheit der Hypostase gefährdet sei, sondern von einem Willen.[46] In seinem Antwortschreiben erklärt der Nachfolger Petri, auch er bekenne »einen Willen« (ἓν θέλημα) unseres Herrn Jesus Christus. Damit formuliert Honorius ausdrücklich eine Lehre, die dem Dogma von Chalkedon widerspricht. Nun ist diese Aussage des Papstes Honorius doch differenzierter zu beurteilen, als es die Anti-Infallibilisten, allen voran Bischof *Karl Josef von Hefele* von Rottenburg († 1893), in der Hitze der Auseinandersetzungen auf dem Ersten Vatikanum getan haben. Aber selbst wenn für die Erklärung des Honorius die Qualifikation einer »ex cathedra«-Entscheidung unangemessen wäre, sie signalisiert ein bedrückendes Defizit an theologischer Kenntnis, und das VI. Allgemeine Konzil (680/81) zögerte darum nicht, den Papst als Häretiker zu brandmarken. Dieses Urteil hob man das ganze Mittelalter hindurch in das Bewußtsein der Päpste, indem sie bei ihrem Amtsantritt unter anderen Ketzern auch diesen Vorgänger zu verfluchen hatten. Die Schatten vor der Definition

---

und päpstliche Herrschaftsinterpretation im 5. Jahrhundert, in: ZKG 88 (1977) 38–84, 77. Die Rolle des Kaisers als Lehrer hebt freilich schon Eusebios (z. B. vita Const. IV 29) deutlich hervor, eine Funktion, die bekanntlich anhaltende Konflikte heraufbeschwor.

[46] Zur ganzen Problematik siehe *P. Stockmeier*, Die Causa Honorii und Karl Josef von Hefele, in: ThQ 148 (1968) 405–428; *G. Kreuzer*, Die Honoriusfrage im Mittelalter und in der Neuzeit (Päpste und Papsttum 8), Stuttgart 1975.

der päpstlichen Unfehlbarkeit auf dem Ersten Vatikanum sind lang, und es fällt einem Historiker schwer, sie mit theologischen Kunstgriffen aufzulösen. *Karl Josef von Hefele*, der redliche Historiker und Bischof, schrieb nach seiner Unterwerfung unter die Vatikanischen Dekrete am 26. Februar 1872 an seinen bischöflichen Freund *Carl Johann Greith* († 1882) in St. Gallen: »Die Spektakelsucht hat den Pio nono auch zu den Disputationen in Rom verleitet, deren Resultatlosigkeit er hätte voraussehen müssen, wenn er – von der Theologie, namentlich Kirchengeschichte und Kritik ein Jota verstünde.«[47] Welche Spannung zwischen dem Kenner der Geschichte und dem um die Einheit der Kirche besorgten Bischof!

Schlußbemerkung

Lehramt und Theologie – ein schwieriges Verhältnis seit den Ursprüngen, das nicht auf den Nenner Amt oder Freiheit, Statik oder Dynamik, Glaube oder Vernunft zu reduzieren ist. Das Sich-Einlassen auf einen rational verantwortbaren Glauben und die daraus entstehende Theologie führen zu einer bis heute gültigen geistigen Durchdringung der Offenbarung, die freilich immer in der Gefahr stand, von der »Mitte des Evangeliums« abzuweichen. Gerade deshalb entwickelte die frühe Kirche eine Reihe von Normen, die als Regulativ oder gegebenenfalls als Korrektiv den Weg der christlichen Glaubensgeschichte säumen. Unverkennbar macht sich freilich seit der ausgehenden Antike ein Zug zur Monopolisierung von Normen und zur Institutionalisierung eines Lehramtes geltend, der schließlich im juridisch gefärbten Primatsdenken des mittelalterlichen Papsttums kulminierte. Der Durchbruch eines neuen Verständnisses von Theologie und damit verbunden eine Neuorientierung zum kirchlichen Lehramt erfaßte in

[47] *P. Stockmeier – H. Tüchle*, Briefe des Rottenburger Bischofs Karl Josef von Hefele an Carl Johann Greith, Bischof von St. Gallen, in: ThQ 152 (1972) 39–53,45. Hinsichtlich der Sache selbst gilt natürlich die Feststellung von *G. W. Olsen:* »Jedes Zeitalter besitzt auch die Bischöfe, die es verdient; viel heilsamer als juridische Reformen in den besagten Fragen wäre die Einsicht, daß die Kirche jener Spannungen bedarf, die der Suche nach größerer Heiligkeit und Wahrhaftigkeit entspringen, dem dauernden Drängen einer glaubenden Gemeinschaft, ›in alle Wahrheit eingeführt‹ zu werden«: Zum geschichtlichen Hintergrund der Spannung zwischen Lehramt und Theologie, in: IKaZ 9 (1980) 447–453, 453. Vgl. ferner die ähnlichen Ausführungen von *H. Schilling*, Theologische Wissenschaft und kirchliches Lehramt. Erwägungen zur Therapie einer kranken Beziehung, in: StdZ 198 (1980) 291–302.

dieser Epoche praktisch nur mehr den lateinischen Westen, und zwar unter Preisgabe frühkirchlicher Universalität. Zu ihren Merkmalen zählen im Bereich der Theologie gewiß auch Normen; eine genormte Theologie widerspräche jedoch ihrem Wesen.

»Alt« und »Neu« als Prinzipien der frühchristlichen Theologie*

Über Denkformen und Methoden der frühchristlichen Theologie wurden schon aufschlußreiche Untersuchungen angestellt, die ihren eigentümlichen Charakter ins Licht rücken. Man spricht ihr biblische Unmittelbarkeit zu und hob ihre heilsgeschichtliche Schau hervor, woraus letztlich die ansprechende Nähe zur Wirklichkeit des Lebens resultiere,[1] Unter den eigentümlichen Merkmalen begegnet immer wieder auch der vorwissenschaftliche Charakter dieser Theologie. Im Hinblick auf den Beginn des methodisch-systematischen intellectus fidei stellt *Alois Grillmeier* zu Recht fest, daß wir zunächst »auf dessen ›vorwissenschaftliches‹ Stadium treffen, dem ein ›vulgäres Verstehen‹ zu eigen ist«.[2] Diese Beobachtung entspricht fraglos dem Befund frühchristlicher Rede über Gott und sein offenbarendes Handeln, wenngleich auch darin schon das Bemühen erkennbar ist, die Sache immer wieder neu auszusagen und so ein vertieftes Verständnis zu wecken. Der Übergang von der Verkündigung zu einer »théologie savante« läßt sich darum nicht eindeutig festlegen, nicht zuletzt deshalb, weil die Prinzipien der Begründung in der frühchristlichen Theologie noch nicht genügend erhellt sind. Zwar liegen auch über die theologische Argumentationsweise in dieser Epoche schon grundlegende Arbeiten vor, trotzdem sind hinsichtlich des »Methodenproblems« noch viele Fragen offen.[3] Im folgenden

---

* Aus: Reformatio Ecclesiae. Beiträge zu kirchlichen Reformbemühungen von der Alten Kirche bis zur Neuzeit. Festgabe für Erwin Iserloh, Paderborn-München-Wien-Zürich 1980, 15–22.

[1] Vgl. diese Kennzeichnung bei *B. Studer*, Die theologische Arbeitsweise des Johannes von Damaskus (Studia Patr. et Byz. 2), Ettal 1956, 133; *St. Otto*, Art. Väterspiritualität, in: Sacramentum Mundi IV 1139–1147.

[2] *A. Grillmeier*, Vom Symbolum zur Summa. Zum theologiegeschichtlichen Verhältnis von Patristik und Scholastik, in: Mit ihm und in ihm. Christologische Forschungen und Perspektiven, Freiburg-Basel-Wien ²1978, 585–636, 587.

[3] Zu erwähnen sind *D. van den Eynde*, Les normes de l'enseignement chrétien dans la littérature patristique des trois premiers siècles (Univ. Cath. Lovaniensis II 25), Gembloux-Paris 1933; *E. Nacke*, Das Zeugnis der Väter in der theologischen Beweisführung Cyrills von Alexandrien nach seinen Briefen und antinestorianischen Schriften, Münster 1964; *M. Wiles*,

wollen wir auf die Berufung auf das »Alte« eingehen, die in den Auseinandersetzungen der frühen Kirche häufig begegnet und in Verbindung mit dem Traditionsgedanken besonderes Schwergewicht bekam. Zugleich äußert sich in dieser Argumentationsweise eine Haltung, die das Kirchenverständnis aller Zeiten beeinflußte.

1. Die Häufigkeit des Arguments

Zu den gängigen Argumenten der frühchristlichen Theologen zählt die Berufung auf »Alt« und »Neu«, um den jeweiligen Standort zu rechtfertigen oder gegenteilige Auffassungen abzulehnen. Vor Jahren behandelte *Franz Joseph Dölger* diese Thematik am Beispiel der bekannten Sentenz des Papstes Stephan (254–257): »Nihil innovetur, ... nisi quod traditum est«, ein Grundsatz, den Cyprian von Karthago in einem Brief an den mauretanischen Bischof Pompejus erwähnt[4] und der uns ferner durch das Commonitorium des Vinzenz von Lerin († vor 450) überliefert worden ist;[5] letzterer bringt in diesem Zusammenhang das Ergebnis der Auseinandersetzung um die Gültigkeit der Ketzertaufe auf den Nenner: »man behielt das Alte und verwarf das Neue«.[6] Der Verfasser des Commonitoriums betrachtet dies als Wahrung eines gewohnten und allgemein bekannten Grundsatzes, der keiner weiteren Rechtfertigung bedarf.

Tatsächlich hatten sich bereits die römischen Presbyter und Diakone in der Gefallenenfrage gegenüber Cyprian auf die alte Strenge, den alten Glauben und die alte Zucht berufen.[7] Zur Begründung führt der Verfasser nur Röm 1,8 an: »Euer Glaube wird in

---

The Making of Christian Doctrine. A Study in the Principles of Early Doctrinal Development, Cambridge 1967; J. *Bernard*, Die apologetische Methode bei Klemens von Alexandrien. Apologetik als Entfaltung der Theologie (Erfurter theol. Stud. 21), Leipzig 1968; B. *Weiß*, Das Alte als das Zeitlos-Wahre oder als das Apostolisch-Wahre? Zur Frage der Bewertung des Alten bei der theologischen Wahrheitsfindung der Väter des 2. und 3. Jahrhunderts, in: TThZ 81 (1972) 214–227; H. *Dörrie*, Tradition und Erneuern in Plotins Philosophieren, in: Platonica Minora (Studia et Testimonia antiqua VIII), München 1976, 375–389.

4 Cyprian, ep. 74,2 (CSEL 3,2,800,7 f). Vgl. *F. J. Dölger*, »Nihil innovetur nisi quod traditum est«. Ein Grundsatz der Kulttradition in der römischen Kirche, in: AC 1 (1929) 79 f.

5 Vincentius, comm. 6,6 (Flor. Patr. V 18).

6 Ebd. 6,7: »Retenta est scilicet antiquitas, explosa novitas« (Flor. Patr. V 19); vgl. auch Eusebios, hist. eccl. VII 4 (GCS 9,2,638).

7 Unter den Briefen Cyprians, ep. 30,2: »sed antiqua haec apud nos seueritas, antiqua fides, disciplina legitur antiqua« (CSEL 3,2,550,7–9); vgl. ep. 30,8: »nihil innouandum putauimus« (CSEL 3,2,556,3).

der ganzen Welt gerühmt«, ein Lob des Apostels Paulus, das die besondere Qualität des Glaubens in der Ursprungszeit der römischen Gemeinde bestätigt. Diese Argumentationsweise der römischen Gegner einer Wiedertaufe bestätigt Cyprian selbst, obwohl er dagegen entschieden Widerspruch erhebt. »Nun behaupten sie«, erklärt der Afrikaner, »sie folgten dabei nur dem alten Herkommen. Aber bei den Alten nahmen Ketzereien und Spaltungen erst ihren Anfang«.[8] Neben diesem historischen Einspruch plädiert er daran anschließend regelrecht für eine vernünftige Argumentation, wenn er fortfährt: »Nicht aus dem Herkommen ist eine Vorschrift zu begründen, es muß vielmehr die Vernunft siegen.«[9] Der Bischof von Karthago wendet sich in Sachen »Vorschriften« entschieden gegen die Berufung auf Herkommen und Tradition, kurz das »Alte«. Er stellt sich damit bewußt gegen die römische Position, deren Vertreter Papst Stephan mit seiner Bemerkung: »Wenn also jemand von irgendeiner Häresie zu euch kommt, dann soll man nichts Neues einführen, außer dem, was Überlieferung ist«,[10] dieses Prinzip so nachdrücklich formuliert hatte, daß Cyprian es eigens zitiert, um es postwendend abzulehnen.

Der Einspruch Cyprians gegen die Berufung auf das »Alte« besagt jedoch nicht, daß nur die römische Gemeinde auf diese Weise ihren Standpunkt untermauert hätte. Das Argument begegnet vielmehr überall bei den frühen Christen, und zwar auch in Afrika. Das besondere Ansehen des »Alten« tritt freilich nicht nur im unmittelbaren Gegenüber zum »Neuen« in Erscheinung, sondern auch in jenen Hinweisen, die nur das Alter einer Wirklichkeit zum Ausdruck bringen. So unterschiedlich im Neuen Testament die Begriffe ἀρχαῖος und παλαιός gebraucht werden,[11] auch dort begegnet uns die Bedeutung von »altehrwürdig«, so z. B. Lk 9,8 und 9,19, wo von den »alten Propheten« die Rede ist. Der Verfasser des ersten Klemensbriefes bezeichnet die Kirche von Korinth als altehrwürdig,[12] und Polykarp von Smyrna († 156) er-

---

[8] Cyprian, ep. 71,2: »et dicunt se in hoc ueterem consuetudinem sequi, quando apud ueteres haereseos et schismatum prima adhuc fuerint initia« (CSEL 3,2,772,16 f)

[9] Ebd. 71,3: »Non est autem de consuetudine praescribendum, sed ratione uincendum« (CSEL 3,2,773,10 f).

[10] Cyprian, ep. 74,1: »si qui ergo a quacumque haeresi uenient ad uos, nihil innouetur nisi quod traditum est« (CSEL 3,2,799,15 f).

[11] Siehe G. Delling, Art. ἀρχαῖος, in: ThWNT I 485; H. Seesemann, Art. παλαιός, in: ThWNT V 714–717.

[12] 1 Klem 47,6: »τὴν βεβαιοτάτην καὶ ἀρχαίαν Κορινθίων ἐκκλησίαν« (Fischer 84).

innert wie Paulus gegenüber den Römern (1,8) an den Glauben der Philipper, »von dem man seit alten Zeiten spricht«.[13] Tertullian († nach 220) greift das gleiche Argument auf, wenn er Ansehen und Gültigkeit der prophetischen Schriften auf ihr außerordentlich hohes Alter zurückführt und so dem Anspruch religiöser Institution des Heidentums den Boden zu entziehen sucht.[14] Mit dem Nachweis einer jungen Herkunft gegenüber dem Anspruch des Alten entlarvt Hippolyt vom Rom († 235) die Lehre des Artemon, wonach der Erlöser ein bloßer Mensch gewesen sei, als Häresie.[15]

Die Problematik, in der sich die Christen mit ihrer Argumentation zwischen »Alt« und »Neu« bewegten, bedurfte angesichts der »Neuheit des Christentums« selbst einer klärenden Lösung. Programmatisch eröffnet Justin († um 165) seine Apologie mit den Worten: »Der Logos gebietet, daß die wahrhaft Frommen und Philosophen das Wahre ehren und lieben, indem sie es ablehnen, den Anschauungen der Alten zu folgen, wenn sie schlecht sind.«[16] Der Nachhall des heidnischen Vorwurfs, die Christen hätten auf etwas »Neues« gesetzt, ist unüberhörbar. Kelsos († um 190) hat in seinem Werk »Ἀληθὴς λόγος« diesen Einwand gegen das Christentum geradezu thematisiert und gegen eine Entwertung des »Alten« protestiert. Sein Leitwort zielt auf Wahrung des Herkommens, »weil jener völlig der Verblendung anheimfällt, der ohne diese Vorsicht manchen (Leuten) zustimmt, indem er leichtfertig die Meinung der Alten beiseite schiebt«.[17] Kelsos kritisiert damit aber nicht nur die Abkehr des Christentums von den Lehren der Alten, er will dieses selbst als junge Religion erweisen[18] und auf geschichtspolemischem Weg seine Anhänger desavouieren. *Carl Andresen* hat die Entgegnung des Origenes zutreffend dahin charakterisiert, daß dem »Geschichtslogos des Kelsos« der »zeitlose Vernunftlogos« des Alexandriners gegenübergestellt wird[19] und so gewissermaßen die Argumentationsebene wechselt. Es ist bemerkenswert, daß hingegen Eusebios sein Ge-

---

13 Polykarp, 2 Phil. 1,2: »ἐξ ἀρχαίων καταγγελλομένη χρόνων« (Fischer 248).
14 Tertullian, apol. 19,1: »Primam instrumentis istis auctoritatem summa antiquitas uindicat. Apud uos quoque religionis est instar, fidem de tempore adserere« (CCL 1,119).
15 Eusebios, hist. eccl. V 28,2 (GCS 9,1,500).
16 Justin, apol. I 2 (Goodspeed 26).
17 Origenes, c.Cels. I 9 (GCS 2,61); vgl. *C. Andresen*, Logos und Nomos. Die Polemik des Kelsos wider das Christentum (Arb. z. Kirchengesch. 30), Berlin 1955, 21 u. 371 f.
18 Origenes, c. Cels. I 26 (GCS 2,77 f).
19 *C. Andresen*, Logos und Nomos 382.

schichtswerk in der Perspektive des »Alters« anlegt und dies ausdrücklich hervorhebt. »Doch wenn wir auch sicher Neulinge sind und die wirklich neue Bezeichnung ›Christen‹ noch nicht lange bei allen Völkern bekannt ist, so ist doch, wie wir im folgenden nachweisen wollen, unser Leben und die Art unseres Wandels mitsamt der Lehre der Frömmigkeit nicht erst vor kurzem von uns hinzugefügt, sondern gewissermaßen schon von Beginn des Menschengeschlechts an durch natürliche Erwägungen der alten Gottesfreunde bestimmt worden.«[20] Die Absicht des Eusebios geht dahin, mit seiner geschichtlichen Darstellung den Nachweis zu erbringen, daß die Christen zwar »νέοι« sind, im Grunde aber von den Anfängen der Menschheit her existieren, und zwar unter Berufung auf den Zusammenhang mit dem alttestamentlichen Gottesvolk. Offensichtlich war zu Beginn des 4. Jahrhunderts noch jener Vorwurf zu hören, der das Christentum als Neuheit zu disqualifizieren suchte.[21] Dem konservativen und traditionalistischen Zug römischer Religiosität entsprechend[22] erschien von vornherein jede Gruppierung als verdächtig, die sich nicht an die überlieferten Normen hält.[23] Die Frage nach »Alt« oder »Neu« gestaltete sich so über den Methodenbereich hinaus zu einer Existenzfrage für die christlichen Gemeinden der Frühzeit.

2. Zum Verständnis der Fragestellung

Mit Recht hat bereits *Franz Joseph Dölger* darauf verwiesen, daß der Grundsatz des Papstes Stephan »nihil innovetur« nicht vordergründig im Licht der afrikanischen Wiedertaufe verstanden werden dürfe, also im Sinne: nichts werde wiederholt; die Weisung aus Rom meine vielmehr, es soll keine Neuerung eingeführt werden.[24] Der Vertreter Roms beruft sich auf die Autorität des »Alten«, auf der die eigene Praxis gründe und die deshalb keiner weiteren Rechtfertigung bedarf. Diese Interpretation entspricht in der Tat antiker Überlieferung, die in der Wahrung des »Alten«

---

[20] Eusebios, hist. eccl. I 4,4 (GCS 9,1,40).
[21] Vgl. *A. v. Harnack*, Die Mission und Ausbreitung des Christentums in den ersten drei Jahrhunderten, Leipzig ⁴1924, Neudr. Wiesbaden o. J., 516 f.
[22] Cicero betont gerade für die religio als Autorität die Auffassung der Väter: »a te enim philosopho rationem accipere debeo religionis, maioribus autem nostris etiam nulla ratione reddita credere« (De natura deorum III 6).
[23] Vgl. *C. Andresen*, Logos und Nomos 225 ff.
[24] *F. J. Dölger*, Nihil innovetur 80.

einen Grundpfeiler menschlichen Zusammenlebens sah. Schon
Platon vertrat die Meinung, daß die ersten Menschen in größerer
Nähe zu den Göttern standen als nachfolgende Generationen und
damit einen höheren Anteil an der Wahrheit hatten.[25] Für römisches Denken ist diese Hochschätzung der maiores geradezu nor-
mierend. Nach Cicero haben sie den besten Staat geschaffen, der
von sapientia und prudentia geprägt ist.[26] »Alt« erhält so eine
positive Bedeutung und kann mit »gut« gleichgesetzt werden,
während »novus« als negativer Wert empfunden wird.

Im Bereich des Staates, des Rechts sowie der Religion bildet der
mos maiorum die maßgebliche Richtlinie, ein Prinzip, das gerade in
der Spätantike eine Wiederbelebung erfahren hat. Denn »das
Axiom, daß das Herkömmliche, das Alte (der *priscus mos*, die *vetustas*), die richtungsgebende Instanz sei und höchste Autorität be-
anspruche, wurde von diesen Kreisen der ›alten‹ Familien, die
bemüht waren, ihre aristokratischen Ahnenreihen bis in die Republik zu verlängern, in einer Lautstärke, wie seit der ausgehenden Republik niemals mehr, verkündet –, ›wir müssen immer,
wenn wir klug sind, dem hohen Alter (*vetustas*) unsere Verehrung
bezeigen‹«.[27] Der Rückgriff auf das »Alte« bietet gerade nach Auffassung der Spätzeit Gewähr für den Bestand des Gemeinwesens,
weil man eben damit den Gedanken ursprünglicher Vollkommenheit verband. Darin äußert sich eine Auffassung von Geschichte,
die in der Entwicklung einen Abfall von der Größe des Anfangs
erblickt.[28] Nach dem Zeugnis des Macrobius ist solches Verhalten
klug, das Festhalten am Herkommen, der Konservativismus also
eine Regel der Vernunft. Der Rekurs auf das »Alte« erscheint so
als gängiges Argument in der Antike, das auf der Voraussetzung
von der einmaligen Größe des Anfangs basiert und darum einen
positiven Wert zur Aussage bringt. Demgegenüber erscheint der

---

25 Siehe Timaios 40 d–41 a; Philebos 16 c; der Topos ist häufig belegt. Wahrheit und Alter, im
Logos verbunden, bedingen sich gegenseitig, wobei die zyklische Geschichtsauffassung
Grundlage dieser Identifizierung ist. Vgl. *K. Jost*, Das Beispiel und Vorbild der Vorfahren
bei den attischen Rednern und Geschichtsschreibern bis Demosthenes, Regensburg 1935;
H. Dörrie, Art. Entwicklung, in: RAC V 476–504, bes. 480 f.

26 Vgl. ThLL II 174–183; *J. C. Plumpe*, Wesen und Wirkung der Auctoritas maiorum bei Cicero,
Münster 1935; *H. Roloff*, Maiores bei Cicero, Göttingen 1930; *R. M. Honig*, Humanitas und
Rhetorik in spätrömischen Kaisergesetzen. Studien zur Gesinnungsgrundlage des Domi-
nats (Göttinger Rechtswiss. Unters. 30), Göttingen 1960.

27 *F. Vittinghoff*, Zum geschichtlichen Selbstverständnis der Spätantike, in: HZ 198 (1964)
529–574, 566; das Zitat aus Macrobius, sat. III 14,2.

28 Zur Idealisierung des Urzustandes und den einschlägigen Dekadenztheorien siehe *A. Kur-
fess*, Art. Aetas aurea, in: RAC I 144–150, sowie *C. Andresen*, Logos und Nomos 242 ff.

Begriff »Neu« als negative Aussage, insofern er die Abkehr vom »Alten« signalisiert. Eine Erneuerung kann darum auch für den heidnischen Römer nur erfolgen durch Rückgriff auf die »Ordnung der Vorfahren«.[29]

Nicht zuletzt deshalb, weil das frühe Christentum immer wieder der Vorwurf traf, es habe sich vom »Alten« getrennt, gewann der sogenannte Altersbeweis in der Apologetik hohe Bedeutung. Die Auseinandersetzung um die Gültigkeit der Ketzertaufe zeigt aber, daß mit dem Altersargument bald auch im Binnenraum der Kirche operiert wurde. Seine Benutzer gingen analog der allgemeinen Vorstellung davon aus, daß mit der Berufung auf das »Alte« der rechte Glaube gewährleistet sei. Einer solchen Argumentation liegt die idealisierende Überzeugung zugrunde, daß die Urzeit des Christentums das Evangelium in reiner Form repräsentierte, die es zu erhalten gilt. Die Epoche des Anfangs gewinnt damit für die Kirche in der Geschichte eine normierende Funktion, und zwar nicht nur in der Gestalt der Jerusalemer Urgemeinde,[30] sondern auch einer Einzelgemeinde wie Rom, wobei zur Begründung auf Röm 1,8 verwiesen wird. Der Zusammenhang mit dem Ursprung muß dabei nicht eigens betont werden, bekommt aber im Gedanken der Überlieferung bald Gewicht.[31] Tertullian, der das Altersargument für die prophetischen Schriften entschieden verteidigt,[32] ist sich bewußt, daß das Neue Testament noch jung ist, wenn er es als »nouiciola« einstuft.[33] Trotzdem bringt auch er den Verweis auf das Alter gegenüber den falschen Auslegern ins Spiel, wenn er sie als »posteriores« gegenüber Christus und seinen Begleitern charakterisiert.[34] Antiquitas verbürgt danach die Wahrheit, die in der Verkündigung Christi gegeben und in der regula fidei gesichert ist; die Irrlehrer verfehlen als nachweislich Jüngere diese Wahrheit. Tertullian setzt also das Altersargument für die innerchristliche Diskussion im über-

---

[29] So Symmachus, rel. 3,2 (Klein 98).

[30] Vgl. *P. Stockmeier*, Die alte Kirche – Leitbild der Erneuerung, in: ThQ 146 (1966) 385–408.

[31] Vgl. *J. Pieper*, Über den Begriff der Tradition (Arb.-Gem. f. Forsch. d. Landes Nordrhein-Westfalen, Geisteswiss. 72), Köln-Opladen 1958; *N. Brox*, Zur Berufung auf »Väter« des Glaubens, in: Heuresis. Festschr. f. A. Rohracher, hrsg. v. Th. Michels, Salzburg 1969, 42–67; *B. Weiß*, Das Alte 224 ff.

[32] So apol. 19,1 (CCL 1,119); vgl. auch seine Verknüpfung mit der Wahrheit apol. 47,1: »Antiquior omnibus ueritas, nisi fallor« (CCL 1,163 v.l.).

[33] Apol. 47,9 (CCL 1,164).

[34] Apol. 47,10: »regulam ueritatis, quae ueniat a Christo transmissa per comites ipsius, quibus aliquanto posteriores diuersi commentatores deprehenduntur« (CCL 1,164).

kommenen Sinn ein, wonach das Alter von vornherein die Präsumption der Wahrheit hat.[35]

Im Grunde hängen auch die Vertreter des Altersarguments an einem Geschichtsbild, das die Entwicklung des Christentums mehr oder weniger als Verfall betrachtet. Dieses Schema hält freilich einer an Tatsachen orientierten Kritik nicht stand, und es ist bemerkenswert, daß bereits Cyprian der Berufung des Papstes Stephan und anderer auf das »Alte« entgegenhält: »Nun behaupten sie, sie folgten dabei nur dem alten Herkommen. Aber bei den Alten nahmen Ketzereien und Spaltungen erst ihren Anfang, und es gab dort Leute, die sich von der Kirche trennten, aber hier zuvor getauft waren.«[36] Der Einwand Cyprians gegen das Altersargument zielt auf das zugrundeliegende geschichtliche Schema, wonach antiquitas Wahrheit und Reinheit verbürge; er führt dagegen an, daß Häresie und Spaltung bereits bei den Alten entstanden sind. Aus diesem Grunde kann die bloße Berufung auf das Herkommen eine bestimmte Praxis nicht legitimieren; es hat eben – nach Cyprians Worten – die Vernunft zu siegen.[37]

So zutreffend Cyprians Standpunkt auch ist, in der Angelegenheit der Ketzertaufe setzte sich die römische Praxis durch, ein Umstand, welcher der Berufung auf das Alte nach Auskunft des Vinzenz von Lerin noch mehr Ansehen sicherte. In der zunehmenden Autorität der Väter erreichte dieses Prinzip einen bis heute gültigen Ausdruck, wie auch das schematisierende Geschichtsbild von der reinen Kirche des Ursprungs und dem nachfolgenden Verfall eine starke Wirkung ausübte.[38] »Alt« und »Neu« weisen als Prinzipien frühchristlicher Theologie in die geistige Umwelt der Gläubigen, und es kann nicht überraschen, wenn deren Denkformen übernommen wurden, aber auch Abwandlung[39] oder gar Widerspruch erfahren haben. Diese Hoch-

---

35 N. *Brox* meint auf die frühkirchlichen Lehrer hin eine Präzisierung zu erkennen, wenn er sagt: »antiquitas kann nicht (wie noch bei Moses und den Propheten) Herkunft aus grauer Vorzeit, sondern sinnvollerweise nur Nähe zum genau bekannten und datierbaren, noch nicht gar so lang vergangenen Ursprungsereignis bedeuten« (Berufung auf »Väter« 48).

36 Cyprian, ep. 71,2; siehe oben Anm. 8. Der afrikanische Bischof sucht das Altersargument geschichtlich zu verifizieren nach dem Grundsatz: »Nam consuetudo sine ueritate uetustas erroris est« (ep. 74,9 [CSEL 3,2,806,23 f]).

37 Siehe oben Anm. 9.

38 Man vgl. trotz Bedenken im einzelnen die Darstellung von W. *Bauer*, Rechtgläubigkeit und Ketzerei im ältesten Christentum (BHTh 10), Tübingen ²1964.

39 Für Augustin ist die Berufung auf das Alte am Platz, wenn die Schrift Ungewißheit hinterläßt; vgl. ep. 36,2: »in his enim rebus, de quibus nihil certi statuit scriptura diuina, mos populi dei uel instituta maiorum pro lege tenenda sunt« (CSEL 34,2,32).

schätzung des Alten, die in vielfältiger Form über die theologische Argumentation hinaus in das kirchliche Selbstverständnis eingegangen ist,[40] erschwerte es dem »Neuen«, angemessene Anerkenntnis zu finden. Das Logion Jesu von dem neuen Fleck auf dem alten Kleid und dem jungen Wein in alten Schläuchen (Mk 2,21 f) übte nur zögernd eine Wirkung im großkirchlichen Leben aus.[41] Die Reserve gegenüber dem Neuen, die sich in der Geschichte der Kirche so oft geäußert hat,[42] ist freilich unzureichend geklärt, wenn man sie nur als ängstliche Rückwendung betrachtet, darin kommt auch ein Prinzip zum Tragen, das seit alters dem Ursprung und damit der antiquitas den Vorrang einräumte.

---

[40] Vgl. z. B. J. *Fellermayr*, Tradition und Sukzession im Lichte des römisch-antiken Erbdenkens. Untersuchungen zu den lateinischen Vätern bis zu Leo dem Großen, München 1979.

[41] J. *Behm* betont, das Bildwort hebe das Neue als Botschaft Jesu hervor, überbiete aber ähnliche Aussagen »durch die Unbedingtheit der Forderung, Alt und Neu miteinander unverworren zu lassen« (Art. νέος κτλ., in: ThWNT IV 899–904, 902).
Siehe auch J. *Gnilka*, Das Evangelium nach Markus (Mk 1 – 8,26) (EKK), Zürich-Einsiedeln-Köln-Neukirchen 1978, 115 ff. Der Doppelspruch steht im Kontext der Fastenfrage, die beispielsweise Basileios († 379) nicht im Sinne der neuen Freiheit erklärt, sondern nach dem Altersschema: »Gehe die Geschichte durch und forsche nach dem Alter des Fastens! Es ist keine Erfindung neueren Datums, sondern ein kostbares Erbstück von unseren Vätern. Und alles, was sich durch hohes Alter auszeichnet, ist ehrwürdig« (de ieiunio 3 [PG 31,165]).

[42] Vgl. etwa J. *Spörl*, Das Alte und das Neue im Mittelalter. Studien zum Problem des mittelalterlichen Fortschrittbewußtseins, in: Hist. Jahrb. 50 (1930) 297–341; 498 – 524.

Die sogenannte Konstantinische Wende im Licht antiker Religiosität[*]

Trotz allem Für und Wider gehört Kaiser Konstantin zu den Großen der Geschichte, da er einen jener Wendepunkte markiert, die für die Gestalt des Abendlandes von entscheidender Bedeutung waren.[1] Auch wenn man sich nicht der Meinung anschließen kann, daß mit ihm die Periode des Altertums zu Ende geht, so muß man zugestehen, daß sein politisches Handeln sowohl auf das römische Imperium wie auf das Christentum einen tiefgreifenden Einfluß ausübte, gleich ob man diese Politik begrüßt oder beklagt.[2] Tatsächlich gehen die Meinungen über Konstantins politisches Handeln, insbesondere über die zentrale Frage nach seinem Verhältnis zur Kirche weit auseinander. Immerhin hat sich gegenüber einem negativen Urteil, wie es vor allem durch *Jacob Burckhardt* und sein erstmals 1853 erschienenes Buch »Die Zeit Constantins des Großen« repräsentiert wird, eine positivere Einschätzung durchgesetzt. Dabei spielte die Analyse der einschlägigen Quellen, wie sie von *Hermann Dörries*[3] und *Heinz Kraft*[4] durchgeführt wurde, eine entscheidende Rolle. Eine Durchsicht dieser wichtigen Werke ergibt freilich, daß der erste sogenannte christliche Kaiser weitgehend in Kategorien interpretiert wird, die biblisches Glauben und religiösen Vollzug identifizieren, so daß die typisch religiöse Sicht seines Denkens und Handelns weniger in

[*] Aus: Historisches Jahrbuch. Im Auftrag der Görres-Gesellschaft hrsg. von J. Spörl, 95. Jg., 1. Halbband, Verlag Karl Alber, München-Freiburg 1975, 1–17.
[1] Die Redeweise von einer geschichtlichen Wende darf freilich die Zusammenhänge, und zwar gerade die religiösen, nicht ignorieren. Zum Problem siehe *P. Stockmeier*, Konstantinische Wende und kirchengeschichtliche Kontinuität, in: Hist. Jahrb. 82 (1963) 1–21 [in diesem Band S. 254–276]; *H. Dörries*, Konstantinische Wende und Glaubensfreiheit, in: Ders., Wort und Stunde I, Göttingen 1966, 1–117; *H. Rahner*, Die Konstantinische Wende, in: Abendland. Reden und Aufsätze, Freiburg-Basel-Wien 1966, 186–198; *K. Dienst*, Kopernikanische Wenden. Zum Gebrauch einer Metapher in der Kirchengeschichte, in: Jahrb. d. hess. kirchengesch. Ver. 18 (1967) 1–49; *H. Kraft* (Hrsg.), Konstantin der Große (Wege d. Forsch. 131), Darmstadt 1974.
[2] Kritische Stimmen erheben sich bereits im vierten Jahrhundert, z. B. Hieronymus, vita Malchi 1 (PL 23,53 BC), und verstummen in der Folgezeit nicht mehr; vgl. Dante, Div. Comm. Inf. 19, 115–117.
[3] *H. Dörries*, Das Selbstzeugnis Kaiser Konstantins (AAWG.PH 3,34), Göttingen 1954.
[4] *H. Kraft*, Kaiser Konstantins religiöse Entwicklung (BHTh 20), Tübingen 1955.

den Blick kommt. Tatsächlich entspricht eine solche Gleichsetzung, für deren Problematik uns *Dietrich Bonhoeffer* († 9. 4. 1945) den Blick geschärft hat, nicht dem Befund der frühchristlichen Quellen; dort begegnet uns vielmehr eine allmähliche Harmonisierung von Glaube und Religion, die Kaiser Konstantin wirkmächtig gefördert hat.[5] Es lohnt sich darum der Versuch, seine Motive und Entscheidungen im Licht antiker Religiosität zu betrachten, um so ihren eigentümlichen Charakter zu erhellen und ihre geschichtliche Tragweite zu verdeutlichen.

1. Strukturen antiker Religiosität

Die Redeweise vom Heidentum suggeriert gerne die Vorstellung, daß Umgebung und Mitwelt des Christentums areligiös gewesen seien. Schon ein kurzer Blick in die zeitgenössische Literatur und auf die Denkmäler des Heidentums macht deutlich, daß eine solche Sicht irreführend ist. Man muß vielmehr feststellen, daß die heidnische Antike von intensiver Religiosität und kultischem Brauchtum durchtränkt war. Schon die Praxis der Divination und die Orakelhörigkeit machen deutlich, wie sehr sich der antike Mensch höheren Mächten ausgeliefert wußte und demgemäß zu handeln versuchte. Allerdings ist nicht zu übersehen, daß zwischen griechischer und römischer Religion Nuancierungen bestehen.

Bedeutsam für das griechische Verständnis[6] von εὐσέβεια oder θρησκεία ist der Umstand, daß sie im Mythos ihre Grundlage haben, der durch Personifizierung von Gottheiten Antwort auf die Grundfragen des Daseins gibt. Daraus resultiert, daß griechische Religion sich nicht rational darstellt, sondern in den Mythen ätiologisch die Existenz der verschiedenen Kulte, vielfach lokalisiert an einzelnen Orten oder Poleis, begründet. Griechische Religiosität bleibt darum immer in den πάτριος νόμος eingebettet. Die Götter verehren besagt demnach vom Ursprung her: die Götter anerkennen. Bemerkenswert für diese Religiosität ist ferner, daß ihre Explikation von seiten der Dichter erfolgt, die man nachgerade als die Religionslehrer der Antike bezeichnen kann.[7] Den Voll-

---

[5] Siehe *P. Stockmeier*, Glaube und Religion in der frühen Kirche, Freiburg 1973.

[6] Vgl. *M. P. Nilsson*, Geschichte der griechischen Religion II. Die hellenistische und römische Zeit (HbAW V 2), München 1961.

[7] Nach Varro (vgl. Augustinus, civ. Dei IV 27; VI 5) hat die mythische Theologie die Götter-

zug der Kulte nahmen hingegen die Priesterschaften wahr. Nicht unwichtig für das griechische Verständnis ist im übrigen der Umstand, daß solche Kultpraxis nicht nur äußerlich verstanden wurde, sondern durchaus eine Spiritualisierung kennt.[8]

Für das römische Verständnis von Religion[9] ist die Akzentuierung des Kultes charakteristisch. Dies führte dazu, daß der Vollzug von Riten und Zeremonien in dem Gegenüber von Mensch und Göttern das entscheidende Gewicht erhielt. Verantwortlich für die Durchführung dieser Kulte war in der Zeit des frühen Christentums bereits der Kaiser als *pontifex maximus*. Höchst aufschlußreich für den Stellenwert römischer Religiosität ist die Bemerkung Ciceros, der in der Religion das spezifische Merkmal des Römers zu erkennen glaubt. Er schreibt nämlich: »Wie guter Meinung wir auch von uns sind, übertreffen wir trotzdem nicht an Zahl die Hispanier, an Kraft die Gallier, in der Schlauheit die Punier, in den Künsten die Griechen, an angeborenem Sinn für Heimat und Boden die Italiker und Latiner, wohl aber alle Völker an Religiosität und durch diese einzige Weisheit, daß wir zur Einsicht gelangt sind, alles sei der Regierung und Lenkung durch die Götter unterstellt«.[10] In dieser Aussage erscheint religio als charakteristischer Vorzug der Römer, der sie von anderen Völkern unterscheidet. Man wird mit *Joseph Vogt* auch feststellen dürfen, daß die Aktionen und Maßnahmen des römischen Staates gegen die Anhänger des christlichen Glaubens nicht zuletzt aus diesem religiösen Impuls kamen, insofern sie auf den Erhalt der überkommenen Kulte und die unablässige Fürsorge durch die Götter bedacht waren.[11] Schon daraus erhellt, daß für den Römer Religion weitgehend Sache des Staates und der Öffentlichkeit war. Diese Zuständigkeit äußert sich vor allem darin, daß der Staat – Kaiser Augustus hatte 12 v. Chr. Titel und Funktion des *pontifex maximus* übernommen – die Priesterkollegien bestellt, die wirtschaftlichen Voraussetzungen für den Kult schafft und den ordnungsgemäßen Vollzug überwacht. Diese politische Dimension

welt der Dichter zum Gegenstand, während die politische Theologie die Staatsreligion meint. Siehe W. *Jaeger*, Die Theologie der frühen griechischen Denker, Stuttgart 1964.

[8] Man vergröbert die Wirklichkeit antiker Religiosität, wenn man sie auf den Vollzug materieller Opfer reduziert; vgl. O. *Casel*, Die Λογική θυσία der antiken Mystik in christlich-liturgischer Umdeutung, in: Jahrb. f. Liturgiewiss. 4 (1926) 36–47.

[9] Zur Information dient besonders K. *Latte*, Römische Religionsgeschichte (HbAW V 4), München 1960.

[10] De harusp. resp. 19.

[11] *J. Vogt*, Zur Religiosität der Christenverfolger im Römischen Reich (SHAW.PH 1962,1), Heidelberg 1962.

der Religion, konzentriert im Kaiserkult, macht verständlich, daß innere Gesinnung dabei sekundär ist. »Religion bedeutet eben für den Römer nicht eine Gesinnung, die die ganze Persönlichkeit prägt, sondern die ständige Bereitschaft, auf jedes Anzeichen einer Störung des gewohnten Verhältnisses zu den Göttern mit einer begütigenden Handlung zu antworten und einmal übernommenen Verpflichtungen nachzukommen«.[12] Die juridisch geprägte Lebensform des Römers durchwaltet auch den Bereich der Religion, in dem unverkennbar das Prinzip *do ut des* gilt. Stärker als es die etymologischen Ableitungsversuche von religio zum Ausdruck bringen,[13] schlägt sich darin der Anspruch der Öffentlichkeit nieder.

Wenn also der Begriff Heidentum nicht im Sinn eines religiösen Vakuums betrachtet werden kann, sondern im Gegenteil als rivalisierende Größe, dann forderte dies zu Auseinandersetzungen heraus, wobei die Struktur antiker Religiosität auf das Selbstverständnis des christlichen Glaubens nicht ohne Einfluß blieb. Begünstigt wurde diese Begegnung nicht zuletzt durch die Tatsache, daß im Gefolge des Mittelplatonismus die antike Welt von einem Zug zu religiöser Einheit erfaßt wurde und im praktischen Leben die sittlichen Maximen des Stoizismus breite Anerkennung fanden. Am Beispiel Konstantin läßt sich dieser Sachverhalt nicht nur in seiner geistigen Dimension, sondern auch in seiner politischen Wirksamkeit demonstrieren.

2. Die religiöse Erfahrung des jungen Konstantin

Die Frage nach der Religiosität Konstantins wurde in der Forschung immer heiß diskutiert. Tatsächlich liegen auch die gegensätzlichsten Antworten vor, die *Kurt Aland* in die Alternative zusammenfaßte: » Konstantin ist überzeugter Christ bzw. überzeugter Heide«.[14] So fruchtbar eine solche Klassifizierung für das methodische Vorgehen sein mag, der Wirklichkeit der Person Kon-

---

[12] K. *Latte*, Römische Religionsgeschichte 63.
[13] Cicero, nat. deor. II 72 führt den Begriff auf relegere zurück; Lactantius, div. inst. IV 28,2, und Augustinus, ver. rel. 11, auf religare.
[14] K. *Aland*, Die religiöse Haltung Kaiser Konstantins, in: TU 63, Berlin 1957, 549–600, 552. Der Artikel wurde wieder abgedruckt im Sammelband des gleichen Autors: Kirchengeschichtliche Entwürfe, Gütersloh 1960, 202–279. H. *Grégoire* führte die Religionspolitik Konstantins auf »utilitaristische und opportunistische Motive« zurück (Die Bekehrung Konstantins des Großen, in: H. *Kraft*, Konstantin der Große 175–223, 214).

stantins wie vielleicht jedem religiösen Entscheid wird sie nur schwer gerecht. Tatsächlich versieht auch Aland sein Ergebnis mit einem ethischen und dogmatischen Vorbehalt, wenn er abschließend zusammenfaßt: »Hier kommt es auf die Feststellung an, was Konstantin selbst sein wollte, welchem Glauben er sich zugehörig fühlte, und das ist das Christentum.«[15]

Auch wenn man sich grundsätzlich dieser Meinung anschließt, so gilt es doch jene Umstände zu berücksichtigen, welche die Eigenart seiner Christlichkeit beleuchten, und hierzu vermag ein Blick auf und ein Vergleich mit der antiken Religiosität aufschlußreiche Erkenntnisse zu vermitteln, und zwar nicht nur hinsichtlich eines »vordergründigen« Christentums des Kaisers, sondern vor allem auch in Betracht der religiösen Kontinuität.

Die Nachrichten über die Religiosität Konstantins und seine Hinwendung zum Christentum verdanken wir in erster Linie dem Kirchenhistoriker Eusebios,[16] sodann Laktanz und verschiedenen Panegyrikern. Aus allen Quellen, deren Wert heute weitgehend positiv beurteilt wird, geht hervor, daß Konstantin bereits vor der Schlacht an der Milvischen Brücke im Jahre 312 für das Religiöse aufgeschlossen war. In der Umwelt herrschte ein Synkretismus, der fraglos eine Deformation der altrömischen Kulte nach sich gezogen hatte, andererseits der Verehrung orientalischer Gottheiten Raum schaffte. In diesem Klima, in dem bereits auch das Christentum einen prägenden Faktor bildete, gewann der junge Konstantin seine ersten religiösen Eindrücke.

Von Belang ist hier in erster Linie die religiöse Haltung seines Vaters Constantius (250–306).[17] In einem Schreiben an die Einwohner der orientalischen Provinzen hebt Konstantin der Große gerade auf diesen Umstand ab, wenn er gegenüber früheren Kaisern und deren Wildheit feststellt: »Nur mein Vater handelte mild und rief mit bewundernswerter Frömmigkeit (θαυμαστῆς εὐλαβείας) in allen seinen Taten den Rettergott an.«[18] In aller Deutlichkeit betont diese Aussage den besonderen Charakter der Religiosität des Constantius, die nach Auskunft des Kontextes zu einer

---

15 Ebd. 594. Für das gleiche Ergebnis, und insofern für die Forschungsgeschichte bemerkenswert, sprach sich unter Berücksichtigung der Konstantinforschung des 19. Jahrhunderts aus L. Wrzol, Konstantin des Großen persönliche Stellung zum Christentum, in: Weidenauer Studien 1 (1906) 229–269.

16 Insbesondere die Vita Constantini schildert den Lebensgang des Herrschers unter dem Aspekt der Frömmigkeit (vgl. IV 74).

17 Vgl. J. Moreau, Art. Constantius I, in: JbAC 2 (1959) 158–160.

18 Eusebios, vita Const. II 49,1 (GCS 7,69).

Schonung der Christen entgegen den diokletianischen Verfolgungsedikten führte. Darin kommt aber auch zum Ausdruck, daß der Herrscher des Westens tatsächlich eine Religiosität verkörpert, die nicht in das Schema der Tetrarchie paßt. Schon *Hans v. Schoenebeck* hat darauf aufmerksam gemacht, daß Constantius mit seinem Festhalten an Mars als dem Leitbild seiner Münzprägung, obwohl ihm nach der fiktiven Götterhierarchie Herkules zugewiesen war, die religiös-politische Konzeption Diokletians durchbrochen hat.[19] Der religiöse Ausdruck solcher Eigenständigkeit mag politisch motiviert gewesen sein, aber er entsprach fraglos auch der persönlichen Haltung des Constantius, der mehr einem *summus deus* zuneigte als dem Polytheismus. Ob dieses höchste Wesen nun mit *Sol invictus* oder *Apoll* identifiziert wurde, bleibt belanglos angesichts der Tatsache, daß die philosophische Gnosis schon längst einem solchen Henotheismus vorgearbeitet hatte.[20] Eusebios berichtet ausdrücklich, daß Constantius aufgrund der »Erkenntnis eines höchsten Gottes« (θεὸν ἐπιγνοὺς τὸν ἐπὶ πάντων)[21] die Christen nicht nur kaum verfolgte, sondern sogar in seinen Palast Diener Gottes (λειτουργοὶ θεοῦ) aufnahm, die fortwährend Gottesdienst für den Kaiser feierten.[22] Die Funktion dieser offensichtlich christlichen Liturgen entsprach jener der kurz vorher genannten heiligen Männer (ἁγίων ἀνδρῶν), die durch ihre Gebete sein ganzes Haus geschützt hatten.[23] Nicht im biblischen Sinn, etwa zum Lobpreis Gottes, werden diese Gebete verrichtet, vielmehr soll der religiöse Kult in gut römischer Tradition göttlichen Schutz verbürgen. Die Anwesenheit christlicher Liturgen am Hofe ist also vor dem Hintergrund antiker Religiosität zu verstehen, die dem Christentum nicht mehr exklusiv gegenübersteht, sondern es zu integrieren trachtet.

Obwohl der Sohn Konstantin ausdrücklich das unterschiedliche religiöse Verhalten seines Vaters unterstreicht, bleibt die Frage nach dem tatsächlichen Einfluß offen, da er bereits in jungen Jahren an den Hof Diokletians nach Nikomedien kam. Eusebios be-

---

[19] H. v. *Schoenebeck*, Beiträge zur Religionspolitik des Maxentius und Constantin, Neudr. Aalen 1962, 32.
[20] Siehe dazu A. *Wlosok*, Laktanz und die philosophische Gnosis. Untersuchungen zur Geschichte und Terminologie der gnostischen Erlösungsvorstellung (AHAW. PH 1960,2), Heidelberg 1960.
[21] Eusebios, vita Const. I 17,2 (GCS 7,24).
[22] Ebd. I 17,3 (GCS 7,24 f).
[23] Ebd. I 17,2 (GCS 7,24).

jaht in seinem panegyrischen Bericht einen solchen Zusammenhang, wenn er sagt: »Nicht zeigte er jedoch, trotz seiner Jugend, die nämlichen Sitten wie die Gottlosen; denn es zog ihn schon damals im Verein mit dem Geiste Gottes seine vortreffliche Natur zu einem frommen und Gott wohlgefälligen Leben hin, wie ihn auch nicht minder der Eifer seines Vaters anleitete und antrieb, dem Guten nachzustreben.«[24] Rückschauend, und zwar in dem schon erwähnten Schreiben an die Bewohner der östlichen Provinzen, markiert Konstantin auch selbst einen Unterschied zwischen der Haltung seines Vaters und der des rangältesten Augustus Diokletian, der die Verfolgung der Christen unter dem Eindruck eines Spruches aus dem Apollon-Orakel von Didyma begann. Diese Rückführung der christenfeindlichen Maßnahmen auf Divination zeigt, daß er dem antiken Denken verhaftet blieb, welches das Göttliche in ständigen Manifestationen erfuhr,[25] auch wenn es hier auf das Dämonische reduziert erscheint. Konstantins Selbstverständnis basierte ebenfalls auf einer besonderen Nähe zu Gott, die sich in entsprechenden Erfahrungen äußerte. Schon seine Flucht vom kaiserlichen Hof in Nikomedien zu seinem Vater nach Gallien (305) führt Eusebios auf göttliche Eingebung zurück,[26] und der Panegyriker am Hofe zu Trier berichtet im Jahre 310 gar, daß Konstantin bei einem Tempelbesuch in Gallien Apollo und Victoria erschienen seien.[27] Nach Auskunft dieser Zeugnisse entspricht also die religiöse Erfahrung des jungen Prinzen weniger dem Appell Jesu zu Umkehr und Glaube (Mk 1,15) als der antiken Auffassung von der Wechselbeziehung zwischen dem Göttlichen und dem Herrscher.

3. Die Kreuzes-Vision Konstantins

In der Reihe dieser Manifestationen ist auch die sogenannte Kreuzeserscheinung vor der Schlacht an der Milvischen Brücke (28. Oktober 312) einzuordnen.[28] Wie Maxentius vor dem Ent-

---

[24] Ebd. I 12,2 (GCS 7,21).
[25] Siehe *K. Latte*, Römische Religionsgeschichte 63; ferner *P. Courcelle*, Art. Divinatio, in: RAC III 1235–1251.
[26] Eusebios, vita Const. I 20,2 (GCS 7,26).
[27] Panegyr. lat. VII 21,3–7 (Galletier II 72).
[28] Lactantius, mort. pers. 44; Eusebios, vita Const. I 27–32. Zur Diskussion der Berichte siehe *J. Vogt*, Art. Constantinus, in: RAC III 306–379, bes. 318 ff.

scheidungskampf die Sibyllinischen Bücher befragen ließ,[29] so wurde Konstantin eine Offenbarung zuteil. Nach dem Bericht des Eusebios handelte es sich um eine Vision, deren Bedeutung ihm von Eingeweihten ins Christentum erklärt wurde; »es erfaßte ihn Staunen über die Erscheinung Gottes, die er mit seinen Augen geschaut hatte, und indem er das himmlische Gesicht mit der Auslegung verglich, die ihm geboten wurde, ward er in seiner Gesinnung noch bestärkt, da er die Überzeugung gewann, es sei ihm diese Kenntnis unmittelbar von Gott selber zuteil geworden«.[30] Das interpretierende Dazwischentreten christlicher Priester erfolgte ganz nach dem Stil antiker Orakeldeutung. Diese Repräsentanten des Christentums klärten Konstantin über ihren Gottesglauben auf und es ist höchst bezeichnend, daß sie das Kreuz als Symbol der Unsterblichkeit und als Zeichen des Sieges verstanden, den Christus über den Tod errungen hat.[31] Diese theologisch zutreffende Interpretation des Kreuzes erfährt aber gerade bei Konstantin eine Erweiterung im militärisch-politischen Sinn, wenn es heißt: »Dieses heilbringende Zeichen gebrauchte nun der Kaiser stets als Schutzmittel (ἀμυντηρίῳ) gegen jede Macht, die sich ihm feindlich entgegenstellte, und er befahl, daß das Abbild desselben allen seinen Heeren vorausgetragen werde.«[32] Die Vorstellung vom Kreuz als Siegeszeichen gründet in dem biblischen Glauben an die Überwindung des Satans und des Todes durch Jesus Christus (Kol 2,15; 1 Kor 15,55; Lk 10,18; Offb 5,5 ff). Für Konstantin wird das Zeichen des Kreuzes jedoch zum Unterpfand des militärischen Sieges und zum Abwehrmittel gegen seine Feinde.[33] Zwar ist die Praxis der (apotropäischen?) Bekreuzigung schon von Tertullian († nach 220) bezeugt,[34] aber es ist höchst bemerkenswert, daß hier das christliche Heilszeichen analog den heidnischen Schutzmitteln, sei es auf den Schilden (so Laktanz), sei es auf den Standarten (so Eusebios) angebracht wurde. Der Anstoß zu dieser innerweltlichen Staurologie ging von

---

[29] Lactantius, mort. pers. 44,8: »In diesen fand sich, daß an jenem Tage ein Feind der Römer umkommen werde« (CSEL 27,224).

[30] Eusebios, vita Const. I 32,3 (GCS 7,32).

[31] Eusebios, vita Const. I 32,2: »τὸ δὲ σημεῖον τὸ φανὲν σύμβολον μὲν ἀθανασίας εἶναι, τρόπαιον δ' ὑπάρχειν τῆς κατὰ τοῦ θανάτου νίκης« (GCS 7,31).

[32] Eusebios, vita Const. I 31,3 (GCS 7,31).

[33] Die gleiche Auffassung bestimmt auch die Inschrift, die Konstantin an jenem Kreuz anbringen ließ, das er in Rom zur Erinnerung an seinen Sieg errichtete; es sollte nämlich das Zeichen der Erlösung »Hort des römischen Imperiums und der ganzen kaiserlichen Herrschaft sein« (Eusebios, vita Const. I 40,1 [GCS 7,36]).

[34] Vgl. F. J. Dölger, Beiträge zur Geschichte des Kreuzzeichens I, in: JbAC 1 (1958) 5 ff.

den visionären Erlebnissen Konstantins aus, die ganz in der Tradition antiker religiöser Erfahrungen liegen; sie bilden den Rahmen für die Rezeption des biblisch-christlichen Verkündigungswortes »Kreuz«und der damit gemeinten Aussage. Deshalb markiert die sogenannte Kreuzeserscheinung Konstantins eine Wende nur insofern, als an die Stelle der bisherigen heidnischen Schutzzeichen das Kreuz tritt.[35] Von einer Bekehrung aufgrund des Glaubens an Christus und seine Heilstat wird man kaum sprechen können; die Neuorientierung der Religionspolitik gründet in der Erfahrung der Wirkmacht des Christengottes.

4. Die Anerkennung des Christentums

Das öffentliche Zeugnis Konstantins für das Christentum kann im Grunde nicht darüber hinwegtäuschen, daß er in seiner religiösen Vorstellung letztlich nur das Gottesbild austauschte, auch wenn dieser Vorgang von langer Hand vorbereitet war. Jene Erwartungen, die man bislang auf eine heidnische Gottheit setzte, konzentrieren sich nun auf den Gott der Christen, der ihm auch den Sieg verlieh. Diese Tatsache prägt in der Folgezeit Konstantins Selbstverständnis als Herrscher und seine religionspolitischen Maßnahmen, die darauf abzielen, die Verehrung des Christengottes zu fördern.[36]
Zur rechten Einordnung der konstantinischen Religionspolitik ist es aber nötig, daran zu erinnern, daß bereits Kaiser Galerius auf seinem Sterbelager im Frühjahr 311 ein Toleranzedikt erließ, das den Christen öffentliche Anerkennung gewährte, und zwar mit dem ausdrücklichen Hinweis, daß durch ein Verbot weder den himmlischen Göttern noch dem Gott der Christen die schuldige Verehrung erwiesen würde.[37] Der erste rechtliche Akt, der das Christentum als *religio licita* anerkennt, betrachtet und ordnet es als kultische Gemeinschaft in das religiöse Gefüge des Imperiums

---

35 Wenn der Panegyriker, der im Herbst 313 den Feldzug des Vorjahres verherrlichte, bei Maxentius von »superstitiosa maleficia« sprach, während er das Handeln Konstantins auf »diuina praecepta« zurückführte (Paneg. lat. IX 4,4 [Galletier II 126]), dann ist dies formal gesehen kein Unterschied. Im übrigen hatte Konstantin selbst zu Beginn des kriegerischen Einbruches in Italien die Haruspices befragt (Paneg. lat. IX 2,4 [Galletier II 124]).
36 *H. Kraft* spricht unter dieser Rücksicht von einer Bekehrung Konstantins, insofern eben »nur der christliche Kult dem Willen Gottes entspricht, und daß daher die christliche Kirche von Gott nicht geduldet, sondern gefordert ist« (Konstantins religiöse Entwicklung 24).
37 Eusebios, hist. eccl. VIII 17,9 (GCS 9,2,794).

ein, ganz nach den Traditionen römischer Praxis. Die Maßnahmen, welche Konstantin unmittelbar nach der Schlacht an der Milvischen Brücke zugunsten des Christentums traf, verfolgen die gleiche Absicht, nämlich den Kult jenes Gottes zu fördern, der für ihn »Urheber des Sieges« war.[38]

a) Vor dem Hintergrund dieser Verantwortung ist bereits die erste christenfreundliche Maßnahme des Siegers Konstantin zu sehen, nämlich die Übereignung des ehemaligen Besitzes der Laterani an die römische Gemeinde und die damit verbundene Errichtung der Lateranbasilika.[39] Schon die Weigerung des Triumphators, das Kapitol zu betreten, bedeutete für die Öffentlichkeit eine religiöse Demonstration; sie wurde unterstrichen durch die Kirchenstiftung im Lateran. Die Bemerkung des Eusebios, wonach Konstantin den Kirchen Gottes reiche Unterstützung aus seinen Mitteln gewährte, indem er die Bethäuser vergrößerte oder höher bauen ließ,[40] läßt den eigentümlichen Charakter dieser Munifizenz nicht erkennen. *Ludwig Voelkl* hat die Kirchenstiftungen Konstantins, die bekanntlich im Liber Pontificalis erwähnt werden,[41] mit den *leges templorum* verglichen und deren sakralrechtlichen Hintergrund verdeutlicht. »Für den Kaiser ergab sich daraus die unabdingbare Verpflichtung, den Kult des neuen Gottes sicherzustellen, die für den Kult erforderlichen Bauten zu errichten, sowie durch Subventionen und Privilegien in ihrem Bestand zu sichern.«[42] Bedenkt man zudem, daß Kaiser Konstantin auch nach seiner Hinwendung zum Christentum nicht den heidnisch-sakralen Titel *pontifex maximus* ablegte, dann wird die überkommene Verantwortung für den rechten Vollzug des Kultes vollends deutlich. Aus dem antiken Sakralrecht erklärt sich auch die Redeweise des Eusebios, wonach die Kirchen Gott geweiht werden,[43]

[38] Eusebios, vita Const. I 39,1.3 (GCS 7,36); dazu II 20 f (GCS 7,56 f). Zur religionspolitischen Neuorientierung Konstantins vgl. *J. Vogt*, Zur Frage des christlichen Einflusses auf die Gesetzgebung Konstantins des Großen, in: Festschr. f. L. Wenger II, 1945, 118–148; *A. Ehrhardt*, Constantin d. Gr. Religionspolitik und Gesetzgebung, in: *H. Kraft*, Konstantin der Große 388–456.
[39] Siehe *E. Josi*, Scoperte nella Basilica Constantiniana al Laterano, in: RivAC 11 (1934) 335–358; ferner *L. Voelkl*, Die Konstantinischen Kirchenbauten nach Eusebios, in: RivAC 29 (1953) 49–66; 30 (1954) 99–136.
[40] Eusebios, vita Const. I 42,2 (GCS 7,38); vgl. auch vita Const. II 46,3 (GCS 7,67 f).
[41] Lib. Pont. I 172.
[42] *L. Voelkl*, Die Kirchenstiftungen des Kaisers Konstantin im Lichte des römischen Sakralrechts (Arb.-Gem. f. Forsch. d. Landes Nordrhein-Westfalen, Geisteswiss. 117), Köln-Opladen 1964, 29.
[43] Eusebios, vita Const. III 43,1 (GCS 7,101); III 50 (GCS 7,104 f).

und zwar analog der Übergabe eines Tempels an die betreffende Gottheit. In einem (späteren) Brief Konstantins an Makarios und die übrigen Bischöfe Palästinas heißt es bezüglich einer Kirche bei Mamre, es sei angemessen, »diesen Platz sowohl von jeder Entweihung rein zu bewahren als ihm auch seine ursprüngliche Heiligkeit zurückzugeben, damit auf ihm dem allmächtigen Gott, unserem Erlöser, dem Herrn der Welt, die gebührende Verehrung dargebracht werde«.[44] Mit sakralrechtlichen Kategorien begründet der Brief den Bau einer christlichen Basilika an diesem heiligen Platz, der gleich einem heidnischen Tempel aus der profanen Umgebung ausgegrenzt und dem christlichen Kult vorbehalten wird. Bei der Weihe der Kirche von Tyros im Jahre 312 umschreibt Eusebios diese Konsekration folgendermaßen: »Da walteten unsere Führer der makellosen Bräuche, und die Priester vollbrachten das Opfer«.[45] Wenn man also ein christliches Gotteshaus konsekrierte, dann lebten in diesem religiösen Akt jene Anschauungen weiter, die früher eine Übereignung an die Gottheit demonstrierten. Das Kirchenbauprogramm Konstantins, das mit der Errichtung der Lateranbasilika unmittelbar nach seinem Sieg über Maxentius einsetzte, war getragen von seiner persönlichen Erfahrung mit dem Christengott und der daraus resultierenden Verantwortung für diesen Kult. Sosehr sich die christliche Basilika vom heidnischen Tempel unterscheidet, die sakralrechtlichen Zusammenhänge sind unübersehbar.

b) Über die Verwirklichung des tolerierenden Galerius-Ediktes, die Konstantin wohl noch vor 313 auch vom Herrscher des Ostens, Maximin, forderte, gehen Verfügungen an die Kirche Afrikas hinaus. Aufschlußreicher als die in einem Schreiben an den Prokonsul Anullinus verordnete Wiederherstellung des kirchlichen Besitzstandes[46] ist der Beschluß des Kaisers, »an bestimmte Diener der rechtmäßigen und hochheiligen katholischen Religion (καθολικῆς θρησκείας) Zuschüsse zu ihren Ausgaben zu gewähren«.[47] Die Bemerkung von *Norman H. Baynes:* »Darin

44 Eusebios, vita Const. III 53,4 (GCS 7,107); vgl. *H. Dörries*, Selbstzeugnis 86 ff.
45 Eusebios, hist. eccl. X 3,3 (GCS 9,2,860). Siehe zum Wandel vom profanen Versammlungsraum zum sakralen Kultbau noch *F. W. Deichmann*, Vom Tempel zur Kirche, in: JbAC Erg. Bd. 1 (1964) 52–59.
46 Eusebios, hist. eccl. X 5,15–17 (GCS 9,2,887); *H. Dörries*, Selbstzeugnis 16. Wenn eine private Vermögensrestitution zunächst nicht ins Auge gefaßt wurde, dann erklärt sich dies nicht nur aus finanzpolitischen Schwierigkeiten für den Staat, sondern auch aus dem Interesse Konstantins an der Kirche als religiöser Institution; vgl. *A. Ehrhardt*, Religionspolitik 444 f.
47 Eusebios, hist. eccl. X 6,1 (GCS 9,2,890); *H. Dörries*, Selbstzeugnis 17 f. Die Berichte über

spricht mehr als bloße Toleranz«[48] muß dahin präzisiert werden, daß Konstantin bewußt die Repräsentanten des katholischen Kultes finanziell unterstützen wollte, um die rechte Gottesverehrung sicherzustellen, die er offenbar bei den Donatisten nicht gewährleistet sah.[49] Unmißverständlich spricht Konstantin seine Auffassung in einem weiteren Schreiben an den Prokonsul Anullinus aus, der kein Kirchenmann ist:»Da aus einer Reihe von Tatsachen offenbar ist, daß die Mißachtung der Religion, in der die höchste Ehrfurcht vor der heiligsten, himmlischen Macht gepflegt wird, für den Staat große Gefahren hervorruft, ihre gesetzliche Wiederherstellung und Pflege dagegen dem römischen Namen größtes Glück und in alle menschlichen Verhältnisse durch Wirkung der göttlichen Gnade besonderen Segen gebracht hat, so erschien es gut, sehr geehrter Anullinus, daß jene Männer, die mit der schuldigen Heiligkeit und in Befolgung des Gesetzes ihre Dienste der Pflege der heiligen Religion widmen, Entlohnung für ihre Arbeit empfangen sollen.«[50] Der Text bringt zum Ausdruck, daß zwischen der Wohlfahrt des Staates und der rechten Gottesverehrung ein unablösbarer Zusammenhang besteht; die *salus publica* ist nur gewährleistet, wenn die höchste Macht verehrt wird, entsprechend dem Prinzip des *do ut des*. Nach Eusebios wurzelte diese Überzeugung in Konstantin so tief, daß er Diener Gottes an allen Orten mitführte, wohin er nur kam, da er glaubte, daß auch ihretwegen der von ihnen verehrte Gott ihm hilfreich zur Seite stehe.[51] Diese gegenseitige Abhängigkeit gehört zum Selbstverständnis des Römers.

c) Die Zuordnung von Religion und Staat motivierte darum auch die Privilegien Konstantins zugunsten der christlichen Kleriker, wie sie im gleichen Schreiben verliehen werden. »Es ist darum

Konstantins Wohltätigkeit gegenüber Armen und Bedürftigen (vita Const. I 43) können im Sinne einer christlichen Liebestätigkeit verstanden werden; allerdings bringt Eusebios keine christliche Motivation dafür. Insofern muß man diese kaiserliche Armenfürsorge eher als Ausfluß der Philanthropie werten, die sich besonders zu Zeiten der Regierungsjubiläen zeigte (vita Const. III 22).

[48] N. H. *Baynes*, Konstantin der Große und die christliche Kirche, in: H. *Kraft*, Konstantin der Große 145–174, 153.

[49] H. *Dörries* sagt:»Schwerlich als Parteinahme für die staatlich zuverlässigere katholische Kirche, sondern als Entscheidung für die gesetzmäßige Gottesverehrung ist die kaiserliche Stellungnahme gegenüber den Donatisten zu verstehen« (Selbstzeugnis 17).

[50] Eusebios, hist. eccl. X 7,1 (GCS 9,2,891); H. *Dörries*, Selbstzeugnis 18 f. Siehe C. *Dupont*, Les privilèges des clercs sous Constantin, in: RHE 62 (1967) 729–752.

[51] Eusebios, vita Const. I 42,1 (GCS 7,37). Zur Verantwortung der Kirche siehe im übrigen H. U. *Instinsky*, Die Alte Kirche und das Heil des Staates, München 1963.

mein Wille, daß jene Männer, die innerhalb der dir anvertrauten Provinz in der katholischen Kirche, der Cäcilian vorsteht, ihre Dienste dieser heiligen Religion widmen, und die sie Kleriker zu nennen pflegen, von allen staatlichen Dienstleistungen ein für allemal völlig frei bleiben sollen, damit sie nicht durch einen Irrtum oder ein versehentliches Sakrileg von dem der Gottheit schuldigen Dienst abgehalten werden, sondern ohne alle Beunruhigung nur ihrem eigenen Gesetze Folge leisten. Bringen sie doch sichtlich dadurch, daß sie ihres höchsten Amtes gegenüber der Gottheit walten, unermeßlichen Segen über den Staat.«[52] Die Verleihung der Immunität an die Kleriker der katholischen Kirche erfolgt in der Absicht, jegliche Behinderung der gesetzmäßigen Gottesverehrung auszuschließen. Im Grunde handelt es sich um die Ausweitung von Privilegien, die den heidnischen Priesterkollegien eigen waren, auf die christlichen Diener Gottes. Das Religionsverständnis der heidnischen Antike und deren Auffassung von Kult bestimmt das Verhalten Konstantins gegenüber dem Christentum, näherhin gegenüber den Klerikern. Man muß diesen Sachverhalt betonen, vor allem auch um eine unangemessene Harmonisierung mit der Fürbitte der Christen für den Staat zu vermeiden, die ja von Haus aus gerade nicht als religiöse Leistung und damit als Voraussetzung für das Staatswohl galt.[53] Im übrigen erhält durch diese kultische Sicht des Christentums der Klerus eine entscheidende Funktion; als Träger des Kultes ist er für den Staat die wichtigste Instanz, der gegenüber das Volk zurücktritt. Auch wenn gegenüber der sogenannten »Nobilitierung« des Klerus gewisse Vorbehalte anzumelden sind,[54] so führte die unverkennbare Bevorzugung doch zu einem starken Gefälle innerhalb der spätantiken Gesellschaft.

d) Das überkommene Verständnis von Religion prägt weitgehend auch das Verhalten Konstantins in der Angelegenheit des Donatismus. Nach den Mailänder Vereinbarungen zwischen Konstantin und Licinius im Februar 313, deren Tenor ebenfalls von der

---

[52] Eusebios, hist. eccl. X 7,2 (GCS 9,2,891); vgl. Cod. Theod. XVI 2,1. Hinsichtlich des Wortlautes der Konstitution wird man sicher den Anteil der kaiserlichen Kanzlei berücksichtigen müssen; dies ändert jedoch nichts an der grundsätzlichen Motivation für das Privileg. Vgl. *A. Ehrhardt*, Religionspolitik 443 f.

[53] Siehe *L. Biehl*, Das liturgische Gebet für Kaiser und Reich. Ein Beitrag zur Geschichte des Verhältnisses von Kirche und Staat, Paderborn 1937.

[54] Vgl. *E. Chrysos*, Die angebliche »Nobilitierung« des Klerus durch Kaiser Konstantin den Großen, in: Historia 18 (1969) 119–128.

Wechselwirkung zwischen Gottesverehrung und Staatswohl geprägt ist,[55] wurde der Herrscher des Westens alsbald mit den innerkirchlichen Problemen in den afrikanischen Provinzen konfrontiert. Es scheint bemerkenswert, daß sich zuerst die Donatisten an den Kaiser mit der Bitte wandten, den Streit zu schlichten. Jedenfalls fühlte sich Konstantin dafür zuständig und beauftragte den römischen Bischof Miltiades zusammen mit drei gallischen Bischöfen, die Angelegenheit zu klären.[56] Sowohl in der Petition der Donatisten wie in der förmlichen Bestellung von Richtern *(iudicum datio)* liegt etwas vom Bewußtsein, daß der Kaiser in Sachen der Religion zuständig ist. Dem theologischen Problem, das durch die Donatisten aufgeworfen worden war, vermochte freilich der Herrscher kaum zu folgen. Höchst bezeichnend hierfür ist seine Äußerung in dem Brief an den Vikar von Afrika, namens Celsus (315/316), in dem er sein persönliches Erscheinen ankündigt und dann fortfährt: »Dann werde ich dem Cäcilian und seinen Gegnern durch ein ganz deutliches Urteil zeigen, welche und was für eine Verehrung der höchsten Gottheit zukommt und welche Art Gottesdienst ihr Freude macht ... Die Leute aber, die diese Dinge ins Werk setzen und bewirken, daß dem höchsten Gott nicht mit der ihm gebührenden Verehrung gedient wird, werde ich vernichten und zerschmettern.«[57] Die Androhung Konstantins betrifft nach diesem Text die Anhänger beider Gruppen, und seine Absicht, selbst den richtigen Kult zu bestimmen, zielt zunächst an der strittigen Ekklesiologie vorbei. Primär geht es ihm entsprechend seinem religiösen Konzept um die rechte Gottesverehrung; insofern kann man schwerlich dem Urteil von *Heinz Kraft* beipflichten: »Sein Christentum ist sichtlich fortgeschritten«.[58] Sicher machte Konstantin Fortschritte im Verständnis des Christentums, aber es überrascht, wie sehr für ihn die Strukturen antiker Religiosität bestimmend bleiben; er selbst bekennt dem Beamten Aelafius, er werde erst dann ganz beruhigt sein, wenn alle mit dem gesetzmäßigen Kult der katholischen Kir-

---

[55] Vgl. Lactantius, mort. pers. 48 (CSEL 27,228–233); Eusebios, hist. eccl. X 5,1–14 (GCS 9,2,883–887). Zur Diskussion über das sogenannte »Mailänder Edikt« siehe E. L. *Grasmück*, Coercitio. Staat und Kirche im Donatistenstreit, Bonn 1964, 26 f.

[56] Zum Vorgang und der rechtlichen Tragweite siehe H. U. *Instinsky*, Bischofsstuhl und Kaiserthron, München 1955, 68 ff; E. L. *Grasmück*, Coercitio 26 ff; K. M. *Girardet*, Kaisergericht und Bischofsgericht. Studien zu den Anfängen des Donatistenstreites (313–315) und zum Prozeß des Athanasius von Alexandrien (328–346) (Antiquitas 1,21), Bonn 1975, 26 ff.

[57] H. *Kraft*, Konstantins religiöse Entwicklung 194.

[58] Ebd. 195.

che den heiligsten Gott mit brüderlichem Herzen verehren.[59] Bekanntlich erfüllte sich diese Hoffnung für Konstantin nicht, und diese Erfahrung schärfte zusehends seinen Blick für das eigentümlich Christliche; denn in einem Brief (nach 321) an die Bischöfe und Christen Afrikas erklärt er angesichts des Scheiterns seiner Bemühungen, daß in dieser Welt im Namen Gottes siegen nichts anderes bedeute, als die zügellosen Angriffe der Menschen, die das Volk des ruhigen Gesetzes herausfordern, mit tapferem Herzen zu ertragen.[60] Aber selbst die Berufung auf den Namen Gottes kann kaum verschleiern, daß den Hintergrund dieser Maxime das von der Stoa ins Ethische umgesetzte Ideal der Ataraxia ist.

5. Die religionspolitische Integration

Mit dem Sieg Konstantins über seinen Kontrahenten Licinius im Jahre 324 war der Weg zur Alleinherrschaft und damit zur einheitlichen Religionspolitik frei. Diese differierte allerdings bislang nicht nur wegen der unterschiedlich eingestellten Herrscher; Konstantin selbst tolerierte nach wie vor die religiösen Traditionen des Heidentums, ein Sachverhalt, der vor allem in den Münzprägungen seinen propagandistischen Ausdruck fand.[61] Die unübersehbare Bevorzugung des Christentums, wie es schon 321 in der Erhebung des christlichen Sonntags zum staatlichen Feiertag zum Ausdruck kam,[62] verstärkte sich mit dem Anbruch seiner Universalherrschaft. Wie sehr hierfür Konstantins militärischer Triumph maßgebend war, geht aus einem Schreiben an die östlichen Provinzen nach seinem Sieg über Licinius hervor: »Für die Menschen, die eine richtige und vernünftige Anschauung von Gott haben, war schon immer und von jeher der große und über jeden Zweifel erhabene Unterschied offenbar, der diejenigen, die die ehrwürdige Religion des Christentums genau befolgen, unterscheidet von den Menchen, die sie bekämpft und verachtet wissen wollen. Jetzt aber ist noch mehr durch leuchtende Taten und

---

[59] Optatus Mil., app. III (CSEL 26,206); vgl. *H. Kraft*, Konstantins religiöse Entwicklung 172 ff.
[60] Optatus Mil., app. VIII (CSEL 26,213); vgl. *H. Kraft*, Konstantins religiöse Entwicklung 196 f.
[61] Am längsten hielt sich die Darstellung des Sol invictus auf den Münzprägungen; siehe *H. v. Schoenebeck*, Religionspolitik des Maxentius und Constantin 35 ff.
[62] Cod. Theod. II 8,1; Cod. Iust. III 12,2.

250

glänzende Siege die Unvernunft des Zweifels und die Größe der Macht des allmächtigen Gottes bewiesen. Denn die treu dem verehrungswürdigen Gesetz dienen und nichts von den Geboten aufzulösen wagen, die haben reichlich das Gute und erhalten zu ihren Unternehmungen starke Kraft und gute Hoffnung; die aber in gottloser Gesinnung ihre Vorsätze faßten, bei denen war auch das Ende entsprechend.«[63] Nach dem Schema, wonach die richtige und genaue Gottesverehrung den Erfolg verbürgt, setzt sich der siegreiche Herrscher für das Christentum ein, und zwar nicht nur dadurch, daß er die bisherigen Repressionen zurücknimmt, sondern es auch positiv fördert. Der Kaiser fühlt sich dazu berufen aufgrund seiner Stellung und seines unbestreitbaren Erfolges; aus diesem Sendungsbewußtsein erklärt sich nicht nur sein Bemühen, das Christentum als religiöses Fundament in das Imperium zu integrieren, sondern ebenso die Kirche selbst als »das hochheilige Haus wiederherzustellen«.[64] Gerade der letzte Versuch war angesichts der arianischen Auseinandersetzungen, in denen vehement eine theologische Frage aufgebrochen war, zum Scheitern verurteilt, und zwar nicht zuletzt deshalb, weil sich eine solche Diskussion nur schwer in das »religiöse« Konzept des Christentums einfügen ließ. Wenn immer wieder bemerkt wird, daß Konstantin wie ein Unverständiger diesen Auseinandersetzungen gegenüberstand, dann gründet dies in dem Umstand, daß er das Christentum weitgehend in den Kategorien antiker Religiosität verstand.

Seine Zielvorstellung bringt gut ein Schreiben an den Bischof Alexander und Areios zum Ausdruck, in dem der Kaiser unter Berufung auf Gott, als dessen Diener er sich versteht, erklärt: »Denn da wir, wie gesagt, einen Glauben haben und eine Auffassung von unserer Religion, und da ferner das Gebot des Gesetzes durch seine einzelnen Bestandteile alles zu einer seelischen Gesinnung zusammenschließen will, darf diese Frage, die unter euch eine kleine Meinungsverschiedenheit erregt hat, sich aber nicht auf das Wesen des ganzen Gesetzes bezieht, keinesfalls eine

[63] Eusebios, vita Const. II 24,1–2 (GCS 7,58); *H. Kraft*, Konstantins religiöse Entwicklung 201 ff. Zum Selbstverständnis ist ferner aufschlußreich die Bemerkung im Schreiben an die Bewohner der östlichen Provinzen, vita Const. II 55,1: »Denn unter deiner Führung habe ich die heilbringenden Taten unternommen und durchgeführt. Ich habe mein siegreiches Heer geführt, indem ich dein Siegel überall vorangetragen habe« (GCS 7,70).

[64] Eusebios, vita Const. II 55,2 (GCS 7,70). Die Ekklesiologie von dem »geistigen Haus« (1 Petr 2,5) hat sich hier gewandelt zur Vorstellung vom »heiligen Haus«.

Spaltung oder Trennung bei euch verursachen.«[65] Die theologische Streitfrage, welche sich an den Thesen des Areios entzündet hatte, berührte danach nicht den Kern des christlichen Glaubensbewußtseins, eine Meinung, die aus der Sorge um die rechte Verehrung des einen und höchsten Gottes resultiert; das Verständnis des Glaubens als »Gesetz« ermöglicht es zudem, diese christliche Gottesverehrung den Untertanen kraft religiös-kaiserlicher Autorität vorzuschreiben. Bekanntlich vollzog Konstantin der Große selbst diesen Schritt nicht; trotz gewisser Einschränkungen duldete bzw. bestätigte er noch die Rechte der heidnischen Priesterkollegien.[66] Kaiser Theodosius verfügte aber schließlich mit Gesetz vom 28. Februar 380, daß »alle Völker, die unsere Milde regiert, jene Gottesverehrung üben, die – so sagt der Glaube – der heilige Apostel Petrus den Römern übergeben hat und bis heute lehrt«.[67] Das Verständnis des christlichen Glaubens als »Gesetz« vollendete die Integration der Kirche in das spätantike Imperium, wobei freilich die anhaltende Rückbesinnung auf die biblische Botschaft die Brüchigkeit des Systems offenlegte.

Zusammenfassung

Ohne zu verkennen, daß Kaiser Konstantin auch dem Eigentümlichen des christlichen Glaubens aufgeschlossen war, demonstrieren die Quellen sehr deutlich, daß ihm die biblische Botschaft und die Gemeinschaft der Gläubigen primär »Gesetz« und Kultgemeinschaft war. Nur zögernd werden Einbrüche in sein überliefertes religiöses Schema sichtbar. Angesichts dieses Sachverhalts ist die Redeweise von einem »überzeugten Christen«[68] mit Vorbehalten zu versehen; sein Christentum ist geprägt von der religiösen Tradition der Antike, die allerdings schon seit der Zeit der

---

[65] Eusebios, vita Const. II 71,5 (GCS 7,77). Vgl. zur Interpretation des ganzen Textes *H. Dörries*, Selbstzeugnis 55 ff.

[66] Cod. Theod. XII 1,21. Vgl. *H. Dörries*, Selbstzeugnis 201.

[67] Cod. Theod. XVI 1,2: »Cunctos populos, quos clementiae nostrae regit temperamentum, in tali volumus religione versari, quam divinum Petrum apostolum tradidisse Romanis religio usque ad nunc ab ipso insinuata declarat«. Zu der damit gegebenen Problematik siehe *H. Dörries*, Konstantinische Wende und Glaubensfreiheit, in: Wort und Stunde I. Gesammelte Studien zur Kirchengeschichte des vierten Jahrhunderts, Göttingen 1966, 1–117, bes. 46 ff; *G. Kretschmar*, Der Weg zur Reichskirche, in: Verkündigung und Forschung 13,1 (1968).

[68] *K. Aland*, Die religiöse Haltung Kaiser Konstantins 574.

Apologeten von den Christen rezipiert worden war, freilich mit dem Anspruch: das Christentum ist *vera religio*.

Die Anerkennung des Christentums und seine Integration in das religiös-geistige Gefüge des römischen Imperiums vollzog Konstantin der Große offensichtlich nach seinen eigenen Vorstellungen, die trotz persönlicher Erfahrung weitgehend römischer Tradition entsprachen. Eben als Religion, wenn auch von besonderem Charakter, verlieh er dem Christentum Gleichberechtigung und ordnete es stufenweise dem Staat ein. Während in der vorausgehenden Periode die Diskussion über den religiösen Charakter des Christentums mehr im Bereich theoretischer Argumentation verblieb, erfolgte nun seine rechtliche Etablierung und wirtschaftliche Sicherstellung ganz unter diesem Aspekt. Das Selbstverständnis der Gläubigen, ihr gleichwie geartetes Kirchenbewußtsein, wurde dabei nur unzureichend berücksichtigt; allerdings hatte die apologetische Diskussion der vorausgehenden Zeit einer »religiösen« Interpretation auch in der Kirche den Weg geebnet, so daß der Kaiser relativ leicht das Christentum wie eine Kultgemeinschaft neben anderen behandeln konnte. Von der Tradition antiker Religiosität her gesehen stellt die Neuorientierung der staatlichen Religionspolitik im frühen 4. Jahrhundert eigentlich keinen Bruch dar, sondern die Einbeziehung des Christentums in das überkommene System. Diesen religiösen Impuls wird man Kaiser Konstantin nicht absprechen können, auch wenn sich mit ihm politisches Machtstreben verbindet.[69] Er erklärt andererseits die offenkundige Unzulänglichkeit im Bereich des Biblisch-Christlichen sowie die Diskrepanz auch im religionspolitischen Handeln. Die Religiosität der Antike erweist sich so als übergreifende Klammer für die »konstantinische Wende« und nicht zuletzt als Schlüssel für das Verständnis des ersten »christlichen« Kaisers.

---

[69] *F. Staehelin* urteilt von Konstantin, daß er »religiös unsicher wenn nicht gleichgültig, aber von eisernem Willen und unbändigem Machtstreben erfüllt« war (Constantin der Große und das Christentum, in: Reden und Vorträge, hrsg. v. W. Abt, Basel 1956, 215–247, 247).

Konstantinische Wende und kirchengeschichtliche Kontinuität*

Die Fragestellung »Konstantinische Wende und kirchenge-schichtliche Kontinuität« enthält eine Antinomie, die in der Ge-stalt und im Werk Kaiser Konstantins des Großen (306–337) wur-zelt. Gegen das Prinzip der Kontinuität, das den steten Zusam-menhang von Tradition und Fortschritt zum Ausdruck bringt,[1] steht die Behauptung einer Konstantinischen Wende als der ei-gentümlichen Abkehr der römischen Reichsgewalt von einer überkommenen Religionspolitik und der damit involvierten Be-gegnung von Christentum und Staat. Das Urteil über den viel-schichtigen Fragenkomplex »Konstantin und Kirche« wird in der Tat vielfach gebildet unter dem Gesichtspunkt der Wende.

Fraglos besitzen die Ereignisse zu Beginn des vierten Jahrhun-derts hohe Bedeutung für die Geschichte der Kirche.[2] Der Über-gang von der Verfolgungszeit in die Konstantinische Ära er-scheint auch jedem Betrachter als Wandel; dieser freilich läßt sich unterschiedlich charakterisieren. Während die Spätantike um das historische Geschehen die Legende von der wunderbaren Taufe Konstantins durch Papst Silvester (314–35) webte,[3] sieht die mo-derne Forschung nicht selten darin einen Abfall vom eigentlichen Wesen der Kirche. Mit Nachdruck betont beispielsweise *Johannes Haller* die Diskontinuität der kirchengeschichtlichen Entwicklung, indem er erklärt:»Es war die größte Wandlung, die die Völker der Alten Welt bis heute erlebt haben. Aber kaum minder groß war die Veränderung, die dadurch mit der Kirche vor sich ging. Mit Recht hat man gesagt, daß zwischen der römischen Kirche von

* Aus: Historisches Jahrbuch. Im Auftrag der Görres-Gesellschaft hrsg. von J. Spörl, 82. Jg., Verlag Karl Alber, München-Freiburg 1963, 1–21.
1 Vgl. *H. Aubin*, Zur Frage der historischen Kontinuität im Allgemeinen, in: HZ 168 (1943) 229–262; *G. A. Rein*, Zum Problem der historischen Kontinuität, in: Jahrb. d. Ranke-Ges. (1956) 9–16; *H. de Lubac*, Betrachtung über die Kirche, Graz-Köln 1954, 55–58.
2 *K. Baus*, Von der Urgemeinde zur frühchristlichen Großkirche (Handbuch d. Kirchen-geschichte I, hrsg. v. H. Jedin), Freiburg ³1962, Neudr. 1973, bes. 476–479 (mit Literatur).
3 Siehe *E. Ewig*, Das Bild Constantins des Großen in den ersten Jahrhunderten des abendlän-dischen Mittelalters, in: Hist. Jahrb. 75 (1956) 1–46.

heute und den protestantischen Glaubensgemeinschaften mehr
Verwandtschaft und Zusammenhang bestehe als zwischen der
Kirche vor Konstantin und der nach ihm.«[4] Dieser Gegensatz
prägt sich noch schärfer aus, wenn man ihren Weg seither als eine
Fehlentwicklung beschreibt; in diesem Sinne äußert sich *Rudolf
Hernegger:* »Solange die Kirche in ihrer geschichtlichen Verleiblichung des Evangeliums vom Worte des Herrn und nicht von
Ideologien geleitet war, konnte sie das Böse in ihr erkennen, zu-
rechtweisen und im äußersten Fall entfernen und ausscheiden.
Infolge der falschen, innerweltlichen Kategorien, von denen sie
sich seit Konstantin weithin bestimmen ließ, kann sie das Böse
und Verkehrte, das sich in ihr entfaltete, nicht mehr klar erkennen und darum auch nicht ausscheiden, so daß die Grenzen zwischen Kirche und Welt sich dauernd verwischten und die Kirche
zum Tummelplatz der Welt und der dämonischen Mächte werden konnte.«[5] Ein solches Urteil, dem ohne Schwierigkeiten weitere zur Seite gestellt werden könnten,[6] behauptet nicht mehr
und nicht weniger als einen Bruch in der kirchengeschichtlichen
Entwicklung, der durch die negative Wertung der Epoche *post
Constantinum* erst in voller Schärfe erscheint. Im Schlagwort vom
»Sündenfall« der Kirche findet diese Auffassung summarisch ihren Niederschlag.

So gesehen stellt die Regierungszeit des Kaisers Konstantin des
Großen eine scharfe Zäsur dar zwischen den Jahrhunderten der
Verfolgung und der Zeit der Freiheit, oder pointiert ausgedrückt:
zwischen der Märtyrerkirche und der Machtkirche; auf eine einzige Person drängt sich ein Prozeß von eminenter geschichtlicher
Bedeutsamkeit zusammen, der eine scharfe Grenze zieht zwischen beiden Epochen. Gegenüber einer solchen Periodisierung,
die gern im Zusammenhang mit einer kritischen Diagnose der
irdischen Kirche erfolgt, obliegt der historischen Forschung die
Aufgabe, das Phänomen der Konstantinischen Wende auch auf
dem übergreifenden Hintergrund der geschichtlichen Entfaltung
zu sehen und zu fragen nach möglichen Verbindungslinien.
Wenn sich nämlich hier eine Kontinuität aufzeigen läßt, dann

---

[4] *J. Haller,* Das Papsttum. Idee und Wirklichkeit I, Urach-Stuttgart ²1950, 49.
[5] *R. Hernegger,* Volkskirche oder Kirche der Gläubigen, Nürnberg 1960, 245.
[6] Wohl aus der Erfahrung eines politischen Papsttums klagt bereits Dante (Inferno XIX
115–117): »Ach, Konstantin, wieviel des Unheils streute nicht deine Taufe, vielmehr jene
Schenkung, die euren ersten reichen Vater freute«. Vgl. ferner *P. Giloth,* Kirche an der
Schwelle der Zukunft, in: Hochland 53 (1960/61) 97–106, bes. 101 f.

wird man der verbreiteten Redeweise von einer Konstantinischen Wende nur unter Vorbehalt beipflichten.

Um diesen Sachverhalt zu prüfen, untersuchen wir zunächst die »Bekehrung« des Kaisers Konstantin selbst als eben der Grundlage des Wandels. Sodann wollen wir deren Auswirkung auf die Situation und das Gefüge der Kirche erhellen, um schließlich im Blick auf die Vorgeschichte zwischen Diskontinuität und Kontinuität abzuwägen. Diese Systematisierung zieht bis zu einem gewissen Grad eine Verengung des Aspektes nach sich, sie erfolgt jedoch im Bewußtsein vom Spannungsreichtum gerade dieser Epoche einer Neuorientierung. Ergänzend sei ferner vermerkt, daß es sich hier zunächst um ein kirchengeschichtliches Problem handelt, eben um die Frage nach einem revolutionären Bruch oder um die Möglichkeit ineinanderfließender Übergänge; dahinter tauchen freilich die Umrisse einer Wesensschau der Kirche auf, insofern nämlich ihre gott-menschliche Wirklichkeit berührt wird. *Hugo Rahner* hat diesen Zusammenhang in seinem Artikel zur Konstantinischen Wende nachdrücklich betont.[7] Eine Dramatisierung der Religionspolitik des ersten christlichen Kaisers vereinfacht nicht zuletzt das Problem der Kirche in der Welt;[8] denn wenn sie sich »wie im Traum«[9] der schützenden Obmacht des Staates anvertraute, dann läßt sich manche »Fehlentwicklung« nicht nur leichter entschuldigen, sondern auch unschwer ausscheiden. So besitzt die Frage nach einer Kontinuität der Entwicklung auch ekklesiologisches Gewicht.

Die Quellenlage zum konstantinischen Problemkreis darf man gegenüber den Einwänden von *Henri Grégoire*[10] durchaus positiv beurteilen. *Joseph Vogt* betont nachdrücklich: »Nach mancherlei vorbereitenden Arbeiten können nun die Werke des Laktanz und Eusebius, die Panegyrici, die Briefe, Erlasse und Gesetze Constantins, die bildlichen Darstellungen und die Münzen eine tragfähige Grundlage für die Erforschung des persönlichen Verhältnisses Constantins zum Christentum und für die Erkenntnis der geschichtlichen Auswirkung seiner Politik für die antike Welt und

---

[7] *H. Rahner*, Konstantinische Wende? Eine Reflexion über Kirchengeschichte und Kirchenzukunft, in: StdZ 86 (1960/61) 419–428.

[8] Siehe *H. de Lubac*, Betrachtung über die Kirche 107 ff.

[9] *H. v. Campenhausen*, Ambrosius von Mailand als Kirchenpolitiker (Arb. z. Kirchengesch. 12), Berlin-Leipzig 1929, 221.

[10] *H. Grégoire*, Eusèbe n'est pas l'auteur de la »Vita Constantini« dans sa forme actuelle et Constantin ne s'est pas »converti« en 312, in: Byzantion 13 (1938) 561–583.

für das Christentum abgeben.«[11] Neues Licht auf die religiöse Haltung Konstantins und seiner Politik wirft die Interpretation der verschiedenen Dokumente als Selbstzeugnisse des Kaisers, wie sie von *Hermann Dörries*[12] sowie *Heinz Kraft*[13] unternommen wurde. Die vorhandenen Quellen gestatten jedenfalls, und zwar trotz ihrer unterschiedlichen Qualität, den kirchenpolitischen Wandel unter Konstantin nachzuzeichnen; so unterliegt das Urteil über die eigentümliche Symbiose von Kirche und Staat, vor allem deren Zustandekommen, nicht allein der Kombinationskraft menschlicher Vernunft.

1. Der Weg des Kaisers Konstantin zum Christentum

Der entscheidende Anstoß für den komplexen Vorgang, den man als Konstantinische Wende bezeichnet, geht zweifelsohne von der Person des Kaisers selbst aus, nämlich von seiner Hinwendung zum Christentum.[14] Ganz abgesehen von der zeitlichen Dauer dieses Prozesses hängt vom Verständnis seiner Bekehrungsgeschichte Entscheidendes für die Beurteilung unserer Fragestellung ab. Je nach dem, ob man Konstantins Weg zum Christentum nur als einen Akt staatspolitischer Klugheit betrachtet oder darin auch die Kraft persönlicher Überzeugung wirksam sieht, fällt die Antwort aus; trifft nämlich letzteres zu, dann erhält das gesamte Problem einen größeren Tiefgang. Tatsächlich kann man sich nicht ganz des Eindrucks erwehren, daß die Vorstellung von einer Konstantinischen Wende stark auf dem Urteil gründet, welches *Edward Gibbon*[15] und *Jacob Burckhardt*[16] über den ersten christlichen Kaiser formten, und zwar im Sinne eines politischen Opportunismus, einer berechnenden Taktik ohne echten religiösen Antrieb. In diesem Betracht erscheint Konstantins Handeln als vollendeter Schachzug imperialer Diplomatie, als ein Herum-

---

[11] J. *Vogt*, Art. Constantinus der Große, in: RAC III 306–379, 307. Für die Authentizität setzen sich ferner ein P. *Franchi de' Cavalieri*, Constantiniana (Studi e Testi 171), Città del Vaticano 1953; F. *Vittinghoff*, Eusebius als Verfasser der »Vita Constantini«, in: Rhein. Museum 96 (1953) 330–373.

[12] H. *Dörries*, Das Selbstzeugnis Kaiser Konstantins (AAWG.PH 3,34), Göttingen 1954.

[13] H. *Kraft*, Kaiser Konstantins religiöse Entwicklung (BHTh 20), Tübingen 1955.

[14] Einen Bericht über die umstrittene Frage bringt J. *Vogt*, Die Bekehrung Constantins, in: Relazioni del X Congresso internazionale di Scienze storiche II, Florenz 1955, 375–473.

[15] E. *Gibbon*, The History of the Decline and Fall of the Roman Empire, hrsg. v. J. B. Bury, London 1923.

[16] J. *Burckhardt*, Die Zeit Constantins des Großen, Frankfurt 1954; vgl. ferner E. *Schwartz*, Kaiser Constantin und die christliche Kirche, Leipzig-Berlin 21936.

werfen des Staatssteuers, eben als glatte Wende, der auf seiten der Kirche die Preisgabe ihrer bisherigen Überzeugung entspräche. Der Befund der Quellen indes bietet ein anderes und differenzierteres Bild der geschichtlichen Wirklichkeit.

Die Bekehrung des Kaisers Konstantin pflegt man zu datieren in das Jahr 312, in dem die entscheidende Auseinandersetzung mit seinem Rivalen Maxentius stattfand.[17] Gedrängt von dem Erlebnis einer überirdischen Einwirkung, sei es nun ein Traum oder eine Vision gewesen,[18] vollzieht er unmittelbar vor der Schlacht an der Milvischen Brücke die traditionelle Weihe an den höchsten Gott unter dem ihm geoffenbarten Zeichen und erringt so den Sieg. Das Signum, mit dem die Soldaten in den Kampf zogen, bestand wohl aus einer Verbindung von Kreuz und Sonne;[19] gerade darin kündet sich der Übergang von der bisherigen Überzeugung zur neuen Religion an. Eine Bekehrung im eigentlichen Sinn kann man in diesem Geschehen allerdings noch kaum sehen; denn Konstantin anerkennt damit im Grunde nur die Verehrung des Christengottes. Ja, selbst wenn er unter dem Eindruck der erfahrenen Hilfe nach der Entscheidungsschlacht den christlichen Kult zu fördern beginnt, dann besagt dieses Verhalten noch keineswegs eine grundsätzliche Umkehr, eine Metanoia im biblischen Sinn. So sehr sich hier religionspolitisch ein Wandel anbahnt, stehen die pro-kirchlichen Maßnahmen doch im Zusammenhang der Tradition und damit der Verehrung des höchsten Gottes, nur eben jetzt unter christlichen Vorzeichen.[20] Man wird darum die Bedeutung des Jahres 312 als Wendepunkt in der religiösen Entwicklung Konstantins nicht überschätzen dürfen, zumal seine eigentliche Berührung mit dem Christentum dem Feldzug gegen Maxentius wohl vorausging[21] und andererseits die anschließende Religionspolitik keineswegs eindeutig war.

[17] Vgl. J. Vogt, Die Bedeutung des Jahres 312 für die Religionspolitik Konstantins d. Gr., in: ZKG 61 (1942) 171–190.
[18] Die Berichte des Lactantius, mort. pers. 44, und des Eusebios, vita Const. I 27–32, weichen untereinander stark ab; sie stehen aber nach J. Vogt, Constantinus 322, »auch nicht in unlösbarem Widerspruch«.
[19] Siehe dazu J. Vogt, Constantinus 321–325; H. Kraft, Konstantins religiöse Entwicklung 19, Anm. 1.
[20] Wenn sich H. Dörries, Selbstzeugnis 246 f, auf das Schreiben Konstantins an die Synodalen von Arles und die Rede an die hl. Versammlung stützt, um den »entscheidenden Bruch in seiner Lebensgeschichte« (247) sichtbar zu machen, wird man hinsichtlich der ersten Quelle schon die problematische Authentizität berücksichtigen müssen (vgl. H. Kraft, Konstantins religiöse Entwicklung 183 ff); erst recht gilt dies für die Rede an die hl. Versammlung, wenngleich auch sie konstantinisches Gut enthält (siehe H. Dörries, Selbstzeugnis 129 ff).
[21] Vgl. V. C. De Clercq, Ossius of Cordova, Washington 1954, 149–158.

Für das Verhalten des ersten christlichen Kaisers ist überdies die Tatsache von Belang, daß er die Tradition seines Vaters irgendwie aufnimmt; ja er betrachtet diesen gewissermaßen »als Wegbereiter seiner eigenen Sendung«.[22] Scharf hebt Eusebios die eigenständige Religionspolitik des Constantius heraus, indem er erklärt: »Einzig sein Vater habe den entgegengesetzten Weg eingeschlagen, ihren Irrtum verworfen und Gott selber, den über der Welt thronenden Herrn, in seinem ganzen Leben geehrt und an ihm einen Retter und Schützer des Reiches und einen Spender alles Guten gefunden.«[23] Gewiß verfolgt der Lobredner Konstantins die Tendenz, schon dessen Vater in die Nähe des Christentums zu rücken; darob kann man ihm aber nicht rundweg die Glaubwürdigkeit absprechen, zudem seine Behauptung ohne weiteres zu prüfen war.[24] Offenbar distanzierte sich Constantius von der allgemeinen Religionspolitik der Tetrarchie; zum Teil deshalb, weil in seinem Herrschaftsgebiet die Christen-Frage nicht so akut war, aber wohl auch wegen einer persönlichen Aufgeschlossenheit für die neue Religion. Tatsächlich wissen wir von ihm, daß er die nikomedischen Verfolgungsedikte mit großer Milde durchführte und nur Versammlungshäuser der Christen zerstören ließ;[25] Eusebios berichtet ferner vom christlichen Charakter seines Hofstaates: »Es unterschied sich darum sogar die im Palaste versammelte Schar in nichts von einer Versammlung in der Kirche Gottes; denn es gab darunter auch Diener Gottes, die fortwährend den Gottesdienst für den Kaiser feierten, und dieses geschah einzig bei ihm zu einer Zeit, da bei den übrigen Kaisern dem Volke der Diener Gottes nicht einmal gestattet war, den bloßen Namen Christ zu führen.«[26] Zudem muß man an die Tatsache erinnern, daß von den Töchtern des Constantius eine den christlichen Namen Anastasia trug und eine andere, Constantia, als

[22] H. *Kraft*, Konstantins religiöse Entwicklung 2.
[23] Eusebios, vita Const. I 27,2 (GCS 7,29).
[24] Gegenüber J. *Vogt*, Constantinus 313 f, äußert sich J. *Moreau*, Art. Constantius I, in: JbAC 2 (1959) 158–160, skeptischer hinsichtlich einer christenfreundlichen Haltung dieses Kaisers: »Höchstens kann man dem Constantius den Glauben an einen summus deus zuschreiben, der im Einklang mit der religiösen Bewegung aufgeklärter heidnischer Kreise den klassischen Polytheismus zu überhöhen oder zu überwinden suchte« (S. 159).
[25] Lactantius, mort. pers. 15,7 (CSEL 27,189). H. *Kraft*, Konstantins religiöse Entwicklung 3, Anm. 1, sieht in der Nichtausführung der nikomedischen Edikte das entscheidende Kriterium für die Haltung des Constantius; die von Laktanz erwähnten »conventicula« deutet er als »Versammlungen«.
[26] Eusebios, vita Const. I 17,3 (GCS 7,24 f). Vgl. J. *Vogt*, Heiden und Christen in der Familie Constantins d. Gr., in: Eranion (Festschr. H. Hommel), Tübingen 1961, 148–168.

Gemahlin des Licinius sich frühzeitig zum Christentum bekannte.[27] Mit gutem Grunde darf man darum annehmen, daß Kaiser Constantius der neuen Religion Sympathien entgegenbrachte, die möglicherweise auf einer gewissen Ähnlichkeit mit seiner religiösen Anschauung beruhten.

Konstantins Hinwendung zum Christentum erscheint unter diesen Umständen in den Bahnen familiärer Tradition, als ein Prozeß des Überganges, wie er uns auch in den Bekehrungsgeschichten anderer römischer Familien begegnet.[28] Sein Aufenthalt am Hofe Diokletians hindert ihn nicht, die ihm vom Vater vorgezeichnete Linie aufzunehmen. Er gesteht später selbst seine Anteilnahme an der Verfolgung der Christen, ohne wegen seiner Jugend etwas ändern zu können;[29] und bereits bei seinem Regierungsbeginn (306) ergehen christenfreundliche Maßnahmen.[30] So zeichnet sich trotz aller Zurückhaltung Konstantins in der Religionspolitik die künftige Entwicklung ab, die im Zusammenhang der Generationen keinesfalls so revolutionär wirkt, daß man leichthin einen Umschwung markieren könnte. Die Münzprägungen, die für die Folgezeit allein Auskunft geben über die religiöse Einstellung des Herrschers, lassen eine Abkehr vom Polytheismus erkennen;[31] wenn seit dem Tode des Maximianus *Sol invictus*, der Sonnengott, auf zahlreichen Stücken begegnet, und zwar als Weltherrscher, dann kündet sich darin ein universal-politisches Programm an.[32] Klare Konturen besitzt jedenfalls diese Gottesvorstellung noch nicht; sie ist offen für den christlichen Gottesglauben, aber keineswegs identisch mit ihm.

Sicher bringt die »Kreuzesvision« vor der Entscheidungsschlacht mit Maxentius (312) einen Fortschritt in der religiösen Entwicklung Konstantins; doch die Kombination seines Feldzeichens aus

---

27 Vgl. *H. v. Schoenebeck*, Beiträge zur Religionspolitik des Maxentius und Constantin, Neudr. Aalen 1962, 72 f.

28 Siehe *A. D. Nock*, Art. Bekehrung, in: RAC II 105–118; der allmähliche Übergang vom Heidentum zum Christentum begegnet uns beispielsweise auch in der Familie Augustins.

29 So in seinem Schreiben an die Provinzialen (324); Eusebios, vita Const. II 48–60 (GCS 7, 68–72), abgedruckt bei *H. Kraft*, Konstantins religiöse Entwicklung 208 ff.

30 Lactantius, mort. pers. 24,9 (CSEL 27,201); vgl. Lactance, De la mort des persécuteurs II, (SChr 39,343 f).

31 *J. Maurice*, Numismatique Constantinienne, 3 Bde., Leroux-Paris 1908–12.

32 *H. Kraft*, Konstantins religiöse Entwicklung 14, erklärt hierzu: »Ob ihr eine Bewegung in Konstantins Glauben entspricht, das wissen wir nicht. Denn von seiner persönlichen Religiosität haben wir noch nichts erfahren. Schon vor Konstantin hatten Claudius Gothicus, der ›Ahnherr‹ Konstantins, und Aurelian in ähnlicher Weise versucht, den *Sol invictus* über die anderen Götter zu erheben.«

Kreuz und Sonne offenbart die Kontinuität der religiösen Anschauungen. Die im Gestirn repräsentierte Gottheit, die durch
das Kreuz als christlich ausgewiesen wird, kann auch von den
Gläubigen akzeptiert werden; sie bildet gewissermaßen eine Kon-
stante in der »Bekehrung« des Kaisers. Konstantin selbst scheint
jedenfalls der Meinung zu sein, »den Gott, zu dem er betet, nie
gewechselt zu haben«.[33] Ein ausgeprägtes Sendungsbewußtsein,
getragen vom Glauben an die *summa divinitas*, leitet sein politisches Handeln, und in den errungenen Erfolgen sieht er die Bestätigung für die Richtigkeit des eingeschlagenen Weges. Im übrigen kann der Feldzug gegen Maxentius nicht in Anspruch nehmen, die Sache der Christen im Sinne eines Kreuzzuges zu vertreten; denn der Usurpator ließ gegenüber der neuen Religion
Toleranz walten, so daß ihr durchaus Raum zur Entfaltung
blieb.[34] Wenn Konstantin aber nun den Kampf trotzdem aufnimmt, und zwar auch gegen den Rat der Haruspices, so zeigt
diese Tatsache ein Zwischenstadium seiner religiösen Haltung.
Die Kreuzesvision erscheint so auch mehr als Ausdruck seiner
Hinwendung zum Christentum denn als ihr Anlaß. »Die religiöse
Entwicklung des Kaisers verläuft geradlinig und bruchlos in Richtung zunehmender Verchristlichung.«[35]
Aus der Tradition seiner Familie heraus und erfaßt von einem
starken Sendungsbewußtsein wächst Konstantin in das Christentum hinein. Der Sieg über Maxentius bestärkt ihn in seinem Er-
wählungsglauben, drängt ihn aber auch, die Verehrung des Chri-
stengottes zu fördern. Nach gut römischer Auffassung obliegt gerade der staatlichen Gewalt die Sorge für den Vollzug des rechten
Kultes; überzeugt, daß die Verehrung des Gottes, der ihm den
Sieg verliehen hat, in der christlichen Kirche vollzogen wird, erfolgt deren Begünstigung. Insofern bringt das Jahr 312 tatsächlich
einen Wandel in der Religionspolitik; doch besitzt dieser seine
Vorgeschichte.
Die Konstantinische Wende erweist sich im Hinblick auf ihren
Initiator zunächst als kontinuierlicher Vorgang. *Heinz Kraft* sagt
über den Glaubensweg des ersten christlichen Kaisers Folgendes:
»Die Bekehrung Konstantins, diese lang dauernde Hinwendung
zum christlichen Kult, ist nicht auf einen Zeitpunkt festzulegen,

---

[33] H. Kraft, Konstantins religiöse Entwicklung 16.
[34] Vgl. J. Moreau, Die Christenverfolgung im Römischen Reich, Berlin 1961, 110 f; J. Vogt,
Constantin d. Gr. und sein Jahrhundert, München ²1960, 145–149, 157–161.
[35] H. Kraft, Konstantins religiöse Entwicklung 16; vgl. auch H. Dörries, Selbstzeugnis 245 ff.

sondern dauert über seine ganze Regierungszeit. Sobald wir eine Wendung konstatieren wollen, tragen wir etwas ein, wovon er selbst nichts wußte, und wozu uns nichts berechtigt.«[36] Ein derartiges Hineinwachsen in das Christentum weist keinen plötzlichen Umschlag auf und ebensowenig eine Überrumpelung der Kirche; gerade ihr bleibt genügend Zeit, das Verantwortungsbewußtsein und die ernsthafte Überzeugung des Herrschers zu prüfen. Die Geschichte seiner »Bekehrung« offenbart aber gerade, daß weder machtpolitische Erwägungen noch Buhlerei um die Gunst der Gläubigen seinen Weg zur Kirche eröffnen, sondern ein starkes Berufungsbewußtsein. Damit erscheinen aber die Vorgänge, die man mit dem Schlagwort von der Konstantinischen Wende umreißt, zunächst legitim; das ganze Problem bekommt eine größere Dringlichkeit.

2. Der religionspolitische Ausdruck des Wandels

Die Hinwendung des Kaisers Konstantin zum Christentum äußert sich am nachhaltigsten in seinen religionspolitischen Maßnahmen. Als »Diener Gottes« empfindet er es als wichtige Aufgabe, Gottes Willen im Imperium durchzusetzen;[37] in diesem Bestreben schreitet der Herrscher mehr und mehr in die Kirche hinein, realisiert sich ihr Bund mit dem Imperium. Indes besitzt auch dieser Wandel im Verhältnis von Kirche und Staat seine Vorgeschichte, ebenso wie hierbei verschiedene Faktoren wirksam sind.

Bereits die nachlässige Durchführung der nikomedischen Verfolgungsedikte im Herrschaftsgebiet des Constantius entspringt einer toleranten Haltung gegenüber den Christen. Die erste religionspolitische Maßnahme des jungen Cäsars steht zweifelsohne unter dem Eindruck der Diskrepanz zum Osten. »Nachdem Constantinus Augustus die Herrschaft übernommen hatte«, schreibt Laktanz, »war es für ihn die erste und wichtigste Angelegenheit, den Christen die Ausübung ihrer Religion zu gestatten. Das war seine erste Verordnung, die Wiederherstellung der heiligen Reli-

---

[36] H. *Kraft*, Konstantins religiöse Entwicklung 24.
[37] Die Selbstbezeichnung »Diener Gottes« (Eusebios, vita Const. I 12,2 [GCS 7,21]; u. a.) bringt das eigentümliche Nahverhältnis zwischen Gott und Kaiser zum Ausdruck. Vgl. H. *Dörries*, Selbstzeugnis 256 f.

gion.«[38] Ohne selbst Christ im eigentlichen Sinn zu sein,[39] setzt Konstantin die Duldungspolitik seines Vaters fort und wahrt damit für seinen Reichsteil die Tradition, so wie er auch auf Münzen sein eigenes Bild den Zügen des Vaters angleichen ließ.[40] Im Osten des Reiches flackert inzwischen unter Galerius und Maximin erneut die Verfolgung auf; jedoch stellt sich der erhoffte Erfolg nicht ein. So sieht sich der rangälteste Augustus im Jahre 311 zu einem Duldungserlaß zugunsten der Christen genötigt, welcher »die öffentlich-rechtliche Anerkennung der Christengemeinschaft mit allen damit verbundenen Rechten und Pflichten« einschloß.[41] In diesem denkwürdigen Edikt wird den Christen, und zwar in radikaler Umkehr der bisherigen Politik, die Versammlungsfreiheit zugestanden, sofern sie die öffentliche Ordnung nicht gefährden. Als *religio licita* wird nunmehr die Kirche sogar aufgefordert zum Gebet für Kaiser und Reich. Wenngleich mit dem Erlaß des Galerius die Ära der Verfolgung noch nicht endgültig abgeschlossen war – Maximin fällt später nochmals in diese Methode der Reichsbefriedung zurück –, so schuf er doch das rechtliche Fundament für eine tolerante Religionspolitik im ganzen Reich. *Joseph Vogt* betont nachdrücklich die Bedeutung dieses Entscheides, wenn er sagt: »Das Edikt des Galerius wurde zum Grundgesetz für das Christentum im Reich.«[42] In der Tat hat mit diesem Spruch der getreueste Jünger Diokletians dessen Religionspolitik kassiert und die Basis geschaffen für eine neue Entwicklung.

Angesichts dieses Sachverhalts besitzen die Mailänder Vereinbarungen zwischen Konstantin und Licinius vom Jahre 313 keine umwälzende Bedeutung. In ihnen erfolgt im Grunde nur »eine gesetzesmäßige Verankerung bereits bestehender Verhältnisse«.[43] Diese Abmachungen beinhalten schlicht eine Zusammenfassung dessen, was bereits von Galerius im Ostteil des Reiches, von Maxentius in Italien und Afrika, und schließlich von Kon-

---

[38] Lactantius, mort. pers. 24,9 (CSEL 27,201). Der Kontext macht klar, daß es sich nicht um eines der Edikte von 311 oder 313 handelt; diese Maßnahme erfolgt noch, bevor Galerius Kenntnis von der Erhebung Konstantins hat. Siehe oben Anm. 30.

[39] Jahrelang nennt sich beispielsweise Konstantin noch *cultor Dei*, was allerdings einer *interpretatio christiana* fähig ist; vgl. H. Kraft, Konstantins religiöse Entwicklung 54 f.

[40] J. Vogt, Constantin d. Gr. und sein Jahrhundert 144.

[41] L. Voelkl, Der Kaiser Konstantin, München 1957, 37.

[42] J. Vogt, Constantinus 318; J. Vogt, Art. Christenverfolgung I (historisch), in: RAC II 1159–1208, bes. 1199 f.

[43] L. Voelkl, Konstantin 54.

stantin selbst im eigenen Herrschaftsgebiet entweder »ausdrücklich dekretiert oder stillschweigend geduldet worden war«.[44] Gewiß offenbart sich in diesem Programm, das die Toleranz allen Religionen gegenüber proklamierte, der Wille zu einer großangelegten Staatsreform; auf Grund seiner Erfahrungen kann man jedoch auch diesem Verhalten Konstantins nicht die Folgerichtigkeit absprechen.

Die Beschlüsse von Mailand intendieren über die Duldung hinaus eine weitgehende Förderung der christlichen Kirche, die fraglos auf der Initiative Konstantins beruht.[45] Aus einer positiven Bewertung der christlichen Kirche für den Staat erfolgt die Rückgabe kirchlicher Besitztümer und Versammlungsstätten; die Gemeinden werden als rechtsfähig anerkannt. In den nächsten Jahren setzt sich gerade im Westen der Prozeß der Annäherung fort. Aus der Sorge um die rechte Gottesverehrung verleiht der Kaiser die Immunität an die Kleriker – die Häretiker waren bemerkenswerter Weise davon ausgenommen. Eine Umgestaltung der bestehenden Rechtsordnung bahnt sich in der Übertragung bzw. Anerkennung der bischöflichen Gerichtsbarkeit an; in der Absicht, die Verschleppung von Prozessen zu vermeiden, erhält sie sogar den Vorrang vor der staatlichen. Die persönliche Anteilnahme des Kaisers an den donatistischen Wirren Afrikas bezeugt die Verbundenheit mit der Kirche.[46] Mit der Einführung des Sonntags[47] und gleicherweise in der starken Bautätigkeit[48] zeigt sich, wie sehr die Öffentlichkeit von christlichem Geist erfaßt wird. Konstantin versteht sich im Vollzug dieser Religionspolitik als Vollstrecker des göttlichen Willens.

Neben dieser betonten Förderung des Christentums von seiten des Kaisers behauptet sich jedoch das Heidentum in vielfältigen Formen.[49] Konstantin selbst hält ja an seiner Stellung als *Pontifex*

44 Ebd. 54. Die Richtlinien dieser Vereinbarungen sind ersichtlich aus den Reskripten, die Licinius im Orient erlassen hat.

45 Vgl. H. *Dörries*, Selbstzeugnis 228–232; H. *Kraft*, Konstantins religiöse Entwicklung 68–73; J. *Gaudemet*, L'Église dans l'Empire Romain (IVe–Ve siècles), Paris 1956.

46 W. H. C. *Frend*, The Donatist Church. A Movement of Protest in Roman North Africa, Oxford 1952; J. *Vogt*, Constantinus 330–333.

47 H. *Dörries*, Selbstzeugnis 181 f.

48 J. *Vogt*, Constantinus 367: »Zu den untrüglichsten Zeichen der christlichen Gesinnung Konstantins gehören seine Kirchenbauten«. Vgl. G. *Stuhlfaut*, Um die Kirchenbauten Konstantins des Großen auf Golgatha, in: ZKG 60 (1941) 332–340; L. *Voelkl*, Die konstantinischen Kirchenbauten nach den literarischen Quellen des Okzidents, in: RivAC 30 (1954) 99–136; vgl. ebd. 29 (1953) 49–60.

49 Den entscheidenden Rückhalt findet es offensichtlich im Senat, der den Kaiser auch auf dem Triumphbogen reserviert als Günstling des Sonnengottes feiert.

maximus fest und übt dadurch eine sakrale Funktion aus. In gleicher Weise huldigt er auch geraume Zeit noch der Sonnensymbolik. »In dem für die Öffentlichkeit so wichtigen Bereich der Münztypen hielten sich sogar eine Zeitlang die Bilder der alten Götter. Am längsten behauptete sich Sol Invictus in der repräsentativen Formenwelt des Staates. Hier zeigt sich, wie eng der Sonnengott jetzt noch mit der Herrschaft und dem Haus des Constantin verbunden war; ja es scheint, als ob dieser Gott, in dem die Neuplatoniker den Mittler des höchsten Wesens sahen, dem Kaiser den Zugang zum christlichen Monotheismus erleichtert habe.«[50] Tatsächlich zeigen die Münzprägungen erst seit 317, daß sein Staat »aufgehört hat, ein religiös heidnischer Staat zu sein«.[51] Im selben Zeitraum ergehen mehrere Gesetze, die offenbar machen, daß der Status der Gleichberechtigung sich wandelt in eine Begünstigung der christlichen Religion. Ein strenges Verbot trifft zunächst die private Haruspizin, während andere heidnische Riten in der Öffentlichkeit durchaus dem Vollzug freistehen.[52] Das heidnische Brauchtum im Volke lebt weiter, doch auch in den Ämtern und Staatsbehörden hält sich der Einfluß des Heidentums. Obwohl Konstantins Zuneigung deutlich der Kirche gehört, behaupten sich dessen Kräfte. Die Verchristlichung erweist sich als ein Ringen, das über das ganze Jahrhundert hin währt.

In hohem Maße demonstriert schließlich das Konzil von Nikaia (325) den Fortgang der Entwicklung. Über die Bewältigung der innerkirchlichen und theologischen Probleme hinaus kann man darin eine Selbstdarstellung konstantinischer Religionspolitik überhaupt sehen. »Das Konzil ist ein repräsentativer Staatsakt, aber der Staat, der sich in ihm darstellt, ist die von Konstantin geführte Kirche, das Reich der Zukunft. Dieser Zweck des Konzils kommt nicht zuletzt darin zum Ausdruck, daß es wie ein großer Dankgottesdienst anmutet. Die Kirche ist weniger als Objekt der kaiserlichen Politik angesehen; vielmehr stellt sie – unter Einschluß Konstantins – das Subjekt seiner Politik dar. Seine Erfolge sind unmittelbar ihre Erfolge. Die Gemeinschaft ist an seinem Sieg nicht nur als Nutznießer beteiligt, sondern sein Sieg ist ihr

---

[50] *J. Vogt*, Constantinus 334.

[51] *H. v. Schoenebeck*, Religionspolitik 49. Vgl. auch *H. Lietzmann*, Der Glaube Konstantins des Großen, in: Kleine Schriften I (TU 67), Berlin 1958, 186–201, 199.

[52] *H. Kraft*, Konstantins religiöse Entwicklung 72 f; dazu Cod. Theod. IX 16,1 f, wonach die Eingeweideschau wieder anbefohlen wird bei einem Blitzschlag in ein öffentliches Gebäude.

Sieg.«[53] Deutlich wird hier der Versuch sichtbar, das Reich mit der Christenheit zu identifizieren, und zwar aus dem Glauben, daß die kirchliche Einheit letztlich das Heil des Imperiums verbürge. Der Bund zwischen Kirche und Staat, der so unübersehbar auf dem Konzil von Nikaia demonstriert wird, ersteht nicht aus einem Verfügenwollen des einen Partners über den andern, sondern aus dem Bewußtsein gegenseitiger Zuordnung. Konstantins Bestreben geht dahin, den Frieden der Kirche und damit auch den des Imperiums in göttlichem Auftrag zu sichern.

Selbstredend wirkt sich diese Begegnung mit dem Staat auch im Strukturgefüge der Kirche aus. Die Schenkungen und Privilegien von seiten des Herrschers heben die öffentliche Stellung des Christentums weit über das gleichberechtigte Heidentum hinaus; ja die Kirche selbst paßt sich staatlichen Formen in ihrer Organisation[54] und in ihrem hierarchischen Aufbau[55] an. Vor allem aber ermöglicht dieses Nahverhältnis das Eindringen wesensfremder Elemente in den Raum der Kirche. »Die trennende Frontlinie zwischen Kirche und Staat nach der Wende des Konstantin zum Christentum und in Kraft seiner gleichzeitigen Politik der Reichseinheit wird fast hauchdünn und steht so jedem Durchbruch offen.«[56] Das Christentum unterliegt jedoch in der Folgezeit nicht einfach dieser drohenden Gefahr, und zwar weder im Osten noch im Westen; Athanasios, dessen Widerspruch Konstantin selbst noch erfahren hat, ist nicht der einzige Zeuge dieses Kampfes um die biblische Freiheit.[57] Darum bedeutet auch das Wort von der konstantinischen Machtkirche eine Verzeichnung der geschichtli-

[53] H. Kraft, Konstantins religiöse Entwicklung 99.

[54] So entwickelt sich die kirchliche Territorialorganisation im Anschluß an die staatliche Einteilung; vgl. dazu W. M. Plöchl, Geschichte des Kirchenrechts I, Wien-München 1953, 54 f; ferner K. Lübeck, Reichseinteilung und kirchliche Hierarchie des Orients bis zum Ausgang des 4. Jahrhunderts, Münster 1901; A. Scheuermann, Art. Diözese (Dioikesis), in: RAC III 1053–1062.

[55] Siehe H. W. Beyer – H. Karpp, Art. Bischof, in: RAC II 394–407. Vom 4. Jahrhundert an erhält der Bischof Titel, Insignien und gewisse Vorrechte, die bislang kaiserlichen Beamten vorbehalten waren. Siehe dazu Th. Klauser, Der Ursprung der bischöflichen Insignien und Ehrenrechte, Krefeld ²1952; P. Salmon, Mitra und Stab. Die Pontifikalinsignien im römischen Ritus, Mainz 1960.

[56] H. Rahner, Konstantinische Wende 422.

[57] Siehe dazu H. Rahner, Kirche und Staat im frühen Christentum. Dokumente aus acht Jahrhunderten und ihre Deutung, München 1961; K. Aland, Kaiser und Kirche von Konstantin bis Byzanz, in: Aus der byzant. Arbeit d. Deutschen Demokratischen Republik 1 (1957) 188–212; H. Berkhof, Kirche und Kaiser. Eine Untersuchung der Entstehung der byzantinischen und theokratischen Staatsauffassung im vierten Jahrhundert, übers. v. G. W. Locher, Zollikon-Zürich 1947.

chen Wirklichkeit, ebenso wie das pauschale Urteil von einer Selbstauslieferung oder Preisgabe der Kirche an die schützende Obmacht des Staates.

Überblickt man den Werdegang dieser Symbiose, so stellen wir fest, daß außer der Persönlichkeit Konstantins auch andere Kräfte an ihrem Zustandekommen wirksam waren. Ja der charakteristische Umschlag von der Verfolgungspolitik zur Toleranz gegenüber dem Christentum erfolgt im Osten; das Versagen aller bisherigen Maßnahmen zwingt den rangältesten Augustus, Galerius, auf die Bahnen einer neuen Religionspolitik.[58] Angesichts dieses Tatbestandes müssen wir auch Konstantins Hinwendung zur Kirche im Rahmen des allgemeinen Umdenkens sehen, obgleich er von Anfang an der zukunftsträchtigen Wirklichkeit näher steht. Indes mißdeutet man seine Politik, wenn man sie nur als nüchterne Konsequenz seines realpolitischen Sinnes betrachtet. »Konstantin war Christ, die sich in seiner Epoche vollziehende Entwicklung ist von ihm gewollt und gefördert, und zwar nicht aus politischen Zweckmäßigkeitserwägungen heraus, sondern aus innerer Überzeugung.«[59]

3. Die Voraussetzungen des Wandels auf seiten der Kirche

Aus der überzeugten Hinwendung Kaiser Konstantins zum Christentum und der daraus resultierenden Religionspolitik erwächst ein Bund zwischen Kirche und Staat, in den sich auch die Kirche nicht blindlings begeben hat. Prüft man nämlich die Voraussetzungen einer solchen harmonischen Verbindung, dann zeigt sich mit überraschender Deutlichkeit, daß lange vor Konstantin deren Möglichkeit, ja Angemessenheit von kirchlichen Schriftstellern vertreten wird; es bildete sich nämlich mitten in der Verfolgungszeit eine Art Lehrtradition aus, für die Konstantins Religionspolitik mehr als Erfüllung denn als Wende erscheinen mußte. Schon von daher empfiehlt sich auch Zurückhaltung in einer übertriebenen Idealisierung dieser Epoche. »Im gleichen Maß, mit dem man die Gefährlichkeit der Konstantinischen Wende wertet, muß der

---

[58] Es gibt keine Zeugnisse, die einen etwaigen Einfluß Konstantins auf den kranken Galerius erweisen; vgl. E. Schwartz, Kaiser Constantin und die christliche Kirche 58 f.
[59] K. Aland, Die religiöse Haltung Kaiser Konstantins, in: Studia Patristica I (TU 63), Berlin 1957, 549–600, 600.

Lobpreis auf die vorkonstantinische Freiheit der reinen, noch biblisch denkenden, Märtyrer zeugenden Kirche gesteigert werden.«[60]

Als starken Kontrast erlebt der Christ der konstantinischen Zeit die Einstellung der Verfolgungen. In einer Gewalttätigkeit ohnegleichen ging der römische Staat gegen Kirche und Gläubige vor, um seinen wesentlich religiös orientierten Bestand zu sichern; in Erkenntnis der Nutzlosigkeit wird dieser Kampf aber nach einem letzten Aufflackern zu Beginn des 4. Jahrhunderts aufgegeben. So sehr die Revision der römischen Religionspolitik auch kontrastiert zur Vorzeit, man wird doch warnen müssen vor einer zu grellen Schwarz-Weiß-Malerei. Gerade neuere Untersuchungen haben erwiesen, daß in den Jahrhunderten der Verfolgung auch Friedenspausen lagen.[61] Die Uneinheitlichkeit im Vollzug der Verfolgungsedikte oder gar das Wohlwollen einzelner Herrscher verlangen ein differenziertes und damit vorsichtiges Urteil.

Ein staunenswertes Phänomen bildet nun die Haltung der Christen zum Staat angesichts der Verfolgungen. Gewiß, es fehlt die negativ-apokalyptische Kritik am Reiche keineswegs;[62] mit Entschiedenheit wird jegliche Art von Kaiserverehrung abgelehnt,[63] doch überraschen die zahlreichen Zeugnisse einer Staatsbejahung. So naiv zunächst das Bedauern des Athenagoras anmutet, wenn er dem Kaiser vorhält: »Leider aber erstreckt sich Eure Fürsorge nicht auch auf uns, die sogenannten Christen. Obschon wir kein Unrecht verüben, sondern, wie im Laufe der Rede gezeigt werden soll, sowohl gegen die Gottheit als gegen Eure Herrschaft das pietätvollste, gerechteste Verhalten beobachten, so lasset Ihr doch zu, daß man uns mißhandelt, ausraubt, fortjagt, indem der Pöbel auf den bloßen Namen hin mit uns Krieg führt«;[64] in diesen Worten äußert sich die Erwartung der Christen auf Schutz und Fürsorge von seiten des Herrschers. Zwar fordert hier Athenagoras nur die Gleichberechtigung unter anderen Gruppen, aber es klingt doch klar das Motiv einer positiven Förderung durch den Staat an, das später solches Gewicht bekommen sollte.

---

[60] H. *Rahner*, Konstantinische Wende 420.
[61] Zusammenfassend orientieren J. *Vogt* – H. *Last*, Art. Christenverfolgung (I. historisch, II. juristisch), in: RAC II 1159–1228. Vgl. ferner H. *Grégoire*, Les persécutions dans l'Empire Romain, Bruxelles 1951; J. *Moreau*, Christenverfolgung.
[62] Sie wird gern im Hinblick auf die danielischen Tiervisionen geäußert; so sehr scharf von Hippolytos, de Antichristo 25 (GCS 1,2,17); in Dan. IV 9 (GCS 1,1,206,209).
[63] Vgl. Theophilos, ad. Autol. I 11 (SChr 20,82); siehe auch Anm. 66.
[64] Athenagoras, suppl. 1 (Otto VII 6–9).

Im Verein mit einem solchen Ansinnen steht vor allem bei den Apologeten die Beteuerung der Loyalität gegenüber der staatlichen Obrigkeit. Die Kirche der Märtyrerzeit bezieht weder aus dem Bewußtsein ihrer endzeitlichen Berufung noch aus Protest gegen die Verfolgungsaktionen grundsätzlich Front gegen das Imperium und dessen Machtträger, sondern anerkennt sie als gottgesetzte Autorität; niemals verweigert sie die dem Staat gebührenden Rechte. So erklärt Justin unter Berufung auf die Zinsgroschengeschichte (Mk 12,13–17) mit Nachdruck: »Abgaben und Steuern entrichten wir an die von Euch Kaisern uns vorgesetzten Beamten nach bestem Vermögen; denn so hat es uns Christus gelehrt.«[65] Theophilos von Antiochien verbindet mit seiner Stellungnahme gegen die Anbetung des Kaisers zugleich eine Begründung seiner Autorität: »Du wirst mir also sagen: Warum betest du den Kaiser nicht an? Weil er nicht geschaffen ist, um angebetet, sondern um geehrt zu werden mit rechtmäßiger Ehre; denn er ist nicht Gott, sondern ein Mensch, von Gott bestellt, nicht um angebetet zu werden, sondern um ein gerechter Richter zu sein. Es ist ihm nämlich von Gott gleichsam die Verwaltung anvertraut worden. Auch er duldet ja nicht, daß seine untergeordneten Beamten sich Kaiser nennen, denn Kaiser ist sein Name, und keinem anderen ist es erlaubt, sich so zu nennen; so auch gebührt die Anbetung einzig Gott. Darum bist du im vollen Irrtum, o Mensch! Ehre den Kaiser mit Liebe gegen ihn, sei ihm untertan, bete für ihn! Dadurch nämlich erfüllst du den Willen Gottes. Denn das Gesetz Gottes sagt: ›Ehre Gott und den König, mein Sohn, und sei keinem von beiden ungehorsam; denn schnell werden sie ihre Widersacher zur Strafe ziehen‹ (Spr 24,21 f).«[66] So entschieden hier jegliche Vergottung des Kaisers abgelehnt wird, an seiner einzigartigen Position – es taucht die Idee vom *vicarius Dei* auf – wird nicht gerüttelt. Demgemäß bringt auch der Christ dem Herrscher Anerkennung und Gehorsam entgegen. Bedeutsam für die Argumentation der Apologeten ist der Rückbezug auf die Heilige Schrift; sie begründen ihr Verhalten mit den Weisungen der Offenbarung.[67]
Die staatsbejahende Haltung kommt nicht zuletzt in den Aufrufen zum Ausdruck, für Kaiser und Reich zu beten, auch hier dem

[65] Justin, apol. I 17 (Otto I 54).
[66] Theophilos, ad Autol. I 11 (SChr 20,82). – Loyalitätserklärungen dieser Art finden wir zahlreich in der vorkonstantinischen Kirche; vgl. *H. Rahner*, Kirche und Staat 31 ff.
[67] Bedeutsam für die positive Haltung zum Staat sind vor allem die Ausführungen des Pau-

Mahnwort der Schrift (1 Tim 2,1 f) folgend. Ein herrliches Beispiel eines solchen Fürbittgebetes bietet uns bereits Klemens von Rom (92–101) in seinem Brief an die Gemeinde von Korinth; unbeeindruckt von der domitianischen Verfolgung formt er seine Worte: »Du, Herr, hast ihnen die Königsgewalt gegeben durch deine erhabene und unbeschreibliche Macht, damit wir die von dir ihnen gegebene Herrlichkeit und Ehre anerkennen und uns ihnen unterordnen, keineswegs deinem Willen zuwider; gib ihnen, Herr, Gesundheit, Frieden, Eintracht, Beständigkeit, damit sie die von dir ihnen gegebene Herrschaft untadelig ausüben!«[68] Als allgemeinen Brauch weist Tertullian in seiner Verteidigung des Christentums (um 197) dieses Gebet für die Träger der weltlichen Autorität aus: »Wir beten auch für die Kaiser, für ihre Beamten und die Mächtigen, für den Bestand der Welt, für allgemeine Ruhe, für Aufschub des Endes.«[69] Die Geschicke des Imperiums und seiner Herrscher sind der Kirche nicht gleichgültig; sie nimmt diese hinein in ihr Beten und leistet so dem Staat einen ihr gemäßen Dienst. Die Möglichkeit hierzu eröffnet ihr die grundsätzliche Anerkennung des Imperiums.

Eine neue Sicht des Verhältnisses von Kirche und Staat eröffnet sich in all den Erklärungen, in denen die sozial-politische Funktion der Gemeinschaft der Gläubigen für das Reich betont wird. Über die bloße Anerkennung der staatlichen Autorität hinaus wird hier zukunftweisend einer Symbiose von Kirche und Imperium das Wort geredet, die gut eusebianisch wirkt. »Ihr Kaiser«, schreibt bereits Justin um die Mitte des 2. Jahrhunderts, »habt in der ganzen Welt keine besseren Helfer und Verbündeten zur Aufrechterhaltung der politischen Ordnung als uns Christen!«[70] Die Kirche und ihre Glieder erscheinen als die Faktoren, unter deren Mitwirkung die brüchige Struktur des Reiches zu festigen ist; sie bieten sich an zur politischen Reorganisation des Staates. In kühnen Strichen zeichnet Meliton von Sardes (um 172) die glückbringende Zuordnung beider Größen von Anfang an: »Unsere religiö-

lus, Röm 13,1–7. Den nichtpaulinischen Ursprung dieser Stelle sucht neuerdings zu erweisen E. *Barnikol*, Der nichtpaulinische Ursprung der absoluten Obrigkeitsbejahung von Röm 13,1–7, in: Studien z. Neuen Testament u. zur Patristik, Berlin 1961, 65–133. Im übrigen vgl. O. *Cullmann*, Der Staat im Neuen Testament, Tübingen ²1961.

[68] 1 Klem 61,1 (Fischer 103).
[69] Tertullian, apol. 39,2 (Becker 183). Zu diesem Brauch vgl. L. *Biehl*, Das liturgische Gebet für Kaiser und Reich, Paderborn 1937.
[70] Justin, apol. I 12 (Otto I 36).

se Bewegung erwachte dereinst kräftig im Schoße von Barbaren«, so wendet er sich an Mark Aurel, »reifte unter der ruhmreichen Regierung deines Vorgängers Augustus unter deinen Völkern zur Blüte und brachte vor allem deiner Regierung Glück und Segen. Von da ab nämlich erhob sich die römische Macht zu Größe und Glanz. Ihr ersehnter Herrscher bist du und wirst du sein mit deinem Sohne, soferne du diese Religion, welche zugleich mit dem Reiche groß geworden ist, mit Augustus ihren Anfang genommen hatte und von deinen Vorfahren wie die übrigen Religionen geachtet wurde, beschützest. Daß unsere Religion zugleich mit dem Reiche, das glücklich begonnen hatte, zu dessen Wohle erblühte, ergibt sich am deutlichsten daraus, daß ihm von den Zeiten des Augustus an nichts Schlimmes widerfahren ist, daß es im Gegenteil – wie es aller Wunsch ist – lauter Glanz und Ruhm geerntet hat.«[71] Wenngleich eine solche Geschichtsbetrachtung simplifizierend wirkt, sie enthält eine Zusammenschau von Kirche und Imperium, die eine tiefere Verflechtung geradezu fordert. Aus römischer Denkweise heraus wird hier das doch tatsächlich gespannte Verhältnis korrigiert und vorgestellt; doch erst unter Konstantin setzt sich dieser Entwurf durch. Nahezu visionär schildert Origenes diese Harmonie der Zukunft auf die Frage des Kelsos hin, was wohl geschähe, wenn alle Römer die christliche Religion annähmen: »Gott freut sich über die Einigkeit der vernunftbegabten Wesen und haßt die Uneinigkeit. Wenn nun schon die Verheißung gilt: ›Wo zwei auf Erden in einer Sache einig sind und darum beten, so wird sie ihnen vom Vater der Gerechten im Himmel zuteil werden‹ – so meinen wir: Was darf man dann wohl von der Zeit erwarten, in der nicht mehr nur, wie heute, ein kleines Häuflein in Einheit zusammensteht, sondern das ganze Kaiserreich der Römer? Sie alle würden dann beten zu dem einen Logos, der einst den Hebräern sagte, als man sie in Ägypten verfolgte: ›Der Herr wird für euch streiten, und ihr werdet euch ruhig verhalten.‹ Ja, wenn sie sich alle zu gemeinsamem Gebet vereinten, würden sie viel mehr Feinde und Verfolger vernichten können, als das Gebet des Moses und seiner Gefährten, da sie gemeinsam mit ihm zu Gott riefen.«[72] Unter dem biblischen Gedanken der Einheit deutet hier Origenes die Möglichkeit eines

---

[71] Eusebios, hist. eccl. IV 26 (GCS 9,1,384–386). Vgl. auch *H. Rahner*, Kirche und Staat 33 f.
[72] Origenes, c. Cels. VIII 69 (GCS 3,286); vgl. *H. Rahner*, Kirche und Staat 69. Origenes bezeichnet die Christen in diesem Zusammenhang als Salz der Erde.

künftigen christlichen Imperiums an. Damit setzt keineswegs ein Verfall der Herrschaft ein – Kelsos verweist unmittelbar vorher auf die mißliche Lage der Christen –, sie würde in der Bindung an den einen Logos nur wachsen. Dieses Motiv von der staatsfördernden Bedeutung der Kirche korrespondiert mit dem Gedanken von der propädeutischen Funktion des Reiches für die christliche Mission. So erklärt Origenes: »Gott bereitete die Völker auf seine Lehre vor und machte, daß sie unter die Herrschaft des einen römischen Kaisers kamen; es sollte nicht viele Königreiche geben, sonst wären ja die Völker einander fremd geblieben, und der Vollzug des Auftrages Jesu: ›Gehet hin und lehret alle Völker‹, den er den Aposteln gab, wäre schwieriger gewesen. Es ist klar, daß die Geburt Jesu unter der Regierung des Augustus erfolgte, der die große Mehrzahl der auf Erden lebenden Menschen durch ein einziges Kaiserreich sozusagen ins gleiche gebracht hatte.«[73] Das römische Imperium erscheint hier rundweg als Wegbereiter der Frohbotschaft Christi. Kirche und Staat stehen sich nicht fremd gegenüber, sie sollen sich auch nach Meinung des Origenes harmonisch ergänzen.

Trotz der Verfolgungen zeigt die Kirche in vorkonstantinischer Zeit eine optimistische Offenheit auf den Staat hin. Sie hält mit ihrem Einspruch dort, wo es nötig ist, nicht zurück; doch weist sie auch mit Nachdruck auf ihre grundsätzliche Bereitschaft, mit dem Staat eine harmonische Wirkgemeinschaft einzugehen. Obwohl solche Überlegungen nicht selten unmittelbar an den Kaiser adressiert waren, wissen wir nicht, ob sie ihr Ziel erreichten. Wenn Konstantin jedenfalls Religionspolitik in diesem Sinne treibt, dann kann es zumindest die Christen nicht überraschen; denn das Modell einer solchen Harmonie zwischen Kirche und Staat war schon längst gezeichnet. In Betracht dieses Sachverhalts »ist die Wurzel der Konstantinischen Wende in der grundsätzlichen Bereitschaft der Kirche zu suchen, mit dem Staat zusammenzuarbeiten in der Anerkennung auch der staatlichen Gottgewolltheit und damit der staatlichen Pflicht zum Schutz und zur Förderung der Kirche – wenngleich unter Wahrung der Freiheit des Staates von kirchlicher Ingerenz und der Freiheit der Kirche vor fromm getarnter Beherrschung durch Staatspolitik«.[74] Das religionspolitische Programm, welches Kaiser Konstantin zu ver-

---

[73] Origenes, c. Cels. II 30 (GCS 2,158).
[74] H. *Rahner*, Konstantinische Wende 422.

wirklichen sucht, erscheint auf dem Hintergrund der geläufigen Staatslehre tatsächlich mehr als Erfüllung denn als Wende.

Die unterschiedliche Charakterisierung der Kirche vor und nach Konstantin arbeitet nicht selten mit dem Maßstab einer größeren Nähe zum Evangelium. Es besteht wohl kein Zweifel, daß mit dem Aufhören der Verfolgungen und der Begünstigung von seiten des Staates im Christentum Gefahren akut geworden sind, denen es vordem nicht ausgesetzt war, aber nunmehr erliegt. Doch ähnlich wie im Bereich der theoretischen Besinnung auf das Verhältnis von Kirche und Staat schon vor Konstantin fragwürdige Prinzipien sichtbar werden, so stoßen wir auch in dieser angeblich evangeliennahen Zeit auf kirchliche Entwicklungsstrukturen, die man gern der Wende anlastet. Ein näheres Zusehen nötigt uns jedoch zu einem vorsichtigen Urteil.

Trotz des Bewußtseins ihrer endzeitlichen Transzendenz geht die Kirche auch in der Verfolgungszeit an ihre innerweltliche Aufgabe. Vor allem die unbestreitbaren Friedensperioden ermöglichen es ihr, die kirchliche Organisation auszubauen, und zwar in Anlehnung an staatliche Formen. »Die Christen drangen besonders in den östlichen Ländern zahlreich in die Ämter, in die bürgerlichen Berufe und in den Heeresdienst ein, die Gemeinden stärkten ihren Zusammenhalt und vermehrten ihren Besitz, die Bischöfe der Provinzen hielten ungestört ihre Synoden ab. Lehre und Leistung der Christen wurden im Neuaufbau von Familie, Ehe und Beruf inmitten einer zerrütteten Gesellschaft wirksam.«[75] Die Kirche zieht sich während dieser Jahrhunderte nicht auf eine mystisch-spirituelle Ebene zurück, sondern bildet gemäß ihrem Selbstverständnis auch die sichtbare Ordnungsgestalt aus; sie wird gleichsam zu einem »Staat im Staate«.[76] Andererseits stellt sie ihr Lebenspotential auch der profanen Welt zur Verfügung und trägt so zu deren Erneuerung bei. Von der Beständigkeit und der Dynamik der verfolgten Kirche zeugt das Geständnis des Kaisers Decius nach der Enthauptung des Papstes Fabian (250), das uns Bischof Cyprian überlieferte: »Unverzagt saß Cornelius in Rom auf dem bischöflichen Thron zu einer Zeit, wo ein feindlicher Tyrann viel gelassener und geduldiger die Kunde von der Erhebung eines kaiserlichen Rivalen aufnahm als die Nachricht von der Aufstellung eines Bischofs Gottes in Rom.«[77] Gerade

[75] J. Vogt, Christenverfolgung 1190.
[76] J. Vogt, Constantinus 311.
[77] Cyprian, ep. 55,9 (CSEL 3,1,630); vgl. H. Rahner, Konstantinische Wende 421.

wegen ihrer organisatorischen Struktur erhebt sich das Christentum zum Widerpart des Staates.

Den institutionellen Charakter der Kirche läßt die Tatsache erkennen, daß sie zu gewissen Zeiten eine Art Rechtsfähigkeit besaß.[78] Ein Schreiben des Kaisers Gallienus (260–68) unterrichtete die Bischöfe der katholischen Kirche von einer Verfügung (Reskript) über die Rückgabe der unter Decius (249–51) eingezogenen Kirchengüter: »Möget auch Ihr«, meint der Herrscher, »Euch der Verordnung meines Reskriptes erfreuen, und niemand soll Euch fürderhin belästigen.«[79] Die Möglichkeit, Vermögen zu erwerben oder zu behaupten, erweist das öffentliche Anerkanntsein der Gemeinden ebenso wie das Bestreben nach einer gewissen wirtschaftlichen Fundierung. Ganz abgesehen davon, daß die Verfügung des Gallienus vom Geist der Toleranz diktiert ist, offenbart sie auch das Einsetzen der kirchlichen Eigentumsbildung vor dem 4. Jahrhundert. So sehr unter Konstantin die sichtbaren Strukturen der Kirche entfaltet werden, die Anfänge dieses Prozesses liegen in früherer Zeit; darum trifft gerade im Hinblick auf die Ausbildung des Kirchenwesens das Urteil *Jacob Burckhardts* zu: »Constantin hat hier, wie in der Behandlung des Kirchlichen überhaupt, nicht etwas Neues aus eigener Wahl eingeführt, sondern das auch ohne ihn Vorhandene konstatiert und geregelt.«[80]

Ob schließlich das innerkirchliche Leben die Konstantinische Wende so scharf markiert, daß sie unmittelbar in die Augen fällt, diese Meinung erweist sich bei genauerer Prüfung gleichfalls als fragwürdig. Gewiß, die Märtyrerzeit bleibt immer ein Ruhmesblatt der Kirchengeschichte, und ihr gegenüber bringt der Fortfall persönlichen Risikos in der Glaubensentscheidung allzu leicht Mittelmäßigkeit in die christlichen Gemeinden ein. Doch bedeutet es eine Verzeichnung der historischen Wirklichkeit, wollte man einseitig Halbchristentum, Versagen und Spaltungen der in die Freiheit entlassenen Kirche zuschreiben; denn uns begegnet auch vordem das Ausweichen vor dem Blutzeugnis sowie die Auseinandersetzung über Glaubensfragen (Osterfeststreit, Ketzertaufstreit u. a.). Und die Canones der Synode von Elvira (306)[81] sprechen ungeschminkt davon, daß es auch in der »Gemeinde der

[78] Siehe *G. Krüger*, Die Rechtsstellung der vorkonstantinischen Kirchen, Stuttgart 1935.
[79] Eusebios, hist. eccl. VII 13 (GCS 9,2,666).
[80] *J. Burckhardt*, Die Zeit Constantins 304.
[81] *Ch. Hefele – H. Leclercq*, Histoire des Conciles I 1, Paris 1907, 212–264.

Heiligen« die negativen Elemente auszuscheiden galt. Wie diese Exkommunikation schon vor Konstantin »konstantinisch« vollzogen werden konnte, das illustriert höchst anschaulich das Schicksal des Bischofs Paul von Samosata. Er, der als Bischof von Antiochien und zugleich Statthalter der Königin von Palmyra beträchtliche Macht in seiner Person vereinigte, wich dem wegen seines dynamistischen Monarchianismus ergangenen Urteilsspruch der Synode von 268 keineswegs; »da wandte man sich an Kaiser Aurelian, der durchaus billig entschied in der Frage, indem er befahl, demjenigen das Gotteshaus zu übergeben, mit dem die christlichen Bischöfe Italiens und Roms in schriftlichem Verkehr ständen. Und so wurde der erwähnte Paulus zu seiner größten Schande von der politischen Weltmacht aus der Kirche vertrieben.«[82]

Fassen wir abschließend unsere Überlegungen zusammen, so erhellt, daß der Begriff der Konstantinischen Wende die Begegnung von Christentum und römischem Reich weder formal noch inhaltlich treffend erfaßt; die Kompliziertheit dieses zweifellos hochbedeutsamen Vorganges entzieht sich einer pauschalen Beurteilung. Grundsätzlich läßt sich sagen, daß die Entwicklung der Kirche im vierten Jahrhundert bereits in der vorausgehenden Epoche sichtbar wird; die geistige Aufbereitung, und zwar trotz der vorhandenen Distanz, zu einem Bündnis mit dem Staat sowie das Erscheinungsbild der Kirche in der Verfolgungszeit machen deutlich, daß die Wurzeln des sogenannten Konstantinischen Zeitalters tiefer reichen, und insofern besitzt »die durch Kaiser Konstantin herbeigeführte Annäherung zwischen christlicher Religion und römischer Staatsmacht nicht den umstürzend revolutionären Charakter, der ihr zuweilen zugeschrieben wird«.[83]

Mit der Anerkenntnis einer Kontinuität in dem Übergangsprozeß von der vermeintlichen Kirche des Evangeliums zu der des Reiches – ob Theodosius der Große (379–95) oder Justinian (527–65) sie letztlich statuieren, ist schwer zu entscheiden – wird freilich das Problem dringlicher.[84] Wir stoßen auf die Frage nach dem Wesen der Kirche selbst, an dessen Schau sich die Geister scheiden werden. Doch gleichgültig, von welchem Standpunkt aus

[82] Eusebios, hist. eccl. VII 30 (GCS 9,2,714).
[83] K. Baus, Von der Urgemeinde zur frühchristlichen Großkirche 476 f.
[84] Siehe H. Lietzmann, Die Anfänge des Problems Kirche und Staat, in: Kleine Schriften I. Studien zur spätantiken Religionsgeschichte, hrsg. v. K. Aland (TU 67), Berlin 1958, 202–214.

man die Tragweite der Begegnung von Kirche und Staat beurteilt, man kann den historischen Verlauf nicht ignorieren; und dieser bestätigt ein redliches Mühen um eine Lösung, freilich auf dem Hintergrund antiker Denkweise. Mit der Herstellung der Einheit ist freilich das Problem nicht endgültig gelöst, die Stimmen des Unbehagens in der Konstantinischen Epoche zeugen auch nunmehr vom lebendigen Spannungsverhältnis.

Krisen der frühen Kirche als Probleme der Kirchengeschichte*

Eine Einladung, über Krisen der frühen Kirche zu sprechen,[1] stellt an den Historiker schwer zu erfüllende Aufgaben, und zwar nicht nur deshalb, weil über geschichtliche Vorgänge das Urteil weitgehend schwankt, sondern vor allem wegen der eigentümlichen Bedeutungsvariabilität der Kategorie »Krise«. Diese Unschärfe des Begriffs fördert keineswegs die Absicht historischer Arbeitsweise, Fakten der Vergangenheit adäquat in ihren Voraussetzungen und in ihrer Tragweite zu verdeutlichen, sie verrät eher seinen Schlagwortcharakter, der es erlaubt, differenzierende Sachverhalte zu kaschieren, wenn nicht gar sie in ein bestimmtes Vorstellungsschema zu pressen. Wenn sich jedoch die Geschichtswissenschaft und somit auch die Kirchengeschichte verpflichtet weiß, die Vergangenheit, so »wie sie war«, zu erhellen, dann ist die geläufige Redeweise von »Krisen« in der Geschichte selbst kritisch zu überprüfen.[2]

Das Lehnwort »Krise« stammt mit den parallelen Begriffen »Krisis«, »Kritik« von einer griechischen Wurzel. Das Verbum κρίνειν bedeutet scheiden, trennen, sichten, beurteilen, untersuchen, anklagen und dementsprechend das Substantiv κρίσις Streit, Auswahl, Richten, Entscheidung.[3] Die ursprüngliche Bedeutungsbreite ist gegenüber modernem Sprachgebrauch also weiter, obwohl der forensische Aspekt offensichtlich im Vordergrund steht. Jedenfalls bringt auch das Neue Testament mit κρίσις vorwiegend den Gerichtsgedanken zum Ausdruck, und in der patristischen Literatur hat sich diese Bedeutung ebenfalls erhalten. In

---

* Aus: Historisches Jahrbuch. Im Auftrag der Görres-Gesellschaft hrsg. von J. Spörl, 92. Jg., Verlag Karl Alber, München-Freiburg 1972, 1–18.

1 Etwas erweiterte Fassung eines Vortrags auf der Generalversammlung der Görres-Gesellschaft vom 2. bis 6. Oktober 1971 in Nürnberg.

2 *W. Bauer* hebt in seinen Ausführungen über die Sprache als Ausdrucksmittel der Geschichtswissenschaft mit Recht hervor, daß Schlagworte besondere Akzente setzen können (Einführung in das Studium der Geschichte, Frankfurt a. M. ²1961, 352 ff).

3 Siehe *H. Stephanus*, Thesaurus Graecae Linguae V 1976–1979; *F. Bücherl*, Art. κρίνω κτλ., in: ThWNT III 920–955.

der modernen Umgangssprache engte man den Wortsinn auf eine Gefahrensituation ein, die einen schlechten Ausgang erwarten läßt; vor allem im medizinischen Bereich hat sich diese Redeweise eingebürgert und in dieser negativen Sicht nachgerade inflationäre Verbreitung gefunden. So pflegt man eben nicht nur von der Krise einer Krankheit zu sprechen, sondern ebenso von Krisen in der Wirtschaft, von Krisen in der Politik und natürlich auch von Krisen der Kirche.[4]

Die Anwendung des Schlagworts auf geschichtliche Vorgänge impliziert ebenfalls ein Urteil, das bestimmt wird von der Norm einer als »gesund« vorausgesetzten und erachteten Geschichte. So spricht man beispielsweise von einer Krise der alten Welt, die den Niedergang des Imperium Romanum wie eine Krankengeschichte versteht. *Franz Altheim* bewegt sich in diesen Bildern, wenn er schreibt: »Denn in solcher Spätzeit zeichnet sich eine Krise gleich einer schweren Krankheit auf dem Reichskörper ein, und jede neue Krise vertieft die Spuren der vorausgegangenen. Wie Krankheiten Abbilder des Todes, so sind es jetzt die Krisen. Sie sind gespenstische Vorwegnahmen des Untergangs, der kommen wird und kommen muß. Auch eine überwundene Krise führt stets einen Schritt weiter dem Ende entgegen.«[5] Es ist die Nomenklatur eines biologischen Exitus, die uns hier begegnet und weitgehend auf die Phänomene der spätantiken Kultur, Kunst und Religionen übertragen wird. Der Kanon des »Klassischen« tat ein übriges, die Epoche der Spätantike auf weite Strecken zu diskreditieren und nach entsprechenden Kriterien zu beurteilen.

Die Zeugnisse der frühchristlichen Kunst fanden unter diesem Aspekt z. B. lange kein besonderes Interesse der »klassischen« Archäologie, und selbst die Geschichte der alten Kirche wird gerne vor dem Hintergrund eines allgemeinen Niedergangs beschrieben, der nicht zuletzt das religiöse Leben dieser Periode

---

[4] Aus den vielen Stimmen, welche die Krise des Christentums in der Gegenwart beschwören, sei nur *D. v. Hildebrand* genannt, der »die gegenwärtige Krise als die schwerste in der ganzen Geschichte der Kirche« betrachtet (Das trojanische Pferd in der Stadt Gottes, Regensburg 1969, 27). Vgl. auch den Beitrag: Krise der Kirche oder Krise des Glaubens? in: Herder Korrespondenz 23 (1969) 1–5.

[5] *F. Altheim*, Niedergang der alten Welt. Eine Untersuchung der Ursachen, Bd. II, Frankfurt 1952, 3; vgl. *F. Altheim*, Spätantike als Problem, in: Zur Frage der Periodengrenze zwischen Altertum und Mittelalter, hrsg. v. P. E. Hübinger, Darmstadt 1969, 114–144. Einen großen Einfluß auf diese Sicht übte der englische Geschichtsschreiber *E. Gibbon* (1737–1794) aus mit seiner sechsbändigen History of the Decline and Fall of the Roman Empire, hrsg. v. J. B. Bury, London 1923.

kennzeichnet. »Es ist leicht zu zeigen, und es ist oft dargelegt worden«, schreibt *Walther Eltester*, »von wie großer, ja geradezu providentieller Bedeutung diese innere Krise des antiken Menschen für das Christentum gewesen ist. Bot sie doch den Anknüpfungspunkt für seine Mission und baute sie die Brücke, auf welcher die allem Hellenischen ursprünglich so fremdartigen Künder der Sündhaftigkeit alles Menschlichen und der erkennenden Liebe Gottes in die griechisch-römische Welt hinüberdringen konnten.«[6] Nun besteht kein Zweifel, daß während des 3. nachchristlichen Jahrhunderts das römische Reich militärisch und wirtschaftlich schweren Belastungen ausgesetzt war und auch die geistig-religiösen Verhältnisse gegenüber der Republik ein anderes Bild bieten. Ob freilich der Aufstieg des Christentums mit der Vorstellung von der Krise hellenistischer Religiosität zutreffend erfaßt ist, bleibt eine offene Frage, zumal wir gleichzeitig auch innerhalb der Kirche Symptome von »Krisen« beobachten können. Das Bild vom Wachstum christlicher Gemeinden angesichts einer dem Verfall zusteuernden Umwelt verrät ein Klischeedenken, das weder dem sogenannten Heidentum noch dem kirchlichen Selbstverständnis gerecht wird. Damit wird offenkundig, daß die Vokabel »Krise«, so anschaulich sie geschichtliche Tatbestände zu akzentuieren vermag, relativ leicht zu Verzeichnungen führt.[7] Und der Umstand, daß praktisch jedes Jahrhundert der Geschichte der Kirche schon als krisenhaft betrachtet wurde, wie eine kursorische Durchsicht einschlägiger Handbücher bestätigt, erleichtert gewiß nicht die historische Analyse der Vergangenheit.

Die Anwendung der Kategorie »Krise« auf die Geschichte der Kirche nach dem Vorbild der medizinischen Indikation konvergiert

---

6 W. *Eltester*, Die Krisis der alten Welt und das Christentum, in: ZNW 42 (1949) 1–19, 6. Diese Auffassung ist weitgehend von der gängigen Forschung übernommen worden, wie uns die Darstellung von K. *Baus* bestätigt, der im Hinblick auf die altrömische Religion sagt: »An ihre Stelle trat ein weitreichender Synkretismus, der zwar jedem religiös Suchenden etwas bieten wollte, aber selber arm war an religiöser Substanz und darum im Grunde eine Schwächung der früheren religiösen Kräfte darstellte. In diesen sich entleerenden Raum konnte das Christentum vorstoßen und traf mit seinem Anspruch, inmitten dieses religiösen Wirrwarrs die absolute Wahrheit und zugleich das ›Neue‹, Zukunftsträchtige zu bieten, auf eine hohe Ansprechbarkeit der antiken Bevölkerung« (Von der Urgemeinde zur frühchristlichen Großkirche [Handb. d. Kirchengesch. I, hrsg. v. H. Jedin, Freiburg ³1962, Neudr. 1973], 413).

7 Zu einem differenzierten Gebrauch des Begriffs »Krise« hinsichtlich der Situation des römischen Imperiums während des 3. Jahrhunderts kommt auch J. *Moreau*, Krise und Verfall. Das dritte Jahrhundert n. Chr. als historisches Problem, in: Scripta Minora, hrsg. v. W. Schmitthenner, Heidelberg 1964, 26–41.

vielfach mit einem organologischen Kirchenbegriff. Das Bildwort vom »Leib Christi«, das in den paulinischen Aussagen (1 Kor 12,12.14–26; Röm 12,4 f) die Zuordnung der verschiedenen Gnadengaben zu einer Wirkeinheit ausdrückt, läßt sich leicht mit der Redeweise von der »Krise« verbinden, um so bestimmte Gefahrensituationen zu signalisieren. Über *Johann Adam Möhler* hat das organologische Kirchenverständnis in die katholische Kirchengeschichtsschreibung Eingang gefunden[8] und in der Enzyklika Pius' XII. *Mystici Corporis* (1943) ihren pointierten Ausdruck erfahren.[9] Es ist nur folgerichtig, unter diesen Voraussetzungen von »Wachstumskrisen« zu sprechen oder die Krise der Gegenwart als »Symptome des Zerfalls und eines Auseinanderbrechens« zu betrachten.[10] Im Hintergrund steht jedenfalls die Vorstellung einer Kirche, die trotz Betonung ihrer übernatürlichen Dimension eine recht naturhafte Größe darstellt und den Gesetzen des Reifens und Entwickelns unterliegt; vorausgesetzt wird zudem ein bestimmtes Erscheinungsbild der Kirche als »gesunde« Norm, an dem sich die »Krise« messen läßt. Gewiß vermag eine solche Sicht Umbrüche und Wandlungen in der Geschichte der Kirche zu diagnostizieren; aber in ihrer Abhängigkeit von einem mehr oder weniger zutreffenden Leitbild steht sie in der Gefahr, eher Urteile zu fällen als geschichtliche Vorgänge angemessen zu analysieren. Durch das Anlegen des Entwicklungsschemas kommen zudem Probleme der Kirchengeschichte oft gar nicht in den Blick, ein Umstand, der den Unterschied konfessioneller Historiographie illustriert. Das jeweils vorausgesetzte »Wesen« der Kirche entscheidet praktisch über die Annahme einer Krise, so daß es nicht überrascht, wenn über die gleichen historischen Tatbestände zwischen orthodoxen, reformatorischen und katholischen Kirchenhistorikern Meinungsverschiedenheiten entstehen. Wenn schließlich die Redeweise von den Krisen der Kirchengeschichte oft recht selbstverständlich das Überleben der Kirche präsumiert, da die eigentliche Krisis, das Endgericht, nicht mehr der Bestandsaufnahme des Historikers unterliegt, drängt sich vor allem im Hinblick auf die Gegenwart der Eindruck auf, als solle die Beschwörung einer Krise den notwendigen Entscheid suspendieren. Gewiß vermag die Analogie von Krisen modellhaft Verhaltenswei-

---

[8] Vgl. *P. Stockmeier*, Kirchengeschichte in der Katholischen Tübinger Schule, in: Kirchengeschichte heute, hrsg. v. R. Kottje, Trier 1970, 95–113.

[9] Man vgl. dort die Ausführungen über die Menschlichkeiten in der Kirche (64).

[10] So *W. Sandfuchs*, Wege aus der Krise?, Würzburg 1970, 8.

sen herauszuarbeiten und vielleicht auch Hoffnungen zu geben. Aber es kann weder Aufgabe des Kirchenhistorikers sein, Konsolationsliteratur zu schreiben noch apologetische Beweise für die Unüberwindlichkeit der Kirche zu liefern, sondern die Einzigartigkeit und Unwiederholbarkeit jedes geschichtlichen Ereignisses zu erhellen;[11] um deren Problematik ganz zu erfassen, scheint das Herantragen der Kategorie »Krise« die geschichtliche Einsicht eher zu verstellen als zu fördern. Wenn wir uns im folgenden dennoch von der gängigen Redeweise und ihrer Anwendung auf bestimmte kirchengeschichtliche Situationen leiten lassen, so geschieht es deshalb, um die Fragwürdigkeit einer solchen Charakterisierung angesichts der tatsächlichen Probleme aufzuzeigen. Der eilfertige Gebrauch des Schlagworts »Krise« verleitet offensichtlich zu terribles simplifications, die schon durch den Rückgriff auf den ursprünglichen Wortsinn vermindert werden können.[12]

1. Die Erfahrung der Geschichte

Mit unterschiedlicher Aufmerksamkeit wenden sich die Kirchenhistoriker jenem Verhalten zu, mit dem die Gläubigen der ersten und zweiten Generation auf die Tatsache reagierten, daß sich die Parusie des Herrn verzögerte. Die nachösterliche Gemeinde war von der Überzeugung getragen, daß die Welt vor ihrem Ende steht, auch wenn die große θλῖψις (Mk 13,14 ff) noch dazwischenkommt. Von dieser Erwartung her ist die allgemeine Paränese, vor allem in den Aufrufen zur Wachsamkeit geprägt (Röm 13,11 f; Phil 4,5); sie formt das liturgische Beten, wie uns der ara-

---

11 Zu den im Rahmen kirchengeschichtlicher Betrachtungen gerne berufenen Analogien vgl. *Th. Schieder*, Möglichkeiten und Grenzen vergleichender Methoden in der Geschichtswissenschaft, in: HZ 200 (1965) 529–551. Aus der jeweiligen Gegenwartssituation behandeln geschichtliche Krisen *H. v. Soden*, Die Krise der Kirche, in: Urchristentum und Geschichte. Gesammelte Aufsätze und Vorträge I. Grundsätzliches und Neutestamentliches, hrsg. v. H. v. Campenhausen, Tübingen 1951, 25–55; *E. Przywara*, Katholische Krise, hrsg. v. B. Gertz, Düsseldorf 1967; *W. Nestle*, Die Krisis des Christentums. Ihre Ursachen, ihr Werden und ihre Bedeutung, Neudr.: Aalen 1969; *H. Tüchle*, Zuversicht aus der Geschichte, in: Wege aus der Krise 29–40.

12 Bemüht um dieses Verständnis schreibt *G. Schiwy*: »Die Krisen, die augenblicklich sowohl die christlichen Institutionen wie das christliche Selbstverständnis erschüttern, rühren nicht her von einem Zuviel an Kritik, sondern von einem Zuwenig – unter der Voraussetzung, daß Kritik verstanden wird als Krisis im biblischen Sinn« (Christentum als Krisis, Würzburg 1971, 7).

Did 10,6), und Paulus hofft, die Parusie selbst noch zu erleben
(1 Thess 4,15 ff; 1 Kor 15,52); Auch wenn die Christen ihre Parusieerwartung auf den erhöhten Herrn konzentrierten und damit
der phantastischen Apokalyptik der Umwelt entsagten, bedeutete das Ausbleiben dieses Geschehens eine starke Belastung. Es
erschien weder der Menschensohn auf den Wolken des Himmels
(Dan 7,13),[13] noch blieb ihnen der leibliche Tod erspart, so daß
sich ihnen die Erfahrung der Geschichte mit Nachdruck auf-
drängte. Ihr konnte man auch nicht halbwegs mit der johanneischen Formel des »in der Welt – aber nicht von der Welt« (Joh
17,12 ff) ausweichen, sondern man suchte sie durch theologische
Interpretation und konkrete Maßnahmen in der Gemeinde zu bewältigen.[14] Fraglos verankerte die urchristliche Verkündigung
den Glauben in der Person und in dem Geschehen Jesu von Nazaret (Apg 2,14–36), und insofern betrachtete sich die älteste Gemeinde schon als geschichtlich. Damit war freilich noch nicht ihre
Weiterexistenz in Zeit und Geschichte vorausgesetzt; diese wurde
eben erfahren.

Das Erlebnis dieser Verzögerung hallt in den frühchristlichen Texten nach, wenn etwa 1 Klem 23,3 der Einwand der Zweifler wie-
dergegeben wird: »Dies hörten wir auch zur Zeit unserer Väter,
und siehe, wir sind alt geworden und nichts davon ist uns widerfahren.«[15] Auch 2 Petr 3,4 berichtet von der spöttischen Replik:
»Seitdem die Väter entschliefen, bleibt ja alles so wie seit Anfang
der Schöpfung.« Mit den Vätern ist offensichtlich die vorausgehende Generation gemeint, so daß dem kritischen Einspruch eine
geraume Zeit der Erfahrung zugrunde liegt. So sehr die Verkündigung Jesu eine eschatologische Existenz aus dem Glauben be-
gründete und dadurch eine Spannung zum konkreten Leben er-
zeugte, – man wird gerade aus diesen Äußerungen den Einspruch aus der Erfahrung der Geschichte berücksichtigen müssen.

Es ist bekannt, daß die konsequent eschatologische Schule, und
zwar nicht erst seit *Albert Schweitzer*, in dieser Enttäuschung über

---

[13] Zur Aktualität dieses Motivs in der Jerusalemer Urgemeinde vgl. den Bericht Hegesipps in
der Kirchengeschichte Eusebs (II 23,12–15).
[14] Zum Wandel des eschatologischen Verständnisses in dieser Periode siehe *O. Knoch*, Eigenart und Bedeutung der Eschatologie im theologischen Aufriß des ersten Clemensbriefes
(Theophaneia 17), Bonn 1964.
[15] Siehe ebd. 110 ff.

das Ausbleiben der Parusie die Ursache für eine tiefgehende Krisis des Urchristentums sah, die zur Ausbildung der geschichtlichen Strukturen der Kirche führte.[16] Den Ausbau der Organisation, die Entstehung des Dogmas, Sakramentalismus und Kanon sieht man in dieser durch die Verzögerung der Parusie ausgelösten Krise begründet; gerade in diesem Zusammenhang wird auch von einem Frühkatholizismus gesprochen.[17] Von den neutestamentlichen Quellen her wurde die Berechtigung der konsequent eschatologischen These in Zweifel gezogen, nicht zuletzt in Erkenntnis der präsentischen Eschatologie.[18] Insofern scheint auch die Kennzeichnung dieser Übergangsperiode als Krise ins tatsächliche Geschehen Akzente hineinzutragen, die durch die spärlichen Nachrichten über die gewiß vorhandene Enttäuschung kaum angemessen sind. Sie rechtfertigen auch nicht die Annahme eines Zerfalls in den Gemeinden, der nur durch den Ausbau der sogenannten frühkatholischen Strukturen hätte bewältigt werden können. Das Schlagwort »Krise« diagnostiziert für die apostolisch-nachapostolische Epoche einen Zustand der Gefahr, dessen Überwindung angeblich Formkräfte freisetzte, die für das geschichtliche Erscheinungsbild der Kirche bestimmend blieben. Tatsächlich läßt sich nicht ignorieren, daß mit dem Ausbleiben der Parusie für die Christen der zweiten und dritten Generation eine Situation entstand, die theoretisch und praktisch bewältigt werden mußte. Es fragt sich freilich, ob mit ihrer Kennzeichnung als Krise die historische Wirklichkeit zutreffend umschrieben ist, ganz abgesehen von den aus der statuierten Krise resultierenden Folgen für die Kirche.

Während nun in der evangelischen Forschung – motiviert durch den reformatorischen Ansatz – die Verzögerung der Parusie als kirchengeschichtliches Phänomen intensiv erörtert wurde, überrascht – abgesehen vom neutestamentlichen Bereich – die Abstinenz der katholischen Kirchenhistoriker in dieser Frage. Mit relativer Unbekümmertheit pflegt man in ihren Reihen eine gerade,

---

16 *A. Schweitzer*, Geschichte der Leben-Jesu-Forschung, Tübingen [2]1913; *M. Werner*, Die Entstehung des christlichen Dogmas. Problemgeschichtlich dargestellt, Stuttgart 1959.

17 Zum Grundsätzlichen siehe *H. Küng*, Der Frühkatholizismus im NT als kontroverstheologisches Problem, in: Kirche im Konzil, Freiburg i. Br. [2]1964, 125–155. Wie im 1. Klemensbrief einschlägige Traditionen verarbeitet werden, weist nach *K. Beyschlag*, Clemens Romanus und der Frühkatholizismus (BHTh 35), Tübingen 1966.

18 Eine knappe Zusammenfassung der Argumentation bei *J. Schierse*, Art. Eschatologismus, in: LThK[2] III 1098 f; *L. Goppelt*, Die apostolische und nachapostolische Zeit (Die Kirche in ihrer Geschichte 1 A), Göttingen 1962, 93 f.

ungebrochene Linie vom historischen Jesus in die Zeit der Kirche auszuziehen, die den differenzierten Gegebenheiten nicht gerecht wird. Pointiert möchte man fast sagen, daß nach dieser Auffassung keine Krise Platz hat und die fraglos vorhandene Last der Parusieverzögerung deshalb auch nicht als Problem empfunden wird. So bedenklich die voreilige Redeweise von einer Krise des Anfangs sein mag, nicht weniger verzeichnet die geschichtliche Realität, wer mit unkritischem Blick das Gestaltwerden der Kirche und ihre Geschichtlichkeit als einen programmierten Vorgang betrachtet. Die neutestamentliche Forschung hat uns gelehrt, spätere Strukturen der Kirche nicht kurzschlüssig auf einen mehr oder minder deutlichen Stiftungsakt des historischen Jesus zurückzuführen, sondern die Freiheit zu konstatieren, in der man die anstehenden Aufgaben, etwa im Bereich der innerkirchlichen Ordnung, zu lösen versuchte. In ihrem Glauben an die Heilstat Gottes in Jesus von Nazaret sah sich die Urgemeinde geschichtlicher Erfahrung ausgesetzt, deren Problematik nicht zu ignorieren ist, auch wenn ihre Charakterisierung als Krise fragwürdig erscheint.[19]

2. Die theologische Diskussion im frühen Christentum

Mit überraschender Einmütigkeit bezeichnen die Handbücher der Kirchengeschichte jene theologischen Auseinandersetzungen als Krisen, die mit dem Aufkommen sogenannter Häresien ausgelöst wurden; vor allem erfaßt man damit die Strömungen, die mit dem komplexen Namen »Gnostizismus« umschrieben werden.[20] Ohne Zweifel bedeutete der Versuch, die biblische Offenbarung in der Weise und mit Hilfe philosophischer Kategorien auszulegen, ein Risiko, das aber schon vom missionarischen Selbstverständnis her nicht zu umgehen war. In einer Umwelt, der die semitische Tradition und Denkweise nicht mehr geläufig war, ergab sich die

[19] Vgl. dazu auch die Bemerkungen von W. *Kamlah*, Christentum und Geschichtlichkeit. Untersuchungen zur Entstehung des Christentums und zu Augustins »Bürgerschaft Gottes«, Stuttgart-Köln [2]1951.

[20] Hingewiesen sei z. B. auf die Feststellung von J. *Daniélou*: »Die Periode zwischen 70 und 140 ist für das Judenchristentum nicht nur eine Zeit der Ausbreitung, sondern auch eine Zeit innerer Krise. In diesem Zeitpunkt zeigt sich nämlich, unter verschiedensten Formen, eine dualistische Strömung, die mit dem Namen Gnostizismus bezeichnet wird« (Geschichte der Kirche I. Von der Gründung der Kirche bis zu Gregor dem Großen, hrsg. v. L. J. Rogier – R. Aubert – M. D. Knowles, Einsiedeln 1963, 81).

Notwendigkeit, auf die Fragestellungen der neuen, hellenistischen Hörerschicht einzugehen und die biblische Botschaft mit deren Begriffen zu erläutern. In gleicher Weise bedeutete die gnostische Religionsbewegung, die sich in verschiedenen Typen auch christlich ausprägte, eine Herausforderung an die Großkirche, die Grundlagen des eigenen Glaubens schärfer zu bestimmen. Nicht zuletzt ist damit auch die Auseinandersetzung mit den Phänomenen antiker Religionen angesprochen, die trotz des Bewußtseins der Eigenständigkeit zu einer Adaption religiöser Elemente der Umwelt führte. Diese Artikulation des christlichen Glaubensbewußtseins, angestoßen durch den Drang nach Reflexion und den Dialog mit den Vertretern des philosophisch-religiös orientierten Geistes der Spätantike, erfolgte in einer offenen Situation. Die Sachwalter des biblischen Glaubens besaßen in dieser Frühzeit weder ein kanonisch umgrenztes Neues Testament noch eine ausgefeilte Terminologie, so daß erst die Grundlagen theologischer Argumentation sicherzustellen waren; vor allem bewegte man sich in der Diskussion nicht einfach auf eine fixierte Zielvorstellung hin, wie es gerne die theologiegeschichtlichen Darstellungen zu tun pflegen, sondern man mußte in Rückschau auf den Ursprung immer wieder den Schritt ins »theologische Niemandsland« wagen. Der Weg von der neutestamentlichen Christologie der Hoheitstitel bis zu der Formel von Chalkedon illustriert eine Vielzahl von Möglichkeiten, das Christusgeheimnis zu formulieren, wobei Abweichungen von der »Norm« nachgerade als »natürliche« Konsequenzen erscheinen. Man muß nicht der These *Walter Bauers* beipflichten, wonach sich im ältesten Christentum Rechtgläubigkeit und Ketzerei keineswegs wie Primäres und Sekundäres verhalten, vielmehr die Häresie in zahlreichen Gebieten »die ursprüngliche Repräsentanz des Christentums« darstellte.[21] Immerhin ist die Grenze zur Orthodoxie in dieser Periode fließend; die Vertreter der Häresien betrachteten sich selbst als Anwälte des wahren Christentums und durchaus im Rahmen der Großkirche stehend. Bezeichnend für diesen Umstand ist das einzige authentische Märtyrergrab in Rom, das man in situ vorfand und die Aufschrift trägt: Novatiano Beatissimo Martyri . . .; es handelt sich ohne Zweifel um den von Papst Cornelius im Jahre

---

[21] W. *Bauer*, Rechtgläubigkeit und Ketzerei im ältesten Christentum (BHTh 10), Tübingen [2]1964, V. Vgl. dazu die kritischen Bemerkungen von H. D. *Altendorf*, Zum Stichwort: Rechtgläubigkeit und Ketzerei im ältesten Christentum, in: ZKG 80 (1969) 61–74.

251 exkommunizierten Schismatiker Novatian.[22] Die antihäretische Polemik frühchristlicher Schriftsteller vergröbert nicht selten die nuancierten Aussagen ihrer Gegner, und zudem halten ihre Repräsentanten selbst nicht allseits einer Prüfung korrekter Orthodoxie stand. Eine rückschauende Betrachtung klassifiziert oft leichthändig mit neugewonnenen Maßstäben, die weder der konkreten geistesgeschichtlichen Situation noch dem Diskussionsstand entsprechen.

Wenn es bei diesen frühen Versuchen theologischer Aussagen zu Mißdeutungen und Unvollkommenheiten kam, dann liegt dies einmal an der »Mehrdeutigkeit« des biblischen Zeugnisses und zum andern an dem Risiko, das jeder Neuinterpretation innewohnt. Daß dieser Wille vorhanden war, bestätigen viele Äußerungen frühchristlicher Schriftsteller, aus denen nur die bezeichnende Maxime des Klemens von Alexandrien († vor 215) erwähnt sei: »Ich will dir den Logos und die Mysterien des Logos zeigen und sie dir mit den Bildern erklären, die dir vertraut sind.«[23] Die Adaption von Kategorien und Denkformen der philosophisch-religiösen Umwelt führte zwangsläufig zu einer Erscheinungsform des Christentums, die im Sinne einer »Hellenisierung« entweder als legitime Entwicklung gutgeheißen oder als Abfall von einer biblischen Theologie disqualifiziert wird.

Die verbreitete Anwendung des Wortes »Krise« auf diese bedeutsamen Vorgänge frühchristlicher Theologie legt von vornherein eine ungeschichtliche Norm an. Unreflektiert setzt es ein vollkommenes und entfaltetes Glaubensbewußtsein voraus, das durch die aufkommenden Fragen bedroht erscheint. Die geschichtliche Wirklichkeit entspricht aber gerade nicht diesem Schema; sie ist vielmehr gekennzeichnet durch das biblische Kerygma und dessen Auslegung, für die gerade in dieser Periode erst Normen zu entwickeln waren. Sofern der Wortgebrauch das Element des Krankhaften und höchste Gefahr suggeriert, verkennt er zudem die außerordentliche theologische Aktivität, die aus der Übersetzung der biblischen Botschaft in antike Geistigkeit spricht. Selbstredend barg die Adaption griechischer Denkformen nicht zu ignorierende Gefahren, vor allem dann, wenn bestimmte Strukturen zum Maß biblischer Aussagen erhoben wurden; aber

---

[22] L. Hertling – E. Kirschbaum, Die römischen Katakomben und ihre Märtyrer, Wien 1955, 80 f.
[23] Klemens Al., protrept. XII 119,1 (GCS 12,84).

286

in der Auseinandersetzung mit solchen Tendenzen offenbarte sich gerade die Lebendigkeit der frühen Kirche. Das Bild vom Gnostizismus als einer vielköpfigen Hydra imponiert zwar ob seiner Eindruckskraft, aber es wird dem verzweigten System dieser philosophisch-religiösen Erlösungslehre schwer gerecht, und zwar schon deshalb, weil Gnosis bereits zum Thema der Gläubigen geworden war. Insofern ist es auch nicht erhellend, umgekehrt von einer »Krise des Frühkatholizismus« zu sprechen, wie es jüngst *Carl Andresen* tat; er meint damit die »Ohnmacht des Frühkatholizismus, sich wesensfremder Lehren und ›Häresien‹ zu erwehren«, sowie »die Unfähigkeit, solche häretische Gruppen wie den christlichen Gnostizismus, die Gemeinden Markions und auch die montanistische Bewegung zu integrieren«.[24]

Ob mit dem Wechsel des Etiketts die geschichtliche Wirklichkeit zutreffender erfaßt wird, scheint jedenfalls fragwürdig, da gerade hier die Würdigung der »Irrlehren« als positiver Faktor der Theologie kaum zu Buche schlägt.[25] Theologischem Immobilismus begegnen wir nicht nur auf seiten der Großkirche, sondern ebenso in den Reihen der Häretiker, eine Beobachtung, die sich gut an den christologischen und trinitarischen Diskussionen machen läßt. Der unreflektierte Rekurs auf ein Schriftwort verengt nämlich die Dialog-Ebene nicht weniger als das starre Festhalten an formalen Prinzipien.[26] Trotz aller Aufgeschlossenheit für die Sache der Häresie fällt es darum schwer, die Kategorie »Krise« einzusetzen, wenn damit pauschal einer Partei Versagen und Dekadenz zugesprochen wird. Ein solcher Standpunkt schränkt von vornherein die umfassende Analyse ein, weil er kaum den Raum frei gibt, die jeweilige Argumentation von ihren eigenen Voraussetzungen her zu prüfen. Das frühe Christentum suchte die Differenzen im Glaubensbewußtsein auf Synoden und Konzilien zu klären; in den Bekenntnisformeln zentriert sich dieser Entschei-

---

[24] C. *Andresen*, Die Kirchen der alten Christenheit (Die Religionen der Menschheit 29,1/2), Stuttgart 1971, 100.

[25] Vgl. die Bemerkung Augustins: »Benützen wir also auch die Häretiker, nicht um ihre Irrtümer zu billigen, sondern um die katholische Lehre gegen ihre Nachstellungen zu behaupten; dadurch werden wir wachsamer werden und sorgfältiger zugleich, auch wenn wir sie selbst nicht zum Heil zurückrufen vermögen« (ver. rel. 8,15 [CCL 32,197 f]); dazu F. *Stegmüller*, Oportet Haereses Esse. I Cor 11, 19 in der Auslegung der Reformationszeit, in: Reformata Reformanda (Festgabe für Hubert Jedin), hrsg. v. E. Iserloh u. K. Repgen, Münster 1965, I 330–364.

[26] P. *Henry*, Art. Hellenismus und Christentum, in: LThK² V 215–222, macht mit Recht auf diese Wechselwirkung aufmerksam.

dungsvorgang, dessen Problematik durch die Beschwörung einer Krise der Dogmen in keiner Weise verdeutlicht wird.[27]

3. Der Konflikt zwischen Kirche und Staat

Parallel zu den sogenannten inneren Krisen der Kirche erscheint vielfach auch der Konflikt mit dem römischen Staat unter diesem Stichwort. Man betrachtet die Maßnahmen der römischen Behörden und Kaiser, also die sogenannten Verfolgungen, als Aktionen von außen, die den Bestand der christlichen Gemeinden gefährden. Diese Zeit nahm schon immer das besondere Interesse der Kirchengeschichtsschreibung gefangen. Bereits Eusebios nennt es unter anderem als Ziel seiner Kirchengeschichte, zu berichten »über die Anzahl, Art und Zeiten der Angriffe, denen das göttliche Wort von seiten der Heiden ausgesetzt war, über die Größe derer, die, wenn es galt, den Kampf für das Wort in blutiger Pein bis zum Ende durchstanden«.[28] Die Erwähnung von zehn Verfolgungen führt bei Orosius zur Parallele mit den zehn ägyptischen Plagen, und damit war der Typos markiert, der für das Verständnis der Verfolgungszeit bis in die Neuzeit bestimmend wurde. Neutestamentliche Aussagen, wonach Verfolgungen die Seligkeit der Gläubigen garantieren (Lk 6,22), verleihen den Maßnahmen des Staates einen theologischen Sinn, und das feindselige Schicksal von seiten der Welt, das den Aposteln in Aussicht gestellt war (Mt 10,17–23; Mk 13,9–13; Lk 21,12–19), werden auch die Gläubigen späterer Generationen erdulden. Das Bild des Märtyrers wird von solchen Voraussetzungen her in hellen Farben gezeichnet, auch wenn es dem historischen Befund nicht immer standhält; umgekehrt lastet man römischen Kaisern das Odium des Verfolgers an, obwohl die Tatsachen nicht immer dafür sprechen. Im übrigen illustriert der häufige Vorwurf, die Christen seien verantwortlich für die militärischen und wirtschaftlichen Krisen, wie sehr die Spätantike selbst in solchen Schemata denkt.[29] Ohne

[27] Vgl. *I. Stöhr*, Modellvorstellungen im Verständnis der Dogmenentwicklung, in: Reformata Reformanda II 595–630; *W. Kasper*, Dogma unter dem Worte Gottes, Mainz 1965; *L. Scheffczyk*, Die Einheit des Dogmas und die Vielheit der Denkformen, in: MThZ 17 (1966) 228–242; *W. Schulz*, Dogmenentwicklung als Problem der Geschichtlichkeit der Wahrheitserkenntnis, Rom 1969.

[28] Eusebios, hist. eccl. I 1,2 (GCS 9,1,6).

[29] Man vgl. dazu die Einführung von *J. Moreau*, Die Christenverfolgung im römischen Reich (Aus der Welt der Religion 2), Berlin 1961, 11–18.

Zweifel brachten die repressiven Aktionen der römischen Behörden für die Gläubigen Belastungen, denen viele nicht gewachsen waren. Im Hinblick auf die zahlreichen Fälle des Versagens erscheint das Wort von der Krise selbst für die Kirche angebracht; aber es eignet ihm auch eine seltsame Ambivalenz der Aussage. Gleichzeitig rühmt man nämlich diese Zeit der Märtyrer, da sich in ihrem Zeugnis das reine Christentum verwirklicht habe. Gerade die ersten drei Jahrhunderte der Kirche gelten als Ruhmesblatt ihrer Geschichte und sie haben förmlich einen Vorbildcharakter gewonnen.

Die kritische Forschung räumte freilich mit der Pauschalvorstellung von einer durchgehenden Unterdrückung auf und erinnerte zugleich an die lokale Begrenztheit zahlreicher Eingriffe des Staates. Eine Reihe von Arbeiten sichtete das vorhandene Quellenmaterial erneut und bot so ein differenzierteres Bild hinsichtlich der historischen Abfolge und der juridischen Grundlagen der Verfolgungen.[30] Man kann dabei feststellen, daß die summarische Wertung im Sinne einer Krise in dem Maße zurückging, als die sorgfältige Einzelanalyse Platz ergriff. Gleichwohl bleiben auch hier Fragen bestehen und zwar weniger hinsichtlich der Quellen und ihrer Auswertung als in Betracht der anzusetzenden Methoden. Von vornherein erscheint die Auseinandersetzung in einer anderen Perspektive, wenn man bedenkt, daß der römische Staat die Christen zunächst nicht um ihrer selbst willen verfolgte, sondern als eine Gruppe, die wie andere den Bestand des Reichs gefährdete. Ferner wäre zu fragen, ob mit dem Rekurs auf die Eigentümlichkeit christlichen Glaubens das Problem repressiver Maßnahmen geklärt ist oder ob auch soziologische und gruppenpsychologische Kategorien anzuwenden sind. Die Tatsache, daß im christlich werdenden Römerreich relativ schnell mit umgekehrten Vorzeichen gegen nichtkonformistische Gruppen vorgegangen wurde, demonstriert deutlich, daß auch solche Faktoren im Spiele sind. Unter dem Aspekt der Religionsfreiheit geben zudem die Jahrhunderte der Verfolgungen noch Fragen auf.[31] Die Parallelität von Krisenphänomenen im kirchlichen wie im politischen Raum kennzeichnet weithin das 3. nachchristliche Jahrhundert. Aber schon die Art, wie man im Altertum Abhängigkeiten konstruier-

---

30 Eine gute Zusammenfassung bietet der Überblick von J. Vogt – H. Last, Art. Christenverfolgung, in: RAC II 1159–1228.

31 Dazu siehe J. Lecler, Geschichte der Religionsfreiheit im Zeitalter der Reformation, 2 Bde., Stuttgart 1965.

te, zeigt die Tendenz, mehr von ideologischen Voraussetzungen her die Wirklichkeit zu deuten als Geschichte zu beschreiben. Es ist unbestreitbar, daß diese Periode dem Christentum starke Belastungen brachte; sie löste aber auch ebenbürtige Aktivitäten aus. Insofern trifft das negative Verständnis von Krise nicht das tatsächliche Geschehen.

4. Der Ausgleich zwischen Kirche und Staat unter Konstantin dem Großen

Für den je nach Standort wechselnden Gebrauch des Begriffs »Krise« ist es bezeichnend, daß die Abkehr von der Verfolgungspolitik unter Kaiser Konstantin (306–337) und die unter seiner Herrschaft sich anbahnende Verschränkung von Kirche und Staat nun ebenfalls mit diesem Schlagwort gekennzeichnet werden. *Jacob Burckhardt* hat dieser Auffassung in seinem Jugendwerk über die Ära Konstantins (erstmals 1853) wirksam Ausdruck verliehen und das Bild einer »von heillosem Starrsinn und Ehrgeiz, von der absurdesten Dialektik zerrissenen Kirche« gekennzeichnet,[32] die seine Religionspolitik bewirkt habe. Der geschichtliche Vorgang der sogenannten Konstantinischen Wende brachte fraglos für die Kirche einen starken Wandel, obschon die geistige Annäherung und eine praktische Toleranz von seiten des Staates eine solche Kooperation längst vor Konstantin als religionspolitische Möglichkeit erscheinen ließ. Konstantin der Große hat jedenfalls aus realpolitischem Instinkt und vielleicht auch aus einem religiösen Zug heraus eine Neuorientierung der römischen Politik gegenüber dem Christentum eingeleitet, die unter Theodosius dem Großen zum Gebilde der Reichskirche führte. In gut altrömischer Tradition wurde das christliche Bekenntnis kraft Gesetz vom 28. Februar 380 allen Untertanen des Reiches als Religion vorgeschrieben und damit die Identifikation von Gläubigen und Bürgern statuiert. Kirche und Staat durchdrangen sich gegenseitig und repräsentierten einen gesellschaftlichen Kosmos, in dem die Integration aller relevanten Kräfte perfekt erschien. Daß durch

---

[32] J. *Burckhardt*, Die Zeit Constantins des Großen (Gesammelte Werke I), Neudr. Stuttgart 1962, 297. Über den Einfluß dieser Anschauung bis in die Gegenwart vgl. *R. Hernegger*, Macht ohne Auftrag. Die Entstehung der Staats- und Volkskirche, Olten-Freiburg i. Br. 1963.

diesen Entscheid für die Zukunft grundlegende Tatsachen geschaffen wurden, ist nicht von der Hand zu weisen.[33]
Die Kennzeichnung der Reichskirche samt ihren »konstantinischen« Strukturen als Krise geht aus von der Annahme, daß die Christen durch diesen Bund mit dem römischen Staat den Vorbehalt des Glaubens preisgegeben und sich mit der Welt infiziert hätten. In ihrem Erscheinungsbild, in ihrer Wirksamkeit und Argumentation nahm sie so sehr weltliche Formen an, daß sie faktisch ihre evangelische Sendung verleugnete. Das Verhängnisvolle liegt nach dieser Kritik an dem Umstand, daß solche Merkmale die Geschichte der Kirche nicht nur über einige Jahrzehnte prägten, sondern sie bis in die Gegenwart bestimmten. Erst in unserer Generation wird das Ende des konstantinischen Zeitalters beschworen und damit die Befreiung von einer latent vorhandenen Krise.
Feststellungen solcher Art nötigen uns trotz der berechtigten Reserve gegenüber dem vieldeutigen Krisengerede, die angesprochene Thematik auch als kirchengeschichtliches Problem zu sehen. Bekanntlich steht Kaiser Konstantin nicht erst in der Gegenwart im Widerstreit der Meinungen; allerdings urteilen neuere Arbeiten, basierend auf sorgfältigen Quellenanalysen, weitaus behutsamer über den Wechsel seiner Religionspolitik als etwa *Jacob Burckhardt*.[34] Nun ist für das Verständnis der Kirche in der Geschichte die persönliche Haltung Konstantins tatsächlich weniger entscheidend als die Auswirkungen des unter seiner Regierung initiierten Bundes zwischen Kirche und Staat. Die öffentliche Anerkennung der Kirche, ihre zunehmende Privilegierung und schließlich die weitgehende Identifikation staatlicher Interessen mit denen der Kirche schufen ein Erscheinungsbild des Christlichen, das den Anspruch des Evangeliums vor der Welt oft kaum mehr erheben konnte. In der Redeweise von der Machtkirche, vom Triumphalismus und von der Verweltlichung artikuliert sich eine scharfe Anklage, die trotz ihres pauschalen Charakters

---

[33] Zur Epoche und ihren Strukturen siehe W. *Kahle*, Über den Begriff »Ende des konstantinischen Zeitalters«, in: ZRGG 17 (1965) 206–234; P. *Stockmeier*, Zum Problem des sogenannten »konstantinischen Zeitalters« in: TThZ 76 (1967) 197–210; R. *Farina*, La »Fine« dell'epoca constantiniana, in: Salesianum 30 (1968) 525–547; H. *Schmidinger*, Konstantin und die »Konstantinische Ära«, in: Freiburger Zeitschr. f. Phil. u. Theol. 16 (1969) 3–21.

[34] Zu einem differenzierteren Konstantinbild kommen aufgrund sorgfältiger Auswertungen der einschlägigen Quellen H. *Dörries*, Das Selbstzeugnis Kaiser Konstantins (AAWG. PH 3,34), Göttingen 1954; H. *Kraft*, Kaiser Konstantins religiöse Entwicklung (BHTh 20), Tübingen 1955.

auch den Historiker herausfordert. Selbstredend sind derartige Invektiven nicht immer von einem nüchternen und differenzierenden Sinn getragen; oftmals lassen sie die unerläßliche Berücksichtigung der Zeitumstände außer acht. Aber es hat sich nicht zuletzt unter dem Einfluß des Fortschrittsschemas die Tendenz behauptet, von einem späteren Entwicklungsstadium her frühere Geschehnisse als Vorstufen zu betrachten und so auch das »konstantinische Zeitalter« als natürliche Entwicklung zu beurteilen. Eine Art unkritischer Pragmatismus beherrscht diese Geschichtssicht, die das faktisch Gewordene nicht mehr in Frage stellt. Eine solche Perspektive verbaut sich trotz gründlicher Arbeit an den Quellen den Zugang zu einer kritischen Analyse, für die der Anspruch des Neuen Testaments unaufgebbare Norm ist. Umgekehrt erscheint die Forderung nach Aufgabe sogenannter konstantinischer Strukturen das Problem einer Kirche in der Geschichte nicht weniger zu vereinfachen. Durch einen Rückzug aus der Welt und eine Abkehr vom Staat, mit dem Modell der kleinen Gemeinde und Entsakralisierung ist der Standort der Gemeinschaft der Gläubigen noch nicht bestimmt, ganz abgesehen davon, daß manche »konstantinische« Phänomene schon in der Zeit der Märtyrer auftreten.[35] Die oft lautstarke Klage über die durch Konstantins Religionspolitik heraufbeschworene Krise der Kirche entspringt fraglos vorhandenen Gefahren; sie reduziert aber das Problem ihrer Geschichtlichkeit nicht weniger als eine Rechtfertigung aufgrund der Faktizität.

5. Das Aufkommen des Islam

Die Überwindung des Heidentums und die scheinbar vollständige Christianisierung der Ökumene ließ trotz mancher Rückschläge im einzelnen bei den Gläubigen das Bewußtsein erwachsen, einer universalen Religion anzugehören. Die missionarischen Initiativen der Kirche, die angesichts der erheblichen Belastungen in der Völkerwanderung zu beobachten sind, wurzeln nicht zuletzt in diesem Impuls. Für die Gläubigen bildete die immense Ausbreitung des Christentums förmlich ein Argument der Wahr-

---

[35] Unter dem Aspekt der Sakralität betonte kürzlich H. Mühlen zu Recht, daß die Zuordnung von Kirche und Welt weder durch »schlechthinnige Identifikation noch schlechthinnige Trennung« angemessen zu bestimmen ist (Entsakralisierung. Ein epochales Schlagwort in seiner Bedeutung für die Zukunft der christlichen Kirchen, Paderborn 1971, 213).

heit des Evangeliums.[36] Umso schärfer empfanden sie das Aufkommen des Islam und seine rasche Verbreitung im Mittelmeerraum; binnen eines Jahrhunderts wurde ein blühendes Kirchenwesen in größte Bedrängnis gebracht, wenn nicht gar regional ausgelöscht. »Im ganzen Herrschaftsgebiet der Araber von Spanien bis Persien über Nordafrika, Ägypten und Syrien erleidet das Christentum solche Einbußen, daß es mehr oder weniger ganz verschwindet.«[37] Mit Recht stellte *Thomas Ohm* dazu fest, daß es die »erste große Niederlage des Christentums war«.[38] Im Hinblick darauf ist es gerechtfertigt, von einer Krise zu sprechen, die sogar zu einem weitgehenden Verlust christlicher Präsenz in den betroffenen Ländern führte. Zwar vermochte man einem weiteren Vordringen der Araber militärisch Einhalt zu gebieten, aber der erlittene Schock lähmte die Christenheit so sehr, daß die missionarische Verkündigung in diesen Ländern bis in die Gegenwart stagniert.

Die geschichtliche Betrachtung dieser »Katastrophe« löste unterschiedliche Reaktionen aus. So stellten die Erfolge der Ungläubigen für die Christen ein Rätsel dar, und dies um so mehr, als die Muslims aus ihren Siegen ein Argument für die Wahrheit des Islam machten. Das Krisenbewußtsein des Abendlandes lähmte jedoch den Widerstand nicht völlig; es entstand auch eine Art christlich-byzantinischer Polemik.[39] Beides wurde aber dem Phänomen des Islam nicht gerecht. Die Tatsache allerdings, daß Johannes von Damaskus († 749) den Islam als eine christliche Häresie betrachtete, illustriert die unterschiedliche Haltung der Christen, die aufgrund bitterer Erfahrungen immer stärker in Negation umschlug. Weder die »Summa contra gentiles« des Thomas von Aquin († 1274) noch die Kreuzfahrer-Mentalität vermochte den Anhängern der neuen Religion gerecht zu werden; sie gelten als dezidierte Feinde des Christentums. Der Historiker dieser

---

[36] Eine Gesamtdarstellung der spätantiken Missionsgeschichte vergleichbar dem Werk A. v. Harnacks fehlt bekanntlich; vgl. dazu K. *Baus*, Erwägung zu einer künftigen »Geschichte der christlichen Mission in der Spätantike« (4.–6. Jahrhundert), in: Reformata Reformanda I 22–38.

[37] J.-R. *Palanque*, Die Kirche in der Völkerwanderung (Der Christ in der Welt XI 2), Aschaffenburg 1960, 106.

[38] Th. *Ohm*, Mohammedaner und Katholiken, München 1961, 16.

[39] Vgl. E. *Fritsch*, Islam und Christentum im Mittelalter. Beiträge zur Geschichte der muslimischen Polemik gegen das Christentum in arabischer Sprache (Breslauer Stud. z. hist. Theol. 17), Breslau 1930; G. *Simon*, Die Welt des Islam und ihre Berührung mit der Christenheit, Gütersloh 1948; A.-Th. *Khoury*, Der theologische Streit der Byzantiner mit dem Islam, Paderborn 1969.

Auseinandersetzung zwischen Kirche und Islam wird in solchen Schablonen nicht stecken bleiben und die Augen verschließen dürfen vor den geistig-religiösen Leistungen dieser Religionen, indem man ihren Anhängern etwa mangelnde Kultur testiert. Die Eingrenzung des Geschichtsbewußtseins auf den eigenen Kulturraum erschwerte durch Jahrhunderte eine universale Sicht der religiös-politischen Wandlungen im 7. und 8. Jahrhundert, obwohl der geistige Austausch nie völlig unterbrochen war. Die Schockwirkung der ursprünglichen Niederlage haftete zudem so stark im Gedächtnis des Abendlandes, daß ein unbefangenes Urteil über den Islam weitgehend verhindert wurde. Aus der Krise von damals ergibt sich so noch heute eine Anfrage an das Problembewußtsein des Kirchenhistorikers, die mit dem Vorschlag, im Aufkommen des Islam die Scheide zwischen Altertum und Mittelalter zu sehen, noch keineswegs beantwortet ist.[40]

Sicher wirkt die Erklärung des Vatikanums II als Impuls für eine sachgerechtere geschichtliche Betrachtung,[41] die eben nicht mehr vom Trauma eines großen Verlustes für das Christentum gekennzeichnet ist, sondern sich auch der inneren Geschichte dieser Bewegung zu erschließen vermag, die überdies dem christlichen Mittelalter ein beachtliches Element der Antike vermittelt hat.

6. Das morgenländische Schisma (1054)

Das Schisma zwischen Rom und der Kirche von Byzanz reicht in seinen Wurzeln weit in die vorausgehenden Jahrhunderte zurück. Jede Darstellung sucht demgemäß Gründe und Ursachen bereits in der ausgehenden Antike zu ermitteln, aus denen der Bruch von 1054 erklärt werden kann. *Franz Dvornik*, einer der großen Kenner der byzantinischen Kirchengeschichte, spricht angesichts einer sich verstärkenden Diastase zwischen Ost und West von einer »Krise des elften Jahrhunderts«.[42] Damit wird ausge-

---

[40] Zur Periodisierung unter diesem Aspekt siehe die knappen Ausführungen von E. *Fueter*, Der Beginn des Mittelalters, in: Zur Frage der Periodengrenze zwischen Altertum und Mittelalter 49–52. Über die unterschiedlichen Voraussetzungen der Geschichtsschreibung handelt B. *Spuler*, Islamische und abendländische Geschichtsschreibung. Eine Grundsatz-Betrachtung, in: Saeculum 6 (1955) 125–137.

[41] Erklärung über das Verhältnis der Kirche zu den nichtchristlichen Religionen »Nostra aetate« Art. 3.

[42] F. *Dvornik*, Byzanz und der römische Primat, Stuttgart 1966, 145. Zu den Hintergründen und Akteuren der Auseinandersetzung vgl. A. *Michel*, Humbert und Kerullarios. Studien

sagt, daß die auseinandertretenden Kräfte schon längst virulent waren, so daß der »bedauerliche Konflikt, der im Jahre 1054 ausbrach, . . . das Ergebnis jener unterschiedlichen Entwicklungen der kirchlichen Ideologie in den beiden Welten ist«.[43]

Im Vergleich zu den getrennten Kirchen dyo- und monophysitischer Prägung bedeutete der Bruch mit Ostrom schon zahlenmäßig und geographisch einen tieferen Riß durch die Christenheit; zudem war damit der religiös-politische Kosmos, der trotz aller Spannungen in den voraufgehenden Jahrhunderten noch bestand, bewußt in Frage gestellt. Abgesehen von der zweifelhaften Legitimation des päpstlichen Legaten Humbert zu dem dramatischen Schritt einer Exkommunikation und der Berechtigung der einzelnen Vorwürfe[44] illustriert gerade dieser Konflikt, wie sehr die handelnden Persönlichkeiten das Geschehen bestimmten. Eine Konzentration der geschichtlichen Darstellung auf die Individuen hat inzwischen deren Verantwortung für den Eklat herausgearbeitet, aber auch die mangelnde Rückbindung an die jeweiligen Kirchengemeinschaften verdeutlicht. *Hans-Georg Beck* führt gute Gründe für sein Urteil an: »Das Kirchenvolk auf beiden Seiten, aber auch ein Gutteil des Klerus nahm das Datum zunächst nicht zur Kenntnis.«[45] Trotz emotionaler Bewegungen im einzelnen scheint der Konflikt von 1054, ebenso wie frühere Exkommunikationen, im Gedächtnis der Zeitgenossen weniger Ressentiments hinterlassen zu haben als die Eroberung Konstantinopels durch die lateinischen Kreuzfahrer im Jahre 1204. Nicht mit Unrecht stellt man die Frage, ob die Kontrahenten der theologischen Auseinandersetzung, Humbert und Kerullarios, allseits als Repräsentanten ihrer Kirchen gelten können, so daß die kirchenrechtlichen Folgen auf die Gläubigen übergehen. Es scheint, daß dem Westen erst der Skandal des abendländischen Schismas (1378–1409) mit seinen drei Obödienzen die Augen öffnete für das Problem der »schismatischen« Kirche im Osten. Die Entfremdung zwischen der byzantinischen und lateinischen Kirche läßt sich schwerlich eingrenzen auf das Geschehen des 11. Jahrhunderts, ein Umstand, der im Grunde durch die Rücknahme der Bannbul-

Teil 1, Paderborn 1925; *Ders.*, Humbert und Kerullarios. Quellen und Studien zum Schisma des XI. Jahrhunderts, Teil 2, Paderborn 1930.

43 *F. Dvornik*, Byzanz 201.

44 Siehe die knappe Zusammenfassung bei *G. Denzler*, Das sog. Morgenländische Schisma im Jahre 1054, in: MThZ 17 (1966) 24–46.

45 *H.-G. Beck*, Die byzantinische Kirche im Zeitalter der Kreuzzüge, in: Handbuch der Kirchengeschichte III 2, hrsg. v. H. Jedin, Freiburg 1968, 144.

len unterstrichen wird. Bekanntlich haben Papst Paul VI. und Patriarch Athenagoras von Konstantinopel die Exkommunikation in einer Erklärung vom 7. Dezember 1965 aufgehoben, wobei die vorausgehende kirchengeschichtliche Arbeit für die nüchterne Beurteilung der Vorgänge von 1054 erheblich beigetragen hat. Dieser Versöhnungsakt beweist allerdings auch, daß ähnlich wie frühere Unionsversuche eine solche Geste die aufgebrochenen Fronten nicht ohne weiteres zu überbrücken vermag. Der durch Jahrhunderte gelebte und theologisch oft mit Pseudoargumenten hochstilisierte Gegensatz ist nicht durch eine Maßnahme guten Willens auszugleichen, sondern nur dadurch, daß allmählich die Last der Geschichte abgetragen wird. Das Problem läßt sich nicht reduzieren auf die amtlichen Repräsentanten der Kirchen und auch nicht auf die Sphäre des Rechts, es wurzelt vielmehr in der Gesamtheit des Volkes Gottes.

Die knappen Ausführungen zeigen, daß die Anwendung des Schlagworts »Krise« auf bestimmte Vorgänge der Kirchengeschichte oft willkürlich und von einem je verschiedenen Vorverständnis her erfolgt. Ja, es erhebt sich überhaupt die Frage, ob dieser Begriff, in seinem gängigen Sinnzusammenhang zwischen den Polen gesund und krank oszillierend, in zutreffender Form auf die Geschichte der Kirche anwendbar ist, weil sie dadurch in ein organologisch-biologisches Denkschema eingefügt würde. Selbst bei vorsichtiger Verwendung – und wer kann sich schon dem Vokabular seiner Zeit entziehen – erschwert er den Zugang zur differenzierten Wirklichkeit des Gegenstandes und die Möglichkeit sachgerechter Einordnung. Die offenkundige Subjektivität im Gebrauch des Wortes »Krise«, die über die historische Arbeitsweise hinaus oft auch das konkrete Handeln motiviert,[46] führt eher zur Deutung geschichtlicher Epochen als zur Analyse der Probleme. Eine solche Interpretation der Geschichte der Kirche vermag durchaus Anregungen zu bieten, ähnlich wie eine kulturhistorische Betrachtungsweise; sie unterliegt aber auch nicht zu unterschätzenden Gefahren einer Mißdeutung der Wirklichkeit.

Krisis ist freilich dem Christentum von Anfang an aufgegeben. Ohne Zweifel hatte sich die Gemeinschaft der Gläubigen immer wieder zu entscheiden und Veränderungen vorzunehmen in

[46] Über die Zusammenhänge von Krise, Verfall und menschlicher Aktivität aus historischer Sicht siehe J. *Moreau*, Krise und Verfall 31.

Kontinuität mit dem Ursprung. Solche Entscheide aus dem Glauben entsprechen freilich mehr der »Krise« nach neutestamentlichem Verständnis als im landläufigen Sinn. Für den Kirchenhistoriker erweist sich dieses κρίνειν denn auch als fruchtbarerer Ansatz seiner Arbeit als der Ausruf von Krisen. Die Analyse aller Entscheidungen und Antworten aus dem Glauben, die unter geschichtlich einmaligen Voraussetzungen zustandekamen, wird auch der Vergangenheit der Kirche gerechter als die voreilige Praxis, jeder beliebigen Epoche Auflösungstendenzen zu bescheinigen.

Abkürzungen

MThZ	Münchener Theologische Zeitschrift
NAWG.PH	Nachrichten der Akademie der Wissenschaften in Göttingen. Philologisch-historische Klasse
NR	Der Glaube der Kirche in den Urkunden der Lehrverkündigung, bearb. v. Neuner-Roos
NTD	Das Neue Testament Deutsch
NTS	New Testament Studies
PG	Patrologia Graeca
PL	Patrologia Latina
PO	Patrologia Orientalis
RAC	Reallexikon für Antike und Christentum
RE	Real-Encyclopädie der classischen Alterstumswissenschaft
RGG	Die Religion in Geschichte und Gegenwart
RHE	Revue d'histoire ecclésiastique
RivAC	Rivista di archeologia cristiana
RQ	Römische Quartalschrift
RSR	Recherches de science religieuse
RVV	Religonsgeschichtliche Versuche und Vorarbeiten
SChr	Sources chrétiennes
SBAW.PPH	Sitzungsberichte der bayerischen Akademie der Wissenschaften in München. Philosophisch-philologische und historische Klasse
SHAW.PH	Sitzungsberichte der Heidelberger Akademie der Wissenschaften. Philosophisch-historische Klasse
StdZ	Stimmen der Zeit
ThGl	Theologie und Glaube
ThLL	Thesaurus Linguae Latinae
ThPh	Theologie und Philosophie
ThPQ	Theologisch-praktische Quartalschrift
ThQ	Theologische Quartalschrift
ThR	Theologische Rundschau
TRE	Theologische Realenzyklopädie
TThZ	Trierer Theologische Zeitschrift
TU	Texte und Untersuchungen zur Geschichte der altchristlichen Literatur
ThWNT	Theologisches Wörterbuch zum Neuen Testament
VC	Vigiliae Christianae
ZKG	Zeitschrift für Kirchengeschichte
ZNW	Zeitschrift für die neutestamentliche Wissenschaft
ZRGG	Zeitschrift für Religions- und Geistesgeschichte
ZThK	Zeitschrift für Theologie und Kirche

Register

(Das Zeichen * weist auf diejenigen Seiten hin, auf denen der genannte Begriff lediglich in den Anmerkungen Erwähnung findet.)

1. BEGRIFFE

a. griechische

ἀγωγή 123
ἀδικία 111
ἀλογία 31, 33 f
ἄθεοι 80 f, 86
ἁμαρτήματα 113
ἀναθεματίζειν 147
ἀπιστία/ἄπιστοι 17, 47
ἀποκαλύπτειν 67
ἀρετή 62*, 97, 119
ἀρχαῖος 46, 229

βίος φιλοσοφικός 112

γνῶσις 22, 30, 96, 115

δαίμων/δαιμόνιον 161, 169
δεισιδαιμονία 63, 79
διάνοια 26, 29, 36
διδασκαλεῖον 68
διδασκαλία/διδάσκειν 24, 111
διδαχή 123, 140
δικαιοσύνη 109–112
δόξα 15

ἐκκλησία 68
ἐκ πίστεως ζῆν 74
ἑλληνίζειν 61, 74, 98, 134
ἐν Χριστῷ 20*, 70, 124
εὐλάβεια 63, 240
εὐσέβεια 63, 70, 85, 96, 116, 237

ζῆλος 109

θεοπρεπής 46
θεοσέβεια 71, 76, 87

θεραπεία 63
θλῖψις 281
θρησκεία 61, 63, 71 f, 90, 102, 237, 246

ἱερεύς 92
ἰουδαΐζειν 74
Ἰουδαϊσμός 74*

κατορθώματα 113
κρίνειν/κρίσις 277, 297

λειτουργία/λειτουργεῖν 91
λογισμός 26, 29, 36
λόγος τοῦ σταυροῦ 39

μεταβολή 76
μανία 49
μωρία 39, 49, 129

νομίζειν 80 f, 84
νόμος 84, 110, 237

ὁδός 68
ὁμολογία/ὁμολογεῖν 139, 149
ὁμοούσιος 150 ff, 218, 220
οὐσία 220

παιδεία 70, 99, 122 ff, 126, 129
παιδεία ἐν Χριστῷ 20*, 124
παλαιός 229
πιστεύειν (εἰς) 16
(οἱ) πιστεύοντες 17
πίστις 13–38, 46, 62 f, 85, 107, 114 f, 129, 136

301